Weltbewegende Fragen in Politik und Religion
by Ludwig Philippson

Address:
HardPress
8345 NW 66TH ST #2561
MIAMI FL 33166-2626
USA
Email: info@hardpress.net

Schriften

herausgegeben

vom

Institut zur Förderung der israelitischen Literatur

unter der Leitung

von

Dr. Ludwig Philippson in Bonn,
Dr. A. M. Goldschmidt in Leipzig,
Dr. L. Herzfeld in Braunschweig.

Vierzehntes Jahr 1868 — 1869.

Dr. L. Philippson, Weltbewegende Fragen. II.

Leipzig,
Baumgärtners Buchhandlung.
1869.

Weltbewegende Fragen

in

Politik und Religion.

Aus den letzten dreißig Jahren.

Von

Dr. Ludwig Philippson.

Zweiter Theil:
Religion.

Erster Band:
Allgemeines. — Zur vergleichenden Religionswissenschaft.

Leipzig,
Baumgärtners Buchhandlung
1869.

Vorwort.

Die überaus wohlwollende Aufnahme, welche der erste Theil dieser Abhandlungen bei der Kritik gefunden, ermuthigt mich, in der Herausgabe derselben fortzufahren. Die in diesem Bande enthaltenen Arbeiten sind zum Theil erst jetzt verfaßt, wie z. B. „Der Buddhismus und sein Verhältniß zum Judenthume und Christenthume", zum anderen völlig umgearbeitet, wie einige aus den „Vergleichenden Skizzen über Judenthum und Christenthum", ferner „Der Islam und sein Verhältniß zum Judenthume und Christenthume", „Das Verhältniß des Judenthums zur katholischen Kirche."

Von den Verhältnissen des Judenthums innerhalb der politischen Welt, von seiner sozialen Lehre und von der Vergleichung der anderen großen religiösen Erscheinungen mit ihm und der Bestimmung seiner Beziehungen zu jenen habe ich nunmehr im dritten Theile dieses Werkes in das Innere des Judenthums selbst hineinzuschreiten, und über seine inneren Entwickelungskämpfe während der letzten drei Jahrzehende das heranzubringen, was ich zu geben habe.

Bonn, im November 1868.

Philippson.

Inhalts-Verzeichniß.

~~~~~~~

Zweiter Theil.
Religion.

Erster Abschnitt.
Allgemeines.

Zweiter Abschnitt.
Zur vergleichenden Religionswissenschaft.

Zweiter Theil.

Religion.

Erster Abschnitt.

Allgemeines.

I.

Die religiöse Frage in der Gegenwart.

In unverkennbarer Weise trat seit einiger Zeit die religiöse Frage wieder mehr in den Vordergrund. Sobald die politischen Stürme ein wenig zur Ruhe kommen, und es gelingt, die überall drohenden Kriegsgefahren zu beschwören, so läßt sich stets voraussehen, daß die kirchlichen und religiösen Streitigkeiten wieder einen breiten Raum einnehmen werden. Es ist dies auch leicht zu verstehen. Große, menschengeschlechtliche Fragen, die noch unentschieden geblieben, die noch durch eine weite Zukunft unentschieden bleiben werden, drängen sich immer wieder auf den Kampfplatz des allgemeinen und öffentlichen Lebens und können nicht anders. Die Reaktion, die von 1849 an Europa in ihre Strömung gebracht, schloß auch die kirchliche Reaktion ein, und der katholische Ultramontanismus, der protestantische Pietismus und die jüdische Hyperorthodoxie traten mit einem Geräusch und einer unbegrenzten Anmaßung auf, wie seit lange nicht geschehen, indem sie alle Furcht, ja sogar jede Achtung vor der öffentlichen Meinung verloren hatten. Sie wähnten die Welt im Sturme wiedererobern und sich unterwerfen zu können; sie wähnten durch die politischen Machthaber und die Wiederherstellung des Absolutismus die Völker wieder in ihre Gewalt und die Massen unter ihren Stab bringen zu können. Aber gerade der Ungestüm, mit welchem sie vordrangen, der unverhüllte Eifer, der aus Motiv und Mitteln kein Geheimniß machte, behinderte ihren Erfolg; die Menschen erwachten und rüsteten sich zur Gegenwehr, und mit der ersten Wendung der Dinge, mit der ersten Abschwächung der Reaktion drangen die entgegengesetzten Elemente wieder hervor. Ebenso wie die Feudalen und Absolutisten durch die Maßlosigkeit ihres Vorgehens nicht blos

1*

ihre prinzipiellen Gegner, sondern auch die ganzen Mittelparteien gegen sich in Harnisch brachten, haben die Ultramontanen aller Religionsgenossenschaften nicht blos die Anhänger der religiösen Negation, sondern alle religiösen Parteien und Meinungen, die sich nicht mit ihnen in Uebereinstimmung befanden, gegen sich aufgebracht. Das Wiedererwachen des Kampfes auf kirchlichem und religiösem Gebiete ist daher sehr natürlich und giebt sich durch vielfache Erscheinungen kund. Auf literarischem Felde erhebt die Kritik ihre Stimme von neuem und richtet sich insonders gegen das kirchliche Christenthum. Ist dies in Deutschland schon fast eine alte Erscheinung zu nennen, so daß hier kaum noch viel zu sagen übrig bleibt und nur die abgespielten Themata immer wieder behandelt werden können, so ist es neu, auch im westlichen Europa den kritischen Kampf sich Bahn brechen und hier eine außerordentliche Bewegung hervorbringen zu sehen. Colenso in England, Renan in Frankreich, Miron in Belgien (Examen du Christianisme) machen dort Epoche, und wenn sie mit viel schwächeren Waffen kämpfen, als wir in Deutschland schon längst gewohnt sind, wenn sie ihr Rüstzeug zumeist aus Deutschland holen, so hallt doch das Geräusch des Kampfes genügend zu uns herüber. So rührt es sich denn auch in Deutschland wieder, und wenn hier bislang der literarische Streit noch schwächer ist, so sehen wir doch neben den katholischen Vereinen neue protestantische sich bilden, die Freigemeindler und Deutsch=Katholiken wieder Congresse halten, eine Gebetbuchfrage einen ungewöhnlichen Umfang annehmen, die politischen Körperschaften gegen die Concordate Partei ergreifen, so daß diese bedeutsamen Luftbewegungen wohl nahende Stürme verkünden mögen.

Die Sache liegt jetzt so. Wie immer muß man zwischen Religion und Kirche wohl unterscheiden, und zwar in allen Religionsgenossenschaften. Der Kampf ist nun ein zwiefacher: der Kampf gegen die Kirche und der Kampf gegen die Religion. Der erstere will den unveränderten Bestand und die unbedingte Herrschaft der Kirche mit ihrem Widerspruch gegen die moderne Bildung, gegen die freie Entwickelung des Geistes, gegen die Prinzipien der modernen Gesellschaft, des modernen Staates, mit ihrer Beschränkung der Lebensformen nicht gelten lassen, sondern auch in die Kirche Freiheit in Lehre und Form, Beseitigung des geistlichen Zwanges und der Herrschaft des überkommenen Buchstabens einführen; der letztere ist

gegen alle positive Religion, ihre Lehren und ganze Ideenwelt ge=
richtet. Wenn letzterer insonders von den Anhängern gewisser
Philosopheme und einer Anzahl Lehrer der exakten Wissenschaften,
sowie von einer Menge Menschen, welche in oberflächlicher Weise
die Resultate dieser in sich aufgenommen, geführt wird, so ist es
natürlich, daß sie sich im Kampfe gegen die Kirche mit der freisin=
nigen Partei der Religiösen vereinigen, sowie im Gegentheile die
letzteren eine gewisse Verbindung mit den Kirchlichen unterhalten,
wenn es den Kampf gegen die Antireligiösen gilt. — Diese kurze
Auseinandersetzung wird den Schlüssel zu vielfachen Erscheinungen
der neueren Zeit abgeben, die sonst dem Beschauer in eine regellose
Verwirrung gerathen zu sein scheinen. Je nachdem einer dieser
beiden Kämpfe heftiger entbrannt ist, wird die Verbindung der
Parteien eine andere sein.

Es ist jetzt wieder eine der beliebtesten und am öftersten ge=
hörten Phrasen: „Die Fluten der Wissenschaft gehen über das
Christenthum und das Judenthum hinweg." Schon das Gleichniß
ist schlecht gewählt. Denn Fluten, soviel sie auch zu zerstören ver=
mögen, laufen ebenso leicht wieder ab, wie sie gekommen, und müssen
das Festland, wenn auch mit Trümmern und Schlamm bedeckt, wieder
verlassen. Die Geschichte aller Zeiten weist solche Springfluten der
Philosophie und Naturwissenschaft als eine nicht seltene Erscheinung
auf, die aber die Grenzen des Festlandes nur hier und da zu ver=
ändern vermochten. Sie haben wohl hier und da ein Stück Küste
verschlungen, hier und da eine neue Sandbank gebildet; aber sie
haben das Land unerschüttert gelassen und die Menschen wohnen
bis dicht an die Grenze der Wogen. Die Philosophie trägt das
Gesetz der Selbstauflösung in dem Abkreisen ihrer Entwickelung in
sich, und sowie das Schopenhauer'sche System trotz allem Glanze
seiner Dialektik und trotz der Intensivität seines Denkens wieder
dem Buddhaismus ganz nahe steht und nothwendig den Uebergang
zu einem neuen Dogmatismus bereitet: so hat sie keine Aussicht, die
Weltanschauung der positiven Religion zu vernichten, sondern wird viel=
mehr immer wieder zu ihr hinüberführen. Die Naturwissenschaft aber
hat es nicht minder immer geliebt, sobald sie bedeutende Resultate einmal
erreicht hatte, aus diesen einen Sprung auf das Gebiet der Meta=
physik und der Psychologie zu machen, um ihre Deutung des kos=
mischen Mechanismus an die Stelle der lebendigen Erkenntniß und

des warmen Gefühles zu setzen. Es ist ihr dies aber nur immer auf kurze Zeit gelungen. Denn ebensowohl wurden ihre Resultate bald wieder von neuen überholt, so daß ihre metaphysischen Versuche mit der Gültigkeit ihrer Experimente zusammenbrachen, als auch es immer wieder klar wurde, daß sie zwar vermöge, die Prozesse der Körperwelt zu immer sicherer und einfacherer Anschauung zu bringen, aber nicht anders als dicht vor dem Problem des Geistes stehen bleiben könne. Was aber Philosophie und Naturwissenschaft nicht vermögen, das kann die wissenschaftliche Kritik noch weniger vollbringen. Sie kann noch so scharf die Urkunden der positiven Religionen verarbeiten, die Tradition über dieselben auflösen, die Widersprüche in ihnen aufdecken, den Köhlerglauben verspotten: so muß sie doch vor den ewigen Wahrheiten der Religion stehen bleiben und kann die geschichtliche Existenz der positiven Religionen nicht leugnen. Und wie? Vermögen Philosophie, Naturwissenschaft und Kritik irgend etwas, was Wirksamkeit und Dauer besitzt, an die Stelle zu setzen? Wenn es ihnen gelingen könnte, die Religion völlig zu entwurzeln und aus den Geistern hinwegzuschwemmen, was würden sie der Menschheit und den Menschen als Ersatz bieten können? Weder die dialektisch begründeten Axiome einer philosophischen Schule, noch das starre Naturgesetz der Physik und Physiologie, noch die Hypothesen der Kritik sind für die Menschen, für ihr Bedürfen und Verlangen eine Befriedigung, für ihr Lebenswerk eine feste Grundlage, für ihre Leidenschaften ein Führer, für ihre Kämpfe und Mühsale ein Stab, ein Schwert und ein Schild. Allen diesen gegenüber muß immer wieder auf die Wucht des Bestehenden, des geschichtlich Gewordenen und Ausgebildeten verwiesen werden. Und fragen wir dann, woher das Bestehende und geschichtlich Gewordene diese Energie habe, so kann die Antwort nicht anders lauten als: weil es aus der Natur des Menschen selbst hervorgegangen, mit ihr verwachsen ist, sie allein befriedigt und nährt. Hierin allein liegt schon die entschiedene Verwerfung des Gegentheils! Freilich sind Philosophie, Naturwissenschaft und Kritik darum nicht minder nothwendig und Erzeugnisse der Menschennatur selbst, aber sie dürfen niemals einen andern Anspruch machen als die Corrective des Religiösen, der Erkenntniß und Sittlichkeit innerhalb des menschlichen Lebens zu sein, und darum ist ihre Existenz und sind ihre Ergebnisse von unschätzbarem Werthe. Aber hierin liegen auch ihre Grenzen.

Vor diesem immer wieder ans Tageslicht tretenden Nihilismus, vor diesem immer wieder in die Strömung der Zeit eintretenden Materialismus geben nun im Gegensatz die Hyperorthodoxen die Parole aus: „Das einzige Heil ist hinter der Schutzwehr, dem Wall und den Mauern der Kirche zu finden, der Kirche in ihrem unveränderlichen, unwandelbaren Bestande." So spricht der ultramontane Katholik, der pietistische Protestant und der hyperorthodoxe Jude, das Wort Kirche in seinem Sinne auslegend. Wir wollen dieses Gleichniß in seiner Schwäche nicht näher verfolgen; man weiß, daß Schutzmittel zu verschiedenen Zeiten in sehr verschiedenen Dingen gefunden wurden und daß ein veraltetes Vertheidigungsmittel gegen neue Angriffsmittel eher verderblich als hilfreich ist. Gab es doch Leute, welche die kräftigste Abwehr nicht hinter steinernen Mauern, sondern in der muthigen Brust der Bürger fanden. Sondern wenn wir von der Wucht des Bestehenden und des geschichtlich Gewordenen sprachen, so darf man nie vergessen, daß dies eben aus den Bedürnissen und dem Geiste der Zeiten geworden und dadurch ein Bestehendes ward, daß es also der geschichtlichen Entwickelung anheim gegeben ist und nothwendig mit den sich verändernden Bedürfnissen und dem sich entfaltenden Geiste in Uebereinstimmung bleiben muß, wenn es bestehen und nicht geschichtlich veralten und absterben will. Ist der Geist entwichen, so sind die Mauern und Wälle ohne Besatzung, und dann vermögen sie nichts. Alles Bestehende hatte in seinem geschichtlichen Werden ebenso ein Bestehendes zu bekämpfen, das nicht vom Platze weichen, sondern unverrückt seine Stelle in seiner ganzen bisherigen Weise einnehmen wollte; es bekämpfte und besiegte dies und wurde dadurch das Bestehende. Sobald es nun dem Fortgange des Menschengeistes sich gegenüberstellt und in gleicher Weise ohne lebendige Fortbildung mit unverändertem Stoff und unwandelbarer Form sich behaupten will, unterliegt es demselben Schicksale.

Mögen wir es daher niemals verkennen, daß die Gefahr auch für das Judenthum eine zweifache ist, daß es von der einen Seite vom Nihilismus und Materialismus, von der andern Seite von der Hyperorthodoxie bedroht ist, und gestehen wir es offen, daß die Gefahr von der letzteren größer ist als von den ersteren. Denn diesen wehrt die gesunde Lebenskraft in der Gesammtheit der Bekenner in genügendem Maße; aber die Hyperorthodoxie, die Flucht hinter das versteinerte Glaubens- und Formwesen, erdrückt alles gesunde und frische Leben des Geistes und führt so recht zum Nihilismus hin. Wenn man nach einem Beweise hierfür fragt, so brauchen wir leider nicht lange zu suchen. Aus der stabilen Orthodoxie ist im östlichen Europa der Chassidismus hervorgegangen, und bei dem Widerstande gegen alle Bildung und Cultur, bei dem Hasse wider alles, was an eine kräftige Regeneration auf dem Wege der Entwickelung rührt, werden immer größere Massen in jenen Ländern von ihm verschlungen und in die tiefste Barbarei hinabgezogen; die Orthodoxie selbst verschwindet vor diesem aus ihrem Schoße hervorgegangenen Unholde, indem sie, gleich einer echten Mutter, sich nicht ermannen kann, wider ihn aufzustehen und ihn zu bekämpfen.

Lassen wir uns daher auf dem von uns betretenen Wege nicht beirren. Das gegenwärtige Judenthum hat die Aufgabe, seinen Gedankeninhalt in Lehre und Gesetz zu klarer Erkenntniß zu bringen, von den Schlacken des Mittelalters zu befreien, sich in Brauch und Sitte intellectuell und sozial dem Culturleben der Menschheit anzuschließen und inmitten dieser die wahrhafte Religion gegen Rechts und Links, gegen Nihilismus und Kirchenthum zu vertheidigen, zu verkünden, zu verbreiten. Dazu soll ein veredelter Gottesdienst, ein lebendiger Religionsunterricht, Musterhaftigkeit der Wohlthätigkeitsanstalten und ein geordnetes Gemeinwesen dienen. Woher also auch der Angriff komme, an diesem Streben muß er und wird er scheitern!

II.

Wonach verlangt die Menschheit in der Religion

In unserer Zeit stößt die Religion keinen „Schmerzensschrei"
mehr aus, mag es auch die Kirche bisweilen noch so sehr thun.
Seitdem Politik und Religion völlig geschieden sind, die Religion
keine Politik mehr treiben und die Politik der Religion keine Vor=
schriften mehr stellen darf, seitdem ferner das Individuum in jeder
Religion seiner Ueberzeugung leben kann und in diesem seinem
Rechte geschützt ist, lebt die Religion ein freies selbständiges Leben,
das von äußeren Mitteln unabhängig ist. Wer weiß es nicht, daß
die politischen, nationalen und sozialen Fragen, daß die künstlerischen
und wissenschaftlichen Bestrebungen, nachdem sie sämmtlich aus den
abgeschlossenen Kreisen von Fachmännern herausgetreten, einen breiten
Raum in der Menschheit eingenommen und gewissermaßen in den
Vordergrund getreten sind; den großen Mittelraum nehmen die
materiellen und industriellen Arbeiten, die eine so unermeßliche Ent=
wickelung gewonnen haben, ein. Aber ist darum die Religion mit
allen ihren Fragen und Wirkungen, mit ihren Interessen und Ein=
flüssen aus der Menschheit geschwunden? Nimmermehr. Die Religion
ist zu sehr der Unterbau des ganzen menschlichen Wesens, sie ist
das Nervengeflecht des Verstandes und des Herzens, so daß sie,
auch unbewußt, auch krank und abgeschwächt, den Menschen beherrscht
und in ihm lebt. Sie ankert in allen Verhältnissen des Menschen,
in der Familie und in der Gesellschaft, in allen Fragen, die der
Mensch an sich selbst richtet, in jedem Blicke, den er aufwärts und
um sich wirft. Nur daß sie nicht mehr den Markt des Lebens
beherrscht, daß sie nicht mehr kampfgerüstet auf die äußere Bühne
des Lebens tritt und die Menschenwelt in den Krieg und auf die

Schlachtfelder führt. Vielleicht arbeitet sie desto thätiger im Innern, vielleicht ist sie um so geschäftiger und geeigneter, ihre Fragen zu lösen und ihrem Ziele sich zu nähern.

Da fragen wir um so nachdrücklicher: wonach strebt denn die Menschheit in der Religion? Was ist ihr Verlangen, ihre Sehnsucht?

Nein! Ebensowenig gehört den Materialisten und Atheisten wie den Fanatikern und Zeloten die Zukunft der Menschheit. Es mögen jene von Zeit zu Zeit immer wieder Lärm schlagen, den Mund voll nehmen und ihre Phrasen und Sophismen ausbreiten; ihre hohle und trostlose Lehre ist nichts als Verneinung, gibt dem Menschen nichts, woran er sich halten, worauf er bestehen kann; der unermeßliche leere Raum voll todten Stoffes, der sich immerfort selbst gebiert und selbst verzehrt, wo Leben und Tod ihre Grenzlinie verlieren, das Dasein Nichts und das Nichts Dasein ist, gähnt als ein Abgrund, in welchen Sittlichkeit und Recht, Liebe und Pflicht, Erkenntniß und Wahrheit hinunterstürzen, um niemals wieder herauzukommen. Nein! Nur Gott vermag lebendigen Odem in den Staub der Erde zu hauchen; so ihr aber den lebendigen Geist in Staub der Erde verwandelt, zerfällt der Erdenkloß und bleibt Staub für immer! — Aber auch die Fanatiker, welcher Religion sie auch angehören, haben die Zukunft der Menschheit nicht in ihren Händen. Man täusche sich nicht, sie sind noch sehr stark, und wenn sie in einigen Gegenden, z. B. in Norddeutschland wie verschwunden scheinen, so haben sie sich in anderen z. B. in Süddeutschland noch große Macht bewahrt. Und nicht etwa blos in den unteren Schichten des Volkes, sondern gar Viele aus der sog. gebildeten, ja aus der wissenschaftlichen Klasse beugen sich vor ihnen und geben sich zu ihren Werkzeugen her. Zweifeln wir nicht, daß der Zelotismus sich noch oft regen werde, daß er noch allzu oft Einfluß gewinnen und üben werde, daß wir uns noch allzu oft vor ihm zu schützen und gegen ihn zu kämpfen haben; es ist gefährlich, sich in Sicherheit zu wiegen und einen Feind für überwunden zu halten, wenn wir seine Waffe nicht gezückt sehen. Aber da seine Stärke nur in der Verdunkelung besteht, da er nur durch die Verneinung der höchsten menschlichen Güter, durch die Unterdrückung aller Entfaltung und Entwickelung existiren kann, so daß alle natürliche Treibkraft des menschlichen Wesens zu seinem Untergange drängt, so kann seine Herrschaft niemals wieder eine allgemeine werden. Die Menschheit weiß jetzt zu sehr, wer ihr, wer der Religion die tiefsten Wunden geschlagen, wer die Wahrheit am meisten geknechtet, wer dem Rechte und der Liebe die drückendsten Fesseln angelegt, um sich diesem Spiele noch einmal dauernd hinzugeben. Der Fanatismus schwächt sich zu Bigotterie ab und diese ist nur eine Krankheit von Individuen, ohne die Energie einer Epidemie zu besitzen.

Die Menschheit weiß jetzt, was eine falsche Religion ist. Jede Religion, die verdammt und verketzert, ist eine falsche. „Geknicktes Rohr zerbricht er nicht, glimmenden Docht verlöscht er nicht: mit Wahrheit soll das Recht er bringen." (Jef. 42, 3.) — Jede Religion, welche die Menschheit zu gewaltthätigen Parteien spaltet, zum blutigen Kriege treibt, Kerker und Scheiterhaufen für Andersgläubige rüstet, ist eine falsche: „Und siehe, der Ewige zog vorüber, und ein großer, starker Wind, Berge zerreißend und Felsen zerschmetternd vor dem Ewigen; nicht im Winde war der Ewige. Und nach dem Winde ein Erdbeben; nicht im Erdbeben war der Ewige. Und nach dem Erdbeben Feuer; nicht im Feuer war der Ewige. Und nach dem Feuer ein sanftes Säuseln" — und in dem sanften Säuseln war der Ewige. (1. Kön. 19, 11. 12.) — Eine jede Religion, die ihr Wesen allein in der Uebung äußerer Formen findet, die das Heil und den Frieden von der Uebung äußerer Formen abhängig macht und für diese verheißt, ist eine falsche: „So ihr kommt zu erscheinen vor mir, wer begehrt dies von euch, zu zertreten meine Vorhöfe? Bringet nicht mehr heuchlerische Speisopfer; Räucherwerk ist mir ein Gräuel; Neumond und Sabbath, Zusammenberufung, nicht mag ich Frevel und Fest." (Jef. 1, 12. 13.) „Ist nicht das ein Fasten, das ich liebe: öffne die Schlingen der Bosheit, löse die Bande des Joches, frei entlasse die Unterdrückten und jegliches Joch zerbrechet!" (Jef. 58, 6.) „Hat der Ewige Gefallen an Ganzopfern und Schlachtopfern wie an Gehorsam gegen die Stimme des Ewigen? Siehe, Gehorsam ist besser denn Opfer, Aufmerken denn der Widder Fett." (1 Sam. 15, 22.) —

Die Menschheit aber verlangt nach der wahren Religion; sie verlangt nicht mehr nach Sturm, Erdbeben und Feuer, sondern nach dem sanften Friedenssäuseln, in welchem der Ewige ist. Sie verlangt, daß die Religion die Sonne am blauen Himmel sei, welche leuchtet und wärmt, Blüthen schafft und Früchte reist; daß sie der Thau des Himmels sei, der die dürre Erde befeuchtet und in Mil-

lionen Tropfen funkelt; daß sie der belebende Luftstrom sei, der die
faulen Dünste aus der Menschenwelt von dannen führt, aber auch
der linde Zephyr, der durch jede Cypresse flüstert und tröstet und
erquickt? Ja, alles Belebende und Erfrischende, alles Erhebende
und Läuternde, alles Tröstende und Stärkende, alles Belehrende
und Erleuchtende erwartet sie von der wahren Religion, wie sie
besteht, gegeben, gelehrt, erwachsen, entfaltet und selbst geläutert,
und wie sie ersteht und sich immer wiedergebiert in jedem reinen
Geiste.

Was ist aber die wahre Religion? Es ist einfach zu sagen,
wenn auch unermeßlich groß und inhaltsreich. Sie ist die reine
Gotteserkenntniß, wie sie aus dem Mosaismus hervorgegangen,
durch die drei Jahrtausende sich hindurchgerungen und mitten durch
die verschiedenartigste Auffassung, mitten durch die mannigfaltigsten
Gestaltungen sich immer mehr als das allein bleibende Erwerbniß
der Menschheit hervorhebt; die reine Gotteserkenntniß, deren unmittelbare Consequenz das Recht und die Liebe sind, wie diese sich
als unveräußerliches Gut und Heil des Individuums und als das
wahre Lebensprincip der ganzen menschlichen Gesellschaft immermehr
von den Verunstaltungen der Zeiten, von den Fesseln der Jahrhunderte frei machen. Danach verlangt die Menschheit, danach
strebt sie auf allen ihren Wegen hin.

III.

Die Zukunft der Religion.

Wer jetzt einen überschauenden Blick auf irgend ein Gebiet menschlicher Arbeit wirft, wird nur in wenigen einen Zustand lichtvoller Ordnung, eine einheitliche Richtung, einen bestimmten Pfad mit seinem sichern Ziele finden. Ueberall ein erfolgreiches Arbeiten im Einzelnen und Speziellen, und darüber ein allgemeines Chaos, ein Durcheinander der Anschauungen, Systeme, Grundsätze, die entgegengesetztesten Strömungen, Zusammenstoß von allen Seiten.

Und dies besonders in der Religion, in allen höheren Fragen des menschlichen Daseins, in allen Erkenntnissen und deren Folgerungen.

Wie oft wurde und wird da die Frage an uns gerichtet, und wie oft begegnen wir ihr in allen möglichen Schriftwerken: was wird da die Zukunft sein? Was wird das Ende alles dessen, was das Ziel insonders der Religion sein? Was wird daraus werden?

Ueber diese Frage einige Betrachtungen anzustellen und unsre Ansicht auszusprechen, ist es, wozu wir uns heute bewogen fühlten Hierzu jedoch Einiges voran.

Stets hielten wir zwei Gesichtspunkte fest. Der eine: die Dinge möglichst so anzusehen und ungeschminkt darzustellen, wie sie sind. Wir wissen sehr wohl, daß der Mensch augenblicklicher Stimmung gar sehr unterworfen ist, und diese ihm trotz besten Willens gefärbte Gläser vor die Augen hält; ebenso daß er sich fast immer zwischen Hoffnungen und Täuschungen bewegt, welche ihm die Erscheinungen dieser Welt bald in farbigem Glanze und in der Frische der Jugend, bald entstellt und blut- und leblos zeigen. Doch ist es dem ernsten unb aufrichtigen Streben gestattet, sich von allen diesen Irrungen beinah frei zu machen und aus dem Für und Wider, aus Licht und Schatten, aus Bild und Gegenbild das Richtige und Wirkliche herauszusondern.

Der andere ist: auch das Judenthum nicht als ein singuläres, völlig gesondertes Dasein zu betrachten, sondern in Verbindung und Wechselwirkung mit allen andern Erscheinungen der Menschenwelt aufzufassen. Seitdem es in seinem Ursprung, durch Moses, durch die Propheten und die h. Skribenten seine erste und wesentliche Gestaltung empfangen, hat das Judenthum stets in solcher Verbindung und Wechselwirkung mit andern Erscheinungen der Menschenwelt gestanden, und es ist dem Forscher überklar, wie es gegeben und empfangen hat, wie der Geist der Zeiten auf dasselbe gewirkt und wie es ihn beeinflußt hat, wie es den Strömungen gefolgt, und deren Richtung mitgeschaffen hat. Ja, es läßt sich deutlich nachweisen, daß das Judenthum nur dann abgeschlossen und gänzlich gesondert bestand, wenn es in sich erstarrt und vom Geistesschlafe gefesselt war, und ebenso umgekehrt. Seine höchsten Schöpfungen gingen aus Zeiten hervor, wo ein frischer Hauch der Bewegung durch die Menschenwelt wehete, und auch anderswo ein neugestaltender Geist lebendig war. Und so fand es auch in dem verflossenen Jahrhundert Statt, und seitdem die Bekenner desselben immer mehr in das allgemeine Culturleben einlenkten, wurden sie von dessen Bewegungen ergriffen, und ihre religiösen Zustände entwickeln sich analog aus denselben Motiven. Gestaltet sich daher das innere Leben des Judenthums auch spezifisch nach seiner Art, so liegen doch dessen Motive in denselben allgemeinen Ursachen, die auch auf den andern Gebieten ähnliche Erscheinungen hervorrufen.

Zu aller Zeit hat es eine Verneinung gegeben. Nicht allein bei den Völkern und in den Zeiten, wo die Religion theils als Philosophie, theils als Volksmythologie bestand, mußte sie es sich gefallen lassen, daß die freie Entfaltung des Geistes in ihren Gegensatz verfiel, sondern auch da, wo sie als eine abgeschlossene Positivität herrschte. Ja, je strenger sie sich als solche aufstellte, und je drückenderes Joch ihre Diener deshalb auf den Nacken des Menschengeistes legten, desto rascher und furchtbarer bereitete sich die Verneinung vor, um unerwartet zu einem gewaltigen Kampfe hervorzutreten. Materialismus, Mechanismus, Atheismus und Pantheismus sind nur verschiedenartige Auffassungen derselben Verneinung dessen, was von Beginn an und durch alle Jahrtausende in den Menschengeistern gelebt, was mit der Natur des menschlichen Geistes völlig verwachsen, was in seinen Gesetzen gelegen ist. Aber zwischen dem wildbewegten Ozean der Verneinung und den starren Felshöhen abgeschlossener Positivität, streng formulirt in Glaubenslehren und Satzungen, liegt die weite Ebene, die bearbeitet, durchfurcht, besäet und befruchtet sein will, um zahllosen Menschensöhnen Nahrung und Wohnstätte darzubieten. Diese weiten Gebiete wollen nicht von den Wassern der Verneinung überschwemmt sein, aber auch nicht von den dunklen Schatten versteinter Positivität bedeckt, und von den rauhen Winden, die von ihren Schneefirsten herabwehen, durchschauert sein. Je mehr das wissenschaftliche, industrielle, politische und soziale Leben an Kraft und Entschiedenheit, an Bewegung und freier Entfaltung gewann, desto nachdrücklicher verlangte es von der Religion, sich seiner Entwicklung anzuschließen, sich mit dieser auszugleichen und die Gegensätze zur Versöhnung zu bringen. Es entstand hier zuerst der Rationalismus, der mit oberflächlicher Vernünftigkeit die Erscheinungen der Welt und des Lebens so zu verstehen und zu deuten suchte, wie sie sich äußerlich darstellen und in ihrer Oberfläche erklären lassen. Von der einen Seite wies er jede tiefere philosophische Erforschung der Dinge ab, von der andern die historische Gestalt der positiven Religion. Theils versucht er alles Supernaturalistische in ihr, indem er es als Faktum bestehen ließ, vernünftig zu erklären, theils wollte er selbstschöpferisch auftreten und sich eine sogenannte Vernunftreligion bereiten, ohne zu merken, daß er nichts weiter that, als einige Lehrsätze der positiven Religion entlehnen und diese, ohne sie fundamentiren zu können, nach seinen Voraussetzungen durcharbeiten. Diese Pfade waren bald abgegangen, und hatten zwiefache Nachfolger. Bei den Einen wollte der Mystizismus das mißlungene Werk des Rationalismus ersetzen, und ein willkürliches Gebilde der Phantasie, mit Elementen der Gemüthlichkeit verquickt, in die Dogmen und Satzungen der positiven Religionen hineinzwängen, um diesen ihre Herrschaft zu wahren und als Gefäße mit neuem Inhalt für weitere Zeiten zu erhalten. Andrerseits übernahm der Kritizismus das Erbe des Rationalismus, wendete sich gegen die heiligen Schriften als die Grundlagen der positiven Religion und gegen die Autorität der Satzungen als geschichtlich gewordene und darum zeitlich wandelbare. Ihm galt die nackte Thatsache, aller Umhüllung entkleidet und von ihrem geistigen Inhalte getrennt, als das allein Giltige und Begründete. Man sieht leicht ein, daß beide wohl zu vielfacher Wirkung, aber zu keiner wirklichen Herrschaft gelangen konnten, da der Mystizismus nur bei einzelnen Schwärmern und bei uncultivirten, naiven Völkern Boden findet, der Kritizismus aber für den Menschen bedeutungslos wird, da unter seinen Händen selbst die übrig bleibende Thatsache ohne Werth und Gehalt zurückbleibt. Hierzu kam nun noch, daß die Philosophie ihren neueren Kreislauf beendet, und die exakten Wissenschaften einen noch nie dagewesenen Aufschwung errungen hatten, diese zugleich vermittelst ihrer Erfolge und Ausbreitung ihre Anschauungen und Methode tief in das allgemeine Leben einführten, und damit den positiven Glauben unterwühlten. Bei allem Dem hat jedoch alles Historische d. h. von Alters her Gewordene und durch große Epochen hindurch Bestehende eine außerordentliche Wucht, und in den Bedingungen seiner Existenz liegt es, daß, sobald es sich in seinem Bestande bedroht sieht, es sich nur um so fester in seine alten Mauern und Bollwerke zurückzieht. So lange das Leben ihm nur eine freundliche Hand bietet, um sich ihm zu nähern und neben ihm zu existiren, öffnet es unvorsichtig seine Thore und Zugänge, begiebt sich mitten in das Leben hinein, erfreut sich an ihm, und glaubt, indem es sich ihm anschmiegt, es auch fernerhin zu beherrschen. Kommt es aber von diesem Wahne zurück, fühlt es, daß die freie Bewegung gegen seine Höhen gerichtet ist, und diese ersteigen und abtragen will: so wacht es zu einer energischen Reaktion auf, stößt alle die Ausgleichungsversuche mit eiserner Faust von sich und verlangt die unbedingte Herrschaft zurück, von welcher es selbst schon so viel aufgegeben. Man erlebte dies thatsächlich an der Aristokratie und Geistlichkeit, die im vorigen Jahrhundert so viel mit der Freiheit und Vernünftigkeit geliebäugelt, bis diese beide ihre realistischen Consequenzen forderten.

Daher dieses Chaos der mannigfaltigsten Erscheinungen auf dem Gebiete der Religion, innerhalb der Grenzen aller positiven Religionen. Da stehen sich zunächst die beiden großen Gegensätze der Verneinung, wie sie sich im Materialismus, Atheismus und Pantheismus schattirt, und der abgeschlossenen Positivität in der Gestalt der Dogmen und Satzungen, wie das Mittelalter sie uns überliefert hat, gegenüber, der eine so schroff wie der andere, der

eine so entschieden wie der andere. Aber je schroffer und entschiedener die Verneinung und je mehr sie durch Popularisirung in die
Masse einzudringen sucht: desto nachdrücklicher erhebt sich eine Reaktion gegen sie in den edelsten und erleuchtetsten Geistern, in vielen
Männern der Wissenschaft selbst — denn die Verneinung widerspricht
der innersten Natur des Menschen und allen ihren Bedürfnissen;
sie ist das Nichts, aus dem die Menschheit auch Nichts machen kann;
sie ist ein Kriterium und Korrektiv, aber kein Inhalt und kein Wesen.
Und je schroffer und entschiedener die mittelalterliche Positivität in
ihrer Unbedingtheit und Ausschließlichkeit wieder erstanden und sich
erkräftigt hat; je mehr sie die locker gewordenen Zügel der Herrschaft über das Volk wieder anzieht und dem Geiste von Neuem
Zaum und Geschirr anlegen will: desto nachdrücklicher erhebt sich
eine Reaktion gegen sie, man sieht die theuersten schwer errungenen
Güter der Entwicklung in Gefahr; die Quellen des Lebens sollen
abgedämmt, und Schleusen errichtet werden, welche jedem Fahrzeug
geistiger Thätigkeit nur nach Belieben die schmale Wasserstraße öffnen
sollen. Man sieht ein, daß es sich hier um ein Entweder — Oder
handelt, weil jede Entwicklung, jede freie Entfaltung des Geistes,
jede frische Bewegung des Lebens mit diesem Non possumus un-
vereinbar ist. Aus allen diesen Aktionen und Reaktionen, die sich
nur in verschiedenster Art in den Geistern regen, sie von einer Seite
zur andern, aus einer Richtung in die andere werfen, müssen selbstverständlich die vielfachsten, eigenthümlichsten und sonderbarsten,
extremen und gemischten Gebilde entstehen, und so dem beschauenden
Auge ein wirres Gesammtbild bieten.

Die Männer der Verneinung irrten jedoch, wenn sie glaubten,
daß die Religion, ja die positive Religion unter den feindseligen und
zersetzenden Elementen und unter ihren heftigen Angriffen in kurzer
Zeit unterliegen und verschwinden, wenigstens in der wissenschaftlichen und gebildeten Welt zu existiren aufhören werde. An einem
sonnigen warmen Tage kann man der schützenden Wohnung entbehren, und befindet sich gern und voll Lebenslust draußen. Aber
sowie das Unwetter nahet, oder die Nacht ihre dunkeln kühlen
Schatten über uns breitet, suchen wir das sichernde Dach und die
festen Mauern; nur daß die kalten, feuchten Gewölbe, die dunkeln
Kreuzgänge uns nicht lange anmuthen und wir in unterirdischen
Höhlen nur in der äußersten Gefahr uns bergen mögen. Bezeugt

doch die Mannichfaltigkeit und Verschiedenartigkeit der religiösen Erscheinungen und Parteien, wie wir sie oben kurz gezeichnet haben, bezeugt doch diese selbst bei aller Erschütterung der Religion die Energie des religiösen Bewußtseins und das Bedürfniß einer positiven Gestaltung der Religion, wenn diese auch nicht mit der Unbedingtheit und Unabänderlichkeit von Dogmen und Satzungen für ewige Zeiten zu verwechseln sei.

Aber erschütternd wirken allerdings alle jene Vorgänge auf die verschiedenen Kirchen, doch auch hier in verschiedener Weise. Die protestantische Kirche trug bekanntlich in ihrem Ursprunge selbst einen Gegensatz und Widerspruch in sich, der schwerlich auszugleichen ist. Sie entstand, indem sie die Autorität der Mutterkirche verwarf und die freie Forschung an deren Stelle setzte, zugleich aber doch wieder die unbedingte Autorität des so vielfach auslegbaren neutestamentlichen Bibelwortes und einer Reihe von Dogmen, deren mehrere noch dazu aus jenem Bibelworte kaum zu erweisen stehen, aufstellte, die Rechtfertigung durch den Glauben an diese Dogmen allein und ausschließlich dekretirte. Die ganze Natur dieses Verhältnisses bot allen geistigen Bewegungen der neueren Zeit die größten Blößen und Schwächen dar; alles wissenschaftliche, rationelle und philosophische Denken kam mit ihrem Dogmengebäude, und der Kritizismus mit dem Bibelwort in vollen Widerspruch, und doch stützten sich jene dabei auf die freie Forschung, welche die protestantische Kirche anerkennen mußte, da sie ihr den Ursprung verdankte. Anders der Katholizismus, welchem zwar dieselben Dogmen zu Grunde liegen, der aber darauf ein so genau organisirtes, festgefugtes Gebäude aufgerichtet hat, daß kein Stein aus demselben genommen werden darf, ohne den Zusammensturz des ganzen Bauwerkes zu bewirken, der daher allen Gegnern die glatte Mauer einer Veste bietet. Im Innern des Katholizismus kann kein Feind erstehen, und von innen heraus die Zerstörung anbahnen; alle Versuche der Reform, der Ausgleichung, der Vereinigung mit dieser oder jener Zeittendenz werden sofort ausgeschieden, und die katholische Kirche kann wohl dadurch irgend ein Terrain ihrer Herrschaft verlieren, aber sie selbst bleibt an sich unberührt und unerschüttert. Die Folge hiervon ist, daß einerseits zwar die Zahl der unbedingten Gläubigen und Anhänger in der evangelischen Kirche sehr zusammenschmolz, doch aber die Freiheit, die ihr einmal einwohnt, die Trennung und

den Abfall von ihr nicht zur Nothwendigkeit macht, so daß alle Zeit-
erscheinungen sich gewissermaßen mit ihr vertragen können; daß aber
im Gegentheil der Katholizismus in seiner bewußten Abgeschlossen-
heit, Unnachgiebigkeit und Unabänderlichkeit zwar eine starke Herrschaft über große Massen und reale Gewalten behielt, in desto größeren Widerspruch aber mit der ganzen Entwickelung der Zeit, mit
allen Bedürfnissen und Lebensbedingungen derselben gerieth, sich
ebenso heftig gegen diese erklären mußte, wie diese ihn verneinen
und bekämpfen müssen.

In ganz anderer Weise wirkt die Zeit auf das Judenthum.
In diesem sind die eigentlichen Dogmen so einfacher, logischer, der
Vernunft und dem Herzen, der Erkenntniß der Natur und des
Lebens an sich so entsprechender Art, daß mit Ausnahme der Verneinung, keine Art des Denkens und des Wissens ihnen gegenüber-
tritt, mit ihnen nicht vereinbar wäre. Nur der Atheismus und
Materialismus sind die Gegner des jüdischen Dogmas, denn schon
der Pantheismus hat sich mit ihm auszugleichen versucht, so sehr
dieser auch dem wirklichen Geiste des jüdischen Dogmas widerspricht.
Die Lehre von einem einzigen, unkörperlichen Gotte, dem Schöpfer
der Welt, die Lehre von der Welt, von der menschlichen Seele, von
der Bestimmung des Menschen, die allgemeinen Gesetze von der
Nächstenliebe, von der Gerechtigkeit und Heiligung, wie sie als Fundament des Judenthums ausgesprochen sind, konnten weder vom
Rationalismus, noch vom Kritizismus erschüttert werden. Aller
Streit über das Supernaturalistische, sowie über die Geschichtlichkeit
der Berichte und Erzählungen in unserer heiligen Schrift, über die
Abfasser und Abfassungszeit der Bücher derselben hat mit der Anerkennung und Ueberzeugungskraft jener Dogmen durchaus nichts
zu schaffen. Ja, es geschah, daß gerade unter dem Einflusse jener
beiden Faktoren der neueren Zeit glänzende Partien des Mosaismus
wieder aufgedeckt wurden, welche der Staub der Zeiten zugedeckt
und den Blicken des Geistes entrückt hatte, wir meinen die großen
sozialen Prinzipien, die der Mosaismus aufgestellt hat und nach
deren Verwirklichung erst die heutige Menschheit mit Bewußtsein
ringt. — Dahingegen waren es die Lebensformen, die rituellen und
zeremoniellen Satzungen des Judenthums, auf welche die Anschauungen
und Strömungen der neueren Zeit erschütternd und auflösend wirkten.
Nach der Tendenz des Mosaismus, Lehre und Leben zu identifiziren

2*

und auf dem Grunde seiner religiösen Dogmen ein konkretes Volks=
leben aufzubauen, mußten schon von ihm solche Lebensnormen ge=
geben werden. Auf dieser Grundlage schuf nun der Talmudismus,
um die jüdische Lehre vor dem Anfluthen der Zeiten und das jüdische
Volk vor dem Aufgehen und Sichselbstverlieren innerhalb der Na=
tionen zu schützen, ein ausgedehntes System des äußerlichen Lebens,
das durch die Ausschließung, welche die neuerstandenen Religionen
gegen die Juden übten, um so fester und enger wurde. So noth=
wendig dieses großartige Erzeugniß in sich und durch die geschicht=
lichen Bedingungen war, eben so nothwendig erfolgte dessen Er=
schütterung und theilweise Auflösung durch die Einwirkung aller der
Vorgänge und Einflüsse, die wir oben geschildert haben. Es wäre
eine Täuschung, wenn man behaupten wollte, daß lediglich die zwin=
gende Gewalt des wirklichen Lebens es gewesen und es noch sei,
welche bei zahllosen Individuen die Gültigkeit und Ausübung der
jüdischen Satzungen und Lebensformen gelockert, theilweise oder fast
ganz beseitigt habe. Es wäre dies nur eine sehr zweideutige Recht=
fertigung. Vielmehr trat auch der rationelle und kritische Geist, die
ästhetische und wissenschaftliche Bildung, die ganze Anschauung des
modernen Menschen mit jenen in den Kampf, verneinte ihre unbe=
dingte Gültigkeit, behauptete ihr geschichtliches Werden und darum
ihr geschichtliches Absterben, untergrub die Gedanken und Gefühls=
welt, die in ihnen lebte, und machte so viele derselben zu leeren
Formen, die dann eine kühnere Hand zerschlug. Nur muß man sich
nicht einbilden, daß diese Anschauungsweise erst von gestern und
vorgestern her datirt; sie hatte sich bereits eines großen Theils zu
einer Zeit bemächtigt, wo man noch keine Ahnung davon hatte; sie
lag schon dem kabbalistischen Mystizismus zu Grunde, der dafür ein
phantastisches Traum= und Wahngebilde an die Stelle setzen wollte,
sie höhlte den Inhalt schon aus, im öffentlichen wie häuslichen
Kultus, als die Autorität noch unbezweifelt war. Der moderne
Mensch ist eben kein Kind des letzten Jahrhunderts, sondern meh=
rerer vergangener Jahrhunderte. — Da bietet denn das Judenthum
einen ganz anderen Anblick. Gerade der dogmatische Inhalt desselben
belebte sich von Neuem, gewann nach Innen und Außen eine neue
fast jugendliche und schöpferische Lebenskraft, eine neue Herrschaft
über die Geister und ward zum eigentlichen unauflöslichen Bande
aller Bekenner des Judenthums — während die rituellen und zere=

moniellen Lebensformen des Judenthums in eine große Bewegung und Zersetzung geriethen. Allerdings gingen hieraus sehr verworrene Zustände auch innerhalb des Judenthums hervor. Auch hier erstand eine starke Reaktion, um die ganze Burg der überkommenen Satzungen zu erhalten und zu vertheidigen; auch hier erhob sich dieser Reaktion gegenüber eine Verneinung, welche mit der ganzen Satzung **tabula rasa** machen wollte; auch hier gingen die mannichfaltigsten Ausgleichungsversuche vor, welche im öffentlichen Kultus, wie im häuslichen Leben die verschiedenartigsten Gestalten hervorbrachten.

So zeigt uns überall das Gebiet der positiven Religion ein Bild der Verworrenheit, der entgegengesetztesten Strebungen, der Kämpfe und Parteiungen und sonderbarsten Gestaltungen. Und um so öfter drängt sich die Frage auf: welche die Zukunft der Religion sein werde?

Wer diese Frage mit Ernst und ohne sich in Träumereien zu verlieren, beantworten will, muß sich an das halten, was bereits geschehen ist. So viel hat sich entschieden herausgestellt, daß die Versuche, neue Kirchen zu gründen, völlig verfehlt sind. Ja, nicht einmal innerhalb der bestehenden Kirchen neue, auf die Reform basirte Sekten zu bilden, gelang in dauernder Weise. So vegetiren nur noch die sg. freien religiösen Gemeinden, der anfänglich mit so großem Jubel aufgenommene Deutsch-Katholizismus und selbst die jüdische Reformgenossenschaft blieb auf ihr Dasein in der Berliner Gemeinde beschränkt, trotzdem letztere sich von der Muttergemeinde niemals lösen und eine konkrete Existenz als Gegensatz zur Orthodoxie niemals beanspruchen wollte. Um so weniger Bedeutung kann man jenen, namentlich in Frankreich und in der deutschen Belletristik mehrmals ausgesprochenen Hoffnungen: es werde in baldiger Zeit irgend Wer kommen, der die Religion der Zukunft gründen werde, eine neue Offenbarung, zwar nicht des göttlichen, doch des menschlichen Geistes — zusprechen. Unsere Zeit ist am wenigsten geeignet, die Gesammtheit der religiösen Anschauungen und Ueberzeugungen durch irgend e i n e, und sei es die genialste Persönlichkeit, auszusprechen, das religiöse Wesen so in einem Individuum zu konzentriren, daß es eine überwältigende Kraft selbst nur auf einen großen Bruchtheil der Menschen ausübe. So groß auch die Wichtigkeit und Wirksamkeit dieser und jener Individualität noch heut zu Tage ist, so ist doch an die Stelle der Individualitäten

die Menschheit getreten, und keine jener kann der Allgemeinheit
so entsprechen, daß sie zu einem Organ und Herold der Letzteren
werden könnte. Es bleibt uns also auch für die Religion nichts
Anderes als die geschichtliche Entwickelung übrig, d. h. die Ent=
wickelung aus dem Bestehenden heraus durch die Entfaltung des
Geistes, der Zustände und Bedingungen. Wir wissen nämlich nun,
daß die Religion ein unzerstörbares Element des menschlichen Wesens
ist; wir wissen, daß dieselbe nicht in der Luft schweben und auf ein
paar Allgemeinsätze sich beschränken könne, sondern allerdings von
positivem Inhalt und konkreter Gestalt sein müsse; wir wissen ferner,
daß diese sich nicht so von ungefähr und von Neuem schaffen lassen,
sondern eines geschichtlichen Daseins bedürfen. Alle Vorgänge und
Erscheinungen auf dem religiösen Gebiete in unserer Zeit sind aus
der Entwickelung hervorgegangen, sind nothwendige Erzeugnisse der=
selben. Nicht Einzelne haben sie gemacht, nicht für Einzelne und
innerhalb einzelner Kreise sind sie geworden. Und darin — besteht
auch die Zukunft der Religion. Allerdings sind auch Irrungen und
Fehlgriffe, Extravaganzen und Auswüchse, Einseitigkeiten und Extreme
die Begleiterinnen jeder Entwickelung — aber mitten durch jene
hindurch ringt sie sich der Wahrheit und dem Rechten zu, und sie
selbst, wenn man sie frei walten läßt, ist die beste Verbesserin ihrer
Fehler. Also die Zukunft der Religion liegt allein in der Fort-
und Weiterentwickelung. Diese will den Faden nicht abschneiden
und das Bestehende und Positive nicht umstürzen; diese will nicht
etwas Nagelneues schaffen, was doch keine Wurzeln und keine Lebens=
dauer hätte; sondern sie will nur das entfernen, was aus dem
Bewußtsein der Menschheit geschwunden; was diesem widerspricht,
will sie beseitigen; sie läutert und klärt, vereinfacht und durchwahr=
heitet das Bestehende. Denn ebensowenig wird derjenige, welcher
aufrichtig und vorurtheilsfrei den Gang der Dinge und die Macht
des Geistes beobachtet, sich einbilden, daß ein Rückgang, eine Rück=
kehr zu dem Vergangenen, eine Wiederherstellung des früheren Zu=
standes möglich ist. Und so resultirt aus der ganzen Geschichte der
Menschheit und aus der der letzten Jahrhunderte besonders nichts
Anderes, als daß die Zukunft der Religion wie aller andern großen
Erscheinungen in der Menschheit nicht in neuen Schöpfungen und
nicht in Wiederherstellung der alten, sondern allein in der immer
mehr läuternden und zur einfachen Wahrheit in Gedanke und Form

dringenden Entwickelung des Bestehenden und Geschichtlichen enthalten ist und gegeben werden wird. Was erschüttert und beseitigt
worden, mag noch so viel darum gekämpft werden, es wird nicht
bleiben; aber ebensowenig wird das Dauernde und Ewige auch den
heftigsten Angriffen erliegen; nicht minder ist es ein Wahn, daß der
Gedanke innerhalb der Menschheit ohne eine Form und äußerliche
Erscheinung existiren und wirken könne; vielmehr liegt es in seiner
Natur, sich eine entsprechende Form zu schaffen, in welcher er in den
Kreis des Menschlichen hinauszutreten vermöge. Entwickelt sich nun
der religiöse Gedanke auch in der Zukunft nur aus dem Bestehenden
und geschichtlich Gegebenen, so wird auch seine Form sich immer
wieder aus dem Geschichtlichen herausbilden. Und bei dieser Betrachtung kann denn auch der Bekenner des Judenthums sich vollkommen beruhigen. Gerade weil der religiöse Gedankeninhalt des
Judenthums sich durch alle Zeiten unbestritten, vernunftgemäß, har-
monisch mit der ganzen Menschennatur erwiesen hat, weil er von
den übrigen Religionen als ein Kern und Mittelpunkt benutzt worden, weil Rationalismus und Kritizismus ihn bestehen lassen und
offen oder stillschweigend ihn anerkennen mußten, und endlich weil
er in allen seinen Formen von Abraham bis zur Jetztzeit, zwar hier
und da tangirt, im Ganzen aber doch unverändert, immer lebens-
kräftig und durch die Form wirksam geblieben, hat er uns die volle
Bürgschaft gegeben, daß er uns auch aus der jetzigen Verwirrung
über die religiösen Lebensformen herausretten und aus diesen die
der Zukunft entsprechenden herausschaffen werde; ja daß er auch für
die übrige Menschheit der wahre religiöse Mittel- und Angelpunkt
sein werde. Mögen wir nur muthig und vertrauensvoll weiter
streben und das Wort fest in unseren Geist und in unser Herz
schließen: Die Lehre des Judenthums ist sein und Aller
wahrer Messias!

IV

Die Verachtung und die Selbstüberhebung der Wissenschaft.

Es ist nichts gefährlicher als die Verachtung der Wissenschaft und des wissenschaftlichen Geistes. Abgesehen, daß in unserer Zeit die Wissenschaft, sowohl die exakte als die historische, auf das praktische Leben den unmittelbarsten Einfluß übt, und die Münze, welche die Wissenschaft ausgeprägt hat, sofort als kourant durch das reale Leben kursirt, ist die nothwendige Folge, wenn die wissenschaftliche Cultur vernachlässigt wird, ein Mangel an konsequenter Logik und ein Ueberfluß an Geschmacklosigkeit. Bekennen wir es offen, die Entfernung von der eigentlichen wissenschaftlichen Kultur hat, mit Ausnahme jener Paar Spanier und Italiener, an denen jetzt unablässig herumgearbeitet wird, über anderthalb Jahrtausende die Bekenner des Judenthums und ihre Lehrer bei all ihrer Geistesthätigkeit und steten Uebung des Scharfsinns doch nur in einer geschmacklosen und unlogischen Richtung fortgetrieben und festgehalten. Dies ist daher das eigentlichste Verdienst Mendelssohns, uns aus diesem beschränkenden Abwege in die große Heerstraße des Wissens und des Geschmackes eingeführt und mit einer höhern Geistescultur zum ersten Male wieder als Jude Eleganz und Correktheit der Sprache verbunden zu haben, worin ihm für die hebräische Muse glücklicher Weise Wessely zur Seite stand. Mit dieser Geschmacklosigkeit rächt sich denn auch die Wissenschaft noch heute an Jedem, der sie verachtet oder verkrüppelt, und jene von den jüngeren jüdischen Theologen, welche sich mit der einen Hand den Doctorhut aufs Haupt setzen, mit der andern aber einen Bann auf jede wissenschaftliche Forschung schleudern, und von denen einer in die Welt hineinschreibt, Lateinisch und Griechisch zu lernen, sei nur dargut, um die Fremdwörter im Talmud besser zu verstehen, als wenn unsere Väter nicht zehnmal größere Talmudisten gewesen wären, als diese Epigonen, belohnt sie hierfür mit den tüchtigsten Eselsohren, die zu finden. Vergebens wähnen sie, sich bei dem Volke dadurch in den Geruch der Heiligkeit zu bringen: die Schaar Derer, die gläubig zu dieser Gleißnerei hinaufschauen, wird immer geringer, die Verachtung aller gebildeten und aufrichtigen Charaktere wird ihnen zu Theil, und zuletzt wird es ihnen bewußt werden, daß sie nicht zum Heile der Religion, sondern für das Gegentheil gewirkt haben: denn die Religion als den Gegensatz von Wissenschaft, Bildung und Geschmack darstellen, heißt in unserer Zeit ihr die Geister abtrünnig machen, nicht aber zuführen. Indeß man kennt die Motive dieser Leute. Es kommt ihnen nur darauf an, ein Häuflein, und sei es noch so klein, Blindgläubiger um sich zu sammeln, sie vollständig zu beherrschen und zu fanatisiren. Dies freilich thut und will der wissenschaftliche Theologe nicht; er will belehren, überzeugen, klären, den Aberglauben beseitigen, die reine Gottesverehrung in die Herzen pflanzen, strenge sittliche Grundsätze aufstellen — das ist eine Arbeit, die sich nicht mit der Kniebeugung der Menschen belohnt, wohl aber mit dem Bewußtsein, im Geiste des wahren Judenthums für Gott und Menschen gewirkt zu haben.

Indeß dieser Verachtung der Wissenschaft gegenüber darf niemals vergessen werden, daß es auch einen Götzendienst der Wissenschaft, eine Selbstüberhebung ihrer Jünger giebt, welche nicht minder einseitig und nachtheilig wirkt. Es ergiebt sich hier für die Gegenwart eine ganz neue eigenthümliche Erscheinung. Es war in den früheren Zeiten etwas ganz gewöhnliches, daß die Wissenschaft, insonders auch die Philosophie, auf Grund einiger wenigen Thatsachen und Beobachtungen Theorien und Systeme aufbaute, die sie in ihrer Selbstüberhebung für das Alleinrichtige und Wahre ausgab. Von den ionischen Philosophen an bis zur Schelling'schen Naturphilosophie wagte es der menschliche Geist, die Welt des Sinnlichen und Uebersinnlichen auf die Basis unbedeutender und einseitiger Naturkenntnisse aufzubauen. Die Wissenschaft verachtete die Empirie, entnahm aus ihr ein geringfügiges Material und glaubte mit der Fähigkeit des Genius allein das Wesen der Dinge, die Natur des Geistes und Gottes durchschauen, erklären und systematisiren zu können. Dies war die Selbstüberschätzung der Wissenschaft in früheren Zeiten, und folgerichtig bestand daher der Materialismus der Alten eigentlich in der Läugnung aller sinnlichen Wahrnehmungsfähigkeit, in dem vollständigen Skeptizismus aller menschlichen Intelligenz. In unserer Zeit ist es gerade umgekehrt: die Philosophie macht sich zur Magd der Empirie, sie stellt sich dieser unter. Bei dem außerordentlichen Fortschritt, den die Natur=wissenschaft seit 1784 gemacht hat, überhebt sich die Wissenschaft darin, daß sie dem Sezirmesser des Anatomen, der Retorte des Chemikers und dem Fernrohr des Astronomen allein Geltung zu=spricht, daß sie Alles, was sie nicht unter, in und vor diese bringen kann, für nicht vorhanden erklärt, und daß nun eine magere Philo=sophie die Beobachtungen der Naturforschung als den alleinigen Maßstab der Kritik und als die Grundlage ihrer dürftigen meta=physischen Entwickelungen ausgiebt. Dies ist der Materialismus der Jetztzeit, der, dem Skeptizismus der Alten schnurstraks gegenüber, die sinnliche Wahrnehmung als die allein gültige anerkennt, und Geist, geistige Anschauung, geistige Deduktion frisch wegläugnet. Der Kritiker hält die Ansicht, daß wir nur die Oberfläche der Natur zu durchdringen vermögen, für philisteriös, da die Wissenschaft die Ge=setze des Himmels und die Bahnen der Weltkörper erkannt habe; er verlacht die Psychologie, da allein die Physiologie Aufschluß zu geben vermöge; ihm hat die Wissenschaft jedes Räthsel des Daseins gelöst und ein Verlangen nach höherer Kenntniß erscheint ihm als ein „überwundener Standpunkt", den man nur unwissenden Menschen insinuiren könne. Leider! zeigt er sich hierin entweder selbst unwissend, oder er glaubt mit jenen Phrasen Unwissende blenden zu können. Bei allen Fortschritten der Physiologie steht sie doch gerade noch in allen den Theilen auf niedriger Stufe, welche sie der Psychologie zur Grundlage machen könnte. „Unsere Kenntniß", sagt Stilling über den Bau der Nerven=Primitivfaser und der Nervenzelle (1856 S. 7.), ein Mann, der diesem Gegenstande sein ganzes Leben ge=widmet hat, „unsere Kenntniß selbst von den ersten Grundzügen des Nervensystems ist noch viel zu sehr in ihrer Kindheit, als daß wir uns mit einiger Sicherheit an Theorien über die Functionen seiner verschiedenen Elemente wagen dürften." Zu aller und auch zu unser Zeit wird jede neue Entdeckung sofort zum Unterbau von Hypothesen und Theorien gemacht. Macht die Chemie einen be=wunderungswürdigen Fortschritt, so werden sofort alle Erscheinungen des Lebens auf chemischem Wege gedeutet. Thut sich in der Physik eine außerordentliche Entdeckung auf, so werden alle Funktionen des Daseins auf diese zurückgeführt. „Die Leichtfertigkeit", sagt Lewes (Naturstudien am Seestrande, 1859. S. 361), „womit Leute, die wenige oder gar keine Kenntnisse vom Nervenbau besitzen, Theorien darüber entwerfen, wird nur durch die Leichtfertigkeit übertroffen, womit man alle möglichen Erscheinungen auf Elektrizität zurückführt. Es ist daher vielleicht nicht überflüssig, hervorzuheben, daß unsere Kenntniß der Nerven noch im Zustande der Kindheit ist, daß wir noch nicht einmal die ersten Thatsachen festgestellt haben." — Was kann also trotz ihrer großartigen Studien die exakte Wissenschaft sich für ein Urtheil über das Leben der Psyche zutrauen oder gar anmaßen? — Der Kritiker läugnet, daß wir kaum die Oberfläche der Natur zu durchbringen vermögen, und er frage sich doch, was der Mensch selbst von diesem Erdkörper, auf welchem er seit Jahrtausenden steht, arbeitet und forscht, mehr kennt als die Oberfläche, und wie wenig noch von dieser selbst? Ist es doch kaum ein Zweitausendstel des Erddurchmessers, daß wir in die Erdrinde einzubringen vermögen. — Der Kritiker steift sich darauf, daß wir die Gesetze des Himmels und die Bahnen der Weltkörper erkannt haben. Thöricht! Das Einzige, was wir uns mit Bestimmtheit angeeignet haben, ist das Gesetz der Bewegung, fürwahr nur das Aeußerlichste der Aeußerlichkeiten. Was wissen wir von dem Wesen des Lichts, dieses eigentlichen Mediums der Weltkörper untereinander? Kennen wir das Verhältniß desselben zu den andern Weltkörpern, die Erscheinungen, die es dort hervorruft? Welche geringe Fortschritte haben wir in der Kenntniß jenes Sonnenballs gemacht, von dem alles organische und nach der Ansicht eines neuen, geologischen Systems auch alles anorganische Dasein abhängt? — In der That, um es kurz zu fassen, wenn ein geistreicher Mann jüngst bemerkte, daß all unser Wissen und Erkennen doch nur dem Zustande des Kindes gegen die Wissenschaft und das Denken eines hochgelehrten Forschers gleicht, so soll doch wohl dem Kinde das Verlangen nach Weiterem einwohnen, und es kann nur eines kindischen Kritikers sein, jenes als einen von der Wissenschaft überwundenen Standpunkt auszugeben.

Lassen wir uns daher weder nach der einen noch nach der andern Seite beirren. Religion und Sittlichkeit können eben so wenig der Wissenschaft und des wissenschaftlichen Geistes entbehren, wie diese der Religion und Sittlichkeit. Die ersteren werden ohne die letzteren immer auf Abwege gerathen, welche in die Tiefen des Aberglaubens führen, während die Wissenschaft ohne die Religion nur in die Irrwege materiellen Wissens und schwankender Hypothesen leitet. Bei der Vergangenheit aber, die wir Juden hinter uns haben, müssen wir uns insonders in Acht nehmen, denselben Irrungen uns wiederum hinzugeben, von welchen wir uns seit einem Jahrhundert mühsam entfernt haben, oder vielmehr erst nach und nach entfernen. Unsere Religion für eine Religion der Ignoranz und der Geschmacklosigkeit erklären, und ihr Gedeihen nur innerhalb dieser möglich halten, heißt ihr den Todesstoß in den Augen der Welt und des gebildeten Theils ihrer Bekenner versetzen. Nein! Die Religion Israels soll ihren Platz unter den großen Erscheinungen des Menschengeschlechtes ein= und ihre Mission für die Menschheit übernehmen; sie soll zugleich nicht allein dem unwissenden Theile unseres Stammes genügen, sondern auch das Bedürfniß der Höhergebildeten und Fortgeschrittenen befriedigen. Beides vermag sie aber nur durch eine wissenschaftliche Durcharbeitung und durchgebildete Formen in ihrer äußeren Erscheinung. Vor jenen Auswüchsen der Wissenschaft, der Selbstüberschätzung und materialistischen Richtung sind wir ja schon dadurch geschützt, daß es der religiöse Standpunkt ist, von dem aus wir die Wissenschaft erfassen und fortzuführen uns bestreben.

V.

Das naturwissenschaftliche Bewußtsein.

Wie wir stets nachdrücklich das politische Bewußtsein als Eigenthum des Judenthums, als von dessen Beginn an ihm integrirend zugehörig erkannt und betont haben, so müssen wir auch das naturwissenschaftliche Bewußtsein ihm vindiziren.

Der Mosaismus faßte den ganzen Menschen in allen seinen Beziehungen, Verhältnissen und Interessen auf und konnte daher kein wesentliches Moment der Menschennatur übergehen. Umsoweniger war dies mit dem naturwissenschaftlichen Bewußtsein der Fall, als der Mosaismus die Schöpfung, das ganze Weltall als eine Einheit anerkannte und lehrte, in welcher also der Mensch seine bestimmte Stellung einnahm.

Was versteht man unter naturwissenschaftlichem Bewußtsein? Das Begreifen der Welt als einer Einheit und des Menschen als eines Gliedes dieser Einheit, denselben Gesetzen unterworfen wie die übrigen Wesen und in seinem Dasein aus denselben Gesichtspunkten zu betrachten. Jemehr der Mensch in sozialer und politischer Hinsicht sich entwickelte, jemehr er aus dem Leben in der Natur in einen sich abschließenden geselligen Kreis trat und durch die Cultur alles dessen, was zu seinem materiellen Leben gehört, eigenthümliche, den übrigen Geschöpfen fremde Gewohnheiten und Lebensweisen annahm, jemehr sich Intelligenz, Philosophie und Wissenschaft entfalteten und den Menschen von den anderen Geschöpfen immer mehr unterschieden, und als endlich die herrschenden Religionen den Beruf, die Bestimmung, die Zwecke des Menschen über die sichtbare Welt in eine höhere, jenseitige und göttliche immer mehr verlegten: desto stärker mußte die Scheidewand zwischen dem Menschen und der Natur werden, desto vollständiger mußte er sich von den übrigen Wesen getrennt denken und nicht blos über sie hinausragen, sondern sich auch als völlig verschieden von ihnen anerkennen. Dies führte endlich bis zur Verachtung alles Natürlichen, bis dahin, daß der Triumph des Menschen in der Ueberwindung alles Natürlichen, in der Verschmähung desselben, in der Feindseligkeit gegen dasselbe gefunden ward. So hatte das Alterthum seinen Cynismus und seine Stoa, das Mittelalter sein Braminenthum und seine Aszetik. Aber auch in den Sitten, in der Lebensweise und in der Erziehung auf ganz materiellem Boden macht sich dies herrschend. Nacht wurde in Tag verwandelt, die Bildung des Geistes auf Kosten des Körpers angestrebt und der letztere in der Erziehung vernachlässigt; alle leiblichen Bedürfnisse zum höchsten Raffinement gebracht und die natürlichen Triebe zu den schrankenlosesten Ausschweifungen gemißbraucht.

Mit der großen Entwickelung der Naturwissenschaften, mit der vorherrschenden Neigung für sie mußte dies anders werden. Man begriff das Weltall in seinem Zusammenhange, die enge Zusammengehörigkeit aller Wesen; man faßte den Menschen in seiner Eingliederung in dieses große Ganze wieder, man hörte auf, ihn als einen gesonderten Mikrokosmus zu betrachten, wohl aber als untrennbares Glied des Makrokosmus; man begriff die höhere Einheit, in welche Geist und Körper, wenn auch in ihrem Wesen so verschieden, in dem Menschen aufgehen und wie sie beide miteinander durch die engsten Bande, durch die nachhaltigste Wechselwirkung verbunden sind; man begreift, daß der Geist während seines Erdendaseins der Sphäre der Erde angehört, sich innerhalb derselben zu entwickeln und seinen Beruf zu erfüllen habe. Dies ist die Grundlage des naturwissenschaftlichen Bewußtseins. Jede Forschung, jede Entdeckung verstärkt und schärft es. Diese Erde ist uns nicht mehr die ganze Welt, deren Mittelpunkt, deren Endzweck, sondern wir wissen sie nur noch als ein mittleres Glied des Sonnensystems und dieses als ein Glied des großen Weltensystems; wir wissen, daß die Erde nur eine Nüanzirung der unendlich mannigfaltigen zahllosen Weltkörper ist und daß auf sie alle kosmischen Gesetze einwirken, welche durch die ganze Schöpfung reichen. Um ein Bild zu gebrauchen: wir sehen Morgenroth, Tageshelle, Abendroth und Nacht immerfort zu gleicher Zeit um die Erde gleiten und wechselsweife die Erdengeschöpfe darunter stehen, und verlernen immer mehr diese Erscheinungen als an den Ort gebunden zu betrachten. So erscheinen uns denn auch alle Wesen der Erde in ihrem innigsten Zusammenhange als Modifikationen eines und desselben Daseins, allesammt denselben Gesetzen unterworfen und von diesen in ihrer ganzen Existenz beherrscht. Dies ist das naturwissenschaftliche Bewußtsein.

Aber es ist nicht zu verkennen, daß auch dieses große Errungniß zu den bedeutsamsten Ausschreitungen verleitet und, daß wir es offen sagen, zu den gefährlichsten. Es ist dies einmal das Schicksal alles Menschlichen, von einem Extreme zum andern getrieben zu werden und gewissermaßen die frühere Vernachläfigung eines Moments durch dessen nachherige Uebertreibung zu rächen. Wer weiß es nicht, daß dieses naturwissenschaftliche Bewußtsein viele Individuen zu einem trostlosen Atheismus und Materialismus führt? Die Betrachtung der Welt von ihrer physischen Seite verleitet zu der Leugnung ihres göttlichen Ursprungs, zu der Annahme eines Ansichseins des Stoffes, der Nothwendigkeit seiner Existenz, der Selbstschöpfung seiner Gebilde, Einrichtungen und Formen. Die Betrachtung der Erdenwesen in ihrem Zusammenhange verleitet zur Verkennung alles organischen Wesens, zur Zurückführung desselben auf nur mechanische und chemische Gesetze. Die Betrachtung des Menschen vom naturwissenschaftlichen Standpunkte verleitet zur Identifizirung des Geistes mit dem Körper, zur Erniedrigung des ersteren als eines physikalischen Prozesses des letzteren, zur Abschwächung seines selbstbewußten, freien Willens und sittlichen Werthes zu bloßen Instinkten.

So steht die Verirrung der positiven Religionen der Verirrung des naturwissenschaftlichen Bewußtseins gegenüber, und indem das letztere die erstere bekämpft, versteht es nicht, sich selbst vor der entgegengesetzten Verirrung zu hüten, und weil man in diesem naturwissenschaftlichen Bewußtsein sich von jenen Extravaganzen der positiven Religion frei macht, pocht man auf dasselbe und verliert sich in ihm ganz und gar.

Wir sagen nun nicht, daß sich das Judenthum von jenen Irrthümern frei erhalten habe; auch das Judenthum ist den Strömungen der Zeit, ist den vorherrschenden Richtungen der Völker, in deren Mitte es besteht, mehr oder weniger unterworfen und nahm in den verschiedenen Epochen mehr oder weniger von ihnen an. Auch das Judenthum bildete eine die Natur verachtende Aszetik aus und lernte den Menschen aus seinem natürlichen Zusammenhange herausreißen und über die Erde hinwegheben. Aber es ist doch ein anderes, wenn dieses Moment zu dem eigentlichen Wesen einer bestimmten Religion gehört und ihren ganzen Charakter ausmacht, oder wenn es, wie es bei dem Judenthume der Fall ist, ihr erst aufgedrungen und zugefügt ist, während nicht blos ihr Ursprung sondern ihre ganze eigentliche Anschauung, ihr Grundcharakter und ihr wesentliches Endziel ganz andere sind. Und dies ist es denn, was wir betonen, wenn wir sagten, daß das naturwissenschaftliche Bewußtsein ebenfalls ein Element des Judenthums war und ist.

Der Mosaismus beginnt mit der Schöpfung der Welt, innerhalb derselben der Erde, der Wesen auf der Erde und unter diesen des Menschen; dann behandelt er die äußere und innere Entwickelung des ganzen Menschengeschlechts und hebt endlich aus diesem einen Stamm, eine Familie, einen Mann hervor, der zum Ausgangspunkte der Gotteserkenntniß geworden. Der Mosaismus wollte hiermit die Zusammengehörigkeit dieses Mannes und des aus ihm entsprungenen Religionsvolkes mit dem ganzen Menschengeschlechte und die Einheit dieses, die Eingliederung des Menschen in die Wesenreihe der Erde, und die Einheit der ganzen Schöpfung lehren. Allerdings betrachtete er den Menschen als das höchste der Erdengeschöpfe, das zwar seiner ganzen physischen Seite nach dem Thierreiche, ja der Erde, aus deren Elementen (עפר) er gebildet, eingeschlossen ist, aber durch Beseelung mit dem gottebenbildlichen Geiste auch zugleich einer höheren Welt angehört und einen höheren Beruf zu erfüllen hat; er erkennt aber diese Vereinigung des physischen und geistigen Lebens im Menschen als eine Einheit an, die während des Erdendaseins untrennbar und unlöslich ist. Ebenso ist ihm die Schöpfungsgeschichte nicht blos etwa ein erster Anknüpfungspunkt, sondern wie sie nichts anderes und nichts weiter als die großen Schöpfungsgedanken Gottes und die allgemeinen Bedingungen des physischen Daseins im ganzen Weltall und auf der Erde insbesondere[1]) zeichnet, bildet sie ihm die Unterlage zur ganzen Gotteserkenntniß. Es ist eine wesentliche Eigenthümlichkeit der

---

1) Siehe unsern Commentar zur Schöpfungsgeschichte in unserm Bibelwerke.

israelitischen Gotteslehre, daß sie sich zu aller Zeit ebenso wohl als eine geoffenbarte, gegebene, als auch als eine aus der Natur erkannte und durch dieselbe erwiesene hinstellte. Wir brauchen den Kundigen nicht erst auf alle die Prophetenstellen, die Psalmen (namentlich den 19. Psalm), das Buch Hiob u. s. w. hinzuweisen, in welchen die Gotteslehre als auf die Natur gegründet gepriesen, und die ganze Schöpfung mit allen ihren Wesenreihen und deren Einrichtungen als der schlagende Beweis für das Dasein und die Eigenschaften Gottes, wie unsere Religion sie lehrt, erhoben wird. Nur auf solchem Grunde konnte das Buch Hiob erstehen, und wie von dem Weisesten der Nation gerade gerühmt wird, daß er zu sprechen gewußt von der Zeder des Libanon bis zum Ysop an der Felswand, so ist es nicht zu verkennen, daß dieses naturwissenschaftliche Bewußtsein selbst schon innerhalb des Judenthums einmal bis zur Ausschreitung gelangte und sich als Verkennung der „Vorzüge des Menschen vor dem Thiere" aussprach (Kohel. 3, 19.[1]) — Nicht minder geht die Anschauung der Einheit, in welche Körper und Geist im Menschen gebracht worden, durch das ganze mosaische Gesetz und liegt ihm wesentlich zu Grunde. Das ganze Reinigkeits- und Reinigungsgesetz, insonders auch das Speisegesetz beruht auf der Ansicht, daß die körperlichen Prozesse auf den Geist nachhaltige Wirkung üben, aus der Verunreinigung, Entweihung, Verthierung des Körpers auch eine Befleckung, Entweihung, Erniedrigung des Geistes hervorgeht, so daß die Heilighaltung und Heiligung des Menschen bei dem Körper beginnen muß, um die Erfüllung im Geiste vollständig machen zu können. So haben denn auch selbst während des dunkelsten Mittelalters die bedeutendsten Männer des Judenthums keinen Widerspruch darin gefunden, sich mit den Naturwissenschaften zu beschäftigen, und niemals wurden jene deshalb als außerhalb der Synagoge stehend oder gar als Hexenmeister und Zauberer angesehen. Ja, selbst die abenteuerlichen Verirrungen der Kabbalah und noch mehr des Chassidismus, der den Gebeten selbst eine Einwirkung auf die Natur zuspricht, setzt den Zusammenhang voraus, in welchem das Judenthum den Menschen mit der Natur anschaut.

---

[1] Daß dies nicht die Ansicht des Buches Kohel selbst ist, sondern als eine damals nicht ungewöhnliche Meinung angeführt und bekämpft wird zeigten wir in unserm Commentar zu diesem Buche. S. unser Bibelwerk Th. III. S. 745.

Also auch hier erkennen wir das Judenthum in seiner Grund=
anschauung und Reinheit als das wahre Correctiv gegen die Aus=
schreitungen auf der einen wie auf der andern Seite. Es erhebt
sich gegen diejenigen positiven Religionen, welche das naturwissen=
schaftliche Bewußtsein als gegnerisch und feindlich ansehen, in der
Naturbetrachtung den Widerspruch gegen ihre Dogmen finden und
ihre ganze Anschauung gegen alles Natürliche im Menschen richten.
Es erhebt sich aber nicht minder gegen die Extravaganzen des natur=
wissenschaftlichen Bewußtseins, gegen dessen Versinken in das blos
physikalische Element, 'gegen dessen Ausartung in Atheismus und
Materialismus. Bringen wir es uns immermehr zum Bewußtsein,
daß das Judenthum die vier großen Momente in sich vereinigt:
das eigentlich religiöse (Gotteslehre und Verhältniß des Menschen
zu Gott), das naturwissenschaftliche, das sittliche und das politisch=
soziale Moment, und daß in der Vereinigung und gegenseitigen
Durchdringung dieser vier Momente die Religion des Judenthums
besteht.

VI.

Die Phantasie in der Religion.

Die Seele ist ein einheitliches Wesen. Sie hat keine Theile und keine Glieder, sie ist nicht zusammengesetzt; sie ist einheitlich und einfach. Aber ihre Thätigkeit ist eine verschiedne, und diese Thätigkeit in ihrer Verschiedenheit nennt man Kräfte oder Vermögen. Vor allen treten hier drei hervor, die sich besonders charakterisiren: die Denkkraft, das Gefühl und die Phantasie. Die anderen, wie das Willensvermögen, das Gedächtniß, liegen heute außerhalb unserer Betrachtung. Die Denkkraft, welche Vorstellungen zu Urtheilen, Urtheile zu Schlüssen verbindet; das Gefühl, diese unmittelbare Bewegung der Seele auf jede Berührung derselben; die Phantasie oder Einbildungskraft, welche gehabte Vorstellungen wieder vor die Seele führt und sie willkürlich mit schöpferischer Kraft zu neuen Bildern combinirt und componirt. Die Einheit der Seele bezeugt sich aber dadurch, daß keine dieser Thätigkeiten ohne die andere sich vollziehen kann. Der Verstand vermag keine Operation ohne die lebhafte Beihilfe der Phantasie zu vollbringen, welche ihm die Vorstellungen festhält, die er in seinen Urtheilen und Schlüssen logisch zu verbinden strebt, und es ist gewiß, daß der strengste Mathematiker einer sehr lebhaften Einbildung bedarf, um seiner Größenbilder sicher zu sein. In gleichem Maße erweckt jeder Gedanke ein bestimmtes Gefühl in uns, wie jedes Gefühl sofort durch den Verstand nach Bewußtsein ringt, um über seinen Inhalt klar zu werden. Die Phantasie endlich strebt, trotz ihrer Willkür in ihren Schöpfungen, doch nach dem Scheine der Vernunft, indem sie in Gebilden Ursache und Wirkung in einen Zusammenhang bringt, den sie freilich in der Wirklichkeit nicht haben.

3 *

Wir brauchen unsere Leser nur daran zu erinnern, daß darum der höchste Grundsatz für die Entwickelung des Menschengeistes ist: nach einer harmonischen Ausbildung dieser und aller Seelenkräfte zu streben, so daß sie in der verhältnißmäßigen Befähigung und Thätigkeit in uns existiren, um unsern Geist ein vernunftgemäßes und religiös=sittliches Leben führen zu lassen. Keine dieser Seelen= kräfte darf unterbrückt und beseitigt, keine auf Kosten der anderen genährt, gepflegt, überwiegend werden. Wie sie in ihrer Harmonie zum Heile führen, so bringen sie in Widerstreit gerathen oder durch einseitigen Vigor einer einzelnen zum Verderben. Der eiskalte Ver= standesmensch, der absichtlich jedes aufsteigende Gefühl in sich unter= brückt und nichts gelten lassen will, was er nicht aus einem ein= seitigen Princip begriffsfähig herleiten kann; der sentimentale Ge= fühlsmensch, der sich jeder Bewegung seines Herzens hingibt und sich den Wogen der Empfindungen haltlos überläßt; der Phantast, der nur in ausschweifenden Bildern lebt und die Wirklichkeit der angenehmen Schöpfungen seiner Einbildungskraft wegen von sich abhält: sie alle werden tausendfach irregehen, sich und Anderen Un= heil bereiten und das erhabene Ziel des Menschengeistes weitab verfehlen.

Wenn aber irgendwo, so ist auf dem Gebiete der Religion eine einseitige Geistesbildung und Geistesthätigkeit vom größten Nachtheil. Es ist, wie wir an einem andern Orte hervorgehoben,[1] ein unschätz= barer Vorzug der israelitischen Religion, daß sie den ganzen Menschen, den einheitlichen Geist beansprucht und befaßt, daß sie ihren Er= weis und ihre Wirksamkeit in der Harmonie des Verstandes und des Herzens, des Denkens und des Fühlens findet, daß sie die Ver= nunft nicht verwirft, das Herz befriedigt und die Phantasie so weit wirken läßt, wie es mit der Erkenntniß und der lautern Empfindung übereinstimmt. Wir brauchen die Beweise hierfür heute nicht mehr zu führen. Nur darauf hindeuten wollen wir, daß die bedeutendsten Denker in Israel, ein Maimonides und Mendelssohn, ein Gabirol und Juda Halevi, die schärfste Verstandesentwickelung mit der innig= sten Gläubigkeit vereinbar fanden, daß gerade in dem israelitischen Stamme ein höchst reges Gefühlsleben zur Charakteristik gehört,

---

[1] Siehe unsere „Israelitische Religionslehre" (Baumgärtner 1861) Band 1, Seite 30 ff.

wie es sich namentlich im Familienleben und in der Wohlthätigkeit be=
thätigt. Und daß schon die h. Schrift die erhabensten Bilder uns vor die
Seele führt, weiß Jedermann. Aber, und dies ist der Gegenstand, den
wir heute vorzugsweise in Betracht ziehen wollen, das Schädlichste
und Gefährlichste in der Religion ist die Ueberwucherung der
Phantasie in ihr. Wo oder sobald die Phantasie in einer Religion oder in einer Phase derselben die Obherrschaft erlangt und
eine fast ungezügelte Wirksamkeit übt, da geräth diese Religion in
die äußersten Abwege, von denen sie nur spät und durch die müh=
samsten Kämpfe zurückgebracht werden kann. Daher tritt dem alleinigen
Walten der Phantasie die h. Schrift von Beginn an in entschie=
denster Weise entgegen, und wie sie bei ihrem Anfang uns ein
großartiges, aber einfaches und von allen phantastischen Bildern
freies Gemälde der Weltschöpfung entwirft, so ruft sie uns nach
der Verkündigung des Gottheitsbegriffes sofort zu: „Du sollst dir
kein Götzenbild machen, noch ein Abbild dessen, was im Himmel
droben u. s. w.", so ruft sie dem Israeliten immer wieder in die
Erinnerung: Du hast keine Gestalt gesehen am Tage, wo dir das
ewige Wort der Lehre und des Gesetzes verkündigt wurde.

Die Phantasie war die Mutter aller heidnischen
Religionen. Indem diese von dem Grundgedanken ausgingen,
alle Gewalt und Kraft in den Dingen außerhalb des Menschen als
Gottheit zu begreifen, überließen sie es der Phantasie, für die
Natur in ihren einzelnen Gebilden ein Verständniß sich zu schaffen.
Die Schwierigkeit war ihnen stets nur, wie der Mensch aus dem
Zwiespalt der guten und üblen Einflüsse auf ihn zum Begriff einer
Gottheit komme, in welcher der Gedanke der Schöpfung gedacht sei.
War dies vollendet, so überließ sich der Mensch seiner Phantasie,
um aus der Beobachtung der natürlichen und menschlichen Dinge
sich Götter und Geister zu schaffen. So sieht der Schamane wie
der Chinese, der Inder wie der Perser überall gute und böse Geister,
die in allen Dingen sind, wirken und verehrt werden, und der
Sabäer erkannte in jedem Stern einen eigenen Gott für jede Stadt
und jeden Stamm. Die Abendländer, die Griechen, Römer, Ger=
manen identificirten die Natur und den Menschen und trugen die
Empfindungen, welche die äußeren Einflüsse in dem Menschen her=
vorrufen, in die Natur selbst hinüber. Sie dachten in jedem natür=
lichen Dinge einen Gott, der von den menschlichen Leidenschaften

beherrscht ist, und jede menschliche Leidenschaft hat selbst einen Gott in sich[1]). So ist jede heidnische Religion, abseitens von ihrem Grundgedanken, ein Geschöpf der Phantasie, der Erkenntniß entzogen, dem Gefühle aufgedrängt. Es können wohl diesem Spiele der Phantasie Beobachtungen unterliegen uud diese in den Gebilden jener zum Ausdruck kommen, und diese Beobachtungen können wir aus ihrer Schale lösen und zum Verständniß bringen. Weiter aber nicht, jeder Versuch, aus den heidnischen Religionen Philosopheme zu machen, hat sich immer als willkürlich und verkehrt erwiesen.

Die Phantasie ist aber auch die Mutter alles Aberglaubens. Sie ist es, die den Menschen in den Begriffen der Vernunft und in den Empfindungen seines Herzens keine Befriedigung finden läßt, die ihn in ein schrankenloses, übersinnliches Reich hineintreibt und hierfür ihm concrete, faßbare Gestalten und Erscheinungen auffinden will; sie ist es, die auch in den leblosen Dingen Leben, freies, willkürlich waltendes Leben schauen und fassen will. Die Phantasie zieht daher immer wieder den reinen Begriff Gottes aus den Höhen des Lichts zur Menschenwelt herab und bekleidet ihn mit menschlichem Willen, menschlichen Triebfedern, menschlichen Eigenschaften. Die Phantasie bevölkert den unermeßlichen Raum zwischen Mensch und Gott mit den mannigfaltigsten Wesen, Geistern, Engeln. Die Phantasie knüpft immer wieder geheime Beziehungen zwischen den Menschen und dieser Geisterwelt an und sucht sie in wahrnehmbaren Mitteln und Operationen verwirklicht, faßbar und der Behandlung unterworfen zu zeigen. Die Phantasie umgibt deshalb alle wichtigen Momente des menschlichen Lebens mit abergläubischen Vorstellungen und Ceremonien, theils um günstige Erfolge zu erzielen, theils um schädliche Einflüsse zu beseitigen. Da ist denn ein unermeßliches Gebiet eröffnet, das durch die mannigfaltigen Pfade durchzogen wird, auf denen der Mensch bis zur äußersten Verwirrung, bis zur verderblichsten Hingabe, bis zur Versunkenheit und Entartung gelangt. Ohnmächtig kämpfen Verstand und Gefühl dagegen an, entweder sind sie unentwickelt und überlassen ohne Abwehr der Phantasie das unerbittliche Scepter, oder jene überwuchert sie und bringt sie gewaltsam zum Schweigen. Der Molochdiener, der sein Kind auf die glühenden

---

[1] Siehe unsere „Entwickelung der religiösen Idee", Seite 21 f.

Arme des ehernen Götzen legt, der Priester, der den Scheiterhaufen für den Ketzer entzündet, der Derwisch, der zu Ehren der Gottheit die scheußlichsten Tänze ausführt, bis er in convulsivische Zuckungen verfällt, was sagt ihnen ihr Verstand? was bewegt sie für eine Empfindung des Herzens? Sie sind den Phantasmen der Einbildnngskraft unterworfen, die ihnen Gott als ein menschenverzehrendes Wesen vorstellt oder das an den Schmerzen und Sprüngen der Menschen Wohlgefallen hat. Die einfachen Lehren der Vernunft, die Gefühle der Menschen= und Elternliebe, der Weihe und Heiligkeit schwinden vor den Extravaganzen der Phantasie, deren Dornenruthe von Blut und Thränen trieft.

Dies sind allerdings in die Augen fallende Ausschreitungen der Phantasie in den Religionen, aber wir wissen allzu gut, daß auch diese nicht selten und von nicht kurzer Herrschaft über die Menschen waren und zu keinem kleinen Theile noch sind. Aber, wenn auch von minderer Graßheit und weniger verderblicher Wirkung, existiren dergleichen Gebilde der Phantasie in allen Religionen und treiben ihr Spiel mit den Menschen, ihr böses Spiel; denn am Ende sind sie es, welche der reinen Erkenntniß und Verehrung Gottes, dem Verständniß und der Uebung der wahren Pflicht, der Wahrheit, dem Recht und der Liebe die größten Hindernisse schaffen, und die darum um so gefährlicher sind, weil sie aus jedem ihrer Samenkörner zu aller Zeit wieder aufzuschießen, ihre Zweige und Ranken auszubreiten bereit sind.

Daß jede Religion der concreten Ausprägung bedarf, daß sie in gottesdienstlichen Formen und Ceremonien ihrem Bekenner sich vorstellen muß, um ihre Lehren ihm immer wieder nahe zu bringen, auf seine Gefühle und Entschlüsse zu wirken, ihn zu erheben, zu läutern und zu heiligen, wer wird dies verneinen, der die Natur des Menschen kennt? Hier ist es, wo die Phantasie als ein Factor der menschlichen Seele mit hineingezogen wird und werden muß. Aber gerade darum bedarf es der äußersten Vorsicht. Die Form und Ceremonie müssen wirklich der Ausdruck einer religiösen Lehre oder Satzung sein, sie müssen durchsichtig genug sein, um diesen ihren Inhalt zu Bewußtsein und zu Gefühl zu bringen; sie dürfen diesen weder unsichtbar machen noch erdrücken. Denn sobald man dieses der Phantasie erlaubt, so treibt sie aus der Wurzel mit der Zeit die wildesten Schößlinge, so bildet sie eine steinerne Schale, aus welcher der Kern nicht mehr zu lösen, oder in der er zusammenschrumpft und schwindet. Man hat es gewissen Culten als Vorzug angerechnet, daß sie die Phantasie ganz besonders beschäftigen und die Menschen dadurch an sich fesseln. Ein zweideutiger, wenn nicht schlimmer Ruhm. Denn sie können dies nur auf Kosten jeder Vernunfterkenntniß und jedes einfachen, reinen Gefühls. Diese Occupirung der Phantasie wird der Ausgangspunkt sein zum verderblichsten Fanatismus oder zu tiefer Verdumpfung.

Der Monotheismus ist überhaupt die Religion des Verstandes, noch dazu, wo jener so scharf, so unerbittlich streng im Begriffe aufgefaßt wird, daß jede Modification als ein Abfall, jede sinnliche Auffassung und bildliche Darstellung als ein Verbrechen betrachtet wird. Er wird aber Religion des Herzens, sobald in ihr das Verhältniß dieses Gottes zur Welt und zum Menschen aufgeht und die unendliche Liebe dieses Schöpfers aller Wesen und des Vaters aller Menschen zu Bewußtsein und Gefühl kommt, und hieraus wieder die Liebe und das Recht zu den Mitmenschen und zu allen Wesen als das Gesetz des Lebens für den Menschen erfließt. Alles dieses tritt uns in der heiligen Schrift bestimmt und charakteristisch entgegen. Der Begriff von Gott wird scharf definirt, jede Antastung dieses Begriffes vermieden und verpönt, seine Anbetung auf den Geist beschränkt und in jedem Bilde verworfen, seine Güte und Gnade gegen alle Wesen unaufhörlich gefeiert, die Liebe zu Gott und zu den Menschen als höchstes Gebot aufgestellt, das Recht als die Quelle des Lebens bezeichnet, die Menschlichkeit gegen alle Wesen als Mitgeschöpfe desselben Schöpfers in vielen Vorschriften ausgeprägt — so daß die Religion Israels sich als eine wahrhafte Religion des Verstandes und des Herzens unzweideutig manifestirt. Dahingegen ist der Monotheismus in seinem Wesen und seiner Integrität durchaus ungeeignet, eine Religion der Phantasie zu sein, und sobald er sich dazu hinneigt, geht er aus seinen Grenzen heraus und verliert seinen Charakter. Von der einen Seite hört der Monotheismus auf, wahrhafter Monotheismus zu sein, sobald der Begriff des einzigen Gottes, wie der Verstand ihn faßt, modificirt wird durch Vorstellungen und Gebilde, die außerhalb des Verstandes liegen. Von der andern Seite wird er zur Ausschreitung gebracht, sobald die Attribute und Eigenschaften Gottes phantastischer Ausbildung überlassen werden. Die heilige Schrift zeigt uns Gott als Vorsehung und Richter durch Lehre und Geschichte, aber erst bei Späteren wird diese Vorsehung zum phantastischen Fatalismus und das Richten Gottes zu einem Weltgericht in der Erscheinung am Ende der Tage; in der heiligen Schrift wird die Unsterblichkeit der Seele mannigfach angedeutet, aber erst bei den Späteren wird sie zu einem bunten Phantasiegemälde von Paradies und Hölle, von Freuden und Qualen, die mehr oder weniger nach Sinnlichkeit schmecken.

Nicht minder sind selbst die Bilder, welche uns die Schrift aus der Geschichte vorführt, nur einfacher Natur, welche der Phantasie blos eine mäßige und gesunde Nahrung bieten und viel mehr auf das Herz als auf die Phantasie zu wirken geeignet sind. — Wer die Schöpfungslehre der Inder und Griechen mit der Schöpfungsgeschichte der Schrift vergleicht, muß die einfache Erhabenheit der letzteren, gegenüber den wirren Phantasmagorien der anderen, bewundern. Die Vorgeschichte des jüdischen Volkes führt uns die einfachen Lebensbilder der Patriarchen vor und hat keine Aehnlichkeit mit den Götter- und Heldengeschichten der alten Völker. So großartig auch die Gemälde der Vorgänge am rothen Meere, des Volkes, das durch die einsame Wüste zieht, des rauchenden Sinai, von dem die Worte des Gesetzes verkündet werden, sind, so bieten sie doch der Phantasie kein Gebiet weiterer Verarbeitung dar, wie denn jede Dichtung, die diese Scene frei zu bearbeiten versucht hat, bis jetzt immer mißglückt ist und an die einfache Erhabenheit der Schrift nicht reichte. Aber auch die spätere Geschichte des israelitischen Volkes, wenn sie auch Kampf, Untergang und Wiedererstehen mit einzelnen großen Gestalten genug enthält, beschränkt sich doch immer auf kleinen Raum und kleine Verhältnisse und greift, wir möchten sagen absichtlich, nirgends in die großen Weltereignisse hinein. Höchstens bietet die Richterzeit der Phantasie Spielraum und Werkzeuge dar. So ist es überall der Phantasie nur gegeben, sich an die wirklichen Erscheinungen zu halten und diese innerlich und äußerlich zu beleben, nicht aber in freiem Schwunge ihrer Flügel in ihr eigenes Reich zu flüchten und dieses mit ihren eigenen Geschöpfen zu bevölkern.

Hier aber müssen wir die Bemerkung machen, daß die Phantasie nach zwei Seiten hin geschäftig sein kann. Entweder sie führt frei ihren Herrscher- und Zauberstab und ruft damit ihre Schöpfungen hervor, oder sie versenkt sich in ein Gegebenes, das sie im Detail

ausführt und bei dem sie ihre Befriedigung durch die Häufung
und Vermannigfaltigung des Details sucht. In dem weitern Entwickelungsgang unserer Religion gewahren wir denn auch das Obwalten der Phantasie in letzterer Richtung, nachdem ihr die Wirksamkeit in der eigentlichen Religionslehre abgeschnitten war. In
der Thora war das einzige Feld, auf welchem die Phantasie zur
nothwendigen Befriedigung und Geltung kommen konnte, der Opferdienst, der Cultus überhaupt. Lehre und Gesetz hielten sich überall
an die vernunftgemäße Realität, der Opferdienst aber ist symbolischer
Natur und jedes Symbol die Andeutung eines Gedankens durch
ein Zeichen, das durch die Phantasie gewählt ist. Wenn nun auch
der zum Grunde liegende Gedanke in dem ganzen Gewebe des symbolischen Cultus immer wieder zur Ausprägung kommt, so hat doch
die Phantasie diese eigenthümliche Operation zu vollbringen: Mag
dabei die Schilderung durch das Wort so einförmig und durch die
Aufzählung aller Einzelnheiten noch so trocken sein, in der Herstellung des ganzen Cultusgebäudes mußte die Phantasie aufs leb-
hafteste betheiligt sein und bis in Zahl, Farbe, Stoff, Form u. s. w.
sich geschäftig erweisen. — Bei den Propheten und den Sängern
finden wir nun, der Natur der Sache gemäß, die Phantasie in ihrer
höheren Bethätigung. Die begeisterte Rede, der Psalm, das Gleichniß bedingen einen dichterischen Schwung, der sich wieder ohne
plastische Ausmalung der Ideen in mannigfaltigen Bildern nicht
denken läßt. Sobald aber dieser Schwung wieder abnimmt, greift
man abermals zu symbolischen Darstellungen und zur Durcharbeitung
des Details, wie dies z. B. bei Ezechiel der Fall ist. — In der
ganzen talmudischen Literatur ist es auffällig, wie sehr jeder höhere
Aufschwung, jeder erhabene Ausdruck, jeder Glanz der Sprache fehlen.
Aber es wäre ein Irrthum, die Talmudisten darum des Mangels
an Phantasie zu zeihen. Die außerordentliche Verarbeitung des
Details, die immer neuen Combinationen der Casuistik, die immer
weiter ausgedehnte Verästelung nach Regeln, die, so eng und ab-
grenzend sie scheinen, doch einen großen Spielraum zu freien An-
knüpfungen und Folgerungen bieten, erfordert eine mächtige Arbeit
der Phantasie. Der Beweis hierfür läßt denn auch nicht auf sich
warten; denn wenn schon in manchen Partien der talmudischen
Satzungen das Obwalten der Phantasie nicht zu verkennen ist und
sich Producte finden, welche den anderen Kräften des Geistes nicht

entsprechen, so brauchen wir nur baran zu erinnern, wie oft wir
im Talmud Dämonen, Geistern, Mirakeln und Wunderlichkeiten
in Ursache und Wirkung, in Sünde und Strafe, in Krankheit und
Heilmittel begegnen, um zu erkennen, daß hier dem Phantastischen
Raum genug gewährt worden sei. —

Der Gebetcyclus trat an die Stelle des Opfercultus. Wer
die Grundstücke unseres Gebetbuches prüft, findet in denselben
nur den einfachen Ausdruck dessen, was zu ihrer Erstehungszeit
religiöse Anschauung und nationaler Wunsch war. Was Phantastisches
darin vorhanden, war nicht neue Arbeit des Geistes, sondern Wieder-
gabe aus dem Material des Denkens und Fühlens der Nation.
Selten Aufschwung der Sprache, oftmalige Wiederholung desselben
Gedankens. Es war alles Bekenntniß, das gemeinsam in Allen
lebte. Gerade darum erhielt es den Charakter des Normativen,
wurde allgemein angenommen und so zum Pflichtgebet. Später
wurden ausgewählte Psalmen hinzugefügt, wodurch dem Bedürfnisse
nach höherem geistigen Aufschwung, nach tieferer Erregung genügt
wurde, doch sind auch hierbei nur solche Psalmen ausgewählt worden,
welche weniger die Bewegungen des Individuums zum Ausdruck
bringen als allgemeine und nationale Gedanken und Gefühle. Die
Psalmen, welche so recht die Lagen, Kämpfe und Wünsche der Person
ausdrücken, blieben zurück. Erst in der Mitte des Mittelalters be-
mächtigte sich ein buntes Leben der Phantasie auch des jüdischen
Gebetes. Es sind die Piutim, die nach verschiedenen Richtungen
hin eine Fülle poetischer Erzeugnisse in den jüdischen Gebetcyclus
hineindrängten. Hier aber war es die Ungunst der Zeit, welche
ein schädliches Spiel trieb. Armuth an Gedanken und Armuth an
Geschmack sind die Mängel aller mittelalterlichen Poesie und daran
leiden auch die Piutim ganz und gar, wenn wir die synagogalen
Gedichte einiger spanischer Sänger ausnehmen. Der Kreis der
Gedanken ist bei den Peitanim sehr beschränkt, und weder sprachlich
noch in der Kunstform kennen sie die Anforderungen eines correcten
Geschmackes. Dafür entschädigte sich die Phantasie durch das regellose Umherstreifen im Grotesken, im Reiche des Wunderlichen nnd
Wundersamen, in Häufung und mannigfaltigster Wiederholung.
Man holte auch das Symbolische wieder hervor, so daß man sich
z. B. für die Persönlichkeiten der h. Geschichte einer bunten Menge
symbolischer Namen bediente; man suchte nach mystischer Verhüllung

und verbarg darunter nüchterne Anschauung und oberflächliches Gefühl. Nur da war man tief und wahr, wo man sich in den Schmerz der Nation versenkte, und wo das unerschütterliche Vertrauen auf die Erlöserkraft Gottes ausgesprochen wurde. So der Inhalt, so die Form; und schon daß man das Alphabet und einen monotonen Reimfluß, der durch die Suffixa im Hebräischen so leicht, aber auch so bedeutungslos ist, als die äußeren Formen der Poesie anwandte, ist charakteristisch. Von Grammatik, Correctheit oder gar Classizität der Sprache keine Spur, außer bei den Spaniern. Für manche Stücke ging man noch weiter und wählte die aramäische Sprache, obschon diese längst dem Volke viel fremder geworden als die hebräische; viele erlauben sich ein buntes Gemisch beider Sprachen [1]).

Der Genius der Menschheit steht in seiner Arbeit nie still. Ob er sich auf der Höhe oder in der Niederung befindet, er ist fort und fort thätig im Schaffen und Arbeiten. Er copirt nie, aber er wiederholt seine Processe mit immer neuen Elementen. Ist ihm etwas verloren gegangen, beginnt er seine Arbeit von neuem, aber in anderer Weise. Ist er zurück geschritten, bringt er wieder vorwärts, aber auf einem neuen Wege. Hat er sich eine Zeit lang der Oberherrschaft einer Geistesthätigkeit und Geistesrichtung vorwiegend ergeben, so wacht in ihm das Verlangen nach einer andern, nach der, welche er vernachlässigt hat, auf. Nur in kurzen Zeiträumen ersteigt er die Höhe, auf welcher er die harmonische Vereinigung aller Geisteskräfte in classischen Erzeugnissen zu Stande bringt. Bald darauf wird eine derselben wieder vorwiegend werden, und die Zeit der Epigonen beginnt.

Jede Erscheinung in der Menschenwelt, die eine lange Vergangenheit hinter sich hat, gibt uns für diesen Entwickelungsgang die vielfachsten Beweise. Eine solche Erscheinung hat aus all den Zeit=

---

1) Wenn man in neuerer Zeit versucht hat, das Urtheil über die Piutim, die sowohl von religiöser und cultueller als von ästhetischer und linguistischer Seite zu verdammen sind, irre zu leiten und einige — nicht Orthodoxe — für sie schwärmten — darunter Männer, die seit 30 Jahren sie nicht beten: so berufen wir uns auf die Aussprüche der frömmsten Gelehrten, z. B. des eifernden Jakob Emden (Jabez, 1750). Wir empfehlen auch hier das Schriftchen des Dr. A. A. Wolff „über die Piutim“, das vor einigen Jahren das Institut zur Förderung der israelitischen Literatur herausgab und welches eine (noch sehr zu vermehrende) Zusammenstellung der Urtheile der bedeutendsten älteren jüdischen Autoritäten gegen die Piutim enthält.

räumen, die sie durchschritten, etwas mit sich genommen. Auf dem religiösen Gebiete kommt aber noch hinzu, daß die Ueberlieferungen der Vergangenheit den Charakter der Heiligkeit besitzen, daß die Kritik fern gehalten und das Verlangen gestellt wird, alle Arbeiten der früheren Zeiten für unveränderlich, unantastbar, von unbegrenzter Autorität zu halten. Und dennoch geschieht es auch hier, daß dem Geiste und Bedürfniß jederzeit Rechnung getragen wird, daß bewußt und unbewußt die veränderten Zustände, Verhältnisse und Geistes= thätigkeiten ihren Einfluß üben und innerlich und äußerlich der Religion eine veränderte Gestalt verleihen. Aber gerade auf diesem Gebiete treibt die Richtung des Geisteslebens unwiderstehlich an, und so treffen sich hier Widerstand und Treibkraft mit außerordent= licher Gewalt. Der Trieb des Erhaltens und der Trieb neuen Schaf= fens nach neuem Bedürfen begegnen sich zu hartem Kampf. Wer mitten in diesem sich befindet, dem verwirrt sich leicht Einsicht und Aussicht, und nur erst dann ist eine richtige Umschau möglich, wenn sich der Charakter der Zeit ausgebildet und entschieden hat. Hierzu beizutragen ist eine schwere, eine unermüdliche Ausdauer erfordernde Arbeit.

Eine jede bedeutende Zeit hat also auch auf dem religiösen Gebiete eine Tendenz, einen bestimmten Charakter, denen sich Nie= mand entziehen kann, die auch auf den Widerstrebendsten ihren Einfluß üben. Dieser Charakter und diese Tendenz, kein Einzelner hat sie gemacht, kein Einzelner hervorgerufen, kein Einzelner kann sie verhindern und abschneiden. Sie sprechen sich zwar zuerst durch Einzelne aus, an die sich fortan die Geschichte der neuen Richtung anlehnt, die aber durchaus nicht als die Schöpfer dieser neuen Rich= tung, sondern als deren erste Kinder und Träger anzusehen sind. Kann Jemand glauben, daß ohne Mendelssohn Juden und Juden= thum noch heute in Ghettis stäken? daß ohne Voltaire und Rousseau die Franzosen noch heute unter dem Scepter der Bourbonen ständen? daß ohne Luther niemals eine Reformation gekommen? daß ohne Cäsar die römische Republik niemals gefallen wäre? Und wie viele Beispiele derart könnten wir noch anführen. Wir deuten hierauf hin, nicht um aufzufordern, daß die Gegner endlich einmal aufhören mögen, die einzelnen Männer für die neuen Erscheinungen und Richtungen, die sie für verderblich halten, verantwortlich zu machen — das wird niemals aufhören — sondern um endlich zum Bewußtsein zu bringen, daß jede neue Richtung aus der vorhergehenden Zeit eine Entwickelung, daß die Vergangenheit selbst die Mutter der neuen Zeit ist, daß in jener die ursächlichen Momente für diese liegen und daß dieser Entwickelungstrieb etwas Unwiderstehliches in sich trägt, das man hemmen und verlangsamen, aber niemals erdrücken kann.

. Und was ist nun die Tendenz der neuen Zeit auf dem religiösen, insonders auf dem Gebiete des Judenthums? Wir wollen es einfach und schlagend sagen: sie ist, den Monotheismus, d. i. die Religion des einzigen Gottes, zur reinen Religion des Verstandes und des Herzens, die er von Beginn an gewesen, wieder zurückzuführen und von allen Gebilden der überwuchernden Phantasie, mit denen ihn die vergangenen Zeiten bekleidet haben, zu befreien.

VII.

Ueber religiöses Denken und Wissen.

Die wahrhafte Religion beruht auf der harmonischen Entwickelung und Thätigkeit aller Seelenkräfte. So die Religion als
Ganzes, so die Religion im einzelnen Menschen. So wie eine
richtige Wahrnehmung nur aus einem übereinstimmenden Maß und
Verhältniß der Sinne hervorgeht, jede Schärfe eines Sinnes auf
Kosten der anderen nur einseitige und darum zum größeren Theil
unrichtige oder verkehrte Wahrnehmungen bewirkt: so auch das Vorherrschen einer Seelenthätigkeit in der Auffassung und Beantwortung
der höchsten, d. i. der religiösen Fragen. Sobald Jemand in seinem
religiösen Wesen die Denkkraft zum alleinigen Factor macht, geräth
er in spitzfindige Metaphysik, deren Ergebniß sehr zweifelhaft, oder
verliert sich in das Formenwesen und wandelt die Religion zu
einem Rechtskodex. Wo aber die Religion als eine bloße Gefühls-
sache genommen wird, wo alles Religiöse nicht gedacht, sondern nur
empfunden werden soll, da ist ein Verschwimmen aller religiösen
Gedanken unausbleiblich, bei aller Gefühlsseligkeit doch jede innere
Haltung und Festigkeit, jeder wahre Gewinn an Inhalt und That
verloren. Das Vorherrschen der Einbildungskraft endlich auf dem
religiösen Gebiete gebiert alle möglichen Arten von Phantastereien
und Aberglauben. Sie chloroformirt geradezu den Geist, und zwar
immer von Neuem, daß er sich nicht wieder daraus zur Wahrheit
retten kann. Verbinden sich aber gar Gefühl und Einbildung in
der Religion unter hartnäckiger Zurückweisung und Verketzerung der
Denkkraft, so sind Schwärmerei und Fanatismus wie von selbst
gegeben mit ihrem ganzen unheilvollen Reiche. Nein, die Religion
will durchdacht, durchfühlt und vom Schwunge der Einbildungskraft

belebt sein. Eine jede dieser Seelenthätigkeiten giebt für die beiden anderen das beste Correctiv; durch eine jede wirkt die Religion in eigenthümlicher Weise, vollendet sich aber nur durch die harmonische Zusammenwirkung aller Drei. Es ist ein Vorzug der Religion Israels, von ihrem Ursprunge an sich auf diese richtige Geltung aller drei Seelenkräfte gestellt, sie sämmtlich in Anspruch genommen zu haben, und ein gütiges Geschick hat dafür gesorgt, daß diesem ihren Charakter der ursächliche Stoff niemals gefehlt. Wenn die h. Schrift unsrer Einbildungskraft die großartige Scenerie in der arabischen Wüste mit dem versammelten Volke am Fuße des Sinai, den erbebenden, rauchenden Berg, die dunkle Gewitterwolke mit den zuckenden Blitzen, den Schall des Donners und der Drommeten vorführt, so läßt sie aus all' diesem die einfachen Worte des Ge= setzes ertönen, welche nichts als die klarste Vernünftigkeit athmen und in ihrem bündigen Ausdruck sich an den denkenden Menschen richten. Dennoch breitet sie auch hier den Hauch tiefer Empfindung darüber; bei der Erkenntniß des einzigen Gottes erinnert sie an die Rettung und Erlösung, die wir· erfahren, bei der Anbetung des unkörperlichen Gottes an die strafende und lohnende Vergeltung, die sich an den Haß und an die Liebe knüpft, bei dem Sabbath an das göttliche Vorbild der Schöpfung, bei der Verehrung der Eltern an das Glück, das aus treuer Pflichterfüllung ersprießt. So vereinigen sich schon in dieser einen Partie der h. Schrift Ein= bildungskraft, Vernunft und Gefühl, um ein harmonisches Ganzes für den Menschen zu schaffen, das darum den Stempel der Ewigkeit an sich trägt. Verfolgen wir aber diesen Gedanken durch die ganze h. Schrift, so werden wir ihn aber= und abermals verwirklicht sehen. Nirgends blos die nackte Logik, nirgends blos ein blödes Gefühls= wesen, nirgends blos die wüste Einbildungskraft. Um nur noch ein prägnantes Beispiel anzuführen. Charakteristisch für unsren Ge= danken ist das Buch Hiob. So metaphysisch der Gegenstand ist, der in diesem Buche behandelt wird, die göttliche Weltordnung, wie sie sich in der Menschheit als Vorsehung und Vergeltung manifestirt, und so denkgemäß er durchgeführt ist, indem Theorie und Praxis befragt und die göttliche Weltordnung in der Natur zu Hülfe ge= nommen wird; so ist doch zugleich eine solche Fülle der Poesie, ein so reiches Leben dichterischer Phantasie über das Ganze und alles Einzelne ausgebreitet, daß dem Dichter des Hiob die Stelle neben

den wenigen größten Poeten des Menschengeschlechtes zuerkannt wer=
den muß. Aber dies vermochte er eben nur dadurch, daß er in
seinen Stoff und jede einzelne Situation desselben einen tiefen Strom
der Gefühle hineinzulenken verstand, auf dessen Wellen nun das
Fahrzeug des prüfenden Verstandes mit sicherem Steuer dahinfährt,
und die Sonne der Phantasie ihre Silbersäulen und ihren Licht=
schimmer legt. Das ewige Weh des Menschen und der ewige Trost
ringen mit einander, bis der letztere die Oberhand gewonnen. —
Aber auch in späteren Epochen fehlte es dem israelitischen Geiste,
selbst wenn er eine einseitige Richtung eingeschlagen, niemals an
Stoff auch für die übrigen Seelenkräfte. Als die aristotelische
Philosophie, die phantastische Kabbala und die halachische Discussion
sich um den Vorrang stritten, hatte die Vorsehung dem jüdischen
Stamme in seinem furchtbarem Mißgeschick und wiederum in seinem
heißathmigen Familienleben Impulse der erhabensten und voll=
kräftigsten Gefühlsbewegungen, in seinen Messiashoffnungen zur Ent=
zündung der Einbildungskraft reichlich gegeben, um die Religion
des Judenthums nicht zu vereinseitigen und ihr eine gewisse innere
Harmonie zu erhalten.

Es war naturgemäß, daß mit dem Eintritt der neuesten Ent=
wickelungsperiode, die wir seit Mendelssohn datiren, gerade die Denk=
kraft vorzugsweise wieder hervortrat, um sowohl ihr auflösendes
als auch wiederbauendes Werk zu beginnen und fortzuführen. Man
erinnere sich, daß die Zeit Mendelssohns vorzugsweise eine metaphy=
sirende und zwar in populärer Weise war. Ihr höchstes Interesse
nahm die Discussion über einen Begriff, eine Definition, die Lösung
einer metaphysischen und psychologischen Frage in Anspruch; Empfin=
dung und Phantasie waren ihr eben nur Gegenstände des Denkens,
für Geschichte hatte sie gar keinen Sinn. Es war dies eine noth=
wendige Erscheinung, und nur durch sie konnte die Cultur und Bil=
dung hemmende Schranke durchbrochen und dem Geiste eine gewisse
Freiheit, Geschmack und Adel zurückgegeben werden. Aber in ihrer
Einseitigkeit hatte sie für die Religion neben unentbehrlichen Folgen
auch sehr nachtheilige. Sie unterwühlte den großen Unterbau der
Religion, das geschichtliche Leben derselben, und zerschnitt das Band
der Entwickelung, das überall, besonders aber in der Religion, Gegen=
wart und Vergangenheit und so auch die Zukunft an einander knüpft;
sie entnüchterte durch ihr vorherrschendes Verstandesleben die Religion,

daß der Geist völlig noch aus ihren Formen verschwand, und ließ die Seelen durch ihr Philosophiren erkalten. Aber so schädlich dies auch war, so sehr sich auch unsre Zeit diesem Frosthauche wieder entwinden mußte und muß, so bildet doch das vernunftmäßige Denken ein zu starkes Element des Judenthums und ist es der Schöpfer eines so energischen Bewußtseins, daß wir seine Wiedereinkehr in das Judenthum nicht hoch genug anzuschlagen und es, wenn auch bereichert durch Gefühl und Phantasie, festzuhalten haben. Eine Religion, welche die Einzigkeit und die unbedingte Unkörperlichkeit Gottes zu ihrem Grunde und Höhenpunkte hat, welche die großen Prinzipien des socialen Rechtes verkündet, und darum in dem richtigen Abwiegen der Individualität, der Nationalität, der Staatlichkeit und der Menschheit einen Angelpunkt hat, kann in dieser Wesenheit nur durch vernunftgemäße Erkenntniß begriffen, erkannt und erhalten werden. Ja sie faßt dann die Liebe mit ihrem unerschöpflichen Gehalte in das erhabene Gefäß, und wirft den Sternenmantel der Geschichte um ihr ganzes göttliches Gebilde. Aber nur in dieser Vereinigung findet sie ihre Vollendung und Erfüllung.

Wie es nun gekommen, mögen wir hier nicht erörtern, daß in der jüngsten Zeit die Menschen im Allgemeinen, und so auch die Juden von dem Obwalten der Denkthätigkeit wieder allzusehr abgekommen. Aber in der That ist es so. Allerdings erhält sich die Wissenschaft ihre ganze Strenge, und fördert von Tag zu Tag die Erfolge ihrer Prüfung und Forschung zu Tage. Nicht so jedoch die große Welt, und namentlich die sg. gebildete Welt. Man sehe nur zu; gebet der Mehrzahl der Menschen eine ernstgehaltene Schrift, welche Nachdenken, Anstrengung des Verstandes, Aneignung von Wissen fordert und fördert, in die Hand, und gar schnell wird sie derselben entfallen. Was nicht zugleich Kuriositäten bringt, oder gleich Roman ist, das findet keine Verbreitung. Alles soll die Einbildung beschäftigen und das Gefühl anregen. Zum Denken ist man lässig, und was sich von diesem zur Verarbeitung darbieten will, muß in das Gewand der Dichtung sich kleiden und der Gefühlsbewegung wechselnden Anstoß geben. Es mag sein, daß augenblicklich hiermit auch der Religion eine neue Nahrung gereicht, ein gewisses Bedürfniß nach ihr wieder angeregt, und momentan die Seele ihr wieder geöffnet wird — sicher ist es, daß dem wesentlichen Inhalte des Judenthums dadurch großer Abbruch geschieht. Das Feuer, welches durch Gefühl und Einbildung entzündet wird, ist nur ein flackerndes Strohfeuer. Nur die tiefe Ueberzeugung und die aus dieser erfließende Gesinnungstüchtigkeit schafft eine wahre und dauernde Begeisterung für das Judenthum. An der Schwelle desselben steht der große Gottesmann Moses, und weiset alles Verborgene und Geheimnißvolle von demselben zurück; nicht was im Himmel, nicht was jenseits des Meeres, sondern was dir ganz nahe, in deinem Munde und deinem Herzen ist, das ist sein Judenthum (5. Mof. 29, 28. 30, 11—14). Die bloße Gefühlsseligkeit und das ungebundene Spiel der Phantasie führen innerhalb des Judenthums zu Auswüchsen, wie der Chassidismus ist, oder ganz außerhalb des Judenthums, wo die Zurückweisung und Verketzerung der Denkthätigkeit Grundlage mystischer Dogmen ist. Wer, mag er auf anderen Gebieten noch so klar denken, in der Religion nur eine Befriedigung von Gefühlen und eine Anregung der Phantasie sucht, wird allen möglichen Verirrungen ausgesetzt sein und sich, ehe er es sich versieht, von fanatischen Schwärmern oder geschickten Betrügern in's Netz gelockt sehen, das Judenthum aber will innerhab seines großen Lehrkreises ein vernunftgemäßes Denken; was vor diesem nicht besteht, weist es als ihm nicht ursprünglich angehörig zurück, und nur hierdurch sichert es sich seinen Bestand durch den weiten Gang der Zeiten.

Demungeachtet ist es hiermit nicht genug. Das bloße logische Raisonniren reicht in der Religion nicht aus, sondern es muß dies sich auch auf religiöses Wissen stützen und von diesem seinen Inhalt erhalten. Wenn unsre romandurstige Zeit sich des religiösen Denkens so sehr entschlagen hat, so liegt gewiß eine Hauptursache dessen in dem Mangel an allem positiven Wissen auf dem Gebiete des Judenthums. Die jüdische Jugend ist seit langer Zeit ohne Kenntniß der h. Schrift, des jüdischen Lebens, der jüdischen Geschichte aufgewachsen. Noch heute fehlt es an vielen Orten an genügendem Unterricht hierin, und selbst wo dieser vorhanden, entzieht ihm ein großer Theil der Eltern ihre Kinder. Was die Kenntniß der Bibel betrifft, so steht sicherlich mancher Schüler einer Dorfschule zahlreichen Kindern sog. gebildeter Juden voran, und viele dieser wissen von den Erzvätern, von Moses, von den Propheten, von den Sängern und Königen Israels weit weniger, als in einer gewöhnlichen Volksschule gelehrt wird. Verhindert doch selbst die sonst so gerechtfertigte

4*

Bemühung, der Jugend einige Kenntniß des Hebräischen beizubringen, den mehr sachlichen Unterricht, ohne daß dafür die erlangte Vertrautheit mit der hebräischen Sprache, eben weil sie so mangelhaft bleibt, einen Ersatz böte. Mit den einfachsten Grundsatzungen des Judenthums bleibt eine große Masse ganz unbekannt, und am wenigsten ist ihnen eine Erklärung der Bräuche geläufig. Bei solchem Mangel an positivem Wissen ist es nicht zu verwundern, daß die Denkthätigkeit nur geringen Stoff und noch geringere Anregung und Veranlassung hat; ist es noch weniger zu verwundern, daß diese krasse Ignoranz im Religiösen allen möglichen Verirrungen und Verkehrtheiten Vorschub leistet. Wie sollte der Blinde über die Farbe, ob sie echt oder falsch sei, urtheilen können!

Was ergiebt sich hieraus? Nichts Anderes als: sorget, daß eure Kinder einen tüchtigen religiösen Unterricht genießen, und in und mit ihrer Religion vertraut werden; gehet selbst ihnen hierin mit gutem Beispiele voran. Sorget dafür, daß ihr tüchtige Lehrer habet, welche mit einem bedeutenden Wissen noch ein bedeutenderes Lehrgeschick und einen warmen Eifer verbinden und selbst durchbildet sind. Ihr Lehrer aber, habet vor Augen, daß besonders im religiösen Unterrichte das zwiefache Ziel erstrebt werden muß, der Jugend ein reiches Wissen zu geben, aber auch die Denkkraft zu entwickeln und zu schärfen und an Thätigkeit zu gewöhnen. Auf diese Weise werdet ihr überzeugungstreue, gesinnungstüchtige Menschen schaffen!

VIII.

Stoff und Geist in der Natur.

In allen Erscheinungen und Gebilden der Welt gewahren wir eine zwiefache Beziehung derselben, den Stoff, aus dem die Erscheinung oder das Gebilde besteht, und den Geist, der diesen Stoff gestaltet und beherrscht. Der Stoff, das ist das Sinnlich-Wahrnehmbare, das der Erscheinung zur Unterlage dient, um Erscheinung werden zu können; der Geist, das ist der Gedanke, der in Zweck, Form und Einrichtung der Erscheinung sich ausprägt. Gehen wir nun die ganze Reihe der Wesen durch, so erkennen wir theils Solche, in welchen dieser Geist eben nur als das allgemeine Gesetz vorhanden ist, wie es sich aus der Allgemeinheit heraus unter den gegebenen Bedingungeu in dem individuellen Wesen individualisirt; theils Solche, in welchen der Geist als ein für sich seiendes, besonderes Dasein erkannt, oder doch angenommen wird. Zu den Letzteren gehören, so weit die Wesen unserer Kenntniß unterliegen, nur der Mensch und die höher organisirten Thiere, wogegen zu den Ersteren die niederen Thierarten, die Pflanzen, die anorganischen Dinge und die Weltkörper gezählt werden. Da ist es denn eben geschehen, daß die Menschen in ihrer Auffassungsweise sich trennten; die Einen, insonders die, welche sich vorzugsweise mit dem Stoffe abgaben, mit der Kenntniß seiner Beschaffenheit, Zusammensetzung, Form u. s. w., leugneten den Geist, und auch das Leben, das sich in seiner Mannigfaltigkeit an dem Stoffe manifestirt, sahen sie lediglich als Produkt und Eigenschaft des Stoffes selbst an; die Anderen, welchen in der Regel die Kenntniß der Natur abging, und die Alles von Innen heraus zu abstrahiren suchten, vergaßen des Stoffes, und wollten die ganze, unendliche Natur auf die Leisten

einiger philosophischen Thesen und Formeln schlagen. Um so mehr
ist es Zeit, diese getrennten Wege zu verlassen, und auf dem Pfade
der wahren und unbefangenen Anschauung zu einer höheren Ueber=
zeugung zu gelangen. Der Leser folge mir hierin, so weit ich ihn
zu führen vermag, und betrachten wir daher zunächst: wie der
allgemeine Geist sich in der ganzen Natur manifestirt;
es liegt darin zugleich die Beantwortung der Frage: ob in derselben
sich ein solcher allgemeiner Geist manifestirt, ob er in ihr vor=
handen ist?

Jedermann weiß, daß der Stoff für uns in unendlicher
Fülle vorhanden ist. Mögen seine Grenzen für eine höhere Er=
kenntniß wahrnehmbar sein, für uns ist der Stoff unendlich, und
keine denkbare Zahlenmasse vermag uns annähernd genügende Maße
darzubieten. Indeß versuchen wir, uns von dieser unendlichen Stoff=
masse wenigstens einige anschauliche Bilder zu entwerfen, damit der
bloße Begriff Leben und Gestalt für uns erhalte, und beginnen wir
mit unserem Erdkörper. Jedermann weiß, daß wir an demselben den
Stoff in dreifachem Zustande gewahren, gas= oder luftförmig, tropf=
bar=flüssig und fest. Ich hebe heute, um mich nicht zu verlieren,
blos den zweiten, das Wasser, hervor. Es ist bekannt, daß von der
Oberfläche der Erde fast ³/₄ mit Wasser bedeckt ist, der Boden des
Meeres ist aber ganz wie eine Landschaft auf dem festen Lande,
und denken wir uns das Wasser hinweg, so würden wir Berge und
Thäler, Hochland und Niederung sehen, wie droben „am rosigen
Lichte des Tages"; deshalb hat auch das Meer sehr verschiedene
Tiefe, von der Sandbank an, die kaum die Fluth bedeckt, bis zu
der, welche Kapitän Roß bisweilen mit 27,600 Fuß Senkblei noch
nicht ergründen konnte, eine Tiefe, welche unsere höchsten Bergspitzen
übertrifft, so daß erst der Montblanc auf den Montblanc gethürmt
über das Wasser hervorragen würde. Nimmt man nun das Meer
zu 12,000 Fuß mittlerer Tiefe an, so enthält es 2¼ Billionen
Kubikmeilen Wasser, und wenn es ausgeschöpft wäre, müßten alle
Ströme der Erde 40,000 Jahre lang ihr Wasser hineinschütten, um
das leere Becken wieder zu füllen. So unendlich dieser Wasserschwall,
diese flüssige Stoffmasse ist, so unendlich auch ihr Inhalt. In
diesem Meereswasser sind (nach Professor Schafhäutl) 4¼ Millionen
Kubikmeilen Salze enthalten, eine Massenausdehnung, die mehr als
fünf Mal so viel beträgt als die ganze Masse der Alpen; und dabei

nimmt Schafhäutl nur 900 Fuß mittlere Tiefe des Meeres nach Humboldt an, bei 3000 Fuß nach Laplace würden circa 14, bei 12,000 F. nach den neuesten Schätzungen circa 56 Millionen Kubikmeilen Salze im Meere enthalten sein. — Welche ungeheure Kraft in dieser Wassermasse liegt, kann man an einem Beispiel erkennen. Der Niagara ist nur ein bescheidener Mittelfluß. Es stürzen an den Wasserfällen dieses Stromes in jeder Minute 1402,500,000 Tr. Wasser über den 160 F. hohen Felsen. Die Technik nimmt an, daß bei Anwendung von Wasserkraft ein Drittel der Kraft verloren geht. Die wirkliche Kraft des Niagarafalles entspricht daher 4,533,334 Pferdekräften. Im Jahre 1843 war die gesammte Kraft der ganzen englischen Industrie gleich 233,000 Pferdekräften, welche 6 Tage der Woche 11 Stunden täglich arbeiten, der einzige Niagarafall entwickelt also 40 mal mehr Kraft, als die gesammte englische Industrie. Anerkannt ist es aber jetzt, daß das Meer an Reichthum der Bewohner das feste Land weit übertrifft. So schön die Pflanzenwelt des Meeres, obgleich diese fast ausschließlich nur von einer einzigen großen Pflanzenklasse, den Algen oder Tangarten, gebildet wird. Aber die neuere Forschung hat bereits 2000 Arten dieser submarinen Vegetation kennen gelernt, sie hat die ungeheure Größe uns gezeigt, welche die Riesen der unterseeischen Wälder erreichen, und die bis zu 1500 F. Länge wachsen. Obgleich unser Schiller vor jedem Besuche „dadrunten wo es fürchterlich", warnt, statten wir dennoch einen kurzen Besuch auf dem Grunde des Meeres ab. Da überziehen (sagt Schleiden) die kleinen Konferven und Ektokarpeen den Boden mit einem grünen Sammetteppich, auf dem der Meersalat mit seinem breiten Laube die größeren Kräuter vertritt; dazwischen glänzen die mächtigen Blätter der mantelförmig gefalteten Irideen in prachtvollem Rosenroth oder Scharlach; mannigfaltige Tangarten bekleiden die Klippen mit dunkler Olivenfarbe, zwischen denen dann wieder die prachtvolle Meerrose hervorleuchtet; gelb, grün und roth schillernd, bald als Riesenfächer sich ausbreitend, bald als mehrere Fuß lange und breite Blätter im Strome schwankend, bilden die seltsam netzförmig durchbrochenen Thalassiophyllen und Agaren die größeren Büsche dieses Waldes; als dessen Bäume erscheinen dann die oft 30 Fuß langen, breiten Bändern gleich wallenden Laminarien, wechselnd mit den buschig verzweigten Makrozystisarten mit ihren birnengroßen Blasen, die langgestielten

Alarien, über Alles die merkwürdigen Nereozysten, deren fadendünner Stiel auf 70 F. Länge zu einer mächtigen Blase anschwillt, auf der ein Büschel schmaler, bis 30 F. langer Blätter schwankt, die Palme des Meeres. Den Boden dieser Wälder beleben die Seesterne, an den Stämmen haften die Muscheln und Balanen, zwischen dem Laube jagen die gefräßigen Raubfische. Das ist die Landschaft für die spielenden Wallfische, die Heerden der Wallrosse und Seehunde, die Myriaden der Kabliaue, Häringe, Lachse und Thunfische. Noch zauberhafter ist das indische Meer geschmückt, wo die Pflanzen im märchenhaften Kolorit vom lebhaftesten Grün mit Braun oder Gelb, mit reichen Purpurschatten bis zum tiefsten Blau gemischt, wechseln, die Seeanemonen als riesengroße Kaktusblüthen auf den Felsen= absätzen ihre Kränze von Fühlern ausbreiten, als die Kolibri's des Meeres kleine Fische bald in rothem oder blauem metallischen Schimmer, bald mit goldnem Grün, bald im hellsten Silberglanz funkelnd, spielen, ja die singenden Muscheln, vom Strande her ihre sanftklagende Stimme vernehmen lassend, auch das Leben der Ton= welt zu Hülfe rufen. — Wie mannigfaltig, so zahllos sind aber auch die Geschöpfe des Meeres. In der Nähe des Tajo befindet sich eine Fläche von 60 Millionen Quadratmeter scharlachroth ge= färbten Wassers; die Ursache eine kleine Pflanze, von welcher 40,000 erst einen Quadratmillimeter bedecken, also etwa 40,000 Millionen die Fläche eines Quadratmeters. Nun erstreckt sich die Färbung in beträchtliche Tiefe! Ganze Berge von Seepflanzenmassen häuft jeder Sturm am Strande auf, z. B. an den Küsten des westlichen Euro= pa's große Tanghügel, die sehr werthvollen Dünger abgeben, und aus deren Asche man die wichtige Jodine gewinnt. Aber eben so reich an thierischem Leben. In Tiefen, welche die Höhen unserer mächtigsten Gebirgsketten übersteigen, wo auf dem Festlande also längst alles Leben aufgehört hat, ist jede der auf einander gelagerten Wasserschichten mit polygastrischem Seegewürm, Zyklibien und Ophry= binen belebt. An den Küsten von Grönland zeigen sich häufig Streifen von 10 15 englischen Meilen Breite und 150—200 Meilen Länge, die durch eine kleine gefleckte Meduse dunkelbraun gefärbt sind; ein einziger Kubikfuß enthält schon 110,592 solcher Thiere; ein solcher Streifen also 1600 Billionen lebender Wesen, und was will dieser gegen das unermeßliche Weltmeer sagen! Die Zeugungskraft der Wasserthiere ist riesenhaft: die Eier der Fische zählen alle nur nach Hunderttausenden; der Wallfisch verschluckt auf jeden Bissen Tausende der Clio borealis, fast seine einzige Nahrung. So ist auch das Wachsthum der Fische weit stärker, als das der Landthiere, und die Größe des Wallfisches übertrifft 5 mal die des größten Elephanten.

Dies ist das Meer mit seiner unermeßlichen Stoffmasse an Wasser, an Salzen, an Pflanzen und Thieren. Aber was ist das Meer gegen die Stoffmasse der Erbkugel selbst, von der jenes zwar ³/₄ der Oberfläche, aber nur in einer Tiefe bedeckt, die in ihrem Mittel höchstens ¹/₃₄₄₀ des Durchmessers der Erde einnimmt. Aber was ist nun die ganze Erde, dieser Punkt im Universum? Vergleichen wir sie mit der Stoffmasse der Sonne, mit der Gesammtmasse der Planeten und Monde, und erwägen dabei jene räthselvollen Weltkörper, die man Kometen nennt. Deren giebt es, was man gewöhnlich nicht vermuthet, eine ungezählte Schaar, so daß schon Kepler sagte: es gebe in den Welträumen mehr Kometen als Fische in den Tiefen des Meeres; obschon wir kaum erst 150 berechnete Bahnen haben, die Zahl derer, über die wir Andeutungen besitzen, 6—700 ist. Allerdings hat ein Komet nur eine geringe Massenhaftigkeit, so daß man durch seinen Kern die Sterne, die sie in ihrem Laufe uns bedecken, schimmern sieht, aber sie nehmen den größten Raum ein, mit ihren oft bis auf 15 Millionen Meilen langen und weit ausgebreiteten Schweifen. Welch einen Raum durcheilen diese dünnen, und außer ihrem reflektirten Sonnenlichte auch selbstständig Licht entwickelnden Weltkörper, da es wohl einige von einem 3½jährigen Umlauf um die Sonne giebt, aber auch solche, welche Tausende von Jahren zum Umlauf brauchen, wie der schöne Komet von 1811: 3065, der furchtbar große von 1680 über 8800 Jahre; welcher Letztere sich 17,600 Millionen Meilen von der Sonne entfernt, aber auch da noch von der Anziehungskraft der Sonne geleitet wird — so unermeßlich ist der Raum unsers Sonnensystems; denn der nächste Fixstern, also der Zentralkörper des nächsten Sonnensystems ist noch volle 250 mal weiter von unsrer Sonne entfernt, als der gedachte Komet in seiner Sonnenferne. Und wie immer mehr schrumpft unsere Erde, von der wir ausgingen, zusammen, wenn wir erwägen, daß Sir William Herschel in der Milchstraße allein 18 Millionen Fixsterne, also Sonnen sichtbar hielt, die alle wieder Mittelpunkte solcher unermeßlich großen Sonnen-

syteme mit Erden und Monden sind. Und dies Alles ist doch nur
was unserm, freilich bewaffneten Auge sichtbar wird. Wenn wir
aber mit bewaffnetem Auge kaum 58,000 Firsterne erhalten, wie
groß werden die Zahlen der Weltkörper sein, die bei aller Aus=
bildung unserer Instrumente auch unserm bewaffneten Auge un=
sichtbar bleiben? Und dieser unendliche Raum, in welchem die großen
Weltkörper doch nur wie einzelne Punkte schweben, ist er leer an
Stoff? Nein! er ist des Stoffes voll, voll einer wahrscheinlich nicht
selbst leuchtenden, unendlich fein zertheilten Materie, welche Wider=
stand leistend den Bahnen der leichten Kometen entgegengewirkt und
ihre Umlaufszeit verkürzt, welche das Licht in besonderer Art inner=
halb seines Laufes schwächt; einer ätherischen und kosmischen Materie,
die als bewegt, trotz ihrer ursprünglichen Dünnheit als gravitirend,
in der Nähe des großen Sonnenkörpers verdichtet, ja seit Myriaden
von Jahren, durch ausströmenden Dunst der Kometenschweife ver=
mehrt gedacht werden kann. (Humboldt.)

Dies ist eine übersichtliche Skizze von dem Stoffe, der von
dem kleinsten Seetang und der Meduse des Meeres an bis zu dem
kosmischen Aether die Räume des Weltalls erfüllt, eine Skizze, die
ich bei der Nothwendigkeit mich zu beschränken, nicht weiter
ausdehnen durfte, die aber immerhin die Unendlichkeit des
Stoffes uns in einigen frappanten Zügen veranschaulichte. Aber
dieser unendliche Stoff, ist er, wie die Schrift sagt, „wüst und wirre“,
ein ebenso unendliches Chaos? Nein! wohin unser Blick dringt, ist
er geordnet, gegliedert, in beständiger Bewegung und Veränderung,
in unaufhörlicher, aber genau geregelten Zusammensetzung und Auf=
lösung vorhanden; nirgends gewahren wir ihn in wildem Durch=
einander, in todter Erstarrung, und so unermeßlich er ist, so ist er
doch gemessen, so zahllos, doch gezählt, denn an Zahl und Maß ist
Alles gebunden. Das ist die Wirkung des Geistes, der nicht mehr
„über den Wassern webt“, sondern allen Stoff durchdrungen hat,
beherrscht und immerfort gestaltet. Dieser Geist giebt sich zunächst
durch die allgemeinen Gesetze kund, welchen aller Stoff unter=
worfen ist, nach denen er immerfort sich bewegt, verändert, zusammen=
setzt und auflöst, diese unveränderlichen Gesetze, welche die
Sterne, deren Licht 2000 Jahre braucht, um zu uns zu gelangen,
ebenso beherrschen, als die Feder, die im Luftzuge schwebt, diese
Vernunftgesetze, denn wir können sie mit unsrer Vernunft be=

greifen, und haben sie sogar oft mit unsrer Vernunft deduzirt, bevor die Erfahrung selbst sie gelehrt hatte. Aber ich will hierauf nicht näher eingehen, ich will vielmehr, diese allgemeinen Gesetze zusammen= fassend in eine **Einheit**, die wir **Geist** nennen, diesen den unend= lichen Stoff beherrschenden und an ihm sich manifestirenden Geist in seinen großen Zügen charakterisiren, und hierbei vom Außen der Dinge nach innen gehen.

Auf diesem Wege stellt sich dieser Geist zunächst als der **Geist der Schönheit** dar, d. h. als der Geist, der in der Form jeglichen Dinges den Gedanken der Harmonie dieser Form in ihrer Ganzheit und in allen ihren Theilen ausgeprägt hat. Dreifaches ist es, was hierbei auffällt. Zuerst: in der Natur ist die Schönheit überall hingestreut. Nicht blos jener gestirnte Himmel ist schön, der den dunkeln Mantel der Nacht mit zahllosen Lichtern, die aus der ahnungsvollen Tiefe der Ferne auffunkeln, besetzt — insonders dort, zwischen dem 50° und 80° südlicher Breite, wenn in kaum geahnter Pracht am tief dunkeln Himmel die majestätische Gestalt des südlichen Kreuzes auftaucht; nicht blos Thalatta, Thalatta! das endlos sich breitende, schwellende und sinkende Meer ist schön, sei es, daß ein Orkan seine Wogen zu Bergen und Abgründen peitscht, sei es, daß die geglätteten Wellen, die der Kiel des Schiffes in dunkler Nacht durchfurcht, in unabsehbarem Phosphorgeschimmer aufleuchten; nicht blos jene Riesenkörper der Alpen sind schön, wenn das Abendroth seine Strahlen über die ungeheuren Schnee= und Eisfelder gießt und die Kuppeln im rosigen „Alpenglühen" entzündet; nicht blos jene Landschaften sind schön, wo Berg und Thal, Wald und Fluß, Wiese und Busch die entzückendsten und abwechselndsten Reize entfalten; nicht blos der Mensch in seiner edelsten und lieb= lichsten Gestaltung, der mächtige Löwe, der buntgestreifte Tiger, das feurige Roß, der farbenleuchtende Kondor, die schöngezeichnete Schlange; nicht blos der buntfarbige Schmetterling, der schillernde Käfer, das gewundene Haus der Schnecke, die oft purpurn erglü= hende und schneeweiße Muschel; nicht blos die schlanke Palme, die stammesmächtige Eiche, die breitastige Buche; nicht blos die stolze Victoria regia mit ihren 15 Fuß großen Blättern und den pracht= vollen weißen und rosenrothen Blüthen, das süße Dornröslein in Haide und Garten, die weiße Lilie, das bescheidene Veilchen; nicht blos der glänzende Krystall mit seinen regelmäßigen Formen, nicht

blos all dies, was alle Zeit vor den Augen der Menschen steht, ist
schön. Auch da, wo Jahrtausende kein menschliches Auge sich öffnet,
thronet die Schönheit. Jene mächtigen Eisgebirge am Nord= und
Südpol, wo die ewige Stille nur durch das Krachen der Eisfelder,
durch das Stürzen der Eisberge, durch das Brüllen des Meeres
um die zerklüfteten und zerspringenden Eisfelsen unterbrochen wird,
sie sind voll von erhabenster Schönheit, wenn die aufgehende Sonne
von den Demantwänden zurückblickt und die zahllos verschiedenen
Thürme und Spitzen der Blöcke als gigantische Edelsteine in
den mannigfaltigsten Lichtfarben glühen. Ich habe oben eine
Meereslandschaft geschildert, einen unterseeischen Wald, wo zahllose
Gewächse in den schönsten Formen und Farben, aber niemals einem
menschlichen Auge erglänzen — aber um dahin zu gelangen, senken
wir uns in das Meer selbst, welche Herrlichkeit der Farbenwelt!
Das Blau des Himmels, das Licht des Tages verschwindet, aber
ein feuriges Gelb umgiebt uns, dann kommt ein flammendes Roth,
wie ein feuchtes Höllenmeer ohne Gluth; dann wird das Roth
dunkler, purpurn, endlich schwarz, eine undurchbringliche Nacht. Aber
auch in der Welt, welche unserm unbewaffneten Auge ganz und
gar verborgen ist, blühet die Schönheit, und ein Schmetterlings=
flügel unter dem Mikroskope, oder ein Blättchen, oder ein Stückchen
Feder erschließt uns Gebilde von kleinstem Umfange, aber größter
Formen= und Farbenschönheit. Hast du, mein Leser, schon Schnee=
flocken beobachtet? welche reizende Sechsecke in nie zu erschöpfender
Formverschiedenheit, und glänzend wie Demant! Endlich auch da ist
Schönheit, wo freilich die langandauernde Wiederholung Eines und
desselben das Gemüth des Menschen zuletzt nicht blos fühllos,
sondern auch trostlos macht. Man sieht eine ungeheure braune
Ebene wie einen breiten, langen Strich vor sich liegen, mit dem
der Horizont in gelblichen Streifen sich vermählt, kein Baum, kein
Strauch, kein Hügel; im Vordergrunde eine verschlossene, hölzerne
Hütte, die verlassen und verfallen scheint, sie lehnt sich mit der
Seite an einen schilfum= und bewachsenen Sumpf, an dessen Rande
ein Reiher auf einem Fuße steht, das einzige Leben in der weiten
Landschaft, das ist — die ungarische Pußta nur hie und da von den
täuschenden Wolkengebilden der Fata Morgana belebt. Aber ob
die Karavane voll Bangens den Saum der Wüste betritt, der ein=
same Reiter sein Pferd auf den schmalem Pfad durch den endlosen

braunen Moor lenkt, oder auf die mit hohem Grase gleichförmig be=
wachsene monotone Fläche der Prairien oder Pampas, immer wird
der erste Eindruck ein mächtiger, der Eindruck einer majestätischen
Schönheit voll Erhabenheit und gigantischer Ruhe sein.

Wenn also das erste Moment, daß in der Natur die Schön=
heit konstant und konsequent, also als eine charakteristische Wesen=
heit des in ihr sich manifestirenden Geistes erscheint, ebenso in den
für den Menschen unerreichbaren Höhen und Tiefen, wie in größten
und kleinsten Reichen, die dem Menschen verschlossen sein sollten —
so ist das zweite, daß diese Schönheit in der Natur niemals eine
bloße Schönheit der Form ist, sondern überall zu gleicher Zeit
charakteristisch hervortritt, d. h. einen bestimmten Ge=
danken ausprägt. Schon hierdurch spricht zu uns die Natur
aller Zeiten und Orte, und für den, der Aug' und Ohr dafür
offen hat, in sehr verständlicher, ja in der beredtesten, hinreißendsten
Sprache; überall ist es der Geist, der aus den Gebilden der Natur
uns anblickt und anredet, so daß wir uns in ihr niemals allein,
niemals isolirt fühlen; und wenn irgend etwas in dem Menschen
den ersten Begriff einer Gottheit hervorrief, so war es dies, daß
die Natur nicht als eine Sammlung von todten, erstarrten Formen
ihn umgab, sondern aus jeder Form schon der Geist mit einem
charakteristischen Zuge ihn anrief. Auch hier brauche ich nicht etwa
an die tausendfach nüancirten Gedanken zu erinnern, welche von
Himmelsgewölbe, Gestirnen und Luft in ihren verschiedensten Er=
scheinungen ausgesprochen werden, von den Schrecken des Orkans
an, der über Meer und Land, Himmel und Erde durchwühlend,
dahinfährt, bis zu der goldnen Erschlaffung, wenn senkrecht die glü=
hende Sonne vom ehernen Himmel in vollständigster Windstille ihre
brennenden Pfeile schüttet, und bis zu der silbernen Erstarrung in
den Regionen des ewigen Eises; nicht zu erinnern, welche charakter=
istische Gedankenverschiedenheit zu uns sprechen wird, wenn wir unter
die grablinien Säulen der Fingalshöhle, unter die steinernen Ge=
bilde einer Stalaktitenhöhle, oder in die süßen Schauern eines dichten
Buchenwaldes eintreten; wenn wir in enger, tiefer Felsschlucht, die
ein Waldstrom durchdonnert, durch die scheinbar übereinander stür=
zenden Wände und Blöcke nur einen schmalen Streifen Himmels
erblicken, oder über das weite, hügel= und flurenwechselnde Gefilde,
vom Silberbande des Stromes durchschnitten, den geröteten und

vergoldeten Abendhimmel sich wölben sehen — ich brauche diese großen Erscheinungen der Natur nicht zu Hilfe zu rufen, denn schon jedes einzelne, jedes kleinste Geschöpf tritt in seiner besonderen Schönheit mit besonderen Gedanken charakteristisch an uns heran, und nicht umsonst wurde in grauester Vorzeit schon das kleine Veilchen das Sinnbild der Demuth, die weiße Lilie das der Rein=heit, die immergrüne Myrthe der Unschuld, die Tulpe der prunk=haften Eitelkeit. Eine umfassende Charakteristik der Natur würde uns in dieser Weise durch das Reich aller Pflanzen und Thiere führen, und uns nicht blos am stolzen Fluge des Adlers und an der Majestät des Palmenwuchses, sondern noch am einfachsten und kleinsten Wesen den Gedanken nachweisen, den seinen Formen der Weltgeist aufgedrückt hat.

Und dennoch, und dies ist hier höchst wichtig, finden wir all diese Schönheit, all diese Fülle von Schönheit nur an der äußer=sten Oberfläche der Dinge. Sobald wir tiefer eindringen in das Innere der Wesen, ist der Zauber der Schönheit verschwunden. Heben wir von der entzückendsten Schönheit, und wäre es Apollo, Antinous oder Venus selbst, die Epidermis, diese dünne Schicht der Oberhaut ab, und wir wenden uns entsetzt ab, wir gewahren nur noch ein wirres Gemisch von Muskel und Sehnen, von Nerv und Gefäß, wie chaotisch untereinander laufend, von unschön ge=stalteten Knochen und Bändern, die grellsten Farben und Formen, höchstens, daß die indeß lange nicht vollständige Symmetrie der beiden Körperhälften zeigt, daß irgendwo Schönheit und Zweck zusammenstoßen und Eines werden. So in allen Thier= und Pflanzengebilden, in welchen, sobald wir die Oberhaut hinwegräumen, nur ein Gewirre zahlloser Zellen zurückbleibt. Wird doch selbst der blaue Himmel, wenn wir hineindringen könnten, zu endlosem, also form= und farblosem Raume, die funkelnden Planeten zu braunen nackten Erden, die lichten Wolken zu grauen, feuchten Nebelmassen, und was aus den goldenen Sonnen, wenn wir ihnen nahe kämen, würde — das wissen wir freilich nicht.

Hieraus geht aber als Resultat hervor:

1) daß, weil die Schönheit überallhin an allen Formen der Natur ausgeprägt ist, weil sie aber nur an der Ober=fläche der Dinge haftet, sie eben ein bestimmt Gewolltes, ein wirklich und wesenhaft Bestehendes, also weder etwa

blos durch das menschliche Auge und für das menschliche Gemüth Exiſtirendes, noch mit dem Stoff an und für ſich von ſelbſt Verbundenes iſt;

2) daß, weil die Schönheit an allen Formen der Natur, aber in allen als ein · beſonders nüancirter und charakteriſtiſch=prononzirter Gedankeninhalt ausgeprägt iſt, ſie eine b e a b ſ i ch t i g t e M a n i f e ſ t a t i o n d e s G e i ſ t e s in der Natur iſt, indem nun mit aller Form ein geiſtiges Element, ein Ge=dankeninhalt verbunden iſt und in ihr lebt, ſelbſt an den Dingen, die ein eignes Geiſtesleben nicht haben [1]).

Gehen wir aber von der Betrachtung des Aeußern zum Innern: ſo erſcheint uns hier der Geiſt in der Natur als der **Geiſt der Zweckmäßigkeit**, d. i. daß jedem Gebilde der Natur ein beſtimmter Zweck einwohnt, und daß nun die ganze Einrichtung des Geſchöpfes dieſem Zwecke entſpricht. Seit langer Zeit ſpricht man davon, daß die Natur eine lange Stufenleiter von Weſen bilde, die vom Un=vollkommnern zum Vollkommnern anſteige. Es iſt dies nur theil=weiſe richtig. Allerdings giebt es höher und niedriger organiſirte, mehr und weniger entwickelte Weſen; aber an ſich iſt jedes Weſen ſo vollkommen wie das andere, d. h. es entſpricht eines wie das Andre in gleicher Weiſe dem Zwecke, zu dem es in ſeiner individuellen Weiſe geſchaffen worden; es iſt „Alles gut in ſeiner Art.“ Was für ein Weſen wir in Betracht ziehen, von der belebten Gallerte an, die nichts von Leben verräth, außer der Reizbarkeit bei der Berührung, bis zum Menſchen, vom Sandkorn bis zum Weltkörper, deſſen Licht=ſtrahl das Univerſum durchſchneidet; jedes hat ſeinen beſtimmten Gedanken zum Zwecke ſeines Daſeins, und der Geiſt lebt in ihm als dieſes beſtimmten Gedankens Erfüllung. Gehen wir dann tiefer in das Innere des einzelnen Weſens, ſo ſehen wir, daß nicht minder ſchon jeder einzelne, größere oder kleinere Theil, Organ, Glied dieſes Weſens ſeinen Zweck und die demgemäße Einrichtung hat, um ſeiner Stellung im Ganzen nach, dem Zwecke des ganzen Weſens zu dienen. Ein großſinniger Engländer hinterließ einſt eine ungeheure Summe Geldes, um damit die bedeutendſten Naturforſcher zu be=ſolden für Arbeiten, die ſie, um die Zweckmäßigkeit aller Einrich=

---

[1]) In den Dingen, welche ein eigenes Geiſtesleben haben, wird mit dieſem der Geiſtesinhalt ihrer Form konform ſein, ihm korreſpondiren.

tungen in der Natur zu erweisen, unternehmen würden, es gingen daraus die s. g. Bridgewaterbücher hervor; die ersten beiden Bände derselben allein enthalten eine Schrift des bedeutenden Anatomen Bell über die Zweckmäßigkeit der menschlichen Hand, dieser Hand, die ebenso durch die Zartheit, durch die oft erstaunliche Feinheit des Gefühls in den Fingerspitzen, wie durch die Freiheit ihrer Rotation und ihre Beweglichkeit, wie durch die oft enorm ausgebildete Kraft und Festigkeit ausgezeichnet ist, und nur durch die Verbindung dieser scheinbar so entgegengesetzten Eigenschaften das Werkzeug des menschlichen Geistes in Technik, Kunst und Wissenschaft werden konnte. Und was ist dennoch die Hand gegen das Wunder des Auges! Ich möchte nur Eines hervorheben, um die Wundersamkeit seiner Einrichtung zu charakterisiren, was schon dem alten Aristoteles aufgefallen, und noch kein Naturforscher erklären konnte: daß nämlich dieses Auge, das so feinfühlend ist, daß es kein Atom eines Staubkornes, eines Härchens ertragen kann, dennoch ganz unempfindlich gegen die Kälte ist, und, allein von allen Gliedern des Körpers, selbst in der Nähe der Pole unbedeckt bleiben kann, ohne gefährdet zu sein. Und gleiche Erfahrungen können wir bei allen Geschöpfen machen. Ich hebe noch ein Beispiel hervor. Die Pflanzen sind an den Ort gebannt, wo ihr Keim hinfiel, wo ihre Wurzel sich entwickelte. Sie sind also allen Angriffen zugänglich, sie können ihnen nicht entfliehen. Da ist denn nichts bewunderungswürdiger, als die sinnreiche Erfindungskraft, mit der diese Pflanzen dennoch oft mit den besten Waffen der Vertheidigung ausgerüstet sind. Wer hat es schon versucht, ein wildes Röschen im Walde zu pflücken, ohne daß seine Finger blutend sich zurückziehen mußten? Wir erinnern uns aus unserer Jugend, wie die Brennessel uns so schlimm mitspielte. Nun, der brennende Schmerz ist (nach Schleiden) von kleinen Härchen verursacht, deren jedes oben in einem Köpfchen endet, innen aus einer leeren Zelle besteht, die unten in einem ätzendes Gift enthaltenden Säckchen endet. Der Druck auf die Härchen bei der Berührung des Blattes bricht die Köpfchen ab, die Spitze bringt in unsre Haut, zugleich macht der Druck auf die Zelle Gift aus dem Säckchen in die Wunde spritzen. So gleicht diese Einrichtung fast genau dem Giftzahn der Schlange, der vorn im Oberkiefer von einem feinen, an der scharfen Spitze sich öffnenden Kanal durchzogen ist, und etwas beweglich auf einer kleinen

Drüse sitzt, in der das Gift bereitet wird. Beim Beißen drückt der Zahn zurück auf die Drüse, aus der nun das Gift durch den Kanal des Zahnes in die Bißwunde spritzt. Und es giebt Brenn=nesseln, die ebenso gefährlich wie Schlangenbiß sind, wie das „Teufelsblatt" auf Timor, dessen Stich, wenn er nicht den Tod zur Folge haben soll, Amputation des verletzten Gliedes nothwendig macht. Das ist eine Vertheidigung der unbeweglichen Pflanze, wie sie keine eherne Waffenrüstung zu geben vermag, und man wird es seinerseits vorziehen, solchen Patronen aus dem Wege zu gehen.

Erheben wir uns nun vom Einzelwesen, so gewahren wir, wie alle Einzelwesen wieder durch Gemeinsamkeit und Aehnlichkeit der Anlage als Glieder eingeordnet sind einer Art, und in immer weiteren Kreisen der Gattung, der Klasse, ja einer umfassenden Wesen=ordnung zugesellt sind; wir gewahren, wie einer Lokalität, einem Klima, einer Zone bestimmte Arten an Thieren und Pflanzen anpassend zugetheilt sind, und zwar jeder Lokalität, jeder Zone für sich; wie endlich die Wesen eines ganzen Weltkörpers ein in sich übereinstimmendes, ich möchte sagen, harmonisches Ganzes bilden, das noch dazu nach den verschiedenen großen Entwickelungsepochen dieses Weltkörpers eine eigenthümliche, harmonirende Verschiedenheit darstellt. So kann es Keinem entgehen, wie die vorfluthliche Pflanzenwelt, deren Reste in den Braunkohlen zu Tage kommen, an gigantischer Größe und Einfachheit der Organisation in völliger Harmonie mit der vorfluthlichen Thierwelt steht, deren spärliche Reste in nie geahnter Größe uns Bewunderung und Entsetzen einflößen. So vertheilen sich die Pflanzenformen genau von der Palme der heißen Zone bis zu der rothen Schneealge der Eisfelder des höchsten Nordens in sicher sich scheidenden Vegetationsgürteln [1]), die sich dann wiederholen auf dem Rücken der höchsten Berge bis zu der ewigen Schneeregion auf deren Spitzen. Aber Irrthum ist es, wenn wir irgend einen Theil der Erde für zurückgesetzt halten: denn in der That kann mit der ungeheuren Lebensfülle der tropischen Gegenden die Eiswelt des Nordpols kühn um die Palme des Reichthums ringen, ob auch der oberflächliche Blick, erschreckt durch die Furcht=barkeit der Kälte und die Oede der langen Polarnacht, sie alles

[1] Von Norden her das Reich der Moose, das Reich der Nadelhölzer, das der sommergrünen Laubhölzer, das der immergrünen Laubhölzer.

Lebens baar vermuthen wird; denn was ihr an Vegetation abgeht, das ersetzt sie durch die unendliche Zahl und den Umfang des thierischen Lebens, zu dessen Erhaltung dort die sinnreichsten und mächtigsten Mittel angewendet sind.

Nur wenige Striche vermochte ich hier zu ziehen: denn nur Stunden stehen mir zu Gebote, wo Jahre der Rede Ende nicht finden könnten. Aber aus den noch so schwachen Andeutungen die weitere Folgerung als von selbst gegeben voraussetzend, sieht der Leser mit mir die unendliche Stoffesfülle, ausgebreitet durch ein für uns unbegrenztes Universum, aber vom Größten bis in das unsichtbare Kleinste in der Form vom Geiste der Schönheit, in dem Wesen und dessen Organisation vom Geiste der Zweckmäßigkeit beherrscht, geordnet, gestaltet. Die Schönheit, das ist der Gedankeninhalt der Form, die Zweckmäßigkeit, das ist der Gedankeninhalt des Wesens und seiner Organisation. Schönheit und Zweckmäßigkeit sind die beiden Manifestationen des Geistes an und in allen Dingen, an und in dem Stoffe, der die wahrnehmbare Unterlage der Dinge bildet. Ja, fragen wir nunmehr am Schlusse unserer Betrachtung noch einmal: was ist Stoff? Er ist nichts Anderes als nach allgemeinen Gesetzen in verschiedenen Maßen und in verschiedener Dichtigkeit verschieden aneinandergefügte, abhärirende Elementaratome, so im Weltkörper, so im Mineral, in der Pflanze, im Thier. Aber diese mehr oder minder zusammengeballten Elementaratome [1]) können nur zum Wesen, welcher Art dies sei, werden, indem ihnen der Geist einen Gedankeninhalt der Form, die Schönheit, und einen Gedankeninhalt des Wesens, das ist der Zweck, und der Organisation, das ist die Zweckmäßigkeit, giebt. Und darum ist es, und trotz aller Versuche in alter und neuerer Zeit, bleibt es ein Unsinn, Stoff und Gedanke, Stoff und Geist zu identifiziren, für Eines zu halten. Nein! Diese Elementaratome können durch sich selbst weder einen Gedanken der Form, noch einen Gedanken des Wesens und der Organisation haben — sie müssen ihn empfangen vom Geiste, vom, die Elementaratome nach seinen Gedanken ordnenden und gestaltenden Geiste.

---

[1]) Bekanntlich kennt die Chemie jetzt über siebenzig Grundstoffe oder Elemente; aber insonders vier sind es, aus welchen die organischen Dinge bestehen: Stickstoff, Sauerstoff, Wasserstoff und Kohlenstoff.

Ja, die Natur spricht zu Allen, die vorurtheilslos an sie herantraten, in der leuchtenden Sonne, wie im kleinsten Maaßliebchen, Käfer oder Schneeglöckchen: die Schönheit meiner Form, der Zweck meines Wesens und die Zweckmäßigkeit meiner Einrichtung sind die Gedanken des Geistes, der in allem Sein sich manifestirt, unverkennbar, deutlich, sicher.

IX.

Stoff und Geist in der Menschheit.

Der Mensch ist ein Geschöpf der letzten Erdrevolution; während die Reste der Thiere und Pflanzenwelt vorfluthlicher Schöpfung ein ziemlich genaues Bild dieser geben, sind noch niemals Reste von Menschen ausgegraben worden, welche nicht der geschichtlichen Zeit angehörten.

Es ist bekannt, daß gegenwärtig nach der Annahme der Statistiker in jeder Sekunde ein Mensch geboren wird, und ein Mensch seinen letzten Athemzug ausstößt. Denn bei 1000 Millionen Menschen, die jetzt auf dem Erdball lebend angenommen werden — statistische Genauigkeit ist natürlich erst bei dem kleineren Theile der Völker möglich — und bei der durchschnittlichen Lebensdauer von 33 Jahren kommen 30 Millionen Geborener und Sterbender auf das Jahr, 82,190 auf jeden Tag, 3424 auf jede Stunde, 57 auf jede Minute. Solch' eine Ernte hält der Tod immerfort unter diesem höchsten Wesen der Erdenschöpfung — aber eben so unerschöpflich ist die Schöpferkraft selbst. Ja, diese ist noch gewaltiger, denn wie das Menschengeschlecht nur allmälig zu dieser Höhe herangewachsen, so findet noch immer ein wachsender Ueberschuß der Geburten über die Sterbefälle statt, insonders bei den zivilisirten Nationen, bei denen die Geburten zahlreicher sind, die Sterblichkeit aber geringer, die allgemeine Lebensdauer also steigend ist: eine Erfahrung, welche, früheren Voraussetzungen gutmüthiger Freunde der rohen Natur gegenüber, welche eine Abnahme der Lebensdauer verkündeten, die neueste Zeit bewährt hat, und die ihren Schlüssel besitzt in der Verbesserung der Nahrungsmittel, in größerer Reinlichkeit, in den dadurch bewirkten geringeren Krankheitsanlagen, namentlich für ver=

wüstende Pestilenzen, wie in der Verminderug der rohen Eigen=
schaften und Gewaltsamkeit und in der Steigerung der Intelligenz
und der dadurch bewirkten geistigen Regsamkeit und Frische. Die
einmal aufgetauchte Befürchtung, als ob die Mutter Erde zuviel
der Kinder habe und an Uebervölkerung leide, ist dadurch als eine
eitele erkannt; wir wissen, daß die Erde vielleicht eine zehnmal so
große Bevölkerung mit Leichtigkeit ernähren könnte, und daß, wenn
irgend eine lokale Uebervölkerung eintritt, tausend Räume sich öffnen,
um die Sendlinge der alten Kultur aufzunehmen.

Ueberschauen wir nun diese Masse von 1000 Millionen Menschen,
die von 30 zu 30 Jahren durch eine eben so große Anzahl von
ihrem Posten auf Erden abgelöst wird, überschauen wir sie
mit Einem Blicke, so stellt sich uns ein sehr eigenthümliches und
scheinbar widersprechendes Schauspiel dar: wir sehen alle diese
Millionen eines und desselben Wesens in die unendlich mannig=
faltigsten Individuen auseinandergehen, so daß die ganze Mensch=
heit nur eine große Sammlung von Einzelnen scheint, die sämmtlich
besonders sind, und wir sehen dennoch alle diese Individuen durch
Aehnlichkeiten zu kleinen, dann größeren und immer größeren Gruppen
zusammenwachsen. Verfolgen wir dies etwas genauer.

Diese ungeheure Masse der Menschen stellt sich zunächst in
zwei Geschlechtern dar. Die Verschiedenheit des Mannes und des
Weibes ist keine blos äußerliche, und nicht nur das Schroffe und
Eckige der Formen beim Manne, und das Sanfte, Graziöse beim
Weibe, und die bedeutendere Größe, die der Mann erreicht, sondern
auch die kräftigeren Muskeln und die diesen entsprechenden nervigen
Sehnen bilden einen wesentlichen Unterschied des Mannes vom
Weibe. Am Kopfe ist der Gesichtstheil im Verhältniß zum Schädel=
theile bedeutender beim Manne entwickelt. Vor Allem ist aber bei
ihm Hals und Nacken umfangreicher, der Brustkasten entschieden
weiter und besonders die Schultern breiter und höher nach oben,
weshalb die größere Breite des Körpers beim Manne in den Schul=
tern, beim Weibe in den Hüften liegt. Beim weiblichen Körper
sind die flüssigen Theile, beim männlichen die festen Theile über=
wiegend, so daß z. B. das Skelet dort nur $8/100$, hier $10/100$ des
ganzen Körpergewichts hat; im Blute des Weibes herrscht mehr
Wassergehalt und Eiweiß vor, in dem des Mannes mehr Kruor,
Faserstoff, Eisen= und Salztheile. Die Muskelkraft ist beim Manne

entschieden stärker, im ausgewachsenen Zustande um das doppelte, wesentlich auch wegen der energischeren Nervenwirkung. Bemerkenswerth ist es übrigens, daß das weibliche Gehirn im Verhältniß zum übrigen Körper bedeutender ist, als das männliche, ebenso das Gehirn im Verhältniß zu den Nerven, auch hat das Weib mehr Rückenmark, so wie einzelne Nervengeflechte bedeutend stärker; das Nervensystem des Weibes ist viel reizbarer als das des Mannes. Im Allgemeinen ist beim weiblichen Geschlechte das Leben dauerhafter als beim männlichen, so daß, obgleich mehr Knaben als Mädchen geboren werden (105 : 110), bei allgemeinen Volkszählungen sich immer mehr weibliche, als männliche Individuen herausstellen, nämlich ungefähr 110 : 100. Merkwürdig, aber durch die körperlichen Prozesse erklärlich ist es, daß die Sterblichkeit beim Manne bei der Geburt und bis zum 7., dann vom 15—30., dann wieder vom 45—55. Jahre größer, hingegen beim Weibe vom 7. bis 15. und 30—45 Jahre größer. Im allgemeinen werden mehr Weiber als Männer alt — auf 100 Männer über 100 Jahre kommen 155 Weiber solchen Alters; jedoch Beispiele des höchsten Alters vom 120. bis 180. Jahre sind fast ausschließlich aus dem männlichen Geschlechte. Endlich ist nach den Angaben bewährter Aerzte der Todeskampf in der Regel beim Manne viel heftiger als beim Weibe.

Unterhalb des Geschlechts erscheint die Menschheit zunächst in verschiedenen Racen. Es ist eine alte Frage, ob das Menschengeschlecht von Einem Menschenpaare, oder von mehreren abstammt. Eine lange Zeit hindurch verneinte man das Erstere, indem man nur die Extreme in der Farbe und Gestaltung der s. g. Racen einander gegenüberstellte, deren man nach Blumenbach fünf annahm: die kaukasische, mongolische, amerikanische, äthiopische und malayische, oder in neuerer Zeit mit Prichard sieben: die iranische, turanische, amerikanische, der Hottentotten und Buschmänner, der Neger, der Papuas und Alfurous; und indem man allerdings nachwies, daß diese Racen, sobald sie sich unvermischt erhalten, Jahrhunderte lang in fremdem Klima, unter einer fernen Sonne unverändert bleiben, z. B. die Holländer am Kap der guten Hoffnung, die Neger im nördlichen Nordamerika. Allein je weiter wir in der Länder- und Völkerkenntniß gekommen, desto mehr zeigte es sich, daß es außerordentlich viele Mittelstufen der Hautfarbe und des Schädelbaus giebt; daß von einem Volksstamm zum anderen die Hauptverschiedenheit sich abschwächt, so daß

z. B. schwarze Hautfarbe, wolliges Haar und negerartige Gesichts-
züge keineswegs immer mit einander verbunden sind; daß eine
Menge Verschiedenheiten, die man sonst annahm, z. B. die des
Gehirns gar nicht vorhanden; endlich, daß sämmtliche s. g. Racen
der Menschen sich fruchtbar paaren, und in den dadurch erzeugten
Bastarden sich fortpflanzen, alles Dies erweist die Einheit des
Menschenstammes. Die Racen sind Formen einer einzigen
Art, nicht Arten eines Genus; denn wären sie das Letztere,
so würden ihre Bastarde unter sich unfruchtbar sein, wie dies
bei den Arten der Thiere der Fall ist. So Johannes Müller,
der große Anatom. Nichtsdestoweniger wäre es abgeschmackt, die
Verschiedenheit der Menschenracen leugnen zu wollen, und z. B.
einen Neger, einen Kalmücken, einen Engländer und eine amerikanische
Rothhaut für identisch auszugeben; und ebenso wenig läßt sich die
Einwirkung des Klima's und des Bodens auf die körperliche Beschaffenheit des Menschen verkennen, wir sehen den schwarzen Neger
unter der Gluthsonne des Aequators, nirgends unter dem schwachen
Strahle der Polarsonne heimisch; für den rothbraunen Menschen
Amerika's und den Bewohner der malayischen Halbinsel haben wir
Analoga in den zonischen Verhältnissen ihrer Heimath. Die Erklärung liegt also folgendermaßen vor uns klar; in der ersten Zeit
des Menschengeschlechts hatte dies, wie damals auch die Pflanzen-
und Thierwelt, noch eine größere Bildsamkeit, ein Formschwanken,
in welcher Periode die klimatischen Verhältnisse einen bedeutenden
Einfluß übten und somit einen dauernden Charakter der Racever-
schiedenheit hervorbrachten, der endlich stationär wurde.

Unterhalb dieser Racen erscheinen wieder die Massen der Individuen als Völker in den Verschiedenheiten dieser, die Völker,
die in ihrem Ursprunge offenbar auf der Familie beruhen,
aus der Familie hervorgegangen sind. Die Verschiedenheit der
Völker in ihrem körperlichen Typus ist nicht zu verkennen,
und selbst die höchst gespannteste Kultur und die engste Kommu-
nikation unter den Völkern wird ihn nicht verwischen; er besteht nicht blos in der Physiognomik des Gesichtes, in dem Teint
der Haut, in der Farbe und dem Schnitt der Augen, sondern auch
in der Größe der Gestalt, in den Verhältnissen der Glieder zu
einander, in der Muskulatur, in der Beschaffenheit des Blutes und
dessen Zirkulation, in der Reizbarkeit des Nervensystems. Es ist

aber auch selbst schon in alten, lange unvermischt gebliebenen Fa= milien ein charakteristischer Typus leicht zu erkennen, und in der Regel geht ein s. g. Familienzug durch Verwandte von gleicher Ab= stammung charakteristisch und auffällig genug. Daß aber alle diese, in äußeren Erscheinungen der Körperbildung sich erkennbar machenden Verschiedenheiten überall mit der innern Körperbeschaffenheit im engsten Zusamenhange stehen, und zugleich in Textur, Muskulatur, Blut, Nerven, ja in ganzen Organen bestehen, ersieht man nicht blos aus krankhaften, sondern überhaupt z. B. aus den gemeinsamen körperlichen Familien= und Nationalanlagen, wie: zur Strophulosis, zur Phthisis, zur Entzündbarkeit, zum Fettwerden oder dessen Gegen= theil, zur Beweglichkeit oder zur Trägheit u. s. w. Vergleicht man hier Bergvölker mit den Nationen der Ebenen, Stämme, die an den Küsten des Meeres wohnen, mit solchen, welche die Sandmeere des Landes, die Wüsten, durchschreiten, Geschlechter, die unter den verkrüppelnden Tannen des Nordens, mit denen, die unter den hohen Fächern der Palmen wandeln, so kann der Einfluß des Klimas und des Bodens nicht geläugnet werden, und wenn Hegel einwendet, daß ja da jetzt Türken wohnen, wo ehemals Griechen wohnten, so kann man dies (mit Gruppe) schon durch die Bemerkung beseitigen, daß der Charakter der Türken auf einem anderen Boden gewachsen, selbständig und erhärtet war, und wir fügen hinzu, daß Boden und Klima sich ebenfalls nicht den Veränderungen der Geschichte entziehen.

Durch Nichts wird aber die Verschiedenheit der Völker bestimmter zur Erscheinung gebracht, als durch die Sprache. So viel man über den Ursprung der Sprache nachgedacht, zuletzt mußte man diese immer wieder als ein Erzeugniß der unmittelbaren Natur des Menschen anerkennen, da der Ursprung der Sprache jeder Entwickelung des Verstandes, jeder Entfaltung der Gefühle, des Geschmacks, der Konvenienz vorangeht, und sie dann fernerhin gleichen Schritt mit diesen hält. (1. Mos. 2, 19. 20.) Eine nähere Prüfung zeigt uns nun, daß die Beschaffenheit der Sprachorgane auf die Sprachlaute einer Sprache sehr bedeutenden Einfluß geübt hat, und daß das Klima, insonders die Beschaffenheit der Luft, die heitere Himmelsbläue oder eine trübe Dampfathmosphäre einer Insel, die Majestät einer unwandelbar ruhigen Natur oder die ewige Unruhe eines den Winden ausgesetzten Platzes, von entschiedener Wirkung auf die Sprachen war und ist. Die vielen Gutturallaute der morgenländischen, die vielen Zischlaute der slavischen Sprachen, die gehäuften Konsonanten der einen, die gehäuften Vokale der anderen Sprache u. s. w. geben den Beweis hierfür. Bei aller Verschiedenheit der Sprachen ist es nun merkwürdig, wie viele Sprachen in ihrer Grundlage übereinstimmen und auf einen gemeinsamen Ursprung der Völker hinweisen[1]). Ziehen wir die afrikanische und amerikanische Menschheit in diesem Betracht ab, so sehen wir, wenn wir den Sprachen als Leitfaden folgen, aus dem großen Gebirgsstocke Mittelasiens, wo die Wasserscheide der süd- und nordasiatischen Ströme ist, zu dreifacher Zeit eine dreifache Völkerfamilie hervorbrechen. Die Eine in urältester Zeit[2]) wendet sich nach Osten und füllet die großen östlichen Ebenen Asiens, namentlich China und Japan, aus; die zweite[3]) bricht später hervor und besetzt die Ebenen von Westasien zwischen dem Euphrat und Tigris, bringt südwestlich nach Syrien und Arabien, in das Nilthal und über das Gebirge in Aethiopien hinein; endlich der dritte Völkerstrom[4]) wälzt sich wiederum später theils südlich in die indischen Halbinseln, theils nordwestlich zunächst nach Persien, dann theils nach Kleinasien, über den Hellespont nach Griechenland und Italien, theils nach Georgien, über den Kaukasus längs des schwarzen Meeres westlich nach Germanien und Skandinavien, Gallien und Hispanien, und nördlich nach den Ländern der Slaven. Alles dies wird uns von der Verschiedenheit und der Aehnlichkeit der Sprachen erwiesen. Der früheste Ausbruch der Ostasiaten hielt ihre Sprachen, chinesisch, japanisch u. s. w., auf der tiefsten Stufe der Kindlichkeit bis heute unentwickelt fest, nämlich der Einsylbigkeit aller ihrer Wörter. Der Chinese hat eigentlich keine Konjugation, keine Flektion, sondern drückt diese durch besondere Wörter aus, oder er wiederholt dasselbe Wort, wie Mu Baum, Mu-mu Gebüsch, Mu-mu-mu Wald bedeutet; er hat überhaupt nur 1500 Wörter, und giebt einem und demselben Worte durch die verschiedensten Töne den verschiedensten Sinn; z. B. Tßin Herr und Tßin Sohn; die Laute b, d, r, x fehlen ihm ganz.

1) Dies widerspricht der obengegebenen Ansicht, daß die Völker aus der Familie hervorgegangen, nicht im Geringsten, indem eben diese, Völker begründenden Familien aus einem Volke wieder hervorgegangen.
2) In der Schrift Kain.
3) In der Schrift Schem und Cham.
4) Zum Theil der Japhet der Schrift (Japetos der Griechen.)

— Diesem am nächsten steht der zweite Völkerausbruch, die Sprachen der westasiatischen Ebenenvölker, die semitischen, unter denen das Hebräische die älteste Schriftsprache ist, und zu denen auch die altegyptische Sprache gehörte, wie man aus dem Koptischen und Aethiopischen ersieht. Hier hat sich die Einsylbigkeit der Wörter zur Zweisylbigkeit der Wurzel erhoben, die Flektion ist dadurch ausgebildeter, daß die Partikel sich zu Vorsetz- und Anhängesylbe verkürzte; der Wörterschatz ist größer, und hat sich besonders zu einer reichen Synonymik erweitert. Allein die Fähigkeit, Wörter zusammenzusetzen, ist noch sehr gering, am leichtesten noch in Namen. Hingegen zeigen sie eine Annäherung an die dritte, größte Sprachengruppe darin, daß eine Menge Urwurzeln in beiden sich gleich erweisen. Dieser dritte große Völkerausbruch endlich umfaßt in gleicher Weise das Sanskrit und Prakrit der Inder, das Zend der Altperser, die griechische und lateinische, die sämmtlichen germanischen Sprachen, die aus jenen und diesen entsprungenen romanischen, endlich die slavischen Sprachen. Denn in allen diesen Sprachen werden die Sylben nicht gezählt und bestehen die Wurzelwörter aus ein-, zwei-, drei- mehrsylbigen Wörtern; sie drücken Genus, Numerus, Kasus, Modus, Tempus u. s. w. durch Veränderung der ersten und letzten Sylben aus; sie besitzen sämmtlich die Fähigkeit durch Zusammensetzung eine ungeheure Zahl neuer Wörter zu bilden; sie haben Alle einen mannigfaltigen Periodenbau, und bauen durch Konjunktionen, Adverbien und Partizipien die verschlungensten und komplicirtesten Sätze auf. Endlich findet sich in allen diesen Sprachen eine außerordentliche Menge Wörter, die gleichen Stammes sind. Ich will aus der Unzahl von Beispielen nur Eines geben, weil es den ersten Grundbegriff des Menschen betrifft; im Sanskrit heißt „ich bin" asmi, „du bist" assi, „er ist" asti, im Griechischen εἰμι, urspr. ἐσμι, εἰ ursp. ἰσσι, ἐστι, u. s. f. Das Gepräge des Urältesten hat unter diesen Sprachen die Zend- oder altpersische Sprache bewahrt, weil gerade die Altperser am Spätesten aus dem Gebirge hervorbrachen. Unter den griechischen Dialekten sieht der aeolische am Aeltesten aus, und der hat gerade die meiste Aehnlichkeit mit dem Lateinischen. Die germanische Sprache spaltete sich in viele Dialekte, den allemannischen und sächsischen, den gothischen und fränkischen, und in neuerer Zeit sind die dänische, skandinavische, holländische Sprache ihre Töchtersprachen. Aus dem Verderbniß des Lateinischen und der Beimischung

germanischer Elemente sind die romanischen Sprachen hervorgegangen, die spanische und portugiesische, die italienische und
französische, welche Letztere von den Franken des Germanischen
am meisten erhalten hat. Als jüngster Auswuchs ist endlich die
englische Sprache zu nennen, die ein Gemisch des Alt-Brittischen,
Deutsch-Sassischen und Normännisch-Französischen ist. Bei einem
also gemeinschaftlichen Ursprung aller dieser Sprachen haben sie sich
dennoch in die entschiedensten Verschiedenheiten getrennt; und nicht
zu vergessen ist, wie jede dieser Sprachen wieder in sehr viele Dialekte ausläuft, Dialekte, die vorzugsweise ihren Charakter, ihr Gepräge aus der Lokalität gezogen haben.

Dies also ist die ungeheure Stoffmasse, welche wir Menschheit, Menschengeschlecht nennen. Wir sehen einerseits die Gesammtmasse durch die charakteristischen Verschiedenheiten
in zwei Geschlechter, diese in so und so viel Racen mit ihren Zwischen-
stufen, diese in eine große Zahl Völker, diese in zahllose Familien,
und diese endlich in durchaus verschiedene und für sich bestehende
Individuen zerfallen — wir sehen andrerseits diese Masse durchaus
verschiedener und für sich bestehender Individuen durch bestimmte
und bedeutendste Aehnlichkeiten sich zu Familien, diese zu
Völkern, diese zu Racen, diese zu zwei Geschlechtern, und endlich
auch diese zu einer Einheit der Menschheit vergesellschaften, vereinigen. Wir sehen einerseits die Verschiedenheiten, durch welche
diese Unterscheidungen stattfinden, andrerseits diese Aehnlichkeiten,
durch welche diese Vereinigungen bewirkt werden, wesentlich schon
in ihrer körperlichen Beschaffenheit begründet, überall schon von
äußeren und inneren körperlichen Eigenthümlichkeiten getragen. Sind
wir nun im Stande, in dieser scheinbar sich widersprechenden Erscheinung einen leitenden und beherrschenden Gedanken zu finden?
Allerdings.

Bei genauerer Prüfung stellen sich uns nämlich drei verschiedene
Gedanken vor.

Ist es das Ziel der Menschheit, in lauter völlig verschiedene
und isolirte Individuen zu zerfallen, so daß jene nur wie eine
Sammlung von Millionen Menschenatomen sei? Sicherlich nicht,
dem widerspricht die ganze Geschichte, dem die Natur jener Aehnlichkeiten. Es wäre dies gerade die unterste, roheste Stufe des
menschlichen Daseins.

Oder: ist es das Ziel der Menschheit, in eine kompakte Einheit zusammenzuwachsen, in welcher jede Individualität aufhört, so daß jene nur wie eine Sammlung völlig gleicher Krystalle sei? Wiederum nicht, dem widerspricht die ganze Geschichte, dem die ganze Natur des Menschen, die Natur jener Verschiedenheiten; so viel man auch schon von dem Nivelliren und Gleichmachen durch die Zivilisation gefabelt hat. Vielmehr ist das einzig Richtige:

> **Das Streben und Ziel des Menschengeschlechtes ist, das Individuum, den Einzelmenschen zur möglich höchsten Entfaltung seiner selbst und zugleich die Menschheit zur möglich größten Einheit zu bringen.**

Erweisen wir uns dies.

Man hat häufig die Forderung gestellt, daß man die Frauen emanzipire, d. h. daß man das weibliche Geschlecht dem männlichen in Erziehung, Beschäftigung, Pflichten und Rechten völlig gleichstelle. Allein wie die körperliche Natur beider Geschlechter verschieden ist, wie das Weib durch ihre körperlichen Prozesse, die Menstruation, die Schwangerschaft, das Säugungsgeschäft immer auf längere Zeit an wirklichen, ernsthaft geistigen oder sehr angreifenden körperlichen Beschäftigungen verhindert und darin unterbrochen wird: so findet allerdings auch eine geistige Verschiedenheit der Geschlechter statt. Im Weibe herrscht die Empfindung vor, im Manne das denkende Wesen. Das Weib hat größere Empfänglichkeit für geistige Eindrücke, aber sie schwinden schneller. Das Weib hat rascheres Urtheil, aber es geht nicht in die Tiefe; sie ist wankender, er fester, beständiger; sie ist eitler, er stolzer. Die Geschichte erweist, daß das Weib in den verschiedensten Zweigen der Wissenschaften und Künste schon Schönes und Ausgezeichnetes geleistet hat, daß aber das ausgezeichnete Weib es nie so weit brachte wie der ausgezeichnete Mann, und bei Weitem seltener ist. Trotz möglichster Freiheit in der Erziehung bewährt es sich jeden Augenblick, daß das Weib geeignet ist, die speziellere Sorgfalt für die Familienglieder zu tragen, der Mann für die Familie als Ganzes, für die Subsistenzmittel, den Schutz und die Sicherheit der Familie. Das Weib begründet das innere Familienverhältniß, der Mann das äußere Familienverhältniß, er begründet die Gesellschaft, den Staat. Es ist aber eine Wahrheit, daß, je gebildeter, je mehr geistig kultivirt das Weib ist, selbst-

ges, wenn es dabei seine Kräfte nicht auf's Spiel gesetzt und seine eigentliche Bestimmung nicht verkannt hat, desto besser die Erziehung der Kinder, so wie das Haus- und Familienwesen zu leiten im Stande ist. Stets aber, wenn sich das weibliche Geschlecht von seiner eigentlichen Bestimmung entfernt, hat es durch Schwächlichkeit und Kränklichkeit dafür zu büßen; wie z. B. in Frankreich die Zahl der geisteskranken Frauen die der geisteskranken Männer fast um das Doppelte übertrifft, während in anderen Ländern es umgekehrt der Fall ist. Gerade dadurch zeigt sich als das allein Richtige: daß die wahre Emanzipation des Weibes nicht in Gleichheit der Beschäftigung, der Pflichten und Rechte mit dem Manne besteht, sondern darin, daß das Weib wie der Mann die höchste Entfaltung innerhalb ihrer natürlichen Begabung, innerhalb ihrer natürlichen Verschiedenheiten und Geschlechtsindividualität anstreben.

Aehnlich verhält es sich mit den seit ältester Zeit wiederholten Behauptungen von höheren und niederen Menschenracen, aus denen z. B. selbst Aristoteles die Berechtigung zu Freiheit und Sklaverei für die verschiedenen Menschenstämme systematisch herleitete. Man sah es bis zur neuesten Zeit als eine Natureinrichtung an, daß die Neger dienen, daß die Rothhäute den Weißen weichen — nun, man braucht nicht so weit zu suchen, es giebt noch im Herzen von Europa genug Leute, welche sich über Bürger und Bauer von Natur wegen erhaben dünken. Was ist hierin der Irrthum? Daß es sowohl bildsamere, als höher gebildete, durch geistige Kultur veredeltere Menschenracen und Volksstämme giebt, müssen wir einräumen. So wenig aber die Jahrhunderte lange Herrschaft von Patriziern erweist, daß diese edlerer Natur als die Plebejer sind, wie vielmehr mit dem Augenblicke, wo für die Plebejer die gleichen Bedingungen bestehen, eine Anzahl der bedeutendsten Menschen aus ihrem Schooße hervorquillt, jene also nur durch die geschichtlichen Verhältnisse höher gebildet, früher veredelt, aber nicht an sich edler erscheinen — also auch bei den Menschenracen und Volksstämmen. Als Pizarro in Peru, als Cortez in Mexiko einbrang, trafen sie einen so entwickelten, veredelten Menschenstamm, wie ihn die Indianerstämme der westindischen Inseln niemals zu versprechen scheinen: unter den Stämmen des Westens nehmen noch heute die pferdebändigenden Comanches einen hohen Platz durch ihren edelen, ritterlichen Charakter ein; unter den Völkerschaften der großen mittelasiatischen Steppen

werden die Tscherkessen wegen ihrer Tapferkeit, ihrer Würde und
sittlichen Strenge gerühmt; und so, welche Menschenrace wir in
Betracht ziehen, zeigt es sich, daß es unter ihnen, selbst unter den
Negervölkern, Völkerstämme giebt, welche zu der reinsten, sittlichsten
Entwickelung, zu einer Stufe des Adels und der Würde sich erhoben
haben, die Bewunderung erregt, und die erweist, daß es durchaus
keine absolut niebrige und unbegabte Menschenrace giebt. Humboldt
sagt [1]): „Alle Menschenracen sind gleichmäßig zur Freiheit bestimmt,
zur Freiheit, welche in roheren Zuständen dem Einzelnen, in dem
Staatenleben bei dem Genuß politischer Institutionen der Gesammtheit als Berechtigung zukommt."

Um so klarer erscheint es nun aber, daß es die Aufgabe jedes
Volkes ist, seine Individualität zur höchsten Blüthe und Entwickelung zu bringen, und Alles was es mit der Begabung seines besondern Volksgeistes und Volkscharakters erreichen kann, zu erzielen.
Die Geschichte entrollt uns hier ein großes Gemälde, das freilich
tausend Lücken und unerkannte Stellen hat. Sie lehrt uns, wie
dieser besondere Volkscharakter sich zu einer bestimmten Volksaufgabe
gestaltete, an deren Lösung es seine höchsten Kräfte verwendete, und
daß alle diese einzelnen Erscheinungen in einander greifen, daß daraus
wie ein Ganzes sich macht. Ein jedes Volk erscheint wie ein Buchstabe des großen menschengeschlechtlichen A B C. Was ist nicht Alles an
uralter Kunst und Wissenschaft aus Indien und Egypten gekommen;
wie reihten sich an diese die Hebräer mit der welterleuchtenden „religiösen Idee", die Phönizier mit der weltverbindenden Schifffahrt,
die Griechen mit weltgestaltender Kunst und Wissenschaft, die Römer
mit weltbeherrschender Kriegs-, Rechts- und Staatswissenschaft; so
im Alterthum, und so vermögen wir auch in der neuern Welt jedem
Volke seine besondere geistige Natur, seinen Beruf, seine Aufgabe
nachzusagen und zu bezeichnen. Hier tritt uns aber eine besondere
Erscheinung entgegen. Jede Aufgabe eines Volkes an sich ist eine
unendliche und gar nicht zu erschöpfende. Wer kann sagen, wo die
Kunst aufhört, wer, wo die Wissenschaft ihr Ende, wer, wo die religiöse Idee ihren Abschluß hat u. s. w. Es kann also kein Volk
seine Aufgabe völlig lösen; es kann kein Volk an seiner Aufgabe
sterben. Und woran berenden dennoch die Nationen? Warum ist

---

1) Kosmos I. S. 385.

dieses Griechenvolk unter demselben Himmel zu dem erbärmlichsten Schemen seiner selbst verschrumpft? Warum beugten diese Römer in demselben Rom ihren Nacken den Füßen der schändlichsten, schwächlichsten Imperatoren, und verflogen wie Spreu mit all' ihrer Kriegskunst vor den regellosen Haufen der germanischen Horden? Warum löste sich der slavische Vorkämpfer, der Wien, d. i. Europa vor den Türken gerettet, dieses Polen in Splitter auf? Die Antwort ist: weil die sittliche Kraft allein den Bestand der Nationen regelt und bewirkt. Dieser Satz, den auszusprechen in unserer Zeit ein gewisser Heroismus gehört, weil er als großväterisch verhöhnt wird, klingt seinen Verhöhnern höhnisch aus ältester und neuester Zeit entgegen. Es hat noch kein Volk, dem die sittliche Kraft ausgegangen, einen Höhepunkt in der Menschheit erreicht, und noch hat kein Volk in seiner sittlichen Blüthe unterlegen. Hat ein Volk seine sittliche Würde und Kraft verloren, so helfen auch keine Revolutionen, keine künstlichen Spannungen und galvanischen Reize — der Ausgang dieser wird die Herrschaft des energischesten oder des pfiffigsten Abenteurers sein, weil die sittliche Entnervung des Volkes nichts Anderes erträgt und zuläßt. Dies ist der Schlüssel zu allen großen Erscheinungen der Weltgeschichte in Babel und Susa, wie in Memphis und Jerusalem, in Athen und Rom, wie in Warschau und Paris. Es existirt keine einzige Ausnahme davon.

Sehen wir aber, wie es Ziel und Zweck der großen Individualitäten in den Geschlechtern, Racen und Völkern ist, ihre Besonderheit zur höchsten Entfaltung zu bringen, so kann dies nur um desto sicherer von allen Individuen ausgesagt werden, da in diesen das nie rastende Ich von selbst darauf bringt, da dieser persönliche Wille, diese nie zu erdrückende Schaffkraft, so wie ihr Gegensatz die immerfortige Bildsamkeit innerhalb gegebener Verhältnisse es gebieterisch fordern. Um so irriger und verwerflicher waren jene nunmehr begrabenen Versuche in kommunistischen und sozialistischen Gesellschaften das Individuum auszurotten, wie im Gegensatz nicht minder¹ zu aller Zeit dem absoluten Despotismus der Mensch widerstand, wenn er zu Millionen gleichförmiger Nullen hinter der Eins des Despoten werden sollte.

Aber indem es das unaufhörliche Streben des menschlichen Geschlechts ist, sich in zahllosen größeren und kleineren Individualitäten zur besondern Entfaltung zu bringen; wird die gesammte Menschheit von der Idee beherrscht und getrieben, eine immer größere und innigere und vollständigere Einheit zu bilden. Wilhelm von Humboldt sagt: „Wenn wir eine Idee bezeichnen wollen, die durch die ganze Geschichte hindurch in immer mehr erweiterter Geltung sichtbar ist, wenn irgend eine die vielfach bestrittene, aber noch vielfacher mißverstandene Vervollkommnung des ganzen Geschlechts beweist, so ist es die Idee der Menschlichkeit! das Bestreben, die Grenzen, welche Vorurtheile und einseitige Ansichten aller Art feindselig zwischen die Menschen gestellt, aufzuheben, und die gesammte Menschheit, ohne Rücksicht auf Religion, Nation und Farbe, als Einen großen, nahe verbrüderten Stamm, als ein zur Erreichung Eines Zweckes, der freien Entwickelung innerlicher Kraft, bestehendes Ganzes zu behandeln." Es ist dies wahr, aber noch einseitig, wir müssen es vollständiger fassen. Ich erinnere von der einen Seite an die äußerlich und innerlich seit ältester Zeit immerfort wachsende Verbindung unter allen Gliedern der Menschheit, in allen Gegenden der Erde, und die in der neuesten Zeit durch Dampfkraft, Telegraphie und Schnellpresse eine so große Entwickelung erreicht hat; ich erinnere, wie durch die wachsende Verbindung, Verästelung und Verwickelung der Verhältnisse, namentlich durch das Ineinanderleben der Industrie- und Geldverhältnisse immer mehr ein Organismus aus der Menschheit wird, in welchem alle Theile berührt werden durch den Schlag, der ein Glied trifft; ich hebe besonders hervor, wie, abseitens aller individuellen und nationalen Tendenzen und Strebungen, die Menschheit sich seit ältester Zeit einen immerfort wachsenden allgemeinen Schatz an Kunst und Wissenschaft, an allgemeiner Ueberzeugung und Bewußtsein, an Rechts- und Sittlichkeitsbegriffen angelegt hat, einen Schatz, der immerfort durch alle Nationen und Individuen wächst, und doch der Allgemeinheit, also der Einheit der Menschheit angehört; denn weder die Mathematik, noch die Malerei gehört dem Individuum oder der Nation, durch wen sie auch am Meisten oder am Wenigsten gefördert werde; die großen Ideen des Glaubens und des Rechts, wie sehr sie auch noch im Kampfe liegen, sind längst allgemein worden; und selbst was die nationale Literatur hervorbringt, wird durch Sprachkunde und Uebertragung schnell allgemeines Gut, sobald es dessen werth ist. Immerhin mögen einzelne Länder sich vor dieser Einheit absperren, indem sie es thun, erkennen sie diese und ihre Macht an, und über kurz oder lang zerfällt die chinesische Mauer, und die Hand, die sie gebaut, diese selbige muß sie abtragen.

Und so steht als das höchste Ziel des Menschengeschlechts vor uns: jedem Individuum die möglichste Entfaltung seiner Individualität zu gewähren und zu fördern, und aus der Gesammtheit der Individuen eine immer innigere und vollständigere Einheit zu entwickeln.

Dies ist der Geist in der Menschheit. Während als Stoff die Individuen, Völker, Racen, Geschlechter faktisch in ihren Verschiedenheiten getrennt, in ihren Aehnlichkeiten vereinigt sich darstellen; treibt der Geist, diese Verschiedenheiten zu einer bestimmten, höhern Entfaltung zu bringen, diese Aehnlichkeiten aber in eine immer höhere Einheit aufgehen zu machen; treibt der Geist, das gesammte individuelle Leben zu einem allgemeinen zu vereinen; treibt der Geist jedes Individuum, sich möglichst individuell zu entwickeln, aber zugleich am Allgemeinen mitzuleben, diesem zu dienen und seinen Theil abzugeben. Dies ist die Idee, die die 1000 Millionen Menschen von Geschlecht zu Geschlecht, jedes seine 30 Jahre, treibt, leitet, beherrscht; alle Resultate des Menschen, große und kleine, beweisen dies; die ganze Geschichte ist nur ihr Wiederhall; und das Dasein dieser Idee erweiset das Dasein des Geistes in der Menschheit. So lange wir uns die 1000 Millionen Menschen als Stoff des Menschendaseins denken, lebt jeder derselben sein Leben für sich, wie es körperlich und geistig einmal ist; sobald wir aber erkennen, daß sie mehr thun, daß sie alle sich entwickeln, um eine höhere Einheit zu bilden, daß sie auf tausend Wegen zu diesem Ziele hinarbeiten, daß sie geboren werden, leben und sterben an diesem Streben: so haben wir das Dasein eines allgemeinen Geistes in dieser Menschenmasse erkannt.

Zweiter Abschnitt.

Zur vergleichenden Religionswissenschaft.

X.

Der Unitarismus.

Der Unitarismus hat in Nordamerika, in England und ganz besonders in Belgien einen großen Boden gewonnen, und ist in Frankreich zum Tagesgespräch geworden. Während er auf der einen Seite sich allen Einwendungen gegenüber für eine christliche Lehre ausgiebt, sucht er auf der anderen sich dem Judenthume zu nähern, und giebt zu verstehen, daß er mit diesem identisch sei. In der That haben in England wie in Nordamerika sich manche unsrer Glaubensgenossen dem Unitarismus angeschlossen. Er ist allerdings nichts Neues; nur eine Modification einer alten Erscheinung. In den ersten Jahrhunderten des Christenthums schon entstanden Sekten mit ähnlichen Lehrmeinungen, Sekten, welche eine Zeit lang sogar die Oberhand in der Christenheit zu erlangen schienen, welche in Rom und Byzanz in blutigen Kämpfen um die Macht rangen, und nur durch die gewaltigsten und gewaltthätigsten Anstrengungen der katholischen Kirche erdrückt wurden.

Der Unitarismus hat zwei Hauptlehren: 1) die unbedingte Einigkeit des göttlichen Wesens, 2) die Sendung Jesu als Messias, wie er durch die Propheten des alten Bundes verkündet worden sei, als Erlöser, der den Weg des Lebens und der Wahrheit lehre. Es bedarf keines großen Scharfsinnes, um zu erkennen, daß der Unitarismus auf diese Weise kein Christenthum ist; denn mit der Läugnung der Göttlichkeit Jesu, mit der Läugnung, daß derselbe durch seinen Tod die unmittelbare Erlösung von der Sünde für die, welche an ihn glauben, bewirkt habe, mit der Läugnung der Rechtfertigung im Glauben ist die ganze Glaubenslehre, die ganze Glaubensanschauung des Christenthums abgeläugnet. Man spricht zwar von einem Urchristenthum, welches diese Dogmen noch nicht gehabt haben soll, aber wo ist dies zu finden? wo hat dies bestanden? Man kann zwar, wie wir es in unsren Vorlesungen versucht, nachweisen, wo und wie das Christenthum aus dem Judenthume mündete, aber sobald es als jenes erscheint, steht es auf der oben. gezeichneten Basis. — Es bedarf ebenso keines großen Scharfsinns, um zu erkennen, daß der Unitarismus mit jenen Lehren kein Judenthum sei. Denn dieses giebt nicht zu, und kann nicht zugeben, daß der von den Propheten verkündete Messias gekommen sei; denn, werden jene Weissagungen wörtlich genommen, so fehlen der Erscheinung Jesu alle diejenigen Zeichen und Ergebnisse, welche die Propheten dem Messias zusprechen: Zion ist durch ihn nicht verherrlicht, Israel nicht wieder hergestellt worden, sondern kurz nach ihm trat gerade die Zerstörung und Zerstreuung ein; oder versteht man jene Weissagungen spiritualistisch als Verkündigung einer messianischen Zeit, wo das Lamm neben dem Wolfe lagert, und die Völker ihre Schwerter zu Sicheln, ihre Lanzen zu Winzermessern schmieden (Jesaias), wo Friede, Gerechtigkeit und Erkenntniß auf der ganzen Erde wohnen, und die ganze Menschheit den Einzig-Einen Gott bekennt, so lehrt die Geschichte das gerade Gegentheil, denn mit dem Verfall des römischen Reiches wurde der Kampf der Völker und Staaten ein größerer, blutigerer und ununterbrochenerer, als er früher jemals gewesen. Vergebens sagt man, daß das Erstere, der traurige Fall Judas, die Folge seines Unglaubens an den gekommenen Messias gewesen sei; denn die Weissagungen der Propheten setzen einen solchen Unglauben nicht voraus, und lassen noch weniger einen Untergang der Nation zu. Ja, das Judenthum giebt nicht einmal zu, daß der prophetische Geist, der mit Maleachi erloschen, noch einmal über einen Sterblichen gekommen, und daß dem Worte Mose's und der Propheten noch ein „neues" hinzugefügt werden könne; es räumt Beides weder dem Christenthume, noch dem Islam, noch der großen neuen Religionserhebung in China, noch irgend einer kleinen Sekte ein; wie seine Lehre eine einfache, bestimmte, abgeschlossene ist, will es nach dem Worte Mose's weder etwas hinzugefügt noch davon genommen wissen. — Es bedarf eben so wenig des Scharfsinns, um einzusehen, daß der Unitarismus auch kein Deismus ist; denn allerdings nimmt er die positive Religion, die Offenbarung zu seiner Grundlage an und entlehnt seine Lehre aus

6*

dem Munde Mose's und der Propheten, Jesu und seiner Jünger, er verwirft eine bloße Vernunftreligion, die ohne die Geschichte aus sich selbst ziehen will, was doch nur das Resultat der Geschichte ist, und von der Philosophie im Stich gelassen wird.

Frägt man aber nun: was ist der Unitarismus, wenn er weder Christenthum, noch Judenthum, noch Deismus ist? so kann die Ant= wort nicht schwer fallen. Er ist ein Versuch, wie er im Laufe der Jahrhunderte schon oft gemacht worden, das Christenthum seiner Mysterien zu entkleiden, weil und so weit diese mit der Vernunft nicht in Uebereinstimmung zu bringen sind, und mit möglichster Schonung des geschichtlich Gegebenen aus dem Christenthume eine Vernunftreligion zu machen. Zu diesem Zwecke wird die religiöse Idee zu ihrer Reinheit und Einfachheit, wie sie im Judenthume besteht, zurückgeführt; dann aber wieder auf christlichen Boden ver= pflanzt, um hier eine christlich=geschichtliche Umhüllung zu bekommen. Dies geschehen, behauptet sich der Unitarismus als Christenthum, coquettirt mit dem Judenthum und schmeichelt dem Deismus, trotz= dem es in seinem Wesen keines von allen Dreien ist. Nichts aber ist erklärlicher, als daß der Unitarismus gerade in einer Zeit wie die unsrige wieder erstehen, Terrain gewinnen und Fortgang nehmen mußte. Da er eben eine scheinbare Abfindung sowohl mit allem Gegebenen, als auch mit der Vernunft ist, konnte es nicht ausbleiben, daß er ein Fund für Viele ward, die auf dem Boden ihrer Religion sich nicht mehr ganz zurechtfanden.

Was nun das Urtheil des Judenthums von seinem Stand= punkte über den Unitarismus ist, so faßt es sich leicht dahin, daß jenes zu diesem sagt: was Du in Wesenheit lehrest, brauche ich nicht, da ich es längst schon habe, da Du erst ein abgeleiteter Arm aus einem Strome bist, der seine Quellen aus mir abgeleitet hat; was Du Weiteres beibehalten, widerstreitet den Aussprüchen der Propheten und meiner ganzen Geschichte. Würde das Judenthum den Unitarismus, nicht wie er in der Mehrzahl seiner Anhänger, sondern wie er in dem Bekenntniß seiner Lehrer lebt, als eine ganz aufrichtige und im redlichsten, reinsten und entschiedensten Streben entwickelte und gestaltete Erscheinung ansehen können — aber es kann dies bis jetzt nicht — so müßte es ihn allerdings als einen Triumph seiner eigenen Sache mehr betrachten, da in dem Haupt= satz der Unitarismus zu der Lehre des Judenthums zurückführt.

XI.

Modernes Heidenthum.

1. Die hallenser und marburger Lichtfreunde.

Im Jahre 1846 machten die Erklärungen der **hallenser** und der **marburger** „Lichtfreunde" die Runde durch die öffentlichen Blätter und wollten der Welt einmal wieder zeigen, was die Vereinigung derer, welche sich außerhalb positiver Religion stellen, zu produziren vermag. Es waren klangvolle Namen darunter.

So lange dem Judenthume die Dogmen der christlichen Kirche in ihrer strengen Fassung gegenüberstehen, hat es von diesen nichts zu fürchten. Die ganze jüdische Anschauung ist so der Gegensatz der christlichen Dogmen, der jüdische Verstand mit seiner Schärfe wirkt so zersetzend auf dieselben, daß von jeher die Zahl der Juden, welche aus Ueberzeugung zum Christenthume übergingen, anerkannter Maßen nur gering war.

Ein Andres aber, wenn sich außerhalb des Christenthums eine dasselbe **auflösende** Partei aufstellt; wenn mit den Lockworten der Freiheit, des allgemeinen Priesterthums, der Menschenverbrüderung ec. die Auflösung der christlichen Kirche von einer Anzahl Männer erstrebt wird. Diese Zersetzungssucht, diese Selbständigkeit, welche sich selbst zum Gotte macht, diese Freiheitsbegierde, welche aller Forschung und allem Erwerbniß der früheren Geschlechter den Lossagebrief schreibt, hat auch für eine Menge Juden einen bedeutenden Reiz; hier sind es nicht unfaßbare Dogmen, unbegreifliche Mysterien, welche sie abschrecken, hier ist Beschäftigung des Verstandes, ja des nüchternsten Verstandes, nüchternste Gedanken werden zur Grundlage gemacht; und in dem Verwerfen aller Religionen brauchen sie sich keinen Vorwurf zu machen, auch die ihrige zu verwerfen. Doch schauen wir etwas tiefer.

Was ist.eigentlich der Grundgedanke aller dieser Erscheinungen? Der Gegensatz der alten und neuen Zeit läßt sich so fassen: **die alte Zeit wollte in der Religion ein Allgemeines hinstellen, in welches das Bewußtsein des Einzelnen sich einzuleben habe — die neue Zeit will das Bewußtsein des Einzelnen zu allgemeiner Geltung erheben.**

Diesen Weg ging das Judenthum, gingen die christlichen Kirchen.

Indem von jüdischer Seite die heilige Schrift, dann wieder die Tradition und der diese enthaltende Talmud, bis endlich auf den מנהג, den Brauch der Gemeinde, als unumstößliche Autorität hingestellt wurden, waren diese hiermit als das Gemeinsame und für die Judenheit Allgemeine aufgestellt, dem sich das Individuum, bei aller Verschiedenheit der Bildung und des Bewußtseins nicht nur zu unterwerfen, sondern auch einzuleben habe, da schon der Zweifel ein Unrecht wäre.

Gleiches im Christenthume. Die Bibel, insbesondere das s. g. Neue Testament, und die Tradition, diese schärfer als „die Kirche" gefaßt, als alleinige Autorität, als das Gemeinsame und Allgemeine, machten sich also sowohl in der katholischen als in der protestantischen Kirche geltend.

Der Unterschied war aber, daß im Judenthume die **Lehrbegriffe** einfacher und aus dem Ganzen sich von selbst ergebend waren, und sich daher die **Sitte, die Bräuche, der Kultus** mehr als den Inhalt dieses Allgemeinen setzten; das Christenthum hingegen sich bestimmte **Dogmen** ausarbeitete, die in **Bekenntnißformeln, symbolischen Formeln** 2c. ihre Feststellung gewannen.

Je mehr aber durch Wissenschaft und Philosophie die Geister vom Elemente der Kritik durchbrungen wurden, je mehr dadurch eine, jenen Allgemeinheiten in der Religion entgegengesetzte Ansicht in den Geistern Raum gewann: desto heftiger wurden die Angriffe, desto stärker der Drang, die gewonnene Ueberzeugung als selbständig von der Allgemeinheit zu trennen. Im Judenthume mußte sich dies natürlich auf die Sitte, den Brauch, den Kultus werfen. Zuerst wurde die Autorität der Tradition verworfen, und diese entweder als nicht vorhanden, oder doch als nicht bindend erklärt. Dann sollte der Kultus, der im Judenthume nur jüdisch-objektiv gehalten war, für die Gefühle des Individuums Raum schaffen, und diese mehr zur Aussprache kommen, als das Bekenntniß und die Geschichte des Jüdisch-Allgemeinen. Aber auch die Autorität der heiligen Schrift wurde angefochten, indem man zuerst das in ihr gegebene Gesetz nur als paläftinensisch ansah, dann eine „Fortbildung des Mosaismus" aufstellte, endlich den Begriff der Offenbarung verfälschte oder beseitigte. .

War man so weit gekommen, so war auch alles Gemeinsame und Allgemeine im Judenthum zerstört, und an die Stelle eines gemeinsamen Lehrbegriffs, der nicht mehr vorhanden war, mußte sich eben — das Bewußtsein des Individuums drängen, es war nichts weiter da. Zwar hielt man sich noch an das gemeinsame Bekenntniß eines Gottes; aber, wer am Schein kein Gefallen hat, muß doch bekennen, daß dies nur noch ein inhaltsloser Begriff, also nur ein Wort ist; denn die Vorstellung, was dieser eine Gott sei, bildet den Inhalt, und dieser allein kann das Wesen des Gemeinsamen ausmachen.

So lange nun das Individuum, das so weit gelangt ist, weiter nichts fordert, als den freien Bestand für sich, ist es in seinem Rechte: wenn aber eine Anzahl derselben sich zusammenthut, um das für Millionen noch bestehende Allgemeine zu bekämpfen, sich ihm gegenüber zu stellen und das Recht einer Allgemeinheit zu verlangen, so ist es außer seinem Rechte. Denn das individuelle Bewußtsein hat eben nur für das Individuum sein Recht und sein Wesen; sobald es sich aber als die Richtschnur und das Maß eines Allgemeinen setzen will, hat es keinen Inhalt, kann es keinen Inhalt angeben; denn sobald es dieses thäte, beschränkt es sich selbst wieder, zerstört sich selbst. Nur ein Nebeneinander kann das individuelle Bewußtsein fordern, durchaus aber nicht ein Miteinander. Es ist die leere Schale, die Jeder nach Belieben mit einem Inhalte ausfüllen soll; diese Schale aber für das Wesen ausgeben, und das Recht eines Inhalts beanspruchen, widerspricht sich selbst.

Dies zeigt sich denn auch in den oben gedachten Erklärungen selbst. Indem sie das Gemeinsame des Judenthums und das des Christenthums verwerfen, und sich als freie Menschen erklären, d. h. wo allein jedes individuelle Bewußtsein die vollkommne Freiheit erlangt hat: geben sie sich unter der Hand schon wieder ein Gemeinsames, welches das individuelle Bewußtsein beschränkt. Sie sagen: „Wir erkennen in dem Hinausrücken Gottes und des ewigen

Lebens in eine jenseitige Phantasiewelt einen, mit dem Bedürfnisse des Geistes nach der ewigen, gegenwärtigen Versöhnung in Gott kontrastirenden Dualismus, und setzen die Seligkeit allein in das immer gegenwärtige Erkennen des göttlichen Wesens und in die Gerechtig= keit und Liebe des Menschen gegen den Menschen." In dem „wir erkennen" und „wir setzen" ist schon eine Bekenntnißformel wieder da, welche alles Andere ausschließt, somit die Herrschaft des indi= viduellen Bewußtseins (das freie Menschenthum), mit der sie sich brüsten, zerstört. Denn, da sie in diesem ihren Bekenntniß die Außerweltlichkeit Gottes und die Unsterblichkeit der Seele läugnen, kann Keiner zu ihnen gehören, also ist jeder ausgeschlossen, der diese beiden Erkenntnisse in seinem Geiste trägt. Man würde daher um so eher über dieses ganze trügerische Spiel stillschweigend hinweg= gehen, wenn nicht zu Viele in unsrer Zeit existirten, die sich in ihrem Oppositionsgeiste gegen das Positive, zum Theil auch in ihrer Renommisterei, gar nicht die Mühe geben, das blendende Wort zu prüfen, und sich ohne Weiteres zu Sklaven einer erträumten Freiheit machen.

Man wird hier die Frage nicht umgehen können: welche ist die Stellung der Reform im Judenthume zu diesen gedachten Bestrebungen? Man kann sie darum nicht umgehen, weil die Geg= ner der Reform alsbald dem Volke die Identität der Reform mit jenen weiß machen wollen, oder doch mit verdrehten Augen ausrufen: dahin führt die Reform! Aber auch dies ist eine Verblendung, eine Täuschung, und darum von vorn herein zu be= gegnen. Man kann ja schon auf die Thatsache hinweisen, daß die Anhänger dieser Bestrebungen zu den hartnäckigsten Feinden der Reform gehören, wie es sich gezeigt hat. Man kann schon auf den Namen hinzeigen: denn Reform ist nicht Formlosigkeit, Re= form ist Umgestaltung der Form, jene Bestrebungen aber wollen jede Form und jedes Gemeinsame der Religion zerstören. Wir wollen uns aber gar nicht dahinter verstecken, sondern geradezu sprechen.

Die Reform im Judenthume bleibt bei dem positiven Begriff der göttlichen Offenbarung stehen, und macht ihn zu ihrem Bo= den. Freilich erkennen wir die Wahrheit mit dieser nicht für ab= geschlossen, wie die Gegner insinuiren wollen; sondern: die gött= liche Offenbarung hat die Wahrheit gegeben, welche nun die Mensch=

heit intensiv immer mehr zu durchbringen, zu entwickeln, auszuarbeiten, und extensiv in immer mehr Geister zu pflanzen, in ihnen zu befestigen, zu beleben hat.

Die Reform im Judenthume bleibt daher bei der Lehre der Offenbarung stehen: die Außerweltlichkeit Gottes, die Unmittelbarkeit Gottes zum Menschen durch die Ebenbildlichkeit des Menschengeistes und durch die Offenbarung, die Unsterblichkeit der Seele, die göttliche Weltregierung, das göttliche Gericht und die Läuterung des Menschengeistes durch dasselbe hält sie als unumstößliche, durch die göttliche Offenbarung in die Menschenwelt gekommene Lehren fest.

Die Reform im Judenthume bleibt bei dem Gesetze der Heiligung, wie es von der Offenbarung gegeben ist, stehen, und erkennt an, daß die Offenbarung dieses Gesetzes theils als sittliches Gesetz der Liebe, theils als soziales Gesetz der unbedingten Gerechtigkeit in Menschengleichheit, theils als Gesetz der Läuterung und Reinigkeit, um den Menschengeist zu immer größerer Gottähnlichkeit zu entwickeln, allgemein= und ewiggültig aufgestellt hat, daß sie aber die Mittel, das sind die Formen, durch welche diese Gesetze verwirklicht werden, der Zeit und Lokalität gemäß übergeben hat. (Wenn die Schrift z. B. befiehlt, die Ecken der Felder in der Ernte nicht abzuschneiden 2c., sondern sie den Armen zu überlassen, so hat sie damit dem zum Ackerbau bestimmten Volke gemäß vorgeschrieben, was nothwendigerweise auf die anderen Gewerbe übertragen werden muß; wenn sie dem Ochsen das Maul beim Dreschen zu verbinden verbietet, so ist dies lokal, wo mit Ochsen gedroschen wird, enthält aber das allgemeine Gesetz der Barmherzigkeit gegen das Vieh u. s. f. Gleiches findet nun auch in vielen Beziehungen des Kultus statt.)

Auf diese Weise hält allerdings die Reform im Judenthume die Tradition nicht für bindend, indem sie in sich selbst nur eine lebendige Fortentwickelung der starr gewordenen Tradition erkennt; auf diese Weise strebt sie zwischen dem ewigen und allgemeingültigen Wesen und Inhalt des Gesetzes und dem temporellen und lokalen Mittel oder der Form des Gesetzes zu unterscheiden, Dinge, womit die oben gezeichneten Bestrebungen der „freien Lichtfreunde" Nichts zu thun haben. Auf diese Weise hält aber die Reform auch den ganzen Lehrinhalt der Offenbarung fest, und sucht diesen zu entwickeln und auszuarbeiten, was wiederum nicht Sache jener

„freien Lichtfreunde" ist, die den ganzen Lehrinhalt derselben ver=
werfen, und den Gegensatz lehren.

Haben wir somit die große Kluft gezeigt, welche die Reform
im Judenthume von jenen s. g. lichtfreundlichen Erklärungen trennt:
so können wir um so mehr zum Wesen dieser zurückkehren. Die
Reform hält das Gemeinsame und Allgemeine, wie es von der
Offenbarung gegeben ist, fest und strebt nur die Form von der
Herrschaft des Buchstabens frei zu machen: die Lichtfreunde hin=
gegen verwerfen Jenes ganz und gar, und setzen die Herrschaft des
individuellen Bewußtseins als ihr Gemeinsames, ohne zu bedenken,
daß diese beiden sich gegenseitig schon an sich zerstören.

Was nun aber den Inhalt dieser Erklärungen betrifft, so
können wir ihn nur mit dem, von uns schon früher gebrauchten
Ausdrucke „modernes Heidenthum" bezeichnen. Die hal=
lenser und marburger Erklärungen unterscheiden sich hierin
wesentlich. Die hallenser setzt eben Nichts fest, als die unumschränkte
Herrschaft des individuellen Bewußtseins, wie sie es nennen „der
Geist". Die marburger kommt aber schon mit einem Inhalte, in=
dem sie den außerweltlichen Gott. und die Unsterblichkeit der Seele
leugnet, und die Seligkeit in das immer gegenwärtige Erkennen des
göttlichen Wesens und in die Gerechtigkeit und Liebe des Menschen
gegen den Menschen setzt. Sie ist leicht zu schlagen. Denn da das
Erkennen des göttlichen Wesens im Menschen nur stets ein mangel=
haftes ist und sein muß, da das Unvollkommne das Vollkommne
nicht vollständig begreifen kann, ja dieses Bewußtsein der Mangel=
haftigkeit unsres Erkennens des göttlichen Wesens immer in uns
lebendig sein muß, weil sonst die Lüge, die Selbsttäuschung in uns
ist — so kann die Seligkeit nach dem Begriff der Erklärung selbst
niemals in uns sein. Da ferner die Gerechtigkeit und Liebe gegen
den Menschen in uns im Kampfe mit der Selbstliebe ist, so kann
auch hiermit die Seligkeit nicht vollkommen in uns sein, da die
Identifizirung unsres Selbstes mit dem Selbste des Mitmenschen
niemals sich in uns vollendet. — Es liegt hiermit der pomphaften
Erklärung nur die Selbstvergötterung des Menschen zum
Inhalte, also das uralte Heidenthum, nur in seiner modernen
Phase.

Endlich die Aushängeschilder dieser Erklärungen: Freiheit, all=
gemeines Priesterthum, Menschenverbrüderung. Man sieht, diese

Bestrebungen geben sich den ganzen messianischen Charakter, wie es denn kein kleiner Schritt zur Verwirklichung der messianischen Weissagungen in der Menschheit ist, daß die Menschen an diese zu glauben beginnen, und ihre Erfüllung als in der Zukunft heranschreitend erkennen. Das Judenthum nun braucht nicht zu erklären, daß jene drei Parolen von uralter Zeit die ihrigen sind. Die Menschheit soll Eines werden in der Erkenntniß und in der Liebe; die gesammte Menschheit soll ein Priesterreich werden, wie dies Israel sein sollte; und wo die Erkenntniß und Liebe zur vollkommnen Herrschaft gelangt sind, da kann auch keine Rede mehr von der Freiheit sein, da dann die Unfreiheit ein verlorner Begriff sein wird. Hingegen bestreitet das Judenthum, daß der Weg der gedachten Erklärungen derjenige sei, welcher zur Verwirklichung jener messianischen Momente führe. Denn ein Zersetzen, eine Auflösung alles Gemeinsamen kann keine Verbrüderung herbeiführen: sie geben ein atomistisches Nebeneinander, nicht aber eine Verbrüderung in der Anerkenntniß der ewigen Wahrheit. Eine Selbstvergötterung ist kein Priesterthum, keine allgemeine Heiligung, sondern der direkte Widerspruch mit diesem, denn das Ueberheben des Menschen über sein eigenes Wesen ist die Vernichtung aller Heiligung. Der Mensch ist dann wieder der heidnische Priester, der aus den Eingeweiden des Opferthieres — hier seinen eigenen — den Willen der Gottheit, sich oder Andere täuschend, verkündet.

Wir müssen den Gegensatz unsrer Religion zu altem und neuem Heidenthume nie außer Augen verlieren.

2. Der Katechismus der freien Gemeinden.

a.

Es liegt vor uns ein Schriftchen: „Katechismus für freie Gemeinden. Herausgegeben von Joh. Schneider. Leipzig, 1849." Es versteht sich von selbst, daß hier nicht mit jenem wilden Fanatismus, mit jener Wuth und Rohheit losgefahren wird, wie sie sich in den Proklamationen der versprengten französischen und deutschen Sozialisten Luft macht, sanfter, zierlicher tritt hier das Gift auf, um sich einzustehlen.

Um so mehr gilt es einen Kampf; es gilt einen Kampf für unsere Jugend, um sie zu wahren, für die Zukunft, um sie nicht tränken zu lassen mit einer Afterweisheit, die, nachdem sie zerstört hat, Nichts zu bieten vermag, und die Herzen und Geister der Trost= losigkeit überantwortet, aus der sich Viele nur in die Arme des trunkensten Aberglaubens retten. Es gilt den Kampf, den menschlichen Verstand vor seiner eigenen Selbstvernichtung zu schützen. Wohl hören wir jetzt schon die hohnlachenden Stimmen der Gegner: „Das ist der Weheruf falscher Priester! So kämpften die heid= nischen Priester gegen das Christenthum — aber die Welt ging über ihre Klagen und Kämpfe hinweg, und sie waren nicht mehr!“ . . . Geduld! Wir Juden stehen nicht auf diesem Standpunkt. Uns suchte das Heidenthum zu erdrücken, und es gelang ihm nicht. Uns suchte das Christenthum zu vernichten, und es gelang ihm nicht, das Christenthum in seinen verschiedensten Stufen und Formen. Ueber uns ging die Welt noch niemals hinweg, sondern wir schritten immer über die Gräber der Lehren hinweg, welche uns und welche wir bekämpften; über das Grab der Salmanassar und Nebukab= nezzar, der Antiochus, der Titus und Hadriane, der Inquisitoren und Pietisten, über das Grab des alten Skeptizismus — und des modernen, will's Gott! auch. Was unsere Lehre betrifft, haben wir noch niemals gezweifelt, ob sie bestehen bliebe. Nicht die Propheten zweifelten, als sie auf den Trümmern des Tempels standen, nicht die Talmudisten zweifelten, als sie die immer weitere Zersplitterung der jüdischen Masse sahen, selbst die gedrücktesten Rabbinen zwei= felten nicht, als sie ein Joch auf den Nacken ihres Volkes sich lagern sahen, ein Joch, wie noch keines in der Geschichte der Menschheit gewesen. Und so zweifeln auch wir, die späten Enkel, nicht an dem Bestand und den Sieg unserer Lehre — aber die Propheten, die Talmudisten und die Rabbinen kämpften, und kämpfen wollen auch wir, die Söhne einer neuen Zeit, weil dieser Kampf unser schöner, heiliger Beruf ist.

Dem Judenthume gegenüber nehmen diese Helden des Un= glaubens und der Selbstvergötterung eine eigene, aber nicht neue Stellung ein. Sie fertigen es ebenso ab, wie die christlichen Theo= logen es abfertigen: sie sagen — „das Christenthum ist die Vollen= dung und damit die Vernichtung des Judenthums, das heutzutage nur eine antiquarische, nicht aber welthistorische, berechtigte Form der Weltanschauung ist." (S. 21 obiger Schrift.) Nun sind sie fertig. Das Judenthum ist nicht mehr, es ist eine Mumie, es ist eine Antike 2c. 2c. Wer eine große, lebenskräftige und ihre Gegen= sätze überwältigende Erscheinung und Existenz so abfertigt, der kann wohl von vorn herein keine andere Berechtigung fordern, als die, ein sehr oberflächliches Urtheil, eine sehr kurzsichtige Einsicht zu haben. Ich schließe die Augen, ich sehe Nichts, nun — dann ist es auch nicht mehr, denn ich sehe es ja nicht. Dies ist die ganze Weisheit dieser großen Weisen. Aber die christlichen Theologen haben sich schon eine wächserne Nase angedreht, indem sie das Judenthum für durch das Christenthum getödtet ausgaben, und die neuen Weisen borgen sich diese wächserne Nase. Aber die christlichen Theologen schreien Zeter, wenn ein Jude Lehrer an einer Schule wird, sie unterdrücken förmlich alle Erscheinungen der jüdischen Literatur, eine gemischte Ehe mit einem Juden oder selbst einer Jüdin ist ihnen ein furchtbarer Schrecken, in Preußen verboten sie einander sogar, eine Synagoge zu besuchen, überallhin klagen sie, daß der jüdische Geist, die jüdische Lehre einbringe und zersetze, nämlich ihren Geist und ihre Lehre — und doch soll das Judenthum vor zwei Jahrtausenden verstorben sein! Die neuen Weisen haben wohl Acht zu geben, daß es ihnen mit dem Judenthume nicht ebenso ergehe. Mögen sie bald erkennen, daß ihr rechter, lebenskräftigster Gegner — das Juden= thum ist und bleibt.

Nein, ihr irret Alle, oder vielmehr ihr wollet irren. Das Christenthum war nie die „Vollendung des Judenthums", und da= mit ist eure ganze Schlußfolgerung falsch. Das Christenthum nahm einen Theil seiner Lehren aus dem Judenthume, für die eigentlichen und höchsten Lehren des Judenthums brachte es aber ganz andere herbei, durch die es jene vielmehr negirte. Die Lehre von der Dreieinigkeit, die Lehre von der Erbfünde, die Lehre von der Mensch= werdung Gottes, die Lehre von der Erlösung durch den Tod Christi, die Lehre von der Liebe, welche das Recht verläugnet, das sind Lehren, welche unjüdisch waren und sind, welche das Judenthum nie hatte, welche das Judenthum nicht vollendeten, sondern, gerade umgekehrt, verneinten. Somit war das Christenthum zu einem Theile ein Bruchstück Judenthum, zum andern Theil Verneinung des Judenthums, also nicht eine Vollendung, sondern ein Gegner des Judenthums, also auch keine Vernichtung, denn als Gegner

ringen ſie noch heute, und das moderne Heidenthum iſt eher ein
Zeugniß für den Sieg des Judenthums, als daß es dieſes für todt
auszugeben eine andere Berechtigung hätte, als ſeine eigene Ober=
flächlichkeit und ſeine eigene Schwäche. Sie ſchließen die Augen,
und ſagen — es iſt nicht mehr.

Denn ſehet: darum blieb ja eben das Judenthum beſtehen, weil
das Chriſtenthum nicht ſeine Vollendung, ſondern nur ein neuer
Gegner, wenn auch ein näher ſtehender, aus ſeinem eigenen Blute
entſprungener Gegner war. Und darum muß und wird das Juden=
thum beſtehen bleiben, um auch ſeinem neuen Gegner entgegen=
zutreten, der freilich nur ein alter, aus den Gärten Athens und
von den Hügeln Roms her wohlbekannter, nur in neuem Gewande
erſcheinender Gegner iſt.

Indeß was wollen wir: dieſe Weiſen der Neuzeit ſchlagen ſich
ſelbſt, wir brauchen es kaum. In derſelben Schrift S. 9 heißt es:
„Die indiſche Religion der Bramanen hat auch das Geheimniß der
Dreieinigkeit als oberſten Grundſatz. Die drei Götter, welche ebenſo
wie im Chriſtenthum, nur eine Perſon bilden, heißen Brama, Siwa,
Wiſchnu. Dieſe Religion iſt ſehr alt und aus ihr, mit Vermiſchung
von jüdiſchen Elementen das Chriſtenthum entſtanden.“ — Alſo das
Chriſtenthum ſoll eine Vermiſchung von indiſchen und jüdiſchen
Elementen und dennoch die Vollendung, d. h. die höchſte Entwicke=
lung des Judenthums ſein, und darum die Vernichtung des Letztern!
Solche Widerſprüche mit ſich ſelbſt laſſen ſich die Herren gefallen,
die den Widerſpruch wider die beſtehende Welt predigen!

Das Judenthum trägt in ſich ſeine Vollendung von ſeinem
Beginne an. In ihm iſt die Wurzel und die Krone einer und
derſelben Lehre. Darum hat es allein und ganz dieſe Lehre zu ver=
treten, von der andere Religionen, wie Chriſtenthum und Islam,
nur Theile hinübernahmen. Das Judenthum war von Beginn an
die Lehre vom einigen, geiſtigen, überweltlichen Gotte, und von der
Ebenbildlichkeit des Menſchen zu dieſem Gotte. Dieſe Lehre trug
es im Moſaismus, im Prophetismus, im Talmudismus, und trägt
es noch heute. Dieſe Lehre iſt vollendet an ſich; ſie kann in immer
reineren Konſequenzen ausgearbeitet werden, aber nicht vollendet,
denn darüber hinaus giebt es Nichts. Dieſe Lehre wurde in dem
Entwickelungsgange der Geſchichte im Judenthume in den verſchie=
denen Zeiten mit verſchiedenen Normen umgeben, aber an ſich war

sie im Judenthume immer da. Diese Lehre hat das Judenthum der Menschheit übergeben. Die Menschheit hat sie von ihm in immer größeren Maßen angenommen. In diesem Entwickelungs= gange des Annehmens ist die Menscheit noch immer begriffen. Dies ist die wahrhafte Geschichte. Alle andere ist verfälscht.

b.

Wenn man eine weltgeschichtliche Erscheinung bekämpfen will, so sollte man wenigstens die Voraussetzung rechtfertigen, daß eine gründliche Kenntniß, ein genaues Studium, eine scharfe Kritik zu Gebote stehen, um den uralten Gegner niederzuschmettern. Diese Helden des Wortes aber glauben, dies sei Alles überlei, mit dem Hauche ihres Mundes vermögen sie die Lehre, welche auf dem Granit= sockel der Jahrtausende steht, umzuwehen, „sie blicken hin — sie ist nicht mehr." Wir sahen, wie „der Katechismus der freien Gemeinden" das Judenthum todt dekretirt; suchen wir nach dem Motiv dieses Dekrets, so liegt dies freilich in derselben seichten Auffassung, die er dem Judenthume zukommen läßt; es ist eitel flüchtiges Geschwätz, das tausendmal widerlegt, zum tausend und ersten Male von den= selben Schwätzern aufgetischt wird. So heißt es S. 12: „welche Eigenschaften hatte der Gott der Juden? die der jüdischen Nation. Er repräsentirte alle Kräfte, alle Neigungen und Leiden= schaften, alle Fehler und Tugenden des jüdischen Volkes. Er rächte wo zu rächen war; er zürnte in dem Falle, wo sein Volk zürnte; er liebte und streute Wohlthaten aus, wo man ihn verehrte; er war uner= bittlich, wenn man sich von ihm abwandte. Welches Schicksal erlitt der Gott der Juden? Da er nur ein landsmannschaftlicher, nationaler Gott war, so mußte er mit der Selbstständigkeit der jüdischen Nationalität zusammen verschwinden. Als daher die Römer das jüdische Land eroberten und die Kinder Israels in alle Welt ver= jagten, verlor Jehova seine nationale Grundlage und seine Verehrung hörte auf." Es versteht sich von selbst, daß nun der Gott der Christen an die Stelle des Gottes der Juden trat, der universelle an die des nationalen (S. 13). Mit solchen Redensarten füttern die christlichen Theologen schon seit Jahrhunderten ihre Schüler, und siehe da, die Weisen der freien Gemeinden bereiten dieselben Speisen; sie, die sich brüsten, der Lüge das Garaus zu machen, wissen nichts Anderes, als Lüge zu spinnen. Denn Lüge ist es, was sie faseln von dem nationalen

Gotte der Juden. Die h. Schrift beginnt mit der Schöpfung der
Welt, und derselbe Gott, der „Himmel und Erde geschaffen", derselbe
Gott „der Richter der ganzen Erde", derselbe Gott, „der Gott der
Geister in allem Fleische", ist es, der die Lehre Israel übergab.
Die Schrift beginnt mit der Entwickelungsgeschichte der ganzen
Menschheit, und führt sie fort, bis dahin, wo die Familie Abrahams
aus ihr hervorgeht, um sich zum Volke der Gotteslehre zu entwickeln.
Ueberall in der Schrift wird dieses Verhältniß festgehalten: Gott
ist der Gott des Weltalls und der gesammten Menschheit, nur in der
Geschichte des Volkes Israels offenbart er sich nach dem besondern
Verhältniß und der besondern Bestimmung dieses Volkes, die eben
dieses Volkes Eigenthum ist, wie er jedem Volke das Seine gegeben
in der großen Völkerfamilie des Menschengeschlechtes.

Die große, alte Lüge, von der wir hier sprechen, als ob das
Judenthum jemals einen „nationalen" Gott gekannt und bekannt
hätte, läßt sich auf zwiefachem Wege entfernen, zuerst durch die all=
gemeine Auffassung, welche zeigt, daß die Gegner das besondere
Verhältniß, in welchem Israel als Verkünder und Träger der Gottes=
lerhe in seiner Opposition gegen die anderen Völker in der Schrift
dasteht, das aber niemals den Begriff Gottes als Weltgott etwa
beseitigte, nur dazu benutzten, um der Lehre des Judenthums eine
niedere Stufe zu fingiren — alsdann durch Hinweisung auf die
zahllosen Stellen der Schrift, wo die allgemeine Lehre von Gott
unverkennbar gegeben wird. Um in letzterer Beziehung nur auf
Etwas hinzudeuten, denken wir z. B. an das Buch der Psalmen.
Die Psalmen sind so recht das unmittelbare Produkt des israelitischen
Volkes. Die nationalen Beziehungen, die am meisten von den
Phropheten getragen werden, indem diese sich an die Ereignisse der
Geschichte lehnen, werden hier zu den subjektiven, persönlichen der
Sänger mitten aus dem Volke; hier gerade wo meist die Nation
verschwindet, und der Mensch hervortritt, hier zeigt es sich in unzähligen
Weisen, wie die Religion Israels den universellen Gott lehrte und
den Geistern und Herzen so übergab, daß sie durch eine, ein Jahr=
tausend vor dem Christenthum schon begonnene Schriften=
reihe noch heute die Stütze der Gotteslehre für Alle ist. Blicken
wir, es ist nicht überflüssig, hierzu auf die Psalmen. Da dies aber
zu weit wäre für diese Blätter, sehen wir einmal nur auf die ersten
40 Psalmen.

In dem nationalen Pj. 2 ergeht der Zuruf V. 10. 11.:

„Und nun, Könige, seid weise, gewarnt ihr Richter der Erde,
Dienet dem Ew'gen in Furcht, und jubelt in Zittern."

Pf. 7, 7 – 10.:

„Du haft Gericht verheißen:
So schaare der Völker Gemeinde sich um Dich,
Und über ihr kehre zur Höhe:
Der Ewige richtet die Völker.
Es schwinde die Bosheit der Frevler;
Du aber richt' auf den Gerechten,
Der Du die Herzen und Nieren prüfst, gerechter Gott!"

Bezeugt dies einen nationalen Gott? oder ist „Gemeinde der
Völker" nicht der höchste Begriff von der Menschheit? Lesen wir
den 8. Psalm.

„Ewiger, unser Herr, wie herrlich ist dein Name durch die ganze
Erde,
Da Du Deine Hoheit auf die Himmel gelegt.
Aus dem Munde der Kinder und Säuglinge
Haft Du Dir Sieg gerüstet ob Deiner Widersacher,
Feind und Rachgier'gen verstummen zu machen.
So ich Deinen Himmel schaue, Deiner Finger Werk,
Mond und Sterne, die Du schufest:
Was ist der Mensch, daß Du sein denkest,
Der Menschensohn, daß Du sein achtest?
Aber Du ließt ihn der Gottheit um wenig ermangeln,
Kröntest mit Ehre und Herrlichkeit ihn,
Setztest zum Herrn ihn über Deiner Hände Werke,
Alles legtest Du unter seine Füße."

Wo solche Sänge nicht blos Einzelnen entströmten, sondern
Tempellieder waren, kann da ein Wahrheitsfreund von „nationalem"
Gotte sprechen? . . . Doch fahren wir fort. Pf. 9, 8. 9. heißt es:

„Der Ewige thronet auf ewig,
Hat zum Gericht seinen Thron gestellt.
Und er richtet die Welt mit Gerechtigkeit,
Urtheilt den Völkern in Grabheit."

Pf. 11, 4.:

„Der Ewige in seinem heiligen Palaste,
Der Ewige, im Himmel dessen Thron,

Seine Augen schauen, seine Wimpern prüfen die Menschen
söhne."

Pf. 14, 2.:

„Der Ew'ge schaut vom Himmel auf die Menschensöhne,
Zu sehn, ob ein Verständiger vorhanden, der Gott sucht"

Pf. 19, 2. ff.:

„Die Himmel erzählen die Herrlichkeit Gottes,
Und seiner Hände Werk verkündet die Veste.
Tag strömt Tag die Rede zu,
Nacht zeigt Nacht Erkenntniß an.
Keine Rede, keine Worte,
Ohn' daß jene Stimme gehört werde.
Durch die ganze Erde geht ihr Klang aus,
An des Erdballs Saum ihr Ruf."

Pf. 22, 28. ff.:

„Des denken und wenden zum Ewigen sich
Alle Enden der Erde,
Vor dir werden sich bücken alle Geschlechter der Völker.
Denn des Ewigen ist das Königthum
Und er ist der Herrscher über die Völker.

Pf. 24, 1. ff.:

„Des Ewigen ist die Erde und was sie erfüllet,
Der Erdball und seine Bewohner.
Denn er hat sie über Meere gegründet,
Ueber Ströme festigt er sie."

Pf. 33, 4. ff.:

„Denn gerad' ist des Ewigen Wort,
Und all sein Werk in Treue.
Er liebt Gerechtigkeit und Recht,
Des Ew'gen Gnad' ist voll die Erde.
Durch des Ewigen Wort sind die Himmel geschaffen,
Durch seines Mundes Hauch all ihr Heer.
Er sammelt zu Haufen des Meeres Gewässer,
Leget die Fluthen in Vorrathskammern.
Es fürchte den Ew'gen die ganze Erde,
Vor ihm scheue sich all was den Erdball bewohnet,
Denn er sprach, und es wird,
Er gebot, es steht da.

Der Ew'ge vernichtet Beschlüffe der Völker,
Vereitelt der Nationen Gedanken.
Des Ew'gen Beschluß bestehet ewig,
Seines Herzens Gedanken Geschlecht auf Geschlecht."

Ferner V. 13. ff.:

„Vom Himmel blickt der Ewige,
Siehet alle Menschenkinder.
Von seines Sitzes Stätte schaut
Er auf die Erdbewohner alle,
Er, der ihr Herz zumal gebildet,
Auf alle ihre Werke merkt."

Pf. 36, 6. ff.:

„Ewiger, bis in die Himmel Deine Gnade,
Bis zu den Wolken Deine Treue.
Deine Gerechtigkeit wie die Gottesberge,
Deine Gerichte wie große Fluth:
Menschen und Vieh hilfst Du, Ewiger.
Wie köftlich Deine Gnade, Gott!
Menschenkinder, die sich in Deiner Flügel Schatten bergen,
Laben sich vom Fette Deines Hauses,
Mit dem Strome Deiner Wonnen tränkst Du sie.
Denn bei Dir ist die Quelle des Lebens,
In deinem Lichte schau'n wir Licht."

Dies eine kleine Lese aus einem kleinen Theile. Und im An=
gesichte dieser Schriftstellen, die wir leicht um das hundertfache ver=
mehren wollen, im Angesicht solcher Aussprüche, die unwillkührlich,
unzählige Male, ungekünstelt aus dem Herzen der Sänger und
Lehrer des Volkes flossen, viele Jahrhunderte vor des Chrfstenthums
Ursprung, faseln diese Leute vom „nationalen" Gotte, der „mit
der Selbstständigkeit der jüdischen Nationalität verschwunden". Ihr
könnet diese Lehre schmähen, Ihr könnet sie für falsch erklären,
und Eure Weisheit an deren Stelle empfehlen; nur aber verfälscht
die Geschichte nicht — blos um aus der Geschichte das syste=
matische Fachwerk eines deutschen Gelehrten zu machen: erst das
Judenthum, dann das Christenthum, dann der „Katechismus der
freien Gemeinden"; das Judenthum wurde vom Christenthum, das
Christenthum vom Katechismus der freien Gemeinden abgeschafft. O,
Ihr Kurzsichtigen, in solche Schubläden könnt Ihr ebenso wenig die

Geschichte, wie die Natur bringen. Vielmehr sprudeln die Quellen der Menschheit in viel ursprünglicherer Kraft. Was sie hervorgebracht, das hält für alle Zeit. Die Entwickelung ist nur die immer weiter und immer tiefer greifende Herrschaft desselbigen Ursprünglichen. Das Judenthum ist die wahre Quelle und der wahre Träger der Gotteslehre; alle anderen Religionen nur zeitweise Transfigurationen derselben.

c.

Wir haben im Vorhergehenden in zweien Punkten gezeigt, wie nichtig, oberflächlich und falsch die Anhänger des modernen Heidenthums die Geschichte und die Lehre des Judenthums darstellen. Warum thaten wir dies? Weil jene damit das Judenthum beseitigt, abgefertigt zu haben glauben, und doch nur ihre eigene Schwäche daran erwiesen haben. Wir könnten und werden wohl auch dies noch mit Weiterem vermehren. Allein vorerst ist es genug, wir wollen uns vielmehr den Gegner selbst etwas näher ansehen.

Was spricht das moderne Heidenthum als seinen Zweck aus? Es tritt mit dem Versprechen auf: die Freiheit und Wohlfahrt jedes Einzelnen herzustellen (S. 39 des „Katechismus für freie Gemeinden"). Wodurch will es diese bewirken? Durch die Unterordnung aller Einzelnen unter die Gesammtheit. Ist dies für den Einzelnen, der doch frei sein soll, nicht Zwang? Antwort: „nur · für den Unvernünftigen, der seinen eigenen Vortheil und seine eigene Freiheit nicht versteht." Was setzt es also voraus? Daß diese Unterordnung „aus freiem Willen" geschieht (S. 40). Wodurch will es diese „Vernünftigkeit" bewirken? Durch „Erziehung und Unterricht". Dann werden „Sünde und Verbrechen unmöglich sein" (S. 38).

Wie? fragen wir, worin unterscheiden sich denn in diesen Behauptungen und Voraussetzungen dieses moderne Heidenthum von dem, was die Religion gelehrt und lehrt? Was ist denn da Offenbarung eines Neuen, „Weltüberwindenden"? Auch die Religion sagt, daß Sünde und Verbrechen nur des Unvernünftigen, d. h. dessen, der seine Leidenschaften nicht beherrscht, sind, auch die Religion will die Unterordnung unter Moral und Tugend aus dem freien Willen des Menschen, auch die Religion will dies durch Erziehung und Unterricht bewirken. Aber darin liegt der Unterschied, daß die Religion anerkennt, daß der Mensch niemals ganz Herr feiner Leidenschaften wird, und daß Erziehung und Unterricht nicht hinreichen, um alle Menschen ganz vernünftig zu machen, und daß die Religion darum Freiheit und Wohlfahrt aller Einzelnen auf Erden nicht für möglich, die Verhütung von Sünde und Verbrechen für unmöglich hält. Jene Anhänger und Lehrer des modernen Heidenthums behaupten aber, daß Erziehung und Unterricht dies allerdings bewirken und alle Menschen vernünftig, und darum Sünde und Verbrechen unmöglich fein werden. Und auf diese hohlen Voraussetzungen hin geben sie das Versprechen: die Freiheit und Wohlfahrt aller Einzelnen herzustellen. Auf welcher Seite ist da die Wahrheit? Auf der, welche die Leidenschaften der Menschen voraussetzt, oder auf der, welche alle Menschen vernünftig voraussetzt? Mit dieser einen falschen Voraussetzung fällt das ganze System des modernen Heidenthums über den Haufen.

Allein diese Männer müssen doch noch Etwas haben, worauf sie sich stützen. Dies ist: sie legen alle Uebel der Menschen — dem Staate zur Last, sie haben eine Garantie aller zukünftigen Herrlichkeit in der — Arbeit, indem „alle Arbeiter gleichmäßig die Zwecke der Gesellschaft realisiren helfen und deshalb auch von ihr gleichmäßig behandelt werden." (S. 40.) Man sieht, diese Herren, welche alle Religion für Schwärmerei und Einbildung ausgeben, sind doch nur der ärgsten Schwärmerei und Einbildung hingegeben. Wie leicht ist es, das Glück zu verheißen, wenn man es an Bedingungen knüpft, die unmöglich und Träumerei sind! Was haben diese Leute nun geändert? Die Religion verheißt die Befriedigung aller Sehnsucht in einem Jenseits, sie aber verheißen sie in einer zukünftigen Einrichtung der Gesellschaft. Aber diese Letztere widerspricht unserer Vernunft, der Geschichte, der ganzen Natur des Menschen, aus der die Individualität, die Ungleichheit und die Leidenschaft niemals entfernt werden können — für jenes Jenseits hingegen spricht unsere Vernunft, unser Herz, unser ganzes Ich in feinem ganzen Wesen und die Uebereinstimmung aller Völker!

Dies ist also der eine Rechnungsfehler des ganzen Systems; hierzu kommt aber ein anderer, nicht minder bedeutender. Wie die Lehrer des modernen Heidenthums die Leidenschaft und die natürliche Ungleichheit der Menschen verläugnen, so leugnen sie auch andererseit jedes höhere Bedürfniß, jedes Verlangen des Menschen über das Sinnliche hinaus. Der Gottesdienst ist ihnen nur eine Befriedigung des geselligen Bedürfnisses, und wird nach ihrer Meinung durch demokratische Klubbs ersetzt (S. 24), das Gebet eine Selbsttäuschung (S. 29), der Glaube an die Unsterblichkeit ersteht nach ihrer Ansicht lediglich aus der Schlechtigkeit der gesellschaftlichen Einrichtungen, denn wenn erst Glück und Wohlfahrt auf Erden Eigenthum aller Menschen sein wird, und dies versprechen sie freilich! dann ist dieser Glaube nicht mehr nothwendig (S. 32). Auf diese Weise erkennen diese Herren dem Menschen kein höheres Bedürfniß zu: sie schließen für den Menschen Alles ab, wenn er arbeitet, und für die Arbeit gesättigt wird. Wie? giebt es für den Menschen denn nur Leiden, die im Hunger bestehen? Sind Siechthum und Verlust der Seinen nicht Uebel, die jene Herren, selbst wenn sie die Welt so zustutzen könnten, wie sie wollen, selbst wenn ihre Gesellschaft ganz so ausfallen würde, wie sie es träumen, doch nicht entfernen könnten? Selbst wenn sie alle Menschen vernünftig voraussetzen, wird niemals geirrt, fehlgegriffen werden? und werden aus Irrthum und Fehlern, aus einer einzigen irrigen Maßregel in einem so künstlichen, gesellschaftlichen Getriebe nicht schlimme, unberechenbare Folgen, nicht Täuschungen, Kränkungen und tausend Leiden entstehen? Wird daher dem Menschen das volle, wahre Glück nicht immer außerhalb seiner liegen, über ihn hinaus — weil dies eben seine Natur ist? Und dann: die Unvollkommenheit der menschlichen Natur — ich meine nicht blos die moralische — die ihm immer Ziele steckt, die er niemals ganz erreichen kann, also selbst die intellektuelle Unvollkommenheit, die Alles begreifen will und nicht kann, diese Grenzen, die dem Menschen überall gesteckt sind, die er zu übersteigen den innern Drang hat, aber ebensowenig diesen zu befriedigen wie sich ihm zu entziehen vermag — wird dies Alles nicht immerfort ein Verlangen über ihn hinaus in ihm wach erhalten, und gerade um so mehr die Sehnsucht nach dem Jenseits wecken? Nein! dieses Bedürfniß nach dem Jenseits ist von jeher gerade in den edelsten Geistern am lebendigsten gewesen, sie, die Entbehrung und Mangel für Nichts erachteten, fühlten um so mehr die Richtung ihres Wesens nach Etwas, was ihnen die Unzulänglichkeit ihrer Natur nicht bieten konnte; an dem, wonach ihre Seele dürstete, begriffen sie, daß es auf Erden ihnen nicht gereicht werden konnte, und daß es daher anderswie befriedigt werden müßte, weil es sonst in ihnen als

Bedürfniß nicht existiren könnte. Setzet die Menschen alle über Mangel und Entbehrung hinaus, gebet ihnen Alles, was nur die Gesellschaft ihnen geben kann, und siehe! dann erst recht wird in ihnen Allen die Sehnsucht nach dem Höhern erwachen. Es kann dies kein Räthsel sein. Der Mensch ist ein Mittelgeschöpf; zwischen Wollen und Können, zwischen Verlangen und Befriedigung, zwischen Frage und Antwort, Forschen und Erkennen ein stetes Mittelgeschöpf. Was aber in der Mitte ist, muß höher hinauf wollen.

So hat das moderne Heidenthum drei wesentliche Momente der menschlichen Natur mit Absicht verleugnet: die Leidenschaft, die natürliche Ungleichheit und das höhere Bedürfniß. Mit der Konstatirung dieser drei Momente fällt aber all' ihre Logik, all' ihr Widerspruch gegen die Religion hinweg. Es ist ein Traumgespinnst, aber ein dumpfes, düsteres, ein Alp, von dem der Mensch sich schnell wieder befreien muß.

Wir gehen weiter.

d.

Indem wir die Ansichten der Gegner vom Judenthume in ihrer Nichtigkeit nachwiesen, war es uns nicht allein darum zu thun, diese Ansichten zu widerlegen. Wir wollten mehr. Wir wollten damit darthun, daß die Gotteslehre einen festen, bis heute unerschütterten Träger habe, daß sie nicht von dem zu jenem Bekenntniß übergegangen, sondern aus dem Alterthume heraus ununterbrochen und organisch Eine bis in die Gegenwart hineingewachsen. Denn dadurch wird es uns sofort klar werden, daß auch der Gegensatz der Gotteslehre — das Heidenthum — nicht minder aus dem Alterthum heraus in immer neuen Versuchen, aber immer Dasselbige sich Bahn zu brechen sucht; und daß, so wie die Gotteslehre von dem kleinen Juda aus sich ein immer größeres und reineres Terrain in der Menschheit erobert hat und fortwährend erobert, das Heidenthum das verlorene Terrain immer wieder zu gewinnen sucht. Indem wir uns so dieses Bild des dauernden Kampfes innerhalb der Menschheit klar machen, wird unsere Ueberzeugung eine festere, und wir werden einen neuen Anlauf des Heidenthums nicht gleich als eine Niederlage der Gotteslehre betrachten, sondern vielmehr wissen, daß es ein Kampf ist, den die Gotteslehre abermals bestehen und daraus neue Kräfte und neue Errungnisse ziehen werde. Nachdem

das Christenthum und der Islam die Wahrheit der Gotteslehre nur
theilweise in die Menschenwelt gebracht, arbeitet natürlich die Mensch=
heit daran, die anderen, entgegengesetzten Elemente in diesen Reli=
gionen daraus zu entfernen. Daß dabei die Oppositionspartei
hierüber hinaus bis zur Opposition gegen die eigentliche Gottes=
lehre fortgeht, liegt in der Natur der Sache. Dadurch wird aber
schließlich der Untergang des Afterglaubens immer mehr bewirkt,
und die ganze Gotteslehre bringt um so strahlender hervor.

Ist also dieses moderne Heidenthum doch nur eine Fortsetzung
des alten Gegensatzes, so unterscheidet es sich doch wesentlich von
dem antiken, und hierin giebt sich der Fortschritt kund; ja wir werden
sehen, daß gerade hierdurch der Kampf jetzt wieder auf das ur=
sprüngliche Gebiet versetzt wird. Diesen Unterschied zwischen dem
antiken und modernen Heidenthum müssen wir uns deutlich machen.
Er besteht in zwei Hauptpunkten.

1) **Das ursprüngliche Heidenthum erkannte die
Einheit in der Natur nicht.** Es hielt sich lediglich an die
einzelnen Erscheinungen in der Natur, nahm in diesen einzelne
Kräfte an, und legte diesen Kräften göttliche Eigenschaft bei. Daher
der Polytheismus, die Vielgötterei. Die ganze alte Philosophie
war nun Nichts als die vernunftgemäße Verneinung dieses Heiden=
thums. Sie verneinte diese Vielgötterei, sah die Erscheinungen in
der Natur als Solche an, schloß auf eine Einheit in der Natur,
war aber nun rathlos, wohinein sie diese Einheit legen solle.
Jeder einzelne Philosoph nahm eine andere Urquelle dieser Einheit
an, benannte und definirte sie anders. Das Resultat konnte daher
kein anderes sein, als zuerst das Eingeständniß des Nichtwissens
des Sokrates, dann der Zweifel in alle Erkenntniß, der Skeptizismus,
jedenfalls aber die Vernichtung der Vielgötterei. Die Gotteslehre
hingegen faßte von Anfang an die Natur als Einheit, und lehrte
diese Einheit aus Gott, dem Schöpfer dieser Einheit. Gott, der
Einige, konnte nur eine einige Natur schaffen. In ihr konnte daher
weder die Vielgötterei, noch das Nichtwissen, noch der Zweifel in
die Erkenntniß Platz greifen. Wenn im Bereiche der Gotteslehre
jemals der Zweifel bestand, so war es nur, wie der Lauf der Be=
gebenheiten im Menschengeschlechte auf die göttliche Vorsehung zu=
rückzuführen sei? (Hiob, Kohelet, einige Psalmen.) — Das moderne
Heidenthum nimmt nun die Einheit der Natur aus der Gotteslehre

an, und findet sie durch die Naturwissenschaft bestätigt, ihm ist aber Ursache und Wirkung nicht verschieden, ihm ist Sein eben Sein; wie so dieses Sein ist, wodurch dieses Sein so ist, sind ihm keine Fragen, weil es keine Antwort darauf weiß; es frägt nicht wie die alte Philosophie, worin' der Grund dieser Ursache liege, es nimmt nicht die Spinozistische Substanz, noch die Hegelsche Idee an; da es die Allgemeinheit des Gedankens nicht zugibt, da es die ganze Objektivität leugnet, und Alles auf das Subjekt beschränkt, so hat es für diese Fragen keinen Raum — die Selbstvernichtung der Vernunft. Genauer genommen geht das moderne Heidenthum den umgekehrten Weg wie das antike, und muß so auf das ursprüngliche Gebiet wieder zurückkommen. Es beginnt, womit das antike Heidenthum aufgehört hat, mit dem Skeptizismus, mit dem Leugnen der Erkenntniß. Ihm ist daher jedes Seiende für sich, denn die Einheit der Natur kann ihm nur die Gesammtsumme der Verhältnisse aller Einzelnheiten zu einander sein; wie so diese Gesammtsumme nun eine Einheit, die Alles erhält, ist, bleibt ihm freilich unerklärlich; darum ist jedes Einzelne sich selbst Gott, und das moderne Heidenthum gelangt zu einer Art von Vielgötterei, zur Abgötterei. Frägt man sich nun, was will man hiermit anfangen? so kommen wir zum zweiten Unterschiede.

2) Das moderne Heidenthum zieht hauptsächlich das Soziale, die Gesellschaft, herein, es ist charakteristisch sozial. Es ist bekannt, daß das ursprüngliche Heidenthum in seiner einzelnen Durchführung nach dem Muster der Gesellschaft sich ausformte, so daß die Götterwelt je nach der Gesellschaft des Volkes einen Götterstaat bildete. Aber nicht umgekehrt wirkte das Heidenthum auf den Staat, wenn auch Priester und Patrizier sich der heidnischen Religion bedienten, des Volks zu beherrschen. Ganz anders war es in der Gotteslehre, wo vom Begriff Gottes und vom Verhältniß des Menschen zu Gott aus die menschliche Gesellschaft in ihrem Charakter, in ihrer Ordnung bestimmt ward, so daß die Gesellschaft von der Lehre geordnet, jene die Verwirklichung dieser wurde. So im Mosaismus. Schon im Prophetismus, ganz und gar im Christenthum aber wurden Religion und Gesellschaft, Lehre und Leben gänzlich von einander getrennt. Der Talmudismus suchte diesen Riß zu heilen, aber es gelang ihm nur in einzelnen Splittern, da er eben so wenig auf der Höhe des Mosaismus stand, wie er die Macht

hatte, die Gesellschaft zu überwältigen. Dennoch erhielt er im Juden=
thume die Verbindung zwischen Religion und Gesellschaft noch
lebendig, so daß sie nicht ganz und gar verloren ging. Es ist Sache
des modernen Judenthums diese Einheit wenigstens im Geiste
wiederherzustellen, die Verwirklichung ist Aufgabe der Geschichte[1]).
Auch hier kehrt das moderne Heidenthum auf das ursprüngliche
Gebiet zurück, indem es die Gesellschaft nach seinem Inhalt zu ordnen
sucht, indem es noch mehr sozial, als Theorie zu sein strebt. Aber
welch' ein Unterschied hier gerade zwischen ihm und der Gottes=
lehre! Das moderne Heidenthum wirft da einen schwachen, morschen
Grund, daß das darauf aufgeführte Gebäude aller Festigkeit ermangelt.
Hören wir den „Katechismus der freien Gemeinden."

„Was ist Sittlichkeit? Die Unterordnung unter den Zweck der
menschlichen Gesellschaft. Was ist der Zweck der menschlichen Ge=
sellschaft? Die Freiheit jedes Einzelnen. (S. 34.) Ihr einziger
Zweck muß die Freiheit und Wohlfahrt jedes Einzelnen und diesem
alle Staatseinrichtungen und alle Menschen untergeordnet sein."

In einem Athem wird also die Freiheit jedes Einzelnen und
die Unterordnung aller Menschen als das Fundament gelehrt. Wie?
ist dies nicht der Widerspruch von vorn herein? Dem Staatszweck
sollen sich alle Menschen unterordnen, d. h. alle Einzelnen ihre
Freiheit aufgeben, und doch soll der Staatszweck nur die Freiheit
jedes Einzelnen sein? — Aber wie? Der Begriff der Sittlichkeit
wäre allein in der „Unterordnung unter den Staatszweck" gefaßt?
Wie unterscheidet sich dann die Sittlichkeit, die der despotische Staat
fordert, von der der freien Gemeinde? Hat jener eine andere Er=
klärung? Will er etwas Anderes? Hierin liegt schon der ärgste
aller Fehler, ein Schwanken, eine Unbestimmtheit, die uns nicht
einnehmen kann. Ja, antwortet Ihr, aber dieser Staatszweck darf
kein anderer, als die Freiheit des Einzelnen sein. Auch dies ist
Widerspruch. Der Staat kann gar nicht die Freiheit des Einzelnen
zu seinem Zwecke haben: denn der Staat ist die Vereinigung aller
Einzelnen, diese Vereinigung kann aber nicht hergestellt werden,
ohne daß die Freiheit des Einzelnen beschränkt werde; dies gebet
Ihr selbst zu, denn Ihr sprechet vom „Unterordnen"; wie könnte

1) Vergleiche unsere Vorlesungen: Die Entwickelung der religiösen Idee.
Baumgärtner, 1847. Die Religion der Gesellschaft. Baumgärtner, 1848. Is=
raelitische Religionslehre Bd. III. Baumg. 1865.

aber das Zweck sein, was zu beschränken, also aufzuheben zugleich eine Nothwendigkeit ist? . . . Ja, sehen wir genauer zu, so wird diese Unterordnung in dem Staate des modernen Heidenthums eine größere sein, als je in einem andern. Denn dieser will gleich= mäßige Behandlung aller Einzelnen als Arbeiter, und da er doch Verschiedenheit der Arbeit, also Verschieden= heit der Arbeiter anerkennt (S. 40.), so folgt daraus, daß die Freiheit des Einzelnen auf eine völlig unerhörte Weise beschränkt, d. h. gänzlich aufgehoben wird, da der Staat die „Verschiedenheit der Arbeit" unter das Maß „gleichmäßiger Behandlung" zwingt. Diese Männer sahen bis jetzt in der Geschichte Herren und Knechte. Dies ist vom Uebel. Was thun? Wir machen Alle zu Knechten — vielleicht dünkten sich dann alle Herren! Ich zweifle. — Wenn also dies die große Offenbarung der Neuzeit ist, wenn Sittlichkeit, Moral, Tugend sich auf solche nichtssagenden, widerspruchsvollen Prinzipien aufbauen sollen: dann fürwahr! war es „viel Lärmen um Nichts!"

e.

Und was will denn dieses moderne Heidenthum an die Stelle der Religion setzen? an die Stelle des Bewußtseins, daß nicht allein der Mensch einen Geist hat, sondern auch das ganze Weltall auf dem Geiste beruht; daß dieses große, geheimnißvolle Werden der Geschöpfe und des Alls, diese in unendlicher Fülle von Zweckmä= ßigkeit geordnete Wesenreihe, dieses an die Gesetze der Zeit, des Raums und der Entwickelung befestigte Weltenganze weder aus einem blinden Ohngefähr, noch aus einer Nichts erklärenden „Noth= wendigkeit" hervorgegangen; an die Stelle des Bewußtseins, daß ebenso wenig die Geschichte des Menschengeschlechts eine Kette von Zufälligkeiten ist, sondern eine in freier Entfaltung des Individuums nach einem höchsten Gedanken fortschreitende Entwickelung; an die Stelle des Bewußtseins, daß der Mensch selbst, seiner Natur und darum seiner Bestimmung nach ein Entwickelungswesen, einem höhern Wesen nach= und zuzustreben hat, in dessen Aehnlichkeit er ist; an die Stelle des Bewußtseins, daß daraus die ganz bestimmten For= derungen des Rechts und der Liebe an den Menschen hervorgehen, daß darum der Mensch nicht allein dem Menschen verantwortlich ist, weil diese Verantwortlichkeit — wie die Ministerverantwortlichkeit in einem conſtitutionellen Staate — eben nur eine ſcheinbare iſt, da der Menſch weder des Menſchen Thun vollſtändig kennt oder konſtatiren kann, und in ſeiner Abſichtlichkeit nicht zu ermeſſen vermag, noch der Menſch ſich ſelbſt zur Verantwortlichkeit ziehen kann, da er hierin zu ſehr Partei iſt, ſondern nothwendig einem höhern Richter, bei dem alle dieſe Mängel fortfallen, verantwortlich ſein muß; an die Stelle des Bewußtſeins, daß all dies' Bruchſtückwerk, über welches der Menſch nicht hinaus kann, eine Vollendung erlangen muß in einem Jenſeits — — was will dieſes moderne Heidenthum an die Stelle der Religion ſetzen?

Hören wir, was es antwortet: „die Liebe zum Wahren, Schönen und Guten“. (S. 41.) Nun, fragen wir weiter „was iſt Wahrheit? Antwort: Die Uebereinſtimmung des gedachten Gegenſtandes mit den Gedanken des Menſchen. Wovon iſt alſo die Wahrheit immer abhängig? Von den Gedanken des Menſchen. Jeder Menſch hält das für wahr, was mit ſeinen Anſichten und Vorſtellungen übereinſtimmt. Es kommt dabei weniger auf den (objektiven) Gegenſtand, als auf die (ſubjektive) Anſicht an. Iſt die Wahrheit immer dieſelbe und unveränderlich? Nein; da die Gedanken der Menſchen nach der Verſchiedenheit ihrer Bildungsſtufe, ihrer Kenntniſſe u. ſ. w. verſchieden und veränderlich ſind und die Gedanken der Menſchen maßgebend für das Kriterium der Wahrheit ſind, ſo iſt die Wahrheit verſchieden und veränderlich.“ (S. 41. 42.) O, die Sophiſterei! Wir wollen nicht einmal auf die Widerſprüche eingehen, daß zuerſt die Wahrheit die Uebereinſtimmung des Gedankens mit dem gedachten Gegenſtande, dann wieder der veränderliche Gedanke Kriterium der Wahrheit, und alſo die Wahrheit veränderlich ſein ſoll, während gerade im Gegentheil, wenn die Wahrheit die Uebereinſtimmung des Gedankens mit dem gedachten Gegenſtande iſt, dieſe Wahrheit nur eine und dieſelbe ſein kann, und ſich nicht mit dem Gedanken, ſondern allein mit dem gedachten Gegenſtande verändert — nehmen wir die Sache, wie ſie uns gegeben wird, ſo ſollen alle, den Menſchen erfüllenden und leitenden Ueberzeugungen verdrängt und erſetzt werden von der Liebe zu einem — Nichts, nämlich zu einer ewig verſchiedenen und veränderlichen ſ. g. Wahrheit, die eben Nichts iſt, weil ſie nur der immerfort ſich verändernde Gedanke des Individuums iſt? ... Ferner: „was iſt Schönheit? Die Uebereinſtimmung des menſchlichen Geiſtes mit der Natur. Der Geiſt des

Menschen macht den Inhalt, die Natur die Form des Schönen aus." (S. 43.) Auch hier Unzulänglichkeit der Erklärung. Denn erstens: der Geist des Menschen kann sich Unschönes denken, und die Natur giebt ihm die Form dazu. Ich denke mir z. B. einen von einem Raubthier zerissenen Leichnam, die Natur giebt mir die Form dazu; sie stimmen also überein, und es ist doch unschön. Zweitens: auch hier die Auflösung alles Objektiven in das Meer der Individualität, denn es kommt dann immer darauf an, was mein Geist sich denkt. . . . Endlich: „worin besteht das Gute? In der Uebereinstimmung des einzelnen Menschen mit der ganzen Menschheit. Man nennt denjenigen Menschen gut, welcher das freie, harmonische Zusammenleben aller Menschen fördert; im gegentheiligen Falle ist er schlecht." (S. 45.) Der „Katechismus für freie Gemeinden" hat Recht, daß er sagt: „man nennt", denn die Erklärung giebt eben Nichts, als ein „man". Wie? giebt es nicht Menschen, die das Allgemeine in der Menschheit sehr gefördert haben, und dabei grundschlechte Menschen waren? Giebt es kein Verhältniß des Menschen zu sich selbst, wonach er sehr schlecht sein kann, ohne darum „das freie, harmonische Zusammenleben der Menschen" zu stören und anzutasten? Wie weit ist der Weg bei jeder Handlung des Menschen gegen andere Individuen zu dem „freien, harmonischen Zusammenleben aller Menschen," um daraus herzuleiten, was er zu thun habe, um gut zu handeln? Und ist es denn blos die äußere That, sind Motiv, Absicht, Gesinnung nicht entscheidend über den sittlichen Werth einer That, während Förderung oder Störung „des freien, harmonischen Zusammenlebens" doch nur durch die That berührt werden, und schließlich gar nicht vom Einzelnen allein abhängt?

Also das ist die Botschaft des modernen Heidenthums an die Menschheit, dies das Heil, das es verkündet! Eine Wahrheit und eine Schönheit, die Nichts sind, als die ewig veränderlichen Gedanken der Individuen, ein Gutes, das in einer seichten Aeußerlichkeit liegt — diese sollen eine Ueberzeugung, diese die Leiter der Menschen sein in guten und bösen Tagen, diese Stab und Leuchte in den Zeiten des Sturms wie des Friedens, an diesen soll der Geist erstarken, das Herz sich erwärmen und begeistern, diese sollen Gebeugte aufrichten, Aufrechte vor dem Falle schützen. . . . Fürwahr, wenn diese Männer als das Ziel der Wahrheit: „die Erforschung der menschlichen Natur und Persönlichkeit" aufstellen, so haben sie noch einen weiten Weg zurückzulegen, sie stehen noch in den Kinderschuhen.

Und auf diesem Grunde stehend, und mit solchen Gaben kommend, schwingen diese Männer die Geißel, gießen sie einen Strom des Spottes aus über die Verirrungen des religiösen Wesens in der Menschheit, überall aber diese Verirrungen für die Religion selbst ausgebend. Darin zeigt sich die Boshaftigkeit und die Verblendung derselben. Ich gestehe selbst dem, der nichts Besseres zu geben weiß, das Recht zu, gegen Irrthum und Entartung zu Felde zu ziehen. Ja, ich erkenne ihm sogar eine Krone zu, wenn er Nichts vollbringt als der Heuchelei, dem Aberglauben, der Herschsucht die Larve abzuziehen, und den Götzen zu zerschlagen. Wenn er aber an einem großen und bedeutungsvollen Gegenstande, an einer hochherrlichen Erscheinung nur die Auswüchse der Zeiten hervorzieht, nur die schädlichen Wirkungen dieser Auswüchse beleuchtet, und dann vorgiebt, den Gegenstand, die Erscheinung selbst zu haben, zu bekämpfen, zu vernichten: so hat er das Blendwerk der Lüge getrieben, mag er es wissentlich thun, oder sich selbst am ersten täuschen!

XII.

Die Freimaurerei.

Von dem Augenblicke an, in welchem das Judenthum sich aus seiner isolirten Stellung herausgerissen und der allgemeinen Cultur nahe getreten, seitdem hat es auch von seinem Standpunkt aus Ansicht und Urtheil über Alles und verbirgt sie nicht. In sich das Bewußtsein menschengeschlechtlicher Auffassung tragend, legt es einen Maßstab an die Erscheinungen der Vergangenheit und Geschichte, der zwar bezüglich der großen Weltanschauung, welche aus dem Judenthume gequollen, immer noch specifisch genannt werden mag, vermöge seiner allgemeinen Momente aber weit hinausreicht über alles Specifische der Kirchen und Confessionen.

So weit demnach die Kenntniß vom Wesen der Freimaurer-logen eine allgemeine ist, so weit die Kunde von dem Inhalt und den Bestrebungen dieser keine den Eingeweihten vorbehaltene ist — denn theils kann Schreiber Dieses, weil selbst kein Freimaurer, ein anderes Urtheil nicht fällen, theils kommt es hier nur auf ein solches Urtheil an — so weit hat das Judenthum im Maurer-thum eine nützliche Institution gesehen, insofern dieses über die trennenden Momente, welche in der menschlichen Gesellschaft, wie sie einige Wenige enger vereinen, die Vielen auseinander halten, Rang, Stand, Religion, Volk, als hinauszuheben vermag, und, ohne diese trennenden Momente zu beseitigen und zu verdrängen, da sie ja ihre Nothwendigkeit und segensreichen Folgen auch in sich tragen, ihre schädlichen Wirkungen zu mildern sucht. Das Judenthum, welches seine Lehre, seine ganze, unveränderte Lehre für die Menschheit, aber seine specifische Erscheinung nur für die Söhne Israels bestimmt glaubt, indem diese jene bis zur Zeit der Erfüllung tragen und erhalten sollen — das Judenthum sah in dem Maurerthum, so weit dies den Glauben an Einen Einzigen Gott und das Gesetz „Liebe Deinen Nächsten wie Dich selbst" (3. Mos. 19, 18.) verkündet, eben so einen seiner Herolde, seiner großen Boten, wie in allen großen religiösen Erscheinungen, die aus dem Judenthume hervorgegangen sind. Nochmals gesagt, wir kennen das Maurerthum nach seinem Innerlichen nicht, aber so weit es sich irgend äußerlich erkennen läßt — und dazu bieten ja jetzt durch den Druck veröffentlichte Schriften und Reden Gelegenheit genug — war das Judenthum mit ihm nur zufrieden, und tadelte es nicht, wenn Juden in die Logen eintraten, wenn sich selbst jüdische Logen bildeten, wenn auch namhafte jüdische Geistliche in denselben sehr thätig waren, z. B. Dr. Salomon in Hamburg. (Von ihm sind auch maurerische Reden erschienen.) Führen ja sogar, wie es heißt, die Maurer den Ursprung ihres Ordens auf den König Salomon zurück, soll ja ein Theil ihrer Ceremonien auf den Bau des salomonischen Tempels Bezug nehmen, und ihre Phraseologie demselben vielfach entnommen sein.

Darum konnte es aber niemals auffallen, wenn die specifisch=christliche Richtung sich mit Eifer gegen die Freimaurerei erklärte, wenn sie in mehreren Ländern die völlige Unterdrückung des Ordens erlangte, in anderen wenigstens verlangte. Es ist uns nicht auffallend, und wir können es ihr gar nicht verdenken. Wie gesagt, das Judenthum kann die Maurerei neben sich dulden, denn für alle nicht=jüdischen Kreise muß es sie von höchster Wichtigkeit erkennen, und für Juden fällt bei der eifrigsten Hingebung an die Maurerei noch nicht ein Titelchen ihrer specifischen Verpflichtungen weg. Das Christlich=Specifische verträgt sich mit der Maurerei aber gar nicht, findet vielmehr darin ein sehr abschwächendes, untergrabendes, verneinendes, feindliches Princip. Wenn sich Glieder verschiedener Religionen die Hand reichen, so kann dies nur im Geiste von Lehrsätzen geschehen, welche das Judenthum als seine höchsten erkennt, welche das Judenthum als höchste zuerst verkündet hat und noch verkündet: von Gott, dem Schöpfer (Baumeister[1]) Himmels und der Erde, vom Gottebenbildlichen Menschengeiste, von Gottes

---

1) Heißt es doch selbst 1 Mos. 2, 22: „Und der Ewige Gott bauete (יבן) die Rippe, die er genommen von dem Menschen, zu einem Weibe."

Unmittelbarkeit zum Menschen, d. i. Gottes Vorsehung, Gottes Gericht, Vergeltung und Barmherzigkeit, von der Heiligung des Menschen in Liebe und Recht, und daß alle Menschen Eines Vaters Kinder sind (Maleachi 2, 10.), also gleich in Pflicht und Recht.

Also wie gesagt, das Verdammungsurtheil, welches von jeher von der Kirche über die Freimaurerei ausgesprochen worden, war dem Judenthum nie auffallend und ihr nicht zu verargen. Daß sich demnach in neuester Zeit auch in protestantischen Ländern die specifisch=christliche Richtung wider den Orden sehr heftig ausließ, konnte und kann nur erwartet werden.

Wie aber nun, wenn die Freimaurerlogen den Spieß umdrehen, ihre bisherige Tendenz abläugnen, den allgemein anerkannten Inhalt derselben verneinen, und sich als specifisch=christlich zu erkennen geben?

Doch wir sprechen hier von Freimaurerlogen, während es sich nur um drei Berliner Logen handelt, und es noch nicht einmal sicher ist, ob alle preußischen Logen damit übereinstimmen. Darum zur Sache.

In der „evangelischen Kirchenzeitung“, welche die pietistische Richtung vertritt, hatte, zum Theil aus der rationalistischen „Röhr's Predigtsammlung“ genommen, ein überaus heftiger Angriff auf den Freimaurerorden gestanden, worin namentlich alle christlichen Geistlichen vor dem Orden verwarnt wurden. Da gingen die drei Logen Berlins zusammen und erließen eine Erklärung, worin sie behaupteten, daß sie christlich seien, nur Christen aufnehmen und somit sich zu den christlichen Kirchendogmen bekennen ... Dies ist es nun, was unsrerseits die Aufmerksamkeit auf sich ziehen muß.

Ist es wahr, daß der Freimaurerorden christlich ist und christliche Kirchendogmen bekennt, nun so haben die Berliner Logen vollständig Recht, wenn sie keine Juden aufnehmen — denn dies letztere ist wahr — nun so haben alle Juden Unrecht, welche an einer Freimaurerloge Theil nehmen, so haben sie schon einen treulosen Schritt gegen ihre Religion gethan, indem sie in eine Loge eingetreten.

Aber, fragen wir, haben die drei Berliner Logen diese Erklärung im Namen aller Freimaurerlogen gethan? Nein. Haben sie sie im Namen der Mehrzahl derselben gethan? Nein. In wessen

Namen benn? Nicht einmal im Namen aller preußischen. Nicht
die englischen und schottischen, nicht die französischen und belgischen,
nicht die norbamerikanischen, ja sogar auch nicht alle deutschen
Logen theilen die Grundsätze jener Erklärung; ein Jude brauchte
sich nur nach Leipzig und Hamburg zu begeben, und würde, wenn
sonst alle Bedingungen vorhanden sind, daselbst Aufnahme in die
Loge finden.

Oder sind etwa die drei Berliner Logen die Mutterlogen aller
Logen der Welt, so daß die sämmtlichen anderen Logen als entartet,
als abgewichen von den Berliner Logen angesehen werden müßten?
Gerade umgekehrt; so wie Berlin eine der jüngsten Großstädte, so sind
auch seine Logen von jungem Datum. Also umgekehrt sind die drei
Berliner Logen von den Grundsätzen aller Logen der Welt abgewichen,
und haben eine Cotterie, ein Nest für sich gebildet — wir wollen sie nicht
im Geringsten stören! Ja, noch mehr. Haben die Berliner Logen
selbst dieses Bekenntniß stets gehabt? Wir brauchen nur den Geist
Friedrich des Großen, des Protektors der Logen, heraufzubeschwören.
Die Berliner Logen sind sich selbst untreu geworden. Es ist dies
auch oft genug schon und in den derbsten Ausbrüchen aus allen
Ländern der Welt von den Logenspitzen selbst erklärt worden.

So lange also die drei Berliner Logen so großen Widerspruch,
nichts als Widerspruch aus allen übrigen Logen erfahren, so lange
können wir dies nur als einen Gewaltstreich jener bezeichnen, den
sie gegen die eigentlichen Grundsätze und das wahre Wesen der
Maurerei ausgeführt haben, und den wir ihnen mit Gleichgültigkeit,
ja mit Verachtung nachsehen. Sie haben sich damit selbst als außerhalb der wirklichen Maurerei stehend bezeichnet, und das ist ihre
Sache. Nur dürfen sie sich nicht als Organe der aufrichtigen
Maurerei geriren — denn dann müßten sie ein glänzendes Dementi
erhalten, was sie freilich schon gewohnt sind.

Sehr irren werden sich aber diese Berliner Logen, wenn sie
glauben, daß sie mit dieser Erklärung ihre Gegner befriedigt haben.
Und sie können sie auch nicht befriedigt haben. Denn selbst wenn
diese Logen das Judenthum verläugnet haben, sind sie katholisch
oder protestantisch? und kann ein aufrichtiger Geistlicher dieser
Kirchen mit ihnen verkehren? Wir glauben nicht — und dies ist
Euer Fiasko, Berliner Logen!

Dies ist denn auch richtig in Erfüllung gegangen. Vor uns liegt „Freimaurerei und das evangelische Pfarramt", Berlin 1854. von Professor Dr. Hengstenberg. Sehen wir zu, was die Broschüre enthält.

Zuerst werden Zeugnisse älterer evangelischer Theologen — denn von katholischer Seite ist über alle Theilnehmer am Orden durch eine Reihe päpstlicher Bullen die Exkommunikation ausgesprochen — angeführt, welche den Orden als „ohne Christenthum seiend" bezeichnen. Zuletzt Dr. Niedner im Jahre 1846, der auf Grund des „Constitutionenbuches" der Freimaurer sagt: „Hiernach war erklärter Gesammtzweck und höchstes Gesetz der Maurerei: jener Humanismus neuer Art oder Philanthropismus, eine werkthätige Vertretung der rein und allgemein menschlichen Interessen, gegenüber dem Hierarchismus und Feudalismus, so daß bürgerliche Tüchtigkeit und fromme Rechtschaffenheit, ohne Unterschied der bürgerlichen Geburt oder Stellung und der konfessionellen Religionsvorstellung, Anspruch gebe auf Anerkenntniß oder Duldung und Achtung von Seiten des Staats und der Kirche."

Nach diesen Zeugnissen aus der Kirche bringt der Verfasser Zeugnisse aus den Schriften des Ordens und der Maurer selbst herbei. So aus dem hochgeschätzten „Constitutionenbuch": „Da die Maurerei unter allen Völkern, auch von anderen Religionen, angetroffen wird, so liegt den Maurern nur ob, derjenigen Religion beizupflichten, worin alle Menschen übereinkommen, jedem Bruder aber seine eigene besondere Meinung zu lassen: das ist, man fordert nur, daß sie tugendhafte und getreue Menschen seien, und auf Ehre und Ehrbarkeit halten, sie mögen im Uebrigen durch diese oder jene Namen, Religionen oder Meinungen von einander unterschieden sein, wie sie wollen." So aus einer Schrift von 1738: „Religionsstreitigkeiten werden in der Loge niemals verstattet. Denn wir sind als Maurer nur der allgemeinen oder natürlichen Religion ergeben. Dieses ist der Kitt, welcher Menschen von den ungleichsten Grundsätzen in eine geheiligte Verbindung setzt, und diejenigen, welche am meisten von einander entfernt sind, zusammenbringt." Und so bis auf die neueste Zeit, bis auf die Erklärung des Vicepräsidenten aller französischen Logen: „daß man in ganz Frankreich den, der sich vorstellt, nur nach seinem Leben, nicht nach seinem

8*

Glauben fragt;" — bis auf die Rede des Professors Dr. Gieseler vor 1848: „wir Maurer haben stets als Bundeslehre festgehalten, daß alle Menschen in ihren höchsten Beziehungen einander gleich sind, und daß vor den Vorzügen, welche allen Menschen gemeinsam sind, alle Unterschiede als unbedeutend verschwinden." Der Verfasser weist dies auch aus der Symbolik des Ordens nach, in welcher auch nicht das geringste Zeichen der Erinnerung an das Christenthum; er zitirt zu diesem Zwecke die Worte des jüdischen Predigers Salomon in Hamburg, der viel in Maurerei gemacht hat. Er erweist, daß die Maurerei sich stets über alle Kirche gesetzt, daß sie wenigstens niemals auf die Kirche gewiesen hat — und nach dem kirchlichen Satze: „wer nicht mit mir ist, ist wider mich", schließt er, daß die Freimaurerei hiermit nicht allein nicht christlich, sondern antichristlich ist — wir können ihm nicht Unrecht geben, und hüten uns davor.

Aber allerdings machte sich eine „Nebenströmung" des Freimaurerordens bemerklich, die nach Anderm aussieht. Ein Berliner Geistlicher behauptete 1843, es gebe eine alte und eine neue Maurerei; diese neue, in England im vorigen Jahrhundert aufgebrachte, wäre nur beistisch geworden, wo hingegen die alte schottische immer christlich gewesen sei — nein, das sagt er nicht, sondern: „nicht an die Humanitätsideen des achtzehnten Jahrhunderts gedacht" habe. Aber er wurde von großen maurerischen Autoritäten Lügen gestraft, nach denen 2500 Logen an den im Jahre 1723 erschienenen oben gezeichneten Prinzipien festhielten, und „nur die drei Berliner allein spezifisch christlich zu sein prätendirten." Der Verfasser zeigt ferner, daß gerade umgekehrt das schottisch = schwedische System aus dem englischen entstanden ist, und daß jenes nur „eine Ironie auf den eigentlichen und ursprünglichen Freimaurerorden ist." Gründlich geht er dann auf das ein, was die schottische Loge, d. h. die Berliner, Christliches angenommen hat, und zeigt das Abgeblaßte, Gleißnerische und Leere nach, während von allen tieferen Begriffen des Christenthums keine Spur, ja daß diese darum noch feindlicher der Kirche ist, weil sie „den Gedanken an die Entbehrlichkeit der Kirche noch näher legt." Man muß dies Alles in der Broschüre Hengstenbergs selbst lesen, um den leeren Prunk vor dem würdigen Ernst erbleichen und schwinden zu sehen.

Was hieraus folgt? Das, was .der christliche Theologe mit
Recht schließt, daß die Freimaurerei kein christliches Institut ist, und
daß die Berliner Logen kein Recht haben, einen besondern Weg
einzuschlagen — wir aber fügen hinzu: daß auch kein Jude in eine
sogenannte schottische Loge nach Berliner Zuschnitt eintreten dürfe,
weil sie, wenn sie auch nicht spezifisch=christlich ist, doch in ihr Ritual
eine Menge christlicher Formen aufgenommen hat, welche anti=
jüdisch sind.

Es erscheint demnach an der Zeit, daß diese sogenannte schot=
tische Freimaurerei, wie Alles, was auf zween Hüften hinkt, ver=
schwinde, und nur noch die ursprüngliche Freimaurerei verbleibe, an
der Jeder wenigstens weiß, was er hat, also davon bleiben oder
eintreten kann.

Im Allgemeinen stellt die Freimaurerei nur denselben Riß, die=
selbe Spaltung auf, welche durch alle Erscheinungen der neueren
Zeit geht: von der einen Seite die Richtung zur Humanität und
Gewissensfreiheit, zu einem allgemeinen Menschenthum, welches, die
Heiligkeit der Religion anerkennend, diese nur im Individuum
walten, das Individuum erfüllen, in allen sozialen Beziehungen
aber ohne äußeren Einfluß, ohne äußere Herrschaft lassen will —
von der anderen Seite die Richtung zur Kirchlichkeit und zur
Stärkung derselben durch direkten, beherrschenden Einfluß auf die
Gesellschaftlichkeit des Menschengeschlechts nach allen Beziehungen
der letzteren. Wie diese beiden Richtungen im Staate seit langer
Zeit im Kampfe liegen, so wollen sie sich auch in der Gesellschaft
und in der Wissenschaft befehden, und darum konnte es auch in
der Freimaurerei nicht ausbleiben, jene große Frage der Menschheit
durchzukämpfen. Auf der einen Seite das Verbot der Freimaurerei
in einer Anzahl zum Theil mächtiger Staaten, die Ausschließung
der Juden in Preußen und vielleicht auch bald in Hannover — auf
der anderen Seite die Freimaurerlogen Frankreichs, Belgiens, Groß=
britaniens und Nordamerikas, welche konsequent jene Ausschließung
verwerfen, und den Grundsatz der preußischen Logen um so eher
verurtheilen, als die letzteren erst sehr späte Sprößlinge der ersteren
sind, und das Ausschließungsprincip erst unter der Regierung des
vorigen Königs angenommen haben. (Wie bekannt, war auch
Friedrich der Große Protektor der Logen.)

Obgleich wir persönlich der Freimaurerei n i c h t angehören, so interessirt von dem oben angegebenen Standpunkte aus diese Streitfrage innerhalb des Bundes uns sehr. Es ist immer gut, daß eine solche Sache zum Austrag komme, und wir rechnen es uns daher zum Verdienst an, mittelbar im westlichen Europa auf die sich konsolidirende Ausschließung in deutschen Logen aufmerksam gemacht zu haben.

XIII.

Der Buddhismus und sein Verhältniß zum Judenthume und Christenthume.

Wenn Lessing zur Zeit seiner Bearbeitung der älteren Fabel von den drei Ringen für den Nathan nähere Kunde vom Buddhismus gehabt hätte, wie wir sie seitdem durch die Erschließung mannigfacher Quellen erlangt haben: so würde er sich schwerlich mit der Zahl dieser Ringe begnügt haben. Denn da der Grundsatz und das Motiv, von denen er dabei ausging, die waren, daß keine Religion in ihrem Glauben, allein die Wahrheit zu besitzen und „allein selig zu machen," der andern feindlich entgegentreten und alle Wahrheit absprechen dürfe, daß vielmehr Zweck und Ziel aller sein müsse, die Menschen liebevoller, mildthätiger und gerechter gegen einander zu machen: so durfte er den Buddhismus nicht ausschließen. Befaßt derselbe nicht eine Zahl Bekenner, welche ein Drittel des ganzen Menschengeschlechtes übersteigt, also hierin Christenthum und Islam übertrifft? Hat er nicht eine civilisatorische Wirkung so gut wie irgend eine andere Religion ausgeübt, und zwar selbst in Staaten, welche den Forderungen ziemlich entsprechen, die man an einen civilisirten Staat stellen darf, wenn sie auch in der Entwickelung stehen geblieben, wie China und Japan?[1] Ja, ist der Buddhismus nicht diejenige Religion, welche, ungleich dem Islame und Christenthume, eine außerordentliche Verbreitung ohne Schwertschlag erlangte, die Toleranz gegen alle andern Religionen grundsätzlich machte, in ihre Annalen nur äußerst geringe Ausnahmen von religiöser Verfolgung zu verzeichnen hatte? . . . Und dennoch,

---

[1] Vergleiche hierüber unsere „Resultate in der Weltgeschichte" (Leipzig, Baumgärtner) S. 7 ff.

hätte Lessing eine genauere Kenntniß dieses religiösen Systems ge=
habt und wollte es nicht mit Stillschweigen übergehen, so wäre er in
eine große Verlegenheit gekommen, denn er konnte jenes doch nicht
füglich mit Judenthum, Christenthum und Islam zusammenstellen
und in ein Gefäß werfen. Und warum nicht? Weil der Buddhis=
mus eine völlig verschiedene, ja entgegengesetzte Weltanschauung zum
Inhalt und zur Grundlage hat, während die drei anderen genannten
ihr unterstes Fundament in einer und derselben, aus dem Mosais=
mus entstandenen Weltanschauung haben. Allerdings mußten auch
im Buddhismus, sobald er sich zu einer konkreten Religionserscheinung
ausbilden wollte, Institutionen und selbst Ansichten hervortreten,
welche mit den anderen Religionen, namentlich mit dem Christen=
thume, frappante Aehnlichkeiten darbieten. Aber dies verändert die
völlige Verschiedenheit seines Grundcharakters doch nicht, und liegt
eben nur in den vielen und großen Widersprüchen, in welche der
Buddhismus mit seiner eigenen Theorie verfallen mußte, sobald er,
gleich dem Christenthume, aus der stillen Klause weniger Einge=
weihten zur großen Völkermasse treten und sie sich aneignen wollte.
Wir können sagen, daß es in der religiösen Welt des Menschen
zwei große Anschauungen giebt, die sich völlig gegenüberstehen, und
deren ungeheure Kluft nur durch die praktische Gestaltung lose über=
brückt worden ist: die israelitische Weltanschauung, die im Juden=
thume ihren Stamm, im Christenthume und Islam ihre Zweige
hat, und die buddhistische.

Merkwürdig ist es, daß gerade in einem der von der Natur
am üppigsten begabten, am reichsten und mannigfaltigsten ausge=
statteten Länder der Erde der Buddhismus, diese Religion der Ver=
zagtheit und völligen Entsagung, der höchsten Lebensverachtung ent=
standen ist, während das Judenthum seinen Ursprungssitz in einem
Lande hatte, das der unermüdlichen Anstrengung und Thätigkeit des
Menschen bedurfte, um ihm in mäßiger Fülle die einfachen Be=
dürfnisse des Lebens abzuringen; jener in einer ungeheuren Halb=
insel, welche weite Ebenen mit himmelhohen Gebirgszügen umschließt,
mächtige Ströme in das Meer entsendet, und überall der See durch
geräumige Häfen zugänglich ist, so daß sie seit uralter Zeit einer
ausgedehnten Industrie, einem weithin ausgebreiteten Handel zum
Schauplatz diente; während dieses, das Judenthum, anderthalb
Jahrtausende in einem vom Meere fast abgeschlossenen, nur dem

Acferbau gehörigen Binnenlande faß. Merkwürdig, aber gerade
darum erklärlich, wenn das Judenthum ein rüstiges, den Werken
des Lebens gewidmetes, aber von Gottesfurcht, Recht und Liebe
durchdrungenes Leben forderte und sein höchstes Ziel in Thaten
setzte. Hierzu kömmt, um uns eine klare Einsicht zu verschaffen, der
gewichtige Umstand, daß der Buddhismus nicht wie das Judenthum
eine ursprüngliche Religion, sondern gleich dem Christenthume, aus
einer anderen Religionsphase innerhalb bereits vorhandener, ja er-
schöpfter Culturentwickelung hervorgegangen ist. In diesem geschichtlichen Umstande wird uns auch das Räthsel der Momente lösbar
in welchen das Christenthum vom Judenthum abweicht, und mit
dem Buddhismus frappante Aehnlichkeiten besitzt. Deshalb müssen
wir hier zuvörderst einen kuzen Blick auf diese Vorentwickelung
werfen. [1)

Der Buddhismus ist die dritte Phase der Entwickelung des
indischen Geistes. Die erste Stufe nehmen die Arier im Pentschab
mit ihrer religiösen Anschauung ein, wie sie uns die Veda's überliefern. Es ist ein weites Pantheon von Naturgöttern und Geistern, in welches uns die fruchtbare Phantasie des Inders hinein-
führt. Man kann daraus kein wirkliches System entnehmen, da bei
den einzelnen Stämmen einzelne Gottheiten vorzugsweise verehrt
und von den verschiedenen Verfassern der Vedahymnen verschiedentlich gefeiert wurden. Doch ist die eigentliche Idee überall, daß die
am meisten hervortretenden Naturkräfte und Erscheinungen persönliche Gottheiten sind. Unter ihnen ragt, wenn auch in einem gewissen Halbdunkel Varunas, der Umfassende, das Himmelsgewölbe,
der Urquell des Lichtes hervor; ihm zur Seite der wirklich
regierende Indra, Gott der Luft und des Wolkenhimmels, des Blitzes
und des Regens, Agnis, das leuchtende, erwärmende und verzehrende
Feuer. Um diese bewegen sich Schaaren von Gottheiten zweiten und

---

1) Wir folgen hier den bekannten Werken von Lassen, Weber, Obry,
Borneuf, Wuttke, Köppen u. A. und berücksichtigen ganz besonders den letztange-
führten, weil er für den Buddhismus sehr eingenommen, dem Christenthume und
Judenthume sehr ungünstig gesinnt ist, um unsererseits nach Unpartheilichkeit
möglichst zu streben. In seinen Urtheilen über das Judenthum erweist Köppen
mehrmals eine crasse Unwissenheit, und folgt nur den ganz gewöhnlichen Vor-
urtheilen, die gegenwärtig bereits so oft widerlegt worden sind, was uns veranlaßt, sie hier ganz mit Stillschweigen zu übergehen.

dritten Ranges, Lichtgötter aller Art, die Erde, die Flüsse u. f. w. auch erscheint hier bereits Bischnu. Der Geisterglaube, die Verehrung der Vorfahren, die Ahnung von der Fortdauer der Seele nach dem Tode finden wir in den Vedas häufig ausgesprochen, wenn auch die Lehre von der Seelenwanderung nur angedeutet und vorgebildet ist. Die Seelen der Verstorbenen werden durch die Macht des Feuers, das den materiellen Leib verzehrt, mit einem Strahlenkörper, dem „Harnisch Agnis" umkleidet. Das wesentlichste Moment in dieser ersten Religionsphase der indischen Arier bildet aber der Gedanke ihrer Gottesverehrung. Es werden unter freiem Himmel auf Steinen und Altären der Soma = Trank, d. i. aus der Asclepias acida gepreßter Saft, Milch, geklärte Butter, auch Thiere, z. B. Pferde, vielleicht auch Menschen, dargebracht und dem Feuer übergeben. Hierdurch speist und tränkt der Mensch die Götter, berauscht sie, damit sie an Muth und Kraft wachsen; dafür erwartet er die Erfüllung seiner Wünsche, ringt mit ihnen im Gebete und zwingt sie sogar zu seinem Willen. Diese Kraft und Bedeutung, welche in den Veden dem Opfer und dem Gebete der Menschen beigelegt wird, daß sie also nicht blos Vermittelungen zwischen Gottheit und Menschen sind, die Gott erhören kann oder auch nicht, sondern ein Zwangsmittel für und gegen die Götter — ein Gedanke, der, wenn auch in mäßigerer Weise, dem Katholizismus selbst in unseren Tagen nicht fern liegt — wurden eine Wurzel des Brahmanismus und des Buddhismus, denn sie trieben bereits den Menschen über Gott hinaus und verliehen der konzentrirten Andacht des Menschen eine das Schicksal beherrschende und bezwingende Gewalt.

Die zweite Entwickelungsphase hob mit dem hundertjährigen Kampfe an, der mit dem Einfall der Arier in die Halbinsel sich entspann. Denn zunächst wurde dies der Impuls zu dem Kastenwesen, welchem die menschliche Bevölkerung Indiens mit einer furchtbaren Strenge unterworfen ward. Die erobernden Arier bildeten einen in jeglicher Weise bevorzugten Menschenstamm, welchem die Unterworfenen mit drückenden Pflichten und mangelhaften Rechten gegenüberstanden. Unter den Besiegten waren die sich freiwillig unterwarfen, zwar die dienende und arbeitende, aber doch immer geschätzte Klasse der Handwerker, Tagelöhner u. f. w.; die mit dem Schwerte Bezwungenen wurden zu der unreinsten verachtetsten Stufe hinuntergestoßen; unter den Siegern hob sich der dem Waffenhandwerk verbleibende Theil als Kriegerkaste ferner, höher geachtet als die sich dem Landbesitze ergeben hatten; aber selbst über die Krieger erhoben sich die Priester, die Brahmanen. Aus dem Glauben, daß Opfer und Gebet die Götter zu günstigen Gaben und Beweisen ihrer Macht zu nöthigen vermögen, entstand die Menge der Gebete, Ceremonien und Opfer, die jedoch nur, zu rechter Zeit, am rechten Ort und in rechter Weise geschehen, die gewünschte Kraft besaßen. So mußte sich bald eine Zahl der Gebetverständigen, das sind Brahmanen, bilden, und mit der Zeit sich die gesammte übrige Menschheit unterwerfen. Wie konsequent weit dieser Gedanke ausgebildet wurde, kann man am deutlichsten aus einem Spruche ersehen, der noch heute im Munde der Inder lebt: „Das Weltall ist in der Gewalt der Götter (der Dêva's); die Götter sind in der Gewalt der Gebete (Mantras); die Gebete sind in der Gewalt der Brahmanen; folglich sind die Brahmanen unsere Götter." — Aus dieser Wurzel entspann sich nun eine religiöse Anschauung, die wir in ihren Hauptzügen charakterisiren wollen. Brahma als Atma (Weltseele) war das leere, allgemeine Sein (das Aum). Da bildete sich in ihm das Verlangen (Kâma), und dadurch entstand eine Entfaltung des Brahma aus sich selbst, und diese Entfaltung (Emanation) wurde zur Welt, d. i. zum individuellen Dasein. Diese Entfaltung entfernte sich in ihrer Ausdehnung immer weiter vom Brahma, und je weiter dieses sich von sich selbst entfernt, desto äußerlicher und unähnlicher wird es sich, um so unreiner und trüber wird der Strom des Lebens und wird zu einer abwärts gehenden Stufenleiter der Organismen. Man unterscheidet da: 1) die Sattva, die Region des persönlichen Brâhma als höchsten Gottes und der Götter, die Welt der Reinheit, Tugend, Weisheit, des Lichtes; 2) die Radschas d. i. Leidenschaft, die mittlere Region, kämpfend zwischen vollkommenem und unvollkommenem Wesen, zwischen Licht und Finsterniß, die Welt des Gemüths und der Menschen; 3) die Tamas, d. i. Finsterniß, die Region der Unreinheit und des Todes, die Welt der Thiere, Pflanzen und tödten Materie. Je mehr aber die Natur eine Entfernung von Brahma, eine Entäußerung seiner selbst ist, desto vergänglicher, eitler, voll Unvollkommenheit und Sünde, Schmerz und Leiden, Krankheit und Tod ist sie: die Welt ist vom Uebel, das Leben eine Sündenlast, die Erde ein Jammerthal. — Wie aber die Wesen vom Brahma ausgehen, so kehren sie auch in dasselbe zurück; der Lebensstrom bricht aus ihm hervor und ergießt sich wieder in dasselbe zurück; indem sich das Dasein aus dem Brahma entfernt und immer unreiner wird, trägt es in sich das Streben, wieder nach ihm zurückzukommen, wieder zur Reinheit zu gelangen. Hieraus entstand das Dogma der Seelenwanderung. Der Tod ist daher nichts anderes, als eine Wiedergeburt in einem anderen Geschöpfe, und so wandert das Individuum Millionenmale durch die verschiedenartigsten Existenzen. Aber es ist keine stetige Reihe, sondern die Sphäre, in welcher die einzelne Seele wiedergeboren wird, hängt von ihrem Verdienst und ihrer Verschuldung in ihren früheren Lebensläufen ab. Hiermit hörten die Unterschiede zwischen Menschen, Thieren, Pflanzen und Mineralien auf; der Inder sagt zu ihnen: „wir sind gewesen, was ihr seid, und ihr werdet sein, was wir sind." Alle auf der Wanderung begriffenen Seelen aber sind vom Brahma entfernt, durch das Verlangen aus dem reinen Urwesen in die Stofflichkeit hinabgezogen, also Sünder, die für ihre Schuld in früheren Existenzen leiden. Dies ist die Erbsünde in großartigstem Maßstabe, die Welt nichts als ein unermeßlicher Kerker, eine furchtbare Strafanstalt. Benutzt der Mensch das Leben nicht, zu büßen und sich zu bessern, versinkt er vielmehr in noch ärgere Sünden, dann wird er für unermeßliche Zeiträume in die Hölle versenkt, von wo er nach den gräßlichsten Qualen von Neuem die Wanderung beginnt. — Auf diesem Grundbau erhob sich nun das bis in's äußerste Detail ausgearbeitete Lebenssystem der Brahmanen. Die verschiedenen Kasten mit ihren Pflichten und Rechten waren ein unabänderliches Geschick, welches der Mensch in seinen früheren Existenzen sich verdient hat. Jede Handlung, jede Thätigkeit, bis zur geringsten Geberde, wurde bestimmten Vorschriften unterworfen. Sünde und Verunreinigungen gehen aus dem geringsten Formfehler hervor, beim Essen und Trinken, beim Waschen und Baden, bei Berührung unreiner Menschen, Betreten unreiner Orte, Berühren unreiner Gefäße.

Die Folge davon war ein mannigfaltiges System von Bußen, die bis zum freiwilligen Selbstmorde gingen, wie glühend heißen Arak zu trinken, oder kochend heißen Kuhurin, bis die Eingeweide verbrannt sind, Bußen, welche übrigens, je höher die Kaste steht, desto leichter werden. An die Buße schließt sich die Askese, besonders das Leben als Einsiedler und Bettler in verschiedenen Graden der Strenge. Der unbegrenzteste Despotismus, zuerst seitens der Priester, dann des Königthums und hierauf einer Kaste gegen die andere, die unerhörteste Knechtung, die bis zur scheußlichsten Ausstoßung ganzer Menschenklassen ging, war die Folge dieses Systems und mußte endlich — wahrscheinlich um 500 vor der christlichen Zeitrechnung — eine Reaktion, eine Reform herbeiführen, d. i. den Buddhismus.

Der Brahmanismus war die Trostlosigkeit selbst. Eine Verbesserung, ja nur eine Veränderung durch ihn selbst war nach seinem System und nach seinen Zwecken unmöglich; denn alle Zustände des Staates, der Kasten und der Individuen waren Nothwendigkeiten, unvermeidliche Wirkungen von Ursachen, die in früheren Existenzen lagen. Es kam daher darauf an, diese faktischen Zustände zu ändern und sich dabei auf Dogmen zu stützen, welche zwar dem Geiste der indischen Race entsprachen, also sich zum Theile von den bisherigen nicht entfernten, aber so modifizirt, daß ihre Consequenzen andere seien. Nach der Legende war Buddha der Sohn eines Königs von Kapilavastu aus dem Geschlechte der Çakja an den Vorhöhen der Himalaja. Bis zu seinem 29. Jahre lebte der Prinz, sorgfältig erzogen, im vollen Genusse seines Standes, im Besitze aller irdischen Herrlichkeiten. Aber der Anblick eines Kranken, eines Greises, eines Leichnams und eines elenden Dorfes brachte ihn zum Nachdenken. Er verließ heimlich die Residenz, begab sich zu brahmanischen Einsiedlern, um ihre Lehre genau zu studiren, und überließ sich den peinigendsten Kasteiungen während sechs Jahren. Aber weder die Weisheit der Brahmanen, noch die Kasteiungen beschwichtigten und befriedigten ihn; er überließ sich dem tiefsten Nachsinnen, zog zwanzig Jahre als Bettler mit dem Almosentopfe unter dem Titel Çakjamudae (Einsiedler aus dem Çakjageschlechte) herum, predigte allem Volke seine Lehre. Prüfen wir dieselbe in ihren Grundzügen.

Der Fundamentalsatz des Buddhismus ist: das Nichts, das Leere, das Wesenlose, ein Atheismus ohne Gott, aber auch ohne Natur. Nach der Lehre der Brahmanen existirt eine Weltseele, und die Weltschöpfung ist eine immer weiter vom Mittelpunkte sich entfernende Entfaltung dieses Brahma. Buddha sagt: es giebt keine Gottheit, keine Weltseele, keine Entfaltung aus ihr, es giebt keine Materie, kein Wesen, kein Sein, sondern Alles ist Nichts und nur eine ewige Bewegung, eine ewige Veränderung, also ein ewiger Schmerz. Die Welt ist ein Rad, das immerfort rollt. Der zweite Fundamentalsatz ist demnach: Alles ist vom Uebel, Alles ist Schmerz.

Die dialektische Begründung dieser Sätze ist sehr schwach, und besteht nur darin, daß, wenn die Welt von einem Princip geschaffen wäre, so müßte sie mit der ganzen Gesammtheit ihrer Wesen auf ein Mal geschaffen worden sein, während wir doch die Wesen nach einander geboren werden sehen; denn sonst müßten wir eine Aufeinanderfolge der Ursachen und Willensakte für die Schöpfung aller aufeinander folgenden einzelnen Wesen annehmen, und das hebe den Vordersatz auf, daß Alles eine Ursache habe. Der Buddhismus mußte aber schon in diesen Fundamentalsätzen inconsequent sein (und darin liegt seine einfachste Widerlegung), denn wenn nichts als die Bewegung und Veränderung vorhanden, so frägt es sich: woher diese? Die Antwort, sie ist ewig, ohne Anfang, ist keine Beantwortung dieser Frage. Ebenso hätte er consequenter Weise auch sagen müssen, daß das Uebel, der Schmerz Nichts ist. Hier ist aber der eigentliche Incidenzpunkt. Für Buddha ist das ganze Leben nur Uebel, nur Schmerz. Hiervon den Menschen zu erlösen, ist sein Ziel. Diese Erlösung findet ihm aber nur durch die Einkehr in das Nichts statt; und so muß er das Nichts als den Urgrund aller Erscheinungen annehmen.

Hierin also liegt schon die Grundverschiedenheit der Weltanschauung zwischen dem Buddhismus und dem Judenthum, sowie den aus diesen entstandenen Religionen. Das Judenthum lehrt, daß die Schöpfung ein Akt des aus Allweisheit und Allliebe hervorgegangenen Willens der Gottheit, der einzigen und einheitlichen Gottheit sei, und daß daher die Welt und alle Wesen „nach ihrer Art", d. h. nach ihrer Bestimmung, ihrem Zwecke, dem in ihnen verwirklichten Schöpfergedanken gemäß „sehr gut", d. h. vollkommen geschaffen worden. Was vom Uebel erscheint, existirt nicht in der Natur, sondern nur in der Welt der Menschen, ist nur Verhältniß des Menschen selbst, und gehört dessen Ueberwindung zur Bestimmung des Menschen, die in der Entfaltung und Entwicklung seiner Kräfte beruht. Somit stehen sich diese beiden Religionen geradezu entgegen, wenn man den Buddhismus, soweit er auf dieser ersten dogmatischen Stufe steht, überhaupt mit diesem Namen bezeichnen kann. Das Christenthum hat sich von diesem mosaischen Fundamente in so weit getrennt, als es zwar einen Gott, aber in diesem drei Persönlichkeiten annimmt, ohne daß jedoch dieses Dogma einen Einfluß auf seine Lehre von der Weltschöpfung hätte; und zweitens dadurch, daß es dem Uebel in der Welt eine wirkliche Existenz durch das Vorhandensein eines bösen Prinzips, eines selbständigen bösen Geistes, des Satans, zuschrieb. Im letzteren Momente folgte ihm der Islam, während es in dem ersteren sich streng an die mosaische Lehre anschloß.

Abgesehen von jener dialektischen Inconsequenz wäre der Buddhismus in consequenter Folgerung auch mit seinem Grund- dogma schon fertig gewesen. Wo Alles nichts ist und zu nichts wird, das einzig Vorhandene, die Bewegung von nichts zu nichts führt, da hätte man sich auch um nichts weiter zu kümmern. Was soll man aus dem Nichts machen? Es war unmöglich, daß auf diese Weise eine Lehre, eine Disziplin, eine Religion herausgebildet werden konnte. Während also die mosaische Weltanschauung die Wurzel eines consequent durchgeführten spiritualistischen und ma- teriellen Lebenssystems werden konnte und wurde, beruht der Buddhismus von vornherein auf Inconsequenzen. Seine Theorie war ein Hintergrund, der dem indischen Geiste entsprach, um auf denselben lebensvollere Erscheinungen hinzuzeichnen.

Also kein Gott, kein Geist, keine Weltseele, keine ewige Materie, sondern nur die Weltumwälzung, die ewige Bewegung und Ver- änderung, ohne Anfang, ohne Ende. Der Buddhismus hat dem- nach über die Entstehung der Welt nichts zu sagen und keine Schöpfungsgeschichte der Welt, dafür aber eine Weltbeschreibung. Hier läßt der Inder seine ganze groteske Phantasterei los, und wir erhalten eine nach Raum und Maß sehr genaue Beschreibung der zahllosen Welten, wie sie nach ungeheuerlichen Maßen, nach ihren Kategorien ganz gleichmäßig neben einander bestehen, nach regel- mäßigen Zeiträumen von hunderttausenden von Jahren abwechselnd durch Feuer und durch Wasser wieder zerstört werden und immer wieder entstehen — eine Beschreibung, die weder für die menschliche Erkenntniß, noch für die Aesthetik irgend einen Werth hat. Auf welche Weise diese gigantische und doch symetrische Ordnung gekom- men? ist eine Frage, die der Buddhist weder aufwirft noch beant- wortet, sondern er stellt jene nur als Thatsache hin. Aber diese unzähligen Welten sind doch nur Gesammtheiten von Wesen, die ewig werden und entstehen, und welche der Buddhist in sechs Klassen eintheilt. Hier ist es, wo der Buddhismus die ganze brahmanische Vielgötterei und ihren Geisterspuk wieder hereinbringt, und so dem Volkswahne wieder zurückgiebt, was er ihm eben genommen. Denn diese sechs Klassen sind, von unten gerechnet, die Höllengeschöpfe, die wiederum mit fruchtbarer Phantasie in allen ihren Schrecken geschildert und in 136 Höllen vertheilt werden. Hiernach kommen die Prêtas, die Ungeheuer des Hungers, deren Unterschied von den Höllengeistern nicht recht klar ist, dann die vernunftlosen Thiere; ferner die Asuras, titanische Geschöpfe, die mit den Göttern in ewigem Kampfe begriffen, und die vielgestaltigen Dämonen. Ueber diesen stehen die Menschen, endlich die Götter (Dêvas), in deren Reihen die sämmtlichen Namen der brahmanischen Götter wieder erstehen, wir haben hier 26 Ordnungen. Alle diese Wesen sind in ewiger Umwälzung begriffen, d. h. sie werden immer wieder geboren, vergehen und werden in verschiedenster Weise wieder geboren. Der Buddhismus nahm also aus dem Brahmanismus die Seelenwanderung herüber. Diese Wiedergeburten geschehen nun nicht nach bestimmten Gesetzen, auch nicht nach den Bestimmungen einer Vorsehung oder Vergeltung, sondern nur aus sittlichen Motiven. Nach dem Buddhismus ist das Weltall in seiner Erscheinung, seinem Verlaufe, seinem Aufgange und Niedergange nur eine Folge, ein Resultat der sittlichen Zustände und des Thuns der athmenden Wesen. Erneuerung und Zerstörung der Welten und Wiedergeburt jedes einzelnen Wesens als ein anderes sind das Produkt des Verdienstes und der Schuld der beseelten Geschöpfe. Jede That, sei sie gut oder böse, wirkt durch unendliche Zeiträume fort und fort. Das jedesmalige Geschick des Einzelnen, sein Glück und Unglück, Geburt und Tod, ist nichts anderes, als die Frucht aller der Handlungen, welche er in seinen unzähligen früheren Lebensläufen begangen hat.

Wir stehen hier an der zweiten Fundamentalverschiedenheit des Buddhismus und des Judenthums. Das letztere erkennt ausdrücklich eine physikalische Weltordnung, eine physikalische Gesetzmäßigkeit an: so daß also die physischen Erscheinungen nicht von der moralischen Welt abhängen. Alles ist von dem göttlichen Schöpfer gemessen und geordnet und in seiner Allweisheit nach bestimmten Gesetzen seinen Zwecken gemäß eingerichtet. Dies

lehrt schon in ihren großen Zügen die mosaische Schöpfungs=
geschichte, und diesen Gedanken allein will sie ausdrücken. Ebenso
unzählige Schriftsteller, z. B. Kapitel 38 und 39 des Buches
Hiob. Diese Lehre ist noch besonders 1. Mos. 8, 22 ausgedrückt
mit den Worten: „Fortan alle Tage der Erde, sollen Saat und
Erndte, und Frost und Hitze, und Sommer und Winter, und Tag
und Nacht nicht aufhören." Die sittliche Welt besteht nur für den
Menschen. Er ist es, der, „im Ebenbilde Gottes geschaffen", Selbst=
bewußtsein und freien Willen hat, und dadurch allein erhalten seine
Handlungen einen sittlichen Werth. Es ist damit nicht ausgeschlossen,
daß nach göttlicher Fügung und Veranstaltung natürliche und sitt=
liche Erscheinungen zusammenfallen, und somit auf einander wirken;
aber die ursächliche Veranlassung besteht nicht im unmittelbaren
Aufeinanderwirken der natürlichen und der sittlichen Welt, sondern
beruht eben nur in der Verbindung, welche ihnen die göttliche
Fügung giebt. Die Tugend oder die Schuld des Menschen ver=
ändert den Lauf der Natur nicht und bewirkt die natürlichen Er=
scheinungen nicht. Die letzteren wiederum wirken auf die sittliche
Welt nur durch das Medium der menschlichen Erkenntniß und des
menschlichen Sittlichkeitsgefühls. Wo in der heil. Schrift Natur=
erscheinungen als Strafe oder Lohn auftreten, sind sie dies nur
durch die Fügungen des göttlichen Willens, wie in der göttlichen
Weisheit und Gerechtigkeit beide Welten nur aus denselben Mo=
tiven hervorgehen können. Wir brauchen nicht darauf hinzuweisen,
daß diese Lehre konsequent und völlig begriffsmäßig aus ihrem Fun=
damente hervorgeht, während jene ganze buddhistische Vorstellung
sprungartig aus ihren Grundprinzipien auftritt, und weder logischen
noch dialektischen Zusammenhang darbietet.

Also ohne Ableitung und Beweis, lediglich als Thatsachen
nahm der Buddhismus aus dem Volksglauben die Grunddogmen
vom Weltübel und von der Seelenwanderung herüber. Die Bud=
dhisten sagen: die Wesen wandern, weil sie unrein und voll Sünde
sind; sie wurden dies, weil sie nach der Entstehung des gegen=
wärtigen Weltalls in Folge des Genusses irdischer Nahrung in Lust,
Geiz, Haß, kurz in Leidenschaft und Sinnlichkeit verfielen; und
hierzu war eine Anlage in ihnen, welche in der noch nicht getilgten
Schuld wurzelt, die die Wesen in früheren Weltaltern auf sich ge=
laden hatten. Der Sündenfall in der jetzigen Welt ist die Wirkung

und Fortsetzung des Sündenfalls in einer früheren Welt und so
fort ins Unendliche. Dies ist freilich ein bloßer Zirkel. — Die
Wesen kommen also und gehen, steigen auf und nieder, wechselnd
auf der Stufenleiter des Lebens. Dieser ewige Kreislauf der Geburt und des Todes ist der Ozean der Existenz mit den vier gifti-
gen Strömen: Geburt, Alter, Krankheit und Tod, er heißt Sansâra.
Außer dem Sansâra ist das Nichts: Nirvâna. Im Sansâra ist
keine Wahrheit und Wesentlichkeit, sondern nur Täuschung und
Vergänglichkeit. Alles ist nichtig und eitel und dennoch mit unsäglichen Leiden und Schmerzen verbunden. Die Geburt ist nichtig,
denn sie führt zum Tode; der Tod ist nichtig, denn er führt zur
Wiedergeburt; die Jugend ist nichtig, denn sie wird zum Alter, die
Schönheit, denn sie verschwindet, die Gesundheit, denn sie unterliegt
der Krankheit. Jedes Lebensalter hat seine Schmerzen, und der
Tod ist nicht der letzte derselben; und hast du vielleicht alle Schmerzen der menschlichen Natur erschöpft, so wirst du zu unendlich größerer Qual im Leibe eines Thieres oder gar in der Hölle wiedergeboren.

Diese Erbsünde, die sich von Existenz zu Existenz fortpflanzt,
äußert sich zunächst als Lust und Begier, und diese rastlos nach
Befriedigung suchend, erzeugt Liebe zum Leben, Verlangen nach
Dasein, und dieses Kleben am Dasein ist die Triebkraft zu fort-
gesetzter Erneuerung des Daseins. Also der Leib stirbt; die Seele,
welche durch die Begier noch am Dasein haftet, wird zu neuem
Dasein fortgerissen; in welchem Körper, in welcher Region aber
die Wiedergeburt erfolgen wird, das hängt von ihrem sittlichen Verhalten und Thun in früheren Lebensläufen ab.

Es ist nicht schwer, die kleinen und großen Inkonsequenzen
dieser ganzen Theorie nachzuweisen. Eine ungeheuerliche Phantasterei,
die zugleich in sich keine logische Einheit hat. Denn, wenn Alles
vergänglich, eitel und nichtig ist, so muß dies auch der Schmerz
sein, und er hätte dann gerade so viel Bedeutung, wie die Freude
und das Glück. Ist der Genuß nichtig, weil der Schmerz darauf
folgt, so ist auch der Schmerz nichtig, weil der Genuß vorangeht
und Genuß und Schmerz müßten dann gleichen Werth haben, und
die Welt nicht vom Uebel, sondern ebensoviel vom Guten wie vom
Uebel erklärt werden. Aber noch mehr. Der Buddhismus macht
die physische Welt zu Nichts, und die ethische zu Allem. Jene un-

bedingte Caufalität, die wir in der phyfifchen Welt finden, leugnet der Buddhift, schreibt sie aber der ethischen Welt zu, wo Alles nie endende Wirkung vorangegangener Urfachen sei. Ja, die ethische Welt schafft ihm die materielle, phyfische; das Verlangen nach Leben ist ihm genügend, neues Leben und für diefes einen neuen Körper zu schaffen; diefes Verlangen trägt zugleich die gesammten Wirkungen der früheren sittlichen Handlungen diefes Individuums in allen seinen früheren zahllofen Lebensläufen in sich, welche nun zur Urfache für einen neuen Körper und deffen ganze Beschaffenheit werden. Nun aber zieht der Buddhift das ganze sittliche Wesen aus dem materiellen Dasein, aus dem Genuß der Materie, aus der Sinnlichkeit in Speise, Trank u. s. w., und macht so das Geschaffene zur Urfache des Schaffenden, zur Urfache deffen, dem es seinen Ursprung verdankt.

Indeffen wir wollen hierauf, da wir diefe Mangelhaftigkeit der logischen Entwickelung bereits in allen Lehren des Buddhismus erkannt haben, kein weiteres Gewicht legen. Die Hauptsache bleibt der Charakter diefer ganzen Anschauungsweise, aus dem die Theorie ihren Ursprung zieht, dem zu Liebe diefe geschaffen worden. Er ist aber der traurigfte und verdüftertfte. Seine Erklärung kann er nur in den troftlofeften Zuständen haben, wo einerseits in einer heißen Natur Begierde und Verlangen zu Haft und verzehrender Gluth in den Menschen auffochen und ihn ruhelos antreiben, während auf der anderen Seite ein grenzenlofer Despotismus, eine erstarrende Knechtung die Menschen niederdrückt und keine Hoffnung auf Aenderung und Besserung, auf Entwickelung und Fortschritt zuläßt. Nur da kann das Dasein als die höchfte Bürde und schwerfte Strafe, nur da können alle Triebfedern im Menschen als sündhaft, all' sein Streben und Thun als eitel und leer, alle Empfindungen als schmerzlich und mit Schuld behaftet angefehen werden; nur da kann jeder Gedanke, jede Spur von Ausgleichung und Versöhnung verloren gehen, und es so dem menschlichen Gemüthe zur Luft werden, in seinem eigenen Schmerze zu wühlen.

Welch' entgegengefetztes Schaufpiel eröffnet uns auch hier die jüdische Weltanschauung! Sie weiß von einer Seelenwanderung nichts, nichts von einer unbegrenzten Zahl von Exiftenzen eines und desselben Individuums bald als Mensch, bald als Thier, bald als Heiliger, bald als Dämon und Teufel, ja fogar als Pflanze und

9*

Mineral, und alle diese wieder in der verschiedensten Weise. Sie beruht vielmehr auf der Unterscheidung zwischen Menschenseele und Thierseele, und der dauernden Persönlichkeit der ersteren. Die Menschenseele, Gott ebenbildlich, hat Selbstbewußtsein und freien Willen und eine nicht abgegrenzte Fähigkeit der Entwickelung aller ihrer Vermögen; darum ist sie unsterblich, und nach der Trennung vom Körper lebt sie zu ihrer Fortbildung und Vervollkommnung als eine persönliche Existenz weiter. Ueber die Form dieser letzteren weiß sie nichts. Dies ist der Grundgedanke der Unsterblichkeitslehre in der jüdischen Anschauung, wie sie sich aus dem Mosaismus heraus durch ihre verschiedenen Phasen entfaltet hat. Das Juden= thum erkennt ausdrücklich das Fortarbeiten der Seele in ihrer Ent= wickelung nach dem Tode an und leugnet die Ewigkeit der Höllen= strafen [1]). Hierin sind Christenthum und Islam nicht stehen ge= blieben; sie haben eine ausschließliche Seligkeit für die „Gläubigen" und eine ewige Höllenstrafe für die „Ungläubigen" erfunden, ohne zu erwägen, in welches Licht sie dadurch die Gerechtigkeit Gottes, und hiermit Gott überhaupt stellen. — Die jüdische Weltanschauung weiß ferner nichts von der Erbsünde. Sie erkennt an, daß in der Menschenseele die Anlage zur Sünde vermittelst ihrer Verbindung mit dem Körper und der daraus erfließenden Sinnlichkeit habe; diese Anlage gehöre aber mit zur Bestimmung des Menschen, die darin besteht, in fortgesetztem Kampfe das Böse in sich zu über= winden und dadurch ihre Kräfte zu entfalten, darin bethätige sie ihren freien Willen. Sie erkennt daher an, daß es keinen Menschen gebe, der nicht sündige. Aber darum ist es auch jedem Menschen gegeben, seine eigene Schuldhaftigkeit durch Reue und Besserung wieder auszulöschen, und die Barmherzigkeit Gottes gewährt ihm für jede Schuld die Versöhnung; die Ausgleichung alles dessen findet ihren Abschluß im jenseitigen Leben. Von einer Erbsünde, von einer Sündhaftigkeit, die der Menschenseele bereits mit der Geburt anhaftet, weiß sie nichts, sondern jede Menschenseele geht ihr rein und schuldlos in das Leben ein. Auch hierin hat sich das Christenthum von ihr entfernt und nimmt wie der Buddhismus eine solche Erbsünde an, jedoch sehr verschieden von diesem. Der

---

1) S. unsere „Ausführliche Darstellung der israelitischen Religionslehre" B. II. S. 255.

Buddhismus sieht die Erbsünde als die Summe der Schuld an, welche dieselbe Seele in früheren Lebensläufen aufgehäuft hat, wenigstens ist also jedes Individuum selbst Urheber dieser mit der Geburt übernommenen Schuld — die christliche Erbsünde aber ist allen noch ungeborenen Seelen durch die Sünde des ersten Menschenpaares imputirte Sündhaftigkeit, und es fehlt daher hier das Moment der Verantwortlichkeit des Individuums an dieser Schuld. Der Buddhismus giebt jedem Individuum die Fähigkeit, diese aus seinem früheren Leben übernommene Schuld durch eigenes Ringen und Streben zu verringern oder gar aufzuheben. Die christliche Lehre leugnet dies, sondern verlegt die Erlösung ebenso wie die Erbsünde in ein Faktum, den Tod Jesu, und in den Glauben an diesen Tod und dessen Wirksamkeit, so daß wiederum das Moment der Verantwortlichkeit fehlt, und doch hängt davon ewige Seligkeit oder Verdammniß ab. Der Buddhismus macht also die Menschenseele für alles sündige Thun in früheren Existenzen, das doch in ihrem Bewußtsein bis auf die letzte Spur verloren ist, verantwortlich; das Christenthum macht sie für die Sünde zweier Menschen vor Jahrtausenden verantwortlich; das Judenthum spricht sie von allem diesem frei und erkennt nur die Verantwortlichkeit für das in diesem Leben mit Bewußtsein von ihr vollbrachte Böse an. Der Grund für diese Erscheinung liegt darin, daß jene damit eine bestimmte Art der „Erlösung" begründen wollen — der Buddhismus in dem Streben nach der Nirvâna, das Christenthum in dem Glauben an die Göttlichkeit Jesu und der erlösenden Kraft seines Opfertodes — während das Judenthum nur die Versöhnung sucht, d. i.: die vermittelst Reue, Bekenntniß und Besserung erlangte Vergebung und Auslöschung der Schuldhaftigkeit durch die Barmherzigkeit Gottes. — Die jüdische Weltanschauung weiß endlich nichts von der Nichtigkeit alles Daseins, von der alleinigen Wirklichkeit des Schmerzes. Sie sieht das menschliche Leben allerdings als einen Kampf an, als einen Kampf zwischen Gutem und Bösem, als einen Kampf, in welchem der Mensch unterliegen, d. h. sich dem Bösen ergeben und daraus schwer strafende Folgen ziehen kann, in welchem er aber auch zu siegen, sich immer mehr zu läutern und der Gottheit zu nähern und daraus beseligendes Bewußtsein zu ziehen vermag; aber so wenig wie der Gute dennoch der Sünde nicht wieder einmal anheimfallen kann, ebenso wenig ist der Böse ein für alle Mal abgeurtheilt, sondern es steht ihm immerfort die Um= und Rückkehr frei. Das Leben ist also ein weit geöffneter Spielraum frischer und wuchtiger Thatkraft, die aus der Gesinnung und dem Willen des Menschen mitten unter den ihm gegebenen Verhältnissen zu ununterbrochener Strebsamkeit hervorgeht und ihre Erfolge in „Segen oder Fluch" nach sich zieht. Der Mensch säet und erntet, aber sein Säen wie sein Ernten dauert sein Lebelang fort. Darin liegt der Werth des Irdischen, der irdischen Mittel wie der irdischen Zwecke; sie besitzen sittlichen Gehalt, sind die Mittel der geistigen Entfaltung, und führen so zur Erkenntniß und Versittlichung, und beide zusammen machen die Heiligung aus; die Idee des Fortschreitens verwirklicht sich im Individuum und in der ganzen Menschheit. — Allerdings macht sich auch innerhalb dieser Anschauung von Zeit zu Zeit der Ruf: „Alles ist eitel!" hörbar. Zur Zeit nationaler Entartung und Verkommenheit, Stillstandes und tiefer Erniedrigung kommt ein solcher Ruf zum Vorschein. Aber wie er in der eigentlichen Anschauung nicht begründet ist, so zeigt sich auch hier der wesentliche Unterschied zwischen Judenthum und Buddhismus. Die Idee der Gottheit, des allweisen Willens dieser und des Vertrauens und der Hingabe an sie bleibt auch dem Zweifler an dem Werthe und der Wesenheit der irdischen Dinge, und so ist es doch zuletzt die Schaale, die ihren Glanz und ihre Bedeutung verliert, und das Endziel bleibt: „Gott ehrfürchte und seine Gebote wahre", und: „freu dich, Jüngling, in deiner Jugend und laß dein Herz fröhlich sein in den Tagen deiner Kraft, doch wisse, daß über alles dieses dich bringet Gott in das Gericht, und so gedenke deines Schöpfers auch in den Tagen deiner Kraft." (Psalm 36. 62, 10—13. 144. Pred. 11, 9. 12, 1. 13. Hiob 28, 28.) Der Unterschied ist demnach der, daß in der jüdischen Weltanschauung die Ansicht von der Eitelkeit und Nichtigkeit des Irdischen nur Stimmung des Individuums oder zeitliche der Nation oder eines Zeitalters ist, welche alsbald wieder von dem Gottesbewußtsein und der höheren Aufgabe des menschlichen Lebens überwunden wird, während im Buddhismus diese Ansicht ein Fundamentalsatz ist, auf welchem sich seine ganze Lehre aufbaut, und nach dem die Eitelkeit und Nichtigkeit das Wesen alles Irdischen, ja alles Daseins ist. Auch hierin aber entfernte sich das Christenthum vom Judenthume und steht dem Buddhismus nahe, indem es zwar ein höheres

Dasein als wirklich lehrt, aber dasselbe nicht in dem Leben auf
Erden, sondern im jenseitigen findet, gegen welches das irdische daher
allen Werth verliert, so daß in des letzteren Verachtung und Ent=
sagung das Heil zu suchen sei. Selbst die späteren, die letzten
Jahrhunderte des Judenthums vor dem Entstehen des Christen=
thums, gingen nicht weiter als bis zu dem Spruche: „Das jetzige
Leben ist eine Vorhalle zum jenseitigen, handele in derselben so,
daß du in den Palast aufgenommen werdest." Das Christenthum
ging weiter, verlegte, wie man zu sagen pflegt, den ganzen Schwer=
punkt des Lebens in das jenseitige, verlangte die Unterdrückung
‚des Fleisches", ja die Tödtung desselben, die Verachtung alles
Irdischen, das Zurückziehen aus demselben, und verstand hierunter
die Heiligung. So wenig es also mit dem Buddhismus in Ziel
und Zweck übereinstimmte, so traf es doch in den Mitteln mit ihm
zusammen, wie diese aus der Aehnlichkeit in den Ansichten über
den Werth des Irdischen hervorgingen. Man kann daher schon
voraussetzen, daß, sobald Buddhismus und Christenthum zu Kirchen
wurden, sich in beiden sehr ähnliche Institutionen entwickelten, wie
wir dies bald sehen werden.

Was mußte also das Ziel des Buddhismus sein? Der Tod
befreiete die Menschenseele aus diesem Ozean der Schmerzen nicht;
er selbst war nur ein Uebel, Schmerz und nichtig, denn er führte
zu einem neuen Dasein, das in den meisten Fällen noch qualvoller
sein konnte; der Tod war nichts als Wiedergeburt zu einem viel=
leicht schlimmeren Dasein. Der Buddhismus kannte daher nur
eine Erlösung, die Befreiung von allem Dasein, und hierzu war
der Weg: die Wurzel des Verlangens und der Sünde in den ath=
menden Wesen auszurotten, die fortzeugende Kraft der Werke zu
brechen, dadurch die Existenz zu erschöpfen, die Fortsetzung des
Daseins zu verhindern, aus den Sansâra in Nirvâna hinüber=
zuführen. Nirvâna, wörtlich das Verlöschen, das Auswehen, ist das
höchste Gut, das letzte Ziel, das ewige Heil. Leerheit und Nichtig=
keit sind nach dem Buddhismus das innere Wesen alles Daseins
und Lebens, und so kann ihm das Ziel nur die Erreichung der
Nichtigkeit sein, was vom Nichts ausging, kann nur in's Nichts
auslaufen. Nicht die Erkenntniß und die Versittlichung sind
ihm das Ziel, um durch sie erhoben in ein höheres Dasein
nach dem Tode überzugehen, sondern Erkenntniß und Versitt=

lichung sind ihm nur die Mittel, um aus dem Leben hinaus=
zukommen, es inhaltslos zu machen und dadurch das Dasein
zu enden. Denken und Forschen sollen daher nur den Zweck
haben, zu erkennen, daß Alles im Geiste aufhören müsse, alle Be=
wegung und Veränderung, um sich der Nirvâna zu nähern, zum
Nichts zu gelangen. Wer dies erkannt hat, der muß jedes Ver=
langen in sich auslöschen, jedes Denken in sich beseitigen und in
dieser Erhebung über sich selbst zur völligen Leere gelangen. Je
öfter das Individuum zu solchen Momenten kommt, je länger sie
bei ihm anhalten, je mehr sie seine Grundstimmung werden, desto
eher wird es mit dem Tode in die Nirvâna übergehen, oder doch
in seinem nächsten Leben zu ihm sich vollends geschickt machen
können.

Zweierlei waren die unmittelbaren Ergebnisse dieser Lehre, und
darin bestanden die unermeßlichen Wohlthaten des Buddhismus
für die ostasiatischen Völker: daß er das Kastenwesen vernichtete
und das ungeheure, Alles erdrückende Ceremonienwesen des Brahma=
nismus beseitigte. Der letztere lehrte, daß durch die Verdienste
oder die Schuld in früheren Lebensläufen der Mensch näher oder
ferner dem Brahma, d. h. in einer höheren oder niederen Kaste,
ja in der unreinsten und verworfensten Menschenklasse geboren
würde, und daß er hieran während des Lebens unabänderlich ge=
bunden sei. Hiermit waren einerseits Vorrechte, Herrschaft, Reich=
thum den Einen, Verachtung, Knechtschaft, Armuth und Elend den
Anderen auf immer zugesichert. Dem Buddhismus waren alle
Menschen gleich, alle dem Uebel, der Sünde, dem Schmerz bestimmt,
in Allen lagen dieselben Motive, für Alle war derselbe und einzige
Weg der Erlösung möglich und zugänglich. Buddha richtete
seine Lehre an Alle ohne Unterschied, und selbst die unreinste und
verworfenste Klasse konnte mit gleichem Erfolge den Weg zur Er=
lösung betreten. Hiermit war alles Kasten= und Ständewesen auf=
gehoben. Das zweite war, daß alle Ceremonien, ja alle die furcht=
baren Bußübungen und Kasteiungen, welche der Brahmanismus
mit so großer Fruchtbarkeit ausgebildet hatte, nach dem Buddha
gar nichts helfen konnten, vielmehr den Geist zerstreuten, die Seele
beschäftigten und die Schmerzen vermehrten, wodurch der Mensch
der Nirvâna viel mehr fern gehalten als näher gebracht wurde.
Wer das Heil erlangen wollte, hatte nur das Haus zu verlassen,

das Bettlergewand anzuziehen, den Almosentopf in die Hand zu nehmen und so durch die Welt zu wandern. Damit war das ganze kirchliche Unwesen der Brahmanen umgestürzt, nicht die Bußübung, sondern die Entsagung, nicht die Formheiligkeit, sondern die Tugend, d. h. die buddhistische Tugend von völlig passiver Natur, sind die Mittel zum Zwecke.

Buddha verlangte also von seinem Jünger, daß er all seinem Besitzthum und allem Erwerbe entsage, daß er sein Haus und seine Familie verlasse, daß er mit dem weiblichen Geschlecht keinerlei Umgang pflege, daß er kein lebendes Wesen, auch nicht das geringste, tödte oder verzehre, daß er allein als Bettler und vom Bettel lebe. So soll er seine Bedürfnisse auf das geringste Maaß beschränken, alle seine Begierden erdrücken, jegliches Verlangen abschneiden und tödten, um Raum zu gewinnen für das Versenken in das geistige Nichts, in welchem „weder Denken, noch Nicht-Denken.“ Schon an den Novizen werden folgende Forderungen gestellt:

1) Nichts zu tödten, was Leben hat.
2) Nicht zu stehlen.
3) Keine Unkeuschheit zu begehen.
4) Nicht zu lügen.
5) Nichts Berauschendes zu trinken.
6) Nach Mittag nicht mehr zu essen.
7) Nicht zu singen und zu tanzen, nicht Musik zu machen u. dgl.
8) Sich nicht mit Blumen und Bändern zu schmücken, noch zu parfümiren und zu salben.
9) Nicht auf einem hohen und breiten Ruhebette zu sitzen oder zu liegen.
10) Kein Gold oder Silber anzunehmen.

Der Einzuweihende aber hat Folgendes zu geloben: Er soll fortan nur essen, was andere übrig gelassen haben, ein bestaubtes Kleid tragen, seine Wohnung an den Wurzeln der Bäume nehmen, den Urin der Kühe als Heilmittel gebrauchen; andrerseits mit keinem Weibe Gemeinschaft pflegen, nichts heimlich wegnehmen, kein lebendes Wesen tödten, sich nicht der sechs übermenschlichen Fähigkeiten (der Begabung des Archat [1]) rühmen.

---

1) Archat, von den vier Stufen der buddhistischen Reinheit, die unmittelbar zur Nirvâna führt, die höchste, ist mit folgenden übermenschlichen Wundergaben

Man kann nicht verkennen, daß diese Vorschriften für das vor=
gesteckte Ziel durchaus consequent sind: Wenn es für den Menschen
die alleinige Erlösung ist, alle Stimmen seines Innern zum
Schweigen zu bringen, seine ganze Gedanken = und Gefühlswelt so
aufzulösen, daß nichts davon übrig bleibt, und gewissermaßen eine
Bewußtlosigkeit hervorzubringen, und wenn schon die Annäherung
an solchen Zustand für spätere Lebensläufe wenigstens die Erlan=
gung des Heils, d. h. des Nicht=Daseins in sichere Aussicht stellt —
dann müssen alle Bande zerrissen werden, welche den Menschen an
irdische Dinge fesseln, die Familie muß aufgelöst, Besitz und Erwerb
aufgegeben, das Verhältniß von Mann und Weib vernichtet
werden.   Daß dies Alles aber doch nur einen negativen Werth hat
und mit der Durchführung wie das Sündige, so auch alles Gute
im Menschen getilgt wird, daß alles Streben, alles Thun, alle
höhere Selbstbeherrschung und Aufopferung aufhören, ist ersichtlich.
Aber eine andere Frage ist: ob jene ungeheuerlichen Maßnahmen
auch zweckdienlich sind.   Schwärmerische und einzelne hochbegabte
Geister werden in dieser Selbsttödtung eine Erhebung über sich
selbst und über all' die, die Menschenseele herabziehenden Kreise
finden, und eine reinigende und heiligende Selbstentäußerung
erfahren.   In der Mehrzahl jedoch wird durch diese Loslösung von
Allem, was den Menschen ebenso oft erhebt wie erniedrigt, nur ein
gemeiner Sinn übrig gelassen werden, andrerseits aber oft genug
dieser Kampf mit allen natürlichen Begierden des Menschen sie nur
heftiger entzünden, und durch diesen inneren Widerstreit gerade die
erzielte völlige Ruhe in das Gemüth nicht zugelassen werden;
Trägheit, Schmutz, Leerheit und geistige Verweichlichung müssen die
Entnervung des Volkes herbeiführen, wo sie als sittliche Ideale, als
Bedingungen des Heils aufgestellt sind.

Ebenso einsichtlich ist es, daß diese Bedingungen des Buddhis=
mus geeignet waren, um eine gesonderte Schaar von Bekennern

verbunden: 1) das Wissen der Verwandlung, um jede Gestalt annehmen zu
können; 2) das göttliche Auge, alle Welten und Wesen mit einem Blicke zu über=
sehen; 3) das göttliche Ohr, alle Laute und Worte in allen Welten zu hören;
4) die Kenntniß der Gedanken aller Creaturen; 5) die Kenntniß der früheren
Existenzen aller Wesen, womit sich 6) die Allheiligkeit und Allweisheit verbindet.
Es versteht sich, daß Buddha in seinem Leben alle diese Eigenschaften besaß,
aber auch einige seiner Nachfolger waren des Archats theilhaftig.

aufzustellen, für die Gesammtheit des Volkes aber unmöglich. Für einen Haufen Esoteren waren sie zu erfüllen, aber ein ganzes Volk kann nicht aus erwerblosen Bettlern, ohne Ehe und Familie existiren. Das Bettlerthum und Cölibat können nur für Auser= wählte bestehen und müssen für die große Mehrheit nachgelassen werden. Dies geschah denn auch, und unter dem Namen Upâsakas und Upâsikâs (Dabeistehende, Sichnähernde) wird der große Haufe der Menschen buddhistisch. Hieraus folgte, daß das eben beseitigte Priesterthum der Brahmanen wieder erstand, und bald hatte sich denn auch auf dem Boden des Buddhismus eine Priesterschaft ge= bildet, die sich völlig hierarchisch wieder entwickelte. Der Brahma= nismus hatte seine Büßer in die Einsamkeit geschickt; der Buddhis= mus vereinigte sie an bestimmten Orten, und er stiftete so aus seinen ehelosen Bettlern ein ausgedehntes Mönchs= und Kloster= thum; es entstand eine Priesterweihe, ein Cultus mit Tempeln, Götter= und Heiligenbildern, heiligen Orten und Wallfahrten, Re= liquien und Opfern, dieser ganze Apparat eines hierarchischen Priesterthums, und dies von Seiten eines Systems, welches das Dasein der Gottheit in seinen Fundamentalsätzen leugnete.

Bleiben wir hier einen Augenblick stehen, um auf diese Seite der entgegengesetzten Weltanschauung einen prüfenden Blick zu werfen. Wer sieht nicht alsbald ein, daß das Judenthum ein völlig entge= gengesetztes Ziel verfolgt, indem es völlig auf dem Boden alles Na= türlichen stehen bleibt, während der Buddhismus das Unnatürliche will und erstrebt? Das Natürliche als das von Gott Geschaffene und Eingesenkte ist dem Judenthum an sich gut, und der Zweck des Menschen, es in Maaß und Ordnung zu entwickeln, sich daran zu veredeln und zu läutern; dies erreicht er, nicht durch die gewaltsame und doch niemals gelingende Vernichtung, sondern durch die Vermeidung jeder Ausschreitung, alles dadurch be= wirkten Sündlichen und dann durch die Bethätigung im Recht und in der Liebe. Der Mosaismus wollte den Besitz, das Eigenthum, aber möglichst mit Vermeidung des Reichthums und der Armuth, in einer gewissen, immer wiederkehrenden Ausgleichung der Besitzverhältnisse; er vertheilte das Land an das gesammte Volk und setzte die Erlaß= und Jobeljahre ein; er wollte keine Bettler, aber auch keine Grundbesitz= oder Geld=Aristokratie. Er wollte Thätigkeit, treue Erfüllung der Arbeitspflicht, und rief allen seinen

Bekennern gleichmäßig zu: „Sechs Tage sollst du arbeiten, der siebente Tag sei ein Ruhetag, um ihn zu heiligen" — er stellte also die Arbeit vor die Ruhe, während der Buddhismus gar keine Arbeit, sondern nur die Ruhe wollte. Ihm war die Familie die Grundlage der ganzen menschlichen Gesellschaft; die ehrfürchtige Liebe der Kinder zu den Eltern, die aufopfernde der Eltern gegen die Kinder, die hingebende der Gatten, die treue der Geschwister und Verwandten waren ihm ebenso viele Momente der Veredlung des Menschen, hatten ihre Wurzel in der Liebe zu Gott, und trieben ihre Zweige in die allgemeine und unbedingte Nächstenliebe über das ganze Menschengeschlecht hinaus. Aus der Familie entsprossen das Geschlecht, der Stamm, die Nation, der Staat, die ganze menschliche Gesellschaft. Wenn der Buddhismus Leerheit an Wissen und Gedanken forderte und förderte, und das Denken und Erkennen darauf beschränken wollte, daß diese Lehre eben das höchste Gut sei: so machte dagegen das Judenthum von Beginn an das Forschen und Erkennen der Lehre und des Gesetzes zum vorzüglichsten Inhalte des geistigen Lebens, und legte es als pflichtmäßiges Streben allen seinen Bekennern ohne Unterschied des Geschlechts, Standes und Alters auf. Kenntniß und Erkenntniß sollte das Eigenthum aller sein, die Lehre von dem Munde Keines weichen, die Väter ihre Kinder darin unterrichten. Wie der Mosaismus, was auch der Buddhismus that, die gesellschaftliche Gleichheit aller Menschen begründete, so wollte er es auch in religiöser Beziehung; er beabsichtigte anfangs nicht die Einsetzung einer Priesterschaft, indem er den Erstgeborenen jeder Familie zum Träger des Cultus machen wollte. Aber die praktischen Verhältnisse waren stärker als die Idee, er mußte ein Priesterthum einsetzen; aber er sorgte dafür, daß es zu einer politischen Gewalt nicht gelangen konnte, er instituirte neben ihm einen freien Stand des Wissens, der Gelehrsamkeit, der Begeisterung, welchem die Priesterschaft untergeordnet war, und der in den Propheten, Weisen und Rabbinen seine Entwickelungsstufen hatte. Die Priester waren nichts als Diener des Opferkultus, und verschwanden mit diesem. (S. hierüber Bd. I. S. 134.) Selbst daß dieses mosaische Priesterthum erblich und an eine kleine Familie geknüpft war, konnte lediglich zu seiner Schwäche beitragen, da ohne Geist und Charakter sich ein solches Priesterthum nicht zu erhalten vermag, und diese in einer und derselben Familie auf die

Dauer nur selten vorkommen können. Vorrechte besaßen die Priester nur in ihren Cultusgeschäften selbst, sie waren keine Mönche und keine Cölibatäre, und ihre Heirathen unterlagen nur geringer Beschränkung. So waren sie in nicht kultueller Beziehung vom Niveau des Volkes nicht losgetrennt. Hierin steht abermals der Katholicismus dem Buddhismus näher. Wie dieser hat jener das Priesterthum Jedermann aus dem Volke zugänglich gemacht und dadurch außerordentlich gestärkt, hat mit ihm das Cölibat verbunden, wodurch es der Familie, ja dem Volke fern steht, hat ihm das Mönchthum zur Seite gestellt, eine hierarchische Gliederung, eine feste, aufsteigende Organisation verliehen und das Streben nach Herrschaft über Gesellschaft und Staat eingesenkt. Einige der buddhistischen Staaten wie Tibet und Japan haben daher eine hierarchische Priesterverfassung.

Indeß fassen wir nun schließlich die Wirksamkeit des Buddhismus auf die gesammte Volksmasse als Upâsakas auf. Für diese stellte er zunächst die „drei Formeln der Zuflucht" und die „fünf großen Verbote" auf. Die ersteren lauten:

Ich nehme meine Zuflucht zum Buddha.

Ich nehme meine Zuflucht zur Lehre (Dharma).

Ich nehme meine Zuflucht zum Verein der Geistlichkeit (zur Kirche, Sangha).

Diese Bekenntniß- und Gelöbnißformeln werden an den Bet- und Festtagen vor dem Bilde des Buddha und den Priestern wiederholt. Die fünf großen Verbote lauten:

1) nicht zu tödten, was Leben hat,

2) nicht zu stehlen,

3) keine Unkeuschheit zu begehen,

4) nicht zu lügen,

5) nichts Berauschendes zu trinken.

Die Verbote hat man häufig mit den sinaitischen Zehn Geboten zusammengestellt, und dann die Frage diskutirt, ob die einen von den anderen herstammen, die je nach der Vorliebe bald den einen, bald den anderen zu Gunsten beantwortet wurde. Uns scheint die Frage müßig, weil historisch darüber nichts nachweisbar, als daß die Zehn Gebote älter, und dem Inhalte nach beide wesentlich von einander verschieden sind. Nur zwei, drei und vier sind den entsprechenden der Zehn Gebote gleich. Das erste beschränkt das Verbot ber Töbtung nicht wie die Zehn Gebote auf die Menschen, sondern dehnt es auf alles Lebende, b. h. auf alle Thiere aus. Es geht hierin nicht weit genug, benn konsequent müßte auch bie Pflanze barunter begriffen sein, unb anbrerseits führt es zu einer unnatür= lichen Uebertreibung, welche, konsequent burchgeführt, bas Leben bes Menschen unmöglich machen würbe. Sprechen wir es ein für alle Mal aus, was auch im Folgenben seine Anwenbung finbet. Mit einem Gebote kann ein ibeales Ziel aufgestellt werben, nach bessen Erreichung ber Mensch mit aller Kraft zu streben hat, ohne baß es ihm immer gelingen werbe, bieses Ziel zu erreichen. Mit einem Verbote aber barf nichts ausgesprochen werben, was bem Men= schen boch unmöglich ist, zu erfüllen; bas Verbot hebt sich sonst von selbst auf, ber Mensch wirb zur Uebertretung gezwungen unb ba= burch sein Sittlichkeits = unb Rechtsgefühl von vornherein alterirt. Wenn z. B. bas Jubenthum unb mit ihm bas Christenthum be= fiehlt: „liebe beinen Nächsten wie bich selbst", so verliert bies Gebot an seiner Integrität nichts, wenn ber Mensch ringen muß, ber Er= füllung berselben sich zu nähern, unb es nur in seltenen Momenten ihm gelingen wirb, ihm in einiger Vollstänbigkeit zu genügen. Wenn aber bas erste ber Verbote bie Töbtung jebes Thieres, bes größten wie bes kleinsten, bes gefährlichsten wie bes friebsamsten, bes schäb= lichsten wie bes nützlichsten untersagt, so würbe ber Mensch unsäg= lich zu leiben haben unb zuletzt bem Raubthier unb bem Ungeziefer ben Platz auf bem Erbball räumen müssen, abgesehen bavon, baß ihn hiermit bie zweite bebeutenbste Nahrungsquelle, welche schon bie Anlage bes menschlichen Organismus erforbert, verstopft würbe. Es versteht sich also von selbst, bas bieses Gebot nicht gehalten werben kann. ¹) Das Jubenthum macht bie Vermeibung aller Thierquälerei, bie Schonung unb menschliche Behanblung ber Thiere zum Gegen=

---

4) In Folge bieses Verbotes sinb ben Bubbhisten Jäger, Fleischer, Seiben= züchter unb Köche verächtliche ja verabscheuungswürbige Menschen. Alle Ge= werbe, welche ihre Rohstoffe burch Töbtung eines Thieres erhalten, sinb ihnen verwerflich. In ber That kann man ihnen in Betracht ber Jagblust, ber Jagb= hetzen unb Treibjagben nur beistimmen, barf aber boch nicht übersehen, baß wir biesen mittelalterlichen, hochabeligen Vergnügungen bie Befreiung unseres Welt= theils von Raubthieren unb bem größeren Ungeziefer zu verbanken haben, währenb in ben bubbhistischen Länbern jährlich eine sehr bebeutenbe Zahl Menschen ben Raubthieren zum Opfer fallen.

stand einer ganzen Reihe von Vorschriften, und ist hierin ebenso vernünftig wie humanitär. Es sieht [in ihnen Geschöpfe Gottes, deren Tödtung und Benutzung nur durch das natürliche Bedürfniß gestattet ist, wie sie unter den Thieren untereinander von der Natur gegeben ist. Der Buddhismus sieht in den Thieren die menschlichen Individuen in einem anderen Lebenslaufe und will sie darum nicht allein nicht geschädigt, sondern auch gepflegt und erhalten haben, wie denn die späteren Buddhisten Verpflegungsanstalten für Thiere aller Arten, selbst Ungeziefer, wie wir Kranken=, Waisen= und Alterversorgungsanstalten gründen, stifteten. Der Wahn ist hierin konsequent, aber die Quelle durchaus nicht so lauter, wie in den mosaischen Gesetzen über die Ruhe der Thiere, die Vogelnester u. s. w. — Das fünfte Verbot findet sich in den zehn Geboten gar nicht. Es widerspricht vielmehr dem Judenthume, da das mosaische Gesetz diese Enthaltsamkeit von allen geistigen Getränken nur als ein zeitweises Gelöbniß aufstellt, die Pflege der Rebe einen bedeutenden Platz in den Agrargesetzen einnimmt, der Psalmist die durch den Wein bewirkte freudige Stimmung feiert und bei den jüdischen Ceremonien der Segen über den Wein öfter vorkommt. Dagegen fehlen in den fünf Verboten drei der wichtigsten — abgesehen von denen der Zehn Gebote, die das Verhältniß zu Gott betreffen — das Gebot der Arbeit und Ruhe, das freilich dem Buddhismus zuwiderläuft, das Gebot über die Ehrfurcht vor den Eltern, als Grundlage der Familie, worüber der Buddhismus seiner Tendenz nach mit Stillschweigen hinweggehen muß, und endlich das letzte, das Verbot, jede unrechte Begierde schon als solche zu unterdrücken. Da der Buddhismus überhaupt jede Begierde, alles Begehren und Verlangen erdrückt und beseitigt wissen will, so liegt es auf der Hand, warum es die unrechte Begierde nicht ausdrücklich verurtheilt; wohl aber hätten wir erwarten müssen, an die Spitze der Verbote das allgemeine, keine Begierde in sich entstehen und aufkommen zu lassen, stehen zu sehen.

Der Grundcharakter der buddhistischen Ethik ist also vorzugsweise passiver Natur, die Reinigung von allen Begierden und Leidenschaften. Hieraus entfaltet sich der Geist allgemeinen Wohlwollens und Erbarmens, der allgemeinen Wesenliebe. In dem Maaße, in welchem die Kraft des Verlangens und der Selbstsucht gebrochen, Sinnlichkeit, Haß, Neid, Jähzorn, Habsucht, Stolz, Ehrgeiz u. s. w. gemildert und aus unserem Gemüthe heraus geschafft werben, tritt diese allgemeine Wesenliebe von selbst ein. Der Buddhist versteht unter Nächstem jedes athmende Wesen; er betrachtet dieses als seinesgleichen, als theilhaftig an allen Uebeln und Schmerzen, an Wesen und Bestimmung. Auch hier bleibt daher Maaßlosigkeit und Uebertreibung nicht aus, denn Buddha befiehlt, das Leben selbst für die wilden Thiere zu opfern. Allein der wesentliche Inhalt dieser Liebe ist doch nur das Leiden, Dulden und Opfern, während das Judenthum überall ein thätiges Eingreifen, Wirken und Schaffen verlangt, und daher eine lange Reihe positiver, werkthätiger Vorschriften für Werke der Liebe und Barmherzigkeit giebt. Es ist nicht zu verkennen, daß hierin das Christenthum in mannigfachen Aussprüchen und Lehren dem Buddhismus nahe kommt. Wenn das erstere die Sanftmüthigen, Friedfertigen, Geistig-Armen selig erklärt, befiehlt, bei einem Backenstreiche die andere Wange zu reichen, dem, der die Hälfte des Mantels raubt, auch die andere zu geben, für den anderen Morgen nicht zu sorgen, gleich den Lilien des Feldes nicht zu arbeiten, ein Reicher komme nicht ins Himmelreich u. s. w. — so trifft es hierin vollständig mit dem Buddhismus zusammen, die duldende Liebe läßt um ihrer selbst Willen das Unrecht des anderen zu, so daß sie doch nur der Ausfluß eines feineren Egoismus; die Armuth und die Unthätigkeit haben schon an sich einen sittlichen Werth, weil sie mancherlei Unrecht unmöglich, während sie doch andererseits auch die Uebung mancherlei Rechtes, die Bethätigung vielfacher Tugenden unzugänglich machen. — So führt uns die schematisirte Sittenlehre des Buddhismus folgende 6 Cardinaltugenden auf. 1) Das Mitleid oder Almosen als Ausrottung der Selbstsucht, 2) die Moralität, als Ausrottung der Begier und Leidenschaft, 3) die Geduld als Ausrottung der Bosheit, 4) der Muth als Ausrottung der Trägheit, 5) die Beschauung, als Ausrottung der Flatterhaftigkeit und der Zerstreuung, 6) die Weisheit als Ausrottung des Irrthums und der Ketzereien. In allen diesen Punkten begegnen wir einer Menge von Aussprüchen, welche denen d. h. Schrift, namentlich den Sprüchen Salomonis gleichen. Führen wir nur einige wenige Beispiele an. „Wer sich selbst besiegt, der ist der Beste unter den Siegern. Sich selbst besiegen ist mehr als tausend mal tausend Feinde im Kampfe überwinden. (Vgl. Sprüch. Sal. 16, 32.) Heilsam ist die Enthaltsamkeit des Körpers, heilsam die Enthaltsamkeit der Rede, heilsam die Enthaltsamkeit des Gemüthes.

(Spr. Sal. an vielen Stellen z. B. 10, 19. 14, 17.) Die Sinnenlust des stumpf dahin lebenden wächst wie die Malve, wer aber die wilde Begier überwindet, dessen Schmerzen fallen nieder, wie die Regentropfen von der Lotusblume. (Spr. Sal. 14, 30.) Den Zorn lege der Mensch ab, den Hochmuth lege er ab, jede Fessel zerbreche er. Wer den aufsteigenden Zorn zurückhält, wie den rollenden Wagen, den nenne ich einen Wagenlenker. Denn nie wird der Zorn durch Zorn gestillt, sondern durch Versöhnlichkeit (Spr. Sal. 15, 18. 19, 11.)

Was den Buddhismus aber ganz besonders auszeichnet, ist die religiöse und kirchliche Toleranz, wie wir schon oben bemerkt haben. Sie ist nicht blos ein Ausfluß der allgemeinen Wesenliebe — denn dann würde sie ja auch im Christenthum als Ergebniß der allgemeinen Nächstenliebe ihren vollen Platz gefunden haben — sondern weil Buddha alle Religionen als Modificationen, wenn auch irrige, als theilweise Verwirklichung derselben Wahrheit ansah. Im buddhistischen Himmelsgebäude sind drei Stockwerke solchen Geistern eingeräumt, „die, ohne den Buddha und seine Lehre zu kennen, das Maß der Tugend und ihre Pflichten erfüllt haben", also ganz gleich den Talmudisten, welche sagen: „Die Gerechten aller Nationen sind des ewigen Lebens theilhaftig;" während Christenthum und Islam alle Andersgläubigen in die ewige Verdammniß versetzen, und z. B. Dante auch die größten und tugendhaftesten Männer des Alterthums in einem Stockwerke seiner Hölle findet. Es ist selbstverständlich, daß der Buddhismus den Krieg als sündhaft verwirft, und es liegt nun wieder in seiner Consequenz, daß er selbst den Vertheidigungskrieg verwirft, was, durchgeführt, dem buddhistischen Staate den Angriffen von außen gegenüber jeden Bestand nehmen müßte. Wir haben mit Dank anzuerkennen, daß der Buddhismus auf die Völker von Mittel-, Ostasien und Hinterindien, besonders auf die nomadisirenden, eine außerordentlich versittlichende Kraft ausgeübt, die wilde Leidenschaftlichkeit und Rohheit gesänftigt hat; aber ebenso wahr ist es, daß er nichts anderes als einen passiven Gehorsam, als ein unthätiges Leiden jedem Despotismus, allem Drucke der Tyrannei und der verknöcherten Bureaukratie (China) gegenüberstellte, und gerade dadurch dem gesellschaftlichen Fortschritt, der staatlichen Entwickelung keinen Vorschub, sondern Hinderung entgegensetzte. Er giebt hierin Vorschriften, wie wir sie ebenfalls in den späteren Büchern des neuen Testamentes finden,

Vorschriften eines passiven Gehorsams einem Tiberius und Nero gegenüber, und giebt einem herrschsüchtigen Klerus ebensolche Waffen in die Hände, wie sie jüngst das Papstthum mit dem Syllabus und der Encyclica der europäischen Welt gegenüber führte. Und auf diesem Grunde konnte sich denn auch trotz des fundamentalen Atheismus die drückendste Hierarchie, Götzen- und Opferdienst, Bilderverehrung, Reliquienanbeterei u. s. w. im Buddhismus ent= wickeln. Dies näher darzustellen, liegt außerhalb unseres Zweckes. Wer sehen will, wie weit, insonders durch scholastisch spitzfindige Verdrehung der Grunddogmen, der Buddhismus bis zum äußersten Aberglauben, bis zur krassesten Hierarchie gebracht werden konnte, mache sich mit dem Lamaismus bekannt. [1]) — Wenn wir nun nach diesem Ueberblick über die Gestaltung und den objectiven Inhalt des Buddhismus ein Urtheil uns bilden wollen, so werden wir Folgendes in Erwägung ziehen müssen.

Das Ziel des Buddhismus war zuerst und zunächst eine Ne= gation, er wollte das brahmanische Kastenthum und das brahma= nische Priester=, Ceremonien= und Kasteiungswesen brechen, und da beides aus der brahmanischen Gestaltung des Gottheitsbegriffes hergeleitet war, vermochte er seine Aufgabe nur durch den Atheis= mus zu lösen, der wiederum als System einen vollständigen Nihi= lismus nothwendig machte. Durch die Verneinung des Daseins der Gottheit fielen mit einem Male die furchtbaren Institute, welche sich nach dem Brahmanenthum auf jenen Gottheitsbegriff stützten. Um aber diese Leugnung zu begründen, mußte alles Dasein über= haupt geleugnet, das Nichts als der Anfang und das Ende procla= mirt werden. Der Buddhismus war also ursprünglich eine große That, welche ihre theoretischen Motive aus dem Atheismus und Nihilismus nehmen mußte, weil sie es in der indischen Welt nicht anders konnte.

Gerade aber der Buddhismus zeigt auf die schlagendste Weise, daß auf den Atheismus ein Religionssystem nicht zu gründen ist. Denn er war gezwungen, von Stufe zu Stufe in die offenbarsten Widersprüche mit sich selbst zu gerathen, und auf jeder weiteren Stufe das zuzugestehen, was er auf der früheren geleugnet hatte. Er mußte den Nihilismus aufgeben, um das Dasein der Bewegung

---

1) S. Köppen, die lamaische Hierarchie und Kirche. Berlin, 1859.

und Veränderung zu constatiren; er mußte die nihilistische Natur dieser Bewegung aufgeben, um ihr den Inhalt des Uebels und des Schmerzes zu gewähren; er mußte den nihilistischen Inhalt des Schmerzes wieder aufgeben, um in ihm einen sittlichen Werth zu finden, der in einer unendlichen Causalität sich bethätigt; er mußte selbst das Dasein der Materie zugeben, weil er aus ihr allein die Ursache der Sünde, des Uebels, des Schmerzes zu erklären vermochte; er mußte zuletzt auch das Dasein des Guten, der Tugend zugestehen, weil er sonst zur Ueberwindung des Bösen nicht hätte kommen können; und konnte sich endlich auch der Thätigkeit nicht entschlagen, obschon die völlige Unthätigkeit sein Ideal war. Nur auf diese Weise vermochte er sich eine Ethik zu schaffen, welche ganz und gar seinen Fundamenten, dem Atheismus und Nihilismus, widersprach. Um sein Ziel zu erreichen, die Tödtung alles Verlangens, das schlechterdings das Leben ist und Leben schafft, mußte er auch in weltlicher Beziehung zum Nihilismus greifen und Ehe, Familie und Eigenthum vernichten. Aber sofort zeigte sich, daß auch hier der Nihilismus eine Unmöglichkeit ist: er mußte alles dies der ungeheuren Mehrzahl der Menschen wieder zugestehen, ihnen Ehe, Familie und Eigenthum wieder gestatten, und hatte gerade hierdurch von Neuem geschaffen, was er eben zertrümmert hatte, ein Priesterthum, das sich sofort wieder in Hierarchie und Mythologie versenkte, während andrerseits der Grundsatz des leidenden Gehorsams, wie er nothwendig aus dem Buddhismus erfloß, auch dem Despotismus die Pforten wieder öffnete. Ueberall also, wo der Buddhismus konkret werden und den Menschen und das menschliche Leben gestalten wollte, mußte er sich vom Nihilismus und Atheismus losreißen und sprungweise in das Gegentheil sich versetzen. Es wäre irrig, wenn wir voraussetzten, daß der Buddhismus diesen Gang nur innerhalb der asiatischen Welt durch die dort gegebenen Verhältnisse eingeschlagen. Allerdings was konkret im Laufe der Zeiten dort aus ihm geworden und im Lamaismus gipfelt, läßt sich nur hieraus erklären. Aber wir haben absichtlich alle diese Besonderheiten unberücksichtigt gelassen, und uns lediglich an den objektiven Inhalt des Buddhismus gehalten, um darzuthun, daß die buddhistische Grundlehre, der Atheismus und Nihilismus auch objektiv diesen Entwickelungsgang in sich trägt, also unter allen Himmelsstrichen und in allen Zeiten zu denselben allgemeinen

10*

Resultaten geführt hätte und führen würde. Es ist daher nur eine
völlige Willkür, wenn die modernen Nihilisten sich auf den Buddhis=
mus berufen und ihn als ein willkommenes Lieblingskind behan=
deln. Bei der ersten schärferen Kritik dreht sich das Schwert in
ihren Händen um und verwundet sie selbst tödtlich.

Wenn hiermit der faktische, geschichtliche Ursprung des Buddhis=
mus und seine Entwicklung klar vor unseren Augen liegen, so
wird eine Vergleichung mit dem Ursprunge und der Entwickelung
des Christenthums zum richtigen Verständniß beitragen und man=
cherlei Incidenzpunkte nachweisen. Wir legten von Beginn an dem
Umstande eine Bedeutung bei, daß Buddhismus wie Christenthum
keine ursprünglichen Religionen, sondern aus früheren, bestehenden
hervorgegangen, und sich an die großen Völkermassen außerhalb der
Grenzen jener ursprünglichen Religionen wandten. Hier nun tritt
zunächst eine Verschiedenheit der beiden Religionen uns entgegen.
Der Buddhismus hatte den Zweck, die bestehenden socialen Zu=
stände im eigenen Volke zu brechen, und mußte daher die Funda=
mentallehren, aus welchen jene abgeleitet waren, geradezu leugnen
und sich als ihren Gegensatz aufstellen. Das Christenthum hin=
gegen hatte in seinem Ursprunge nur die Absicht, den sittlichen
Geist des Volkes zu heben und es der entwickelten Starrheit des
äußerlichen Gesetzes zu entziehen. Darum erkannte es sowohl die
Fundamentallehren des Judenthums vollständig an, als es auch die
Heiligkeit des Gesetzes an sich erklärte und von sich aussagte, daß
es nicht gekommen, auch nur ein Iota des Gesetzes zu verändern.
Gerade deßhalb konnte aber das anfängliche Christenthum innerhalb
des Judenthums nicht einmal als eine Reform gelten und im
jüdischen Volke als eine besondere Erscheinung gar keine Wurzel
fassen. Somit war es alsbald schon in seinem nächsten Fortgang
darauf angewiesen, seine Wirksamkeit vielmehr über die Grenzen
Judäas auf die, dem verlebten Antikenthume verfallenden Völker=
massen zu übertragen, und damit wiederum, um bei den Völkern
Eingang zu finden und indem es sich unter ihnen ausbreitete, die
Fundamentalsätze des Judenthums zu mobificiren, mit heidnischen
Elementen zu versetzen und das specielle und konkrete Gesetz auf=
zugeben. Der Buddhismus aber hatte zum nächsten Schauplatz
seiner Thätigkeit die eigenen Völkerschaften, und wie es daher in
seinen Fundamenten als Gegensatz des Brahmanismus entschieden

aufzutreten hatte, mußte es, um im Volke Wurzel zu fassen und sich unter ihm auszubreiten, dem Brahmanismus wesentliche Lehren, z. B. der Wiedergeburt und Seelenwanderung, entlehnen, Ehe und Eigenthum, die ihm doch Wurzeln des Uebels waren, zugestehen, und zum Theil die Formen des Brahmanismus wieder annehmen. Aehnliches geschah ihm innerhalb der fremden Völker, wo er sich nach der Verschiedenheit dieser ebenso zu sehr verschiedenen Gestaltungen entwickelte, wie das Christenthum theils nach Verschiedenheit der Völkerschaften, theils nach denen der Zeitepochen sich zu einem großen Kreise verschiedenartiger Erscheinungen entfaltete. Dort haben Tibet, China, Japan, Hinterindien sehr verschiedene Gestalten aus dem Buddhismus gemacht; hier unterschieden sich außer einer großen Menge von Sekten der griechische und der römische Katholicismus von einander, und mit der Zeit schuf die Reformation eine große Neugestaltung in verschiedenen Zweigen. Auch dem Islam ist es bekanntlich so ergangen, dem innerhalb der nach den verschiedenen Völkerschaften sich spaltenden Suniten und Schiiten über siebzig Sekten entsprangen. Bei dieser Analogie erscheint uns im Buddhismus das Bild, wie eine völlig verschiedene Wurzel ihren Stamm wieder mit dem ursprünglichen Stamme vereinigt, während im Christenthume aus dem derselben Wurzel entsprungenen Stamme sich ein neuer Stamm abscheidet und aufwächst.

Aus dieser Ursprungs= und Entwickelungsweise gingen aber noch andere tief eingreifende und charakteristische Momente hervor. Das Judenthum stellt sich als eine Religion der Gesellschaft dar, in welcher das Individuum als ein Glied des Ganzen lebt, in ihm die Wurzel seiner Existenz und die Uebung seiner persönlichen Freiheit findet und ihm dafür zu seinem Theile verpflichtet ist; das Wohl des Ganzen und das des Einzelnen ist getrennt nicht zu denken. Deßhalb spricht es die höchsten Prinzipien des gesellschaftlichen Lebens aus und spezialisirt sie nach Zeit und Ort. Hiermit schließt aber das Judenthum nur zeitweise sich national ab, sondern indem es alle Völkerglieder der Menschheit sich seinen höchsten Lehren und Prinzipien zureifend denkt, proklamirt es eine Zukunft, in welcher seine Lehren und Prinzipien das ganze Menschengeschlecht umfassen, eine Zeit der allgemeinen Anbetung des einzigen Gottes, der Gleichheit Aller in Recht, Besitz und Liebe, des allgemeinen Friedens. Wie es das Wohl der einzelnen Glieder der Nation nur im Wohle der ganzen Nation erkannte, so auch das Wohl der einzelnen Nationen nur allein im Wohle der ganzen Menschheit. Der Buddhismus und das Christenthum hingegen, indem sie sofort zum Eigenthume aller Völker werden wollten, der Buddhismus schon, indem er die staatliche Ordnung der indischen Völker zu deren Heile brechen wollte, mußten sich zu Religionen der Individualität machen; jedes Individuum wurde auf sich selbst gestellt, auf sein eigenes Heil begrenzt, dahin sein Streben und seine Aufgabe verwiesen. Die Gesellschaft als solche ging sie nichts mehr an, und selbst die allgemeine Nächstenliebe, im Buddhismus zur allgemeinen Wesenliebe ausgedehnt, ist ihnen nur das Verhalten des Einzelnen zu Einzelnen. Allerdings unterscheiden sie sich darin, daß der Buddhismus die Religion des isolirten Individuums ist, so daß jedes Individuum, dessen Ziel die Vernichtung des eigenen Daseins ist, sein ganzes Wirken nur auf seine eigene innere Existenz zu wenden hat und sein Verhalten zu anderen Individuen nur Mittel hierzu bietet, während das Christenthum eine Gemeinsamkeit der Individuen im Reiche Gottes anerkennt, zu dessen Verwirklichung die Einzelnen sich gegenseitig fördern. Diesen Zug hat es aus seiner Wurzel, dem Judenthume, mitgenommen, ihn aber aus dem Reiche der Wirklichkeit in das eines ideellen Jenseits übertragen. — Hieran schließt sich überhaupt das Charakteristikum, daß, während das Judenthum den Schwerpunkt auch des religiösen Lebens im Diesseits findet und vermittelst desselben das Aufstreben zu Gott, die Verähnlichung mit Gott aus seinem gottebenbildlichen Wesen heraus bethätigen will, Christenthum und Buddhismus diesen Schwerpunkt in das Jenseits verlegen, und das Ideal in der Verachtung des Diesseits, in der möglichsten Loßreißung vom Diesseits aufstellen — aber mit dem großen Unterschiede, daß der Buddhismus dieses Jenseits in der völligen Vernichtung des Daseins und der Annäherung hieran, während das Christenthum das Jenseits in einem jenseitigen verklärten Leben findet; der Buddhismus verlangt alle Entäußerung des Irdischen, um aufzuhören zu sein, während das Christenthum die Entäußerung des Irdischen anstrebt, um zukünftig ganz mit Gott zu sein. Im letzteren erkennen wir wieder den Zug, den es aus seiner Wurzel, dem Judenthum, mitgenommen. — Aus diesen Anlagen und Richtungen mußten auch für beide Religionen gewisse Extravacanzen entspringen, die jedoch im Christenthum von ethischer Natur blieben, während sie im Buddhismus ganz materiell und konkret wurden; sentimentale Liebe, die im Buddhismus bis zum Verbot, ein Thier zu tödten, sei es, um es zu verzehren, sei es, um sich vor ihm zu schützen, führte; der Grundsatz des passiven Gehorsams, der freilich in der christlichen Kirche dahin beschränkt ward, daß der Gehorsam gegen den Staat vor dem Gehorsam gegen das Gesetz der Kirche, d. i. Gottes, zurücktrete u. s. w.

Dennoch dürfen diese Extravancanzen und dieses Verlegen des Schwerpunkts in ein Jenseits uns nicht verhindern, zu erkennen, daß die Weltanschauung, die im Judenthume ihre Wurzel und ihren Stamm hat und im Christenthume und Islam sich verzweigte, den Idealismus enthält, der in Gott sich erkennt und im Hinaufstreben zu diesem, in der Entwickelung des Menschen und der ganzen Menschheit seinen Inhalt findet; während der Buddhismus der pure Naturalismus ist, der in der Welt nur eine unermeßliche Zahl von Geschöpfen sieht, von denen jedes für sich auf= oder niedersteigt, bald auf= und bald niedersteigt und im höchsten Momente in das Nichts verfällt.

XIV.

Vergleichende Skizzen
über
Judenthum und Chriftenthum.

Es wäre der Wahrheit nicht gemäß, wenn man behaupten wollte, daß die Synagoge den beftändigen Angriffen, Verketzerungen, Schmähungen und Verfolgungen von chriftlicher Seite gegenüber, ftets geschwiegen habe; vielmehr bildet die Polemik und Apologetik des Judenthums einen nicht ganz unbeträchtlichen Literaturzweig, wenn fie auch den Umftänden nach nur von Zeit zu Zeit auftrat, und nach den gegebenen Verhältniffen fich nur felten aus den Grenzen der Zurückhaltung und der Mäßigung entfernte. Man kann hieraus den Juden kein Verdienft machen, denn es war meift zu gefährlich, irgend ein ftarkes Wort gegen die herrfchenden Kirchen auszufprechen, ja die desfallfige Gefahr befchränkte fich nicht blos auf den Urheber, fondern fchlug zu leicht in eine Verfolgung der Juden überhaupt aus, als daß man es gewagt, und diefes Wagniß gebilligt hätte. Indeß kann es dem Vorurtheilslofen nicht entgehen, daß es allerdings den Juden näher liegt, abgefehen von ihrer Stellung, gegen das Chriftenthum Nachficht zu üben, als umgekehrt. Es ift dies pfychologisch. Das Judenthum ift durch fich felbft und feinen Beftand darum eine Negation des Chriftenthums, weil letzteres aus dem Judenthume entftanden, und feine Exiftenz fchon durch die bloße Exiftenz des Judenthums für objectiv überflüffig und nur aus hiftorischen Gründen, um gefchichtlicher Wirkungen willen für nothwendig erklärt wird, während es dem Chriftenthum eine Lebensbedingung ift, dem noch immer dauernden Beftand des Judenthums die Nothwendigkeit abzufprechen, und es zum Tode zu verdammen. Dies erweift fich auch aus der Art, wie die Polemik immer geführt wurde. Die jüdischen Kämpfer suchten nur die Widersprüche der christlichen Lehren mit dem Judenthume und mit sich selbst nachzuweisen und daraus die Unrichtigkeit bei jeder Abweichung jener vom Judenthum herzuleiten, während von christlicher Seite den Juden stets nur Hartnäckigkeit und fluchwürdiger Eigensinn und dem Judenthume die Abgestorbenheit und Verwesung, in milderem Sinne die Nichtannahme der Erweiterungen, welche das Christenthum den Lehren des Judenthums gegeben, vorgeworfen wurde. Mildere Zeiten, edlere Gesittung und größere Gerechtigkeit sind eingetreten. Hiermit ist auch das freie Wort und die unbedingtere Meinungsäußerung ertheilt worden. Es zeigt sich auch hier der Segen der Freiheit, der darin besteht, daß an die Stelle verbissener Polemik die unparteiische Kritik, die freie wissenschaftliche Untersuchung tritt, daß also gerade die Freiheit die wüste Leidenschaftlichkeit mindert, oder doch in die Sackgassen niedriger Parteigenossen bannt, also die Zügellosigkeit des Hasses, welche die Beschränkung und Verfolgung erst recht hervorriefen, beseitigt. Es ist daher in den folgenden Artikeln nicht unsere Absicht, irgend leidenschaftlich zu verfahren und von einseitigem Standpunkte aus den Gegner ohne Wahl der Mittel und Waffen zu bekämpfen, sondern in ruhiger Würdigung die Verschiedenheiten und Gegensätze der beiden großen welthistorischen Erscheinungen unsererseits ans Licht zu bringen. Wir geben von vornherein offen zu, daß auch wir Partei sind, daß wir durchaus nicht auf jenem nihilistischen Standpunkte uns befinden, auf welchem beide Religionen wie uns fremde Persönlichkeiten vor uns treten, an denen wir nur ein sogenanntes objectives Interesse hätten. Dies traut uns Niemand zu, und wir weisen es auch von uns zurück. Unsere persönliche Ueberzeugung, unsere geschichtliche Auffassung und unser faktisches Leben wurzeln zu sehr im Judenthume, als daß wir es nur beanspruchen möchten, uns außerhalb desselben versetzt zu glauben, um die Beurtheilung, wie durch das Glas des Naturforschers erlangt, auszugeben. Vielmehr stellen wir nur als unser Bestreben hin, ohne vorgefaßte Vorurtheile Inhalt, Aufgabe, Verhältnisse, Wirkung und Erscheinung nach beiden Seiten hin zu erforschen und klar und einfach darzustellen. Wir glauben dabei nicht, den großen Gegenstand zu erschöpfen, suchen auch nicht durch pomphafte und mysteriöse Ausdrucksweise den Schein einer ganz neuen, großartigen Auffassung um uns zu breiten, sondern wir wollen vielmehr nur fixiren und in bestimmter Weise aussprechen, was jetzt bereits Zahllosen mehr oder weniger klar im Bewußtsein lebt. Die Achtung, welche gegenwärtig, trotz aller Manoeuvres der Fanatiker auf beiden Seiten, die Bekenner beider Religionen vor einander hegen, und die, so abstechend gegen die Vergangenheit, ein schönes, immer wachsendes Eigenthum unserer Zeit ist, macht dies möglich und nicht allzu schwer. Gerade darum ist es aber auch an der Zeit, sich wieder einmal jüdischer Seits mit dem Christenthume gewissermaßen auseinanderzusetzen, die Differenzpunkte nachzuweisen, und ohne irgend auf Verkleinerung oder gar Proselytenmacherei auszugehen, doch unverhohlen das auszusprechen, was das Judenthum immer und immer verwerfen muß. Der Weg, den wir dabei zu verfolgen gedenken, soll von außen nach innen gehen, so daß wir zuvor einige äußerliche Momente abthun, bevor wir zum inneren Kern der Sache vorbringen.

1. Majorität und Minorität.

Es ist eine eigenthümliche Erscheinung, daß, während die Schrift 2. Mos. 23, 2 sagt: „Folge nicht der Menge zum Bösen; zeuge nicht in einer Rechtssache, indem du dich der Menge nachneigest, das Recht beugend" — die Tradition die Worte: אחרי רבים להטת aus dem grammatikalischen Zusammenhange heraushebt, und „sich nach der Mehrheit zu richten" zu einem der 613 Gesetze macht [1]). Während also die Schrift die Ueberzeugungstreue des Einzelnen oder der Minorität einer Mehrheit gegenüber zur strengen Pflicht macht, gebietet die Tradition, sich der Mehrheit zu unterwerfen. Man kann aber leicht erkennen, daß beide Sätze ihr Recht haben und sich nicht widersprechen, sobald man den Gegenstand ins Auge faßt. Bei allen Beschlüssen eines Collegiums oder einer Versammlung muß die Mehrheit entscheiden, und es hat der Einzelne nicht

---

[1]) Unter den תרי"ג das 78ste. Schon Targ. Onk. erklärt den Vers in unsrer Weise, und Mendelssohn übersetzt: „Folge der Menge nicht zum Bösen. In einer Rechtssache, wenn du deine Meinung sagst, hange der Menge nicht nach, das Recht zu beugen." Welche verschiedenartigen Vorschriften über die Abstimmung der Richter namentlich in Kriminalsachen die Talmudisten aus diesem Verse zogen, gehört nicht hierher und kann in Mess. Sanhedrin nachgelesen werden.

das Recht, sich der Beobachtung eines Gesetzes zu entziehen, weil er eine abweichende Meinung hat, oder als Mitglied des gesetzgebenden Körpers zur Minderheit gehörte. In Rechtssachen und auf dem Gebiete des Glaubens darf aber Niemand seine Meinung blos darum aufgeben, oder seine Abstimmung ändern, weil eine Mehrheit der entgegengesetzten Ansicht ist. Dem, was wir als recht und wahr anerkannt haben, müssen wir treu anhangen bis zum Tode, und wenn eine ganze Welt rings um uns sich dagegen erhebt.

Von diesem Grundsatze aus erscheint alsbald der Vorwurf oder Einwand, den man dem Judenthume entgegenhält, daß es mitten in der großen christlichen Welt nur eine so kleine Anzahl Bekenner zählt, und daß es diesen wohl anstünde, sich nach der Mehrheit zu richten und dieser sich hinzugeben, unter der doch so viele kluge und einsichtsvolle Männer vorhanden, als völlig unbegründet und geradezu verwerflich. Bilden doch die Juden eine geringe Minorität auch in der islamitischen Welt, auch unter den Braminen und Buddhisten, ja selbst unter den Fetischanbetern Afrika's. Was würde man dazu sagen, wenn sie die lauteren und erhabenen Wahrheiten ihrer Religion in jenen Gegenden um den Aberglauben der dortigen Majoritäten aufopferten? Die Religion Israel's war vom Anfang an berufen, der großen Majorität der Menschheit gegenüber die Religion des einzig=einigen Gottes zu bekennen und aufrecht zu halten, unbeirrt von der anderweitigen Geistes= und Bildungshöhe der übrigen Menschen. Dies war der große Beruf, aber auch der Segen, der auf Abraham für seine ganze Nachkommenschaft gelegt ward, und nur dadurch erfüllen die Israeliten die höhere Pflicht gegen die ganze Menschheit, erscheinen aber als pflichtwidrig und treulos, wenn sie, blos um der Mehrheit nachzubuhlen, davon abweichen.

Prüft man aber die Dinge genauer, so erkennt man, daß in Allem, was den Geist betrifft, es durchaus nicht die Mehrheit, sondern immer nur die Minderheit ist, welche in der Menschheit herrscht und leitet. Es bewährt sich hierbei, daß die Gesetze des Geistes nicht die der Materie, sondern die gerade entgegengesetzten sind. Im Stoffe zieht die größere Masse die kleinere an; auf dem Gebiete des Geistes geht die Bewegung von Einem oder Wenigen aus und zieht die große Masse nach. Dies beweist die Geschichte.

und jede große Aktion in den Geistern fand ihren Urheber und Leiter in einem Individuum, das bald mehrere an sich zog, bis von da aus die Bewegung immer größere Maße annahm. Tritt in eine Schule, und du siehst den einen Lehrer vor zahlreichen Schülern stehen, unter denen doch nur wieder einer und der andere zum Lehrer der nachfolgenden Geschlechter geschickt sein wird. Tritt in eine gottesdienstliche oder andere Versammlung, und du hörst einen Mann von der Kanzel oder dem Rednerstuhle die Menge belehren, ermahnen, verwarnen. Oder nimm ein Buch vor dich, das in den Händen Zahlloser ist, das vielleicht schon seit Jahrtausenden zu Geist und Herz spricht, ist es nicht die Stimme eines Einzelnen, die da ertönt und mit Entzücken oder zu tiefer Belehrung von Millionen immer und immer wieder vernommen wird? So ist es theoretisch und faktisch ein Unsinn, im Glauben und in der Ueberzeugung von der Minderheit eine Nachgiebigkeit gegen die Mehrheit zu verlangen, vielmehr ist es erwiesen, daß, welche auch die geistige Potenz einer Zeit oder irgend einer Menge sei, die wahren Lehrer der Menschheit immer nur in der Minderzahl waren, daß die Wahrheit oft viele Jahrhunderte das Eigenthum nur Weniger war, welchem nur allmählig die übrige Masse zureifte. So gewährt der Umstand, daß das Christenthum Mehrheitsreligion im Abend=, wie der Islam in Vorder=, Mittelasien und Nordafrika ist, diesen kein innerliches Uebergewicht, sondern beläßt den Juden ruhig den Standpunkt, daß ihre Religion zur Läuterung und Klärung der übrigen so lange diene, bis diese den ganzen Inhalt jener angenommen haben werden.

2. Lehrer und Schüler.

Es ist von den christlichen Dogmatikern selbst anerkannt, daß das Christenthum seinen Ursprung aus dem Judenthume gezogen und wesentliche Elemente ihm entnommen habe, daß es überhaupt ohne das Judenthum, sowie das sog. Neue Testament ohne die heilige Schrift Israel's, gar nicht verstanden werden kann, wozu noch kommt, daß das Neue Testament so wenig umfassend ist, daß ihm die Bibel Israel's überall das Ergänzungsmaterial liefern muß. Es ist dies so sehr der Fall, daß die antichristlichen Kritiker und Philosophen unter den Christen das Christenthum und Judenthum oft identificiren und als die im Gegensatz zum Helenenthum, die Welt beherrschende jüdische, oder wie sie jetzt sagen, semitische Idee bezeichnen.

Dieser Abhängigkeit des Christenthums vom Judenthume in Etwas zu begegnen, macht man geltend, daß das Judenthum des 19. Jahrhunderts am Christenthum, an christlicher Bildung und Wissenschaft sich aufgerichtet, sich geklärt habe, in seinem Geiste und seinen Formen sich verjünge, und also Wesentliches jenem zu danken habe.

Diesem wieder gegenüber machen wir geltend, daß das Judenthum fortwährend für das Christenthum ein wesentliches Kriterium sei, und daß dieses, selbst abgesehen von seinem dogmatischen Inhalte, noch viele Elemente, wie die ganze soziale Lehre als Consequenz der Gotteslehre und die Richtung und Versenkung ins Reale, vom Judenthume zu lernen und zu übernehmen habe.

Betrachten wir diese drei Sätze noch etwas genauer. Wir gehen hier über den ersten Satz, theils weil er über alle Erörterungen hin sicher ist, theils weil er schon den eigentlichen Lehrinhalt berührt, hinweg. Ein gleiches Verhältniß, wenn auch nicht ein so unmittelbares und ursprüngliches, findet beim Islam statt, und selbst der Koran setzt die h. Schrift voraus, erklärt sie für seine Grundlage und entnimmt ihr viele Theile, wenn auch in legendenartiger und oft verkehrter Ueberarbeitung.

Bleiben wir dagegen bei dem zweiten Punkte länger stehen Im Allgemeinen versteht es sich von sich selbst, daß zwei so große weltgeschichtliche Erscheinungen bei ihrem immerfortigen Aufeinandertreffen und Nebeneinanderleben nicht ohne Wechselwirkung bleiben konnten und bleiben, und wird man auch den Juden bis auf die neueste Zeit, und in dieser am wenigsten, ihren Einfluß auf die christliche Welt nicht absprechen können. Zuvörderst aber müssen wir die Frage erörtern, inwiefern die Civilisation, die Bildung und Wissenschaft als eine specifisch christliche bezeichnet werden könne. Die Geschichte scheint dies nicht zu erhärten. Wir sehen erstens, daß das Christenthum schon fast ein Jahrtausend in Europa herrschend war, und nur zur Barbarei, Unwissenheit und dem sozialen Chaos des christlichen Mittelalters geführt hatte. Bei allem Respekte vor der Schwärmerei, Minne und Innerlichkeit des Mittelalters können wir diese lange Epoche nur als eine Krankheit, als einen geistigen, sittlichen und sozialen Verfall in dem großen Entwicklungsgange der Menschheit ansehen, deren lebendige Blüthe damals ganz wo anders stand als in der christlichen Welt. Man muß vielmehr zweitens erkennen, daß die Civilisation in ihrem Weltgange in jeder Periode an einer anderen Völkerfamilie haftet, eine andere zu ihrem Träger und Werkzeuge hat und sich an ihr vollendet. Wir sehen sie so aus Indien und Aegypten nach Mittel = und Vorderasien wandern, von da zu den Griechen und Römern übergehen, dann nach längerer Pause am arabischen Stamme sich aufranken und endlich in den europäischen Völkerschaften Wurzel fassen. Die Gesittung, Bildung und Wissenschaft in der europäischen Welt wird von den christlichen Geschichtsschreibern selbst erst von der Vertreibung der Griechen aus Konstantinopel, von der Erfindung der Buchdruckerkunst, von der Entdeckung Amerika's und der Reformation her datirt, so daß sie erst vier Jahrhunderte die christlichen Völker zu ihren Trägern hat, Wissenschaft, Kunst und Bildung werden als durch die Ueberreste der griechischen und römischen Cultur ausgesäet, gepflegt und immer rectificirt ausgegeben, und alle feineren Studien mit dem Namen Humaniora belegt. Somit scheinen wir allerdings berechtigt, die Cultur unsrer Zeit nicht objectiv als eine christliche betrachten zu dürfen, wie sie denn auch von den Pietisten aller Kirchen als unchristlich verworfen und zur Umkehr in das wahre christliche Wesen aufgefordert wird. Wir könnten also sagen, daß das Judenthum des 19. Jahrhunders nicht vom Christenthume, sondern von der europäischen Cultur gelernt und den Anstoß zu Klärung und Bildung erhalten habe. In der That möchten die Juden in den morgenländischen Staaten von den dortigen Christen nichts profitiren können, und müssen in den osteuropäischen Ländern die Christen so gut wie die Juden erst von den west = und mitteleuropäischen Völkern Unterweisung und Anleitung erhalten. Indeß wollen wir dies nicht allzu genau nehmen und gern gestehen, daß wir Juden von der Mitte des vorigen Jahrhunderts an durch die europäische Cultur aus den engen Grenzen unseres Geisteslebens befreit worden, und dadurch auch das Judenthum zu neuer lebenskräftiger Entwicklung gedieh. Wir wollen uns dafür als zu Dank verpflichtet anerkennen, wenn nicht diese Dankbarkeit dadurch etwas geschmälert würde, daß man uns vorher mit der drückendsten Gewalt von aller Theilnahme am Geistesleben der Menschheit abgehalten hätte, einer Theilnahme, die wir überall, wo uns Raum gegönnt worden, in Alexandrien und Antiochien, in Rom und Spanien so kräftig und originell bewiesen haben, und die selbst in Holland schon im siebzehnten Jahrhundert in Spinoza der modernen Philosophie einen ihrer genialsten Schöpfer gegeben hatte. Geradezu verneinen müssen wir aber die Behauptung, daß auch inhaltlich das Juden= thum des 19. Jahrhunderts vom Christenthume irgend etwas ent= lehnt habe. Schärfer als je hat sich dieses Judenthum unserer Zeit als den dogmatischen Gegensatz zur kirchlichen Dogmatik hingestellt; [1] in sittlicher Beziehung können wir nachweisen, daß die jüdische Literatur des Mittelalters an ethischer Reinheit und Höhe Schriften hervor= gebracht, welche, weit erhaben über die Sittenlehren der anderen Religionen jener Zeit, sich kühn mit der edelsten Ethik der neueren Zeit messen können; [2] in sozialer Hinsicht endlich ist auch schon das älteste Judenthum noch immer selbst unserer Zeit weit voran.

1) Wir erinnern, daß dies in früherer Zeit nicht immer der Fall war, und daß die Kabbalah öfter eine bedeutende Annäherung z. B. an die christlichen Trinität zeigt.

2) Um nur einen Beweis zu geben, stellen wie hier die Uebersetzung eines „täglichen Gebetes eines Arztes vor dem Besuche seiner Kranken" aus einer hebräischen Handschrift des zwölften Jahrhunderts her.

Allgütiger! du hast des Menschen Leib voller Weisheit gebildet. Zehntausend Mal zehntausend Werkzeuge hast du in ihm vereinigt, die unablässig thätig sind, das schöne Ganze, die Hülle der Unsterblichen, in Harmonie zu erhalten. Immer= dar sind sie beschäftigt voller Ordnung, Uebereinstimmung und Eintracht. Sobald aber die Gebrechlichkeit des Stoffes oder die Zügellosigkeit der Leidenschaften diese Ordnung stört, diese Eintracht unterbricht, so gerathen die Kräfte in einen Widerstreit und der Leib zerfällt in seinen Urstaub. Dann sendest du dem Menschen die wohlthätigen Boten, die Krankheiten, die ihm die nahende Gefahr verkünden und ihn antreiben, sie von sich abzuwenden.

Deine Erde, deine Ströme, deine Berge hast du mit heilsamen Stoffen ge= segnet; sie vermögen deiner Geschöpfe Leiden zu mildern und ihre Gebrechen zu heilen.

Und dem Menschen hast du Weisheit verliehen, des Menschen Leid zu lösen, die Ordnung und Unordnung desselben zu erkennen, jene Stoffe aus ihren Be= hältnissen hervorzuholen, ihre Kräfte zu erforschen und sie einem jeden Uebel ge= mäß zuzubereiten und anzuwenden.

Auch mich hat deine ewige Vorsicht erkoren, zu wachen über Leben und Ge= sundheit deiner Geschöpfe. Ich schicke mich jetzt an zu meinem Berufe. Stehe mir bei, Allgütiger, in diesem großen Geschäfte, daß es fromme, denn ohne deinen Beistand frommt dem Menschen ja auch das Kleinste nicht.

Laß mich beseelen die Liebe zur Kunst und zu deinen Geschöpfen. Gieb es nicht zu, daß Durst nach Gewinn, Haschen nach Ruhm oder Ansehn sich in meinen

Dies zur Beleuchtung des äußerlichen Verhältnisses zwischen Judenthum und Christenthum. Das Judenthum zeigt vielmehr die

Betrieb mische', denn diese sind der Wahrheit und der Menschenliebe feind und sie könnten mich irre leiten in dem großen Geschäfte, das Wohl deiner Geschöpfe zu befördern.

Erhalte die Kräfte meines Körpers und meiner Seele, daß unverdrossen sie immerdar bereit seien zu helfen und beizustehen dem Reichen und dem Armen, dem Guten und dem Bösen, dem Feinde wie dem Freunde. Laß im Leidenden stets mich nur den Menschen sehn.

Erleuchte meinen Verstand, daß er das Gegenwärtige fasse und das Abwesende und Verborgene richtig vermuthe. Laß ihn nicht sinken, daß er das Sichtbare nicht verkenne, aber auch sich nicht überschätze, er könnte sonst sehen was nicht zu sehen. Denn fein und unmerklich ist die Grenze in der großen Kunst, deiner Geschöpfe Leben und Gesundheit zu warten.

Laß meinen Geist stets sich gegenwärtig sein. Am Bette des Kranken mögen keine fremden Dinge seine Acht ihm rauben, in seinen stillen Arbeiten nichts ihn stören, denn groß und heilig sind die Forschungen, deiner Geschöpfe Leben und Gesundheit zu erhalten.

Verleihe meinen Kranken Zutrauen zu mir und zu meiner Kunst, und Befolgung meiner Vorschriften und Weisungen. Verbanne von ihrem Lager alle Quacksalber und das Heer rathgebender Verwandten und überweiser Wärterinnen, denn es ist ein grausames Volk, das aus Eitelkeit die besten Absichten der Kunst vereitelt und deine Geschöpfe oft dem Tode zuführt.

Wenn weisere Künstler mich bessern und belehren wollen, laß meinen Geist dankbar und folgsam sein: das Gebiet der Kunst ist groß. Wenn aber eingebildete Narren mich tadeln, so laß Kunstliebe ganz ihn stählen, daß er ohne Rücksicht auf Alter, Ruhm und Ansehn auf der Wahrheit beharre, denn Nachgeben wäre hier Tod und Krankheit deiner Geschöpfe.

Verleihe meinem Geiste Sanftmuth und Ruhe, wenn ältere Genossen, stolz auf die Zahl der Jahre mich verdrängen, mich höhnen und höhnend mich bessern wollen. Laß auch dies mir zum Vortheil gereichen, denn sie wissen mancherlei, was mir fremd ist, aber ihren Dünkel laß mich nicht kränken; sie sind alt und das Alter ist nicht der Leidenschaften Meister — hoffe doch auch ich alt zu werden auf Erden vor dir, Allgütiger!

Schenke mir in allem Genügsamkeit, nur nicht in der großen Kunst. Laß nie den Gedanken in mir erwachen, du hast des Wissens genug, sondern verleihe mir Kräfte, Muße und Trieb, meine Kenntnisse immerdar zu erweitern und neue mir zu erwerben! Die Kunst ist groß, aber auch der Menschen Verstand bringt immer weiter.

Allgütiger! du hast in deiner Gnade mich erkoren zu wachen über Leben und Tod deiner Geschöpfe. Ich schicke mich jetzt an zu meinem Berufe. Stehe mir bei in diesem großen Geschäfte, daß es fromme, denn ohne deinen Beistand frommt dem Menschen ja auch das Kleinste nicht.

merkwürdige Erscheinung, daß, ohne die Einwirkung der ihm zur Seite stehenden großen religiösen Produkte der Menschheit von Zeit zu Zeit auf dasselbe zu leugnen, es dennoch wie keine andere Erscheinung in seiner Ursprünglichkeit, Originalität und Selbständigkeit mit großer Kraft und Eigenthümlichkeit verblieben ist, und dagegen auf die übrige Menschenwelt in stärkster Weise agirt hat.

3. Die Wirksamkeit.

Wenn also, wie wir nachgewiesen, die Majorität auf dem Gebiete der Ueberzeugung durchaus kein Gewicht hat, wenn ferner es unzweifelhaft ist, daß das Judenthum bei all' seiner Ursprünglichkeit und Selbständigkeit dem Kulturleben weder an sich, noch für seine Bekenner irgend welches Hinderniß bietet, und sich dieses faktisch, wie schon in früheren Perioden, so auch in der Neuzeit auf glänzende Weise bethätigt hat, so wird sich auch ein dritter äußerlicher Einwand wie von selbst aufheben, nämlich, daß dem einzelnen Juden für seine Wirksamkeit in mehrfachen Lebensberufen große Schwierigkeit und Beschränkung sich entgegenstellen, die nur durch seinen Uebertritt zum Christenthume behoben werden. Daß wir noch immer diesem Umstande manchen herben Verlust sonst tüchtiger Persönlichkeiten zu verdanken haben, läßt sich nicht verkennen. So Mancher, dem eine gewisse Carrière verschlossen war, hat sich dadurch bewegen lassen, zur Kirche überzutreten. Es ist nicht unsre Sache, an das Gewissen solcher Personen zu appelliren, und sie zu befragen, wie sie dies mit der Wahrhaftigkeit vor sich selbst, vor den Menschen und vor Gott vereinigen können? Diese Frage ist Gottes und ihres eigenen Gewissens Sache. Wir haben hier den Gegenstand nur objektiv zu erörtern.

Mit dem tiefsten Bedauern muß jeder Menschenfreund aus diesem Gesichtspunkte auf das Jahrtausend zurückblicken, während dessen der jüdische Stamm mit aller Gewalt von aller Theilnahme am allgemeinen Leben und von den meisten Lebensbahnen ausgeschlossen war, und er wird eingestehen, daß, wenn nicht die Religion, doch deren Leiter und Träger, welche eine solche Ausschließung verlangten und durchsetzten, an den Geschlechtern dieses Stammes und an der ganzen Menschheit ein großes Unrecht übten und schweren Tadel verdienen. Wie viele Geisteskräfte sind hierdurch der Menschheit verloren gegangen, wie viel Genie und Talent erstickt oder auf wenig nutzlose Weise verwendet worden: ja, es kann fraglich sein, ob alle blutigen Religionsverfolgungen eine dunklere Seite der Geschichte bilden, als diese Unterdrückung der freien beruflichen Wirksamkeit für zahllose Geschlechter! Diese Ausschließung war eine so vollständige und lang dauernde, daß den Juden selbst das Bewußtsein derselben abhanden kam, und sie darin nur ein unabwendbares, ihnen auferlegtes Geschick sahen, und der Gedanke, daß es anders sein könnte, ihnen ganz fern lag. Die Zeiten änderten sich. Die bürgerliche Gleichstellung der Juden, die Eröffnung aller Lebensbahnen für sie wurde von Christ und Jude gefordert. Aber sie wurde ihnen noch lange verweigert, und ist noch jetzt in vielen Ländern nur theilweise zugestanden. Und wo der Buchstabe des Gesetzes ihnen günstig ist, kehren das Leben und die Staatsverwaltung ihnen noch oft den Rücken zu. Da erst konnte für sie die Frage erstehen, über welche wir jetzt sprechen.

Es ist aber ein Glück, daß nur mit der wachsenden Befähigung stets zugleich das Verlangen nach Wirksamkeit in den verschiedenen Lebensberufen erwacht und wächst, und dieses Verlangen, sobald es Kraft genug erhalten hat, sich Schritt vor Schritt Bahn bricht. weil eben jene Befähigung ein Ausfluß solcher Kultur ist, welche selbst das Recht anerkennt und immer williger ausspricht. Wo daher die Befähigung erworben ist, da zeigt sich auch die Erlaubniß zur Wirksamkeit wenigstens in einer immer näher rückenden Zukunft, und verliert dadurch die noch momentan vorhandene Ausschließung ihre ertödtende Bedeutung. Die Ausschließung zieht sich daher in einen immer engeren Kreis zurück. Zuerst eröffnet sich das große Gebiet der Industrie zu einer unbedingten Freiheit der Bewegung, dieser Industrie, welche Landbau, Handwerk, Fabrik, Technik und Handel mit ihrem unermeßlichen Umfang befaßt, und die in unserer Zeit mit der Wissenschaft, mit der potenzirtesten Geistesthätigkeit sich innig verbunden hat, der sich daher nicht blos die äußerliche Manipulation, die kleinliche Erwerbsthätigkeit, sondern auch Talent und Genie mit Befriedigung widmen können. Hieran schließt sich das freie Gebiet der Wissenschaft und Kunst, das keine kleinlichen Schranken kennt und auf welchem sich der Jude ebenso gut mit dem kanonischen Recht und der Geschichte der Päpste, wie der Christ mit dem Talmud und der Geschichte der jüdischen Literatur beschäftigen kann. Hier ist es auch, wo der hartnäckige Geist der Ausschließung von Position zu Position zurückweichen muß, und selbst die Verweigerung der Lehrstühle aufzugeben durch die hervorragenden Leistungen tüchtiger Männer gezwungen wird. Es schließt sich hieran die freie Wirksamkeit als Mitglied der Kommune und des Staates. Sobald das Gesetz das aktive und passive Wahlrecht zugestanden hat, giebt es kein Vorurtheil mehr, das dem Juden, falls er sich in rechter Weise als fähig bethätigt, die der freien Wahl überlassenen Aemter auf die Dauer verweigern kann. Es bleibt somit nur der Kreis übrig, dessen Stellenbesetzung unmittelbar von den verwaltenden Behörden ressortirt, welche entweder ein retrogrades Gesetz oder eine Interpretation oder ihre Machtwillkür auf die Verweigerung der Anstellung von Juden in allen oder gewissen Staatsämtern verwenden. Es ist dies ein Uebel, aber gegen die ungeheuren Gebiete, welche jetzt Jedermann offen stehen, nur ein geringes, das durch die Beschaffenheit und Verhältnisse der Staatsämter gerade in den Staaten, wo derartige Gesinnungen noch vorherrschen oder derartig gesinnte Parteien eine zeitweilige Herrschaft haben noch an Bedeutung verliert. Es kann jetzt nicht mehr gesagt werden, daß die Verwendung der Geisteskraft und der Talente allein in den Staatsämtern und in bestimmten Fachberufen möglich sei; es findet vielmehr das Gegentheil statt, und jede tüchtige Kraft vermag sich Bahn zu brechen und eine schöne Wirksamkeit zu erobern. Begünstigende und hemmende Umstände finden auf allen Wegen statt und treten sichtbar oder unsichtbar dem Strebenden entgegen. Ihre Ueberwindung macht den Inhalt und den Preis jedes kernigen Lebens aus. Bei der großen Auswahl, die betreffs des Lebensberufes jetzt für Jedermann offen liegt, möge der Jude von vornherein diejenigen vermeiden, wo dereinst die Wahl zwischen Glaubenstreue oder Beruf an ihn herantreten würde. Ein Aequivalent im Ganzen giebt dafür die Wirksamkeit innerhalb seiner Glaubensgenossenschaft. Es geht hieraus hervor, daß jene Einwendung betreffs ungehinderter Wirksamkeit durchaus nicht mehr stichhaltig ist; und wenn es allerdings dem Juden weit schwerer gemacht wird, ein gedeihliches Ziel zu erreichen, wenn er sich mehr auszeichnen muß, um zu Etwas zu gelangen, so schadet dies nichts, denn durch Kampf, durch das Erforderniß größerer Anstrengungen wächst auch die Kraft, und mancher mittelmäßig begabte Kopf ist nur dadurch bedeutend geworden, daß

11*

er im emsigsten Fleiße alle seine Mittel anstrengen mußte, um die
Hindernisse zu überwinden; während so manches Talent, ja Genie
zu Grunde ging, weil ihm Alles zu leicht und allzusehr entgegen=
getragen wurde. Hat man ja doch hervorgehoben, daß gerade den
deutschen Juden die von ihnen vor ihren sonstigen Glaubensgenossen
bewährte Tüchtigkeit dadurch geworden ist, daß sie um ihre bürgerliche
Gleichstellung, um ihre Geltung in Leben und Gesellschaft Schritt
vor Schritt kämpfen mußten und noch müssen.

Aber wie? Wenden wir das Blatt um. Sagen wir, daß es
der höhere Beruf des jüdischen Stammes war und ist, die Ueber=
zeugungstreue in unerschütterlicher Weise zu bethätigen, in der Mitte
der Völker, des ganzen Menschengeschlechtes vorzugsweise darzuthun,
daß die Ueberzeugung das höchste Gut des Menschengeistes sei,
welchem alle anderen Verhältnisse und Thätigkeiten untergeordnet
werden müssen; sagen wir, der jüdische Stamm sei berufen, daß an
ihm ganz besonders das Recht der Gewissens= und Glaubensfreiheit
innerhalb der staatlichen Gesellschaften geweckt, geprüft, befestigt und
zum Siege gebracht werde, daß er hierfür das Erziehungsmittel der
Vorsehung gewesen und sei — — wer will diesem widersprechen?
Und verschwindet vor diesem hohen Berufe nicht jede Klage über
den gesammten Lebensberuf dieses oder jenes Individuums? geht
nicht die Pflicht einer speziellen Lebensthätigkeit in diese höchste und
allgemeinste Pflicht auf? hat dann nicht das Christenthum selbst
dem Judenthume und dem jüdischen Stamme dafür den wärmsten
Dank zu hegen? muß nicht das Christenthum selbst eingestehen, daß
sich die Juden um dasselbe hoch verdient gemacht, indem sie das
Werkzeug wurden, um es, das Christenthum, von dem Unrecht der
gewaltthätigen Ausschließung auf dem Boden des bürgerlichen Lebens
zu befreien? In der That, so ist es.

Doch wir haben dieses Thema noch von einer andern Seite
zu betrachten. In der neueren Zeit wurde von der Reaction, die
sich wegen der Anstellung von Juden in Staatsämtern der besten
Argumente beraubt sah, zu dem Motiv Zuflucht genommen, daß
das jüdische Gesetz es dem Juden unmöglich mache, ohne verletzt zu
werden, die Pflicht als Beamter zu erfüllen daß nämlich der Jude
am Sabbath und an Festtagen die Arbeiten seines Amtes nicht
vollführen dürfe. Diese zarte Fürsorge für das Judenthum und
das Gewissen des einzelnen Juden erscheint von vorn herein ver=

dächtig, da dieselbe nicht einmal von den verschiedenen christlichen Confessionen unter einander geübt wird, und z. B. in Preußen der Beamte, wie der Post- und Steuerbeamte, gezwungen ist, am Sonntage zu arbeiten, und dem katholischen Beamten nicht gestattet ist, an katholischen Festen, die nicht mit den staatlich anerkannten, auch von der protestantischen Kirche gefeierten Festtagen zusammenfallen, seines Amtes nicht zu pflegen. Der Anspruch auf Staatsämter ist ein Recht jedes Staatsbürgers, sobald er die gesetzlichen Bedingungen der Befähigung erfüllt hat, und es kann der Staat aus anderen Gründen als dem der bürgerlichen Pflichtwidrigkeit dieses Recht weder absprechen noch verkürzen. Am wenigsten aber aus religiösen, oder gar nur aus religiös-ceremonialen Rücksichten. Der Staat darf und kann die religiösen Ansichten der Christen, die Beamte sind oder werden wollen, nicht untersuchen, und es giebt sicherlich nicht wenige unter den Beamten aller Staaten, welche dem krassesten Materialismus huldigen, dem entschiedensten Atheismus angehören, ohne daß man sie aus dem Amte entfernen, oder von vorn herein ausschließen könnte. Eben so wenig darf der Staat über seine Beamten eine Censur, wie weit sie den kirchlichen Ceremonialien obliegen, wie oft sie die Kirche besuchen, das Abendmahl nehmen ꝛc. ausüben. Versucht dies eine reactionäre Partei, so wird es allgemein perhorrescirt, und zwar schon deshalb, weil dies Verfahren nur zur Heuchelei und wahren Religionsschänderei führt, da diese Kirchlichkeit bei vielen Individuen nur um des Vortheiles willen geübt und zur Schau getragen wird, und die Erfahrung aller Zeiten gelehrt hat, daß die Frömmelei öfter der Deckmantel des verwerflichsten Thuns, der abscheulichsten Gesinnung ist. Ja, die Wirklichkeit geht noch weiter: der Staat kann nicht einmal den sittlichen Lebenswandel seiner Beamten in Betracht ziehen, so weit dieser sein Privatleben betrifft, sondern muß sich beschränken, die Tüchtigkeit und Amtsgewissenhaftigkeit des Staatsdieners allein zu erwägen, Eigenschaften, die mit der Sittlichkeit in untrennbarer Verbindung nicht stehen. Darf und kann aber der Staat die religiöse Gesinnung und das kirchliche Gebahren selbst betreffs der Religion, welcher die bei Weitem überwiegende Mehrheit angehört, hinsichtlich der Anstellung nicht berücksichtigen, so hat er noch weniger Recht und Gelegenheit, dies für Bekenner einer anderen Religion zu thun. Er hat es dem Judenthume zu überlaſſen, in ſich ſelbſt die Frage, wie weit ein Staatsamt mit dem Sabbathgeſetze vereinbar ſei, zu entſcheiden; er hat es, ſelbſt im negirenden Falle, dem Gewiſſen des einzelnen Juden zu überlaſſen, ſich hiermit auszugleichen. Der Staat hat kein weiteres Recht, als die Bedingung zu ſtellen, daß der Beamte die ihm geſtellten Obliegenheiten getreulich erfülle, wobei ihm ſchon die allgemeine Erſcheinung zur Beruhigung dienen muß, daß zu keiner geſchichtlichen Zeit die Juden, wenn ſie zu Staatsämtern zugelaſſen wurden, dieſe aus religiöſen Bedenken zurückwieſen, und daß die römiſchen Kaiſer, nachdem ſie Chriſten geworden, die Juden aus den Staatsämtern entfernten, nicht aus jüdiſch = religöſen Gründen, ſondern aus vermeintlichen chriſtlich = religöſen Motiven, wie dies deren noch vorhandene Geſetznovellen hinlänglich beweiſen.

Nicht minder wurde und wird von derſelben Seite gegen die Anſtellung von Juden im Staatsdienſte der Grund ausgeſprochen, daß dadurch der Staat entchriſtlicht werde. Wir können die Widerlegung dieſes Arguments den vielen Chriſten überlaſſen, welche ſich z. B. im engliſchen Parlament hiergegen ausſprachen, und von denen viele ſtrenggläubige Anhänger des Chriſtenthums waren. Wir heben nur in der Kürze hervor, daß das Chriſtenthum, genau genommen, nicht einmal eine ſociale Religion iſt und ſein will, worauf wir ſpäter zurückkommend näher eingehen werden, am wenigſten aber eine ſtaatliche, da es auch nicht im Entfernteſten irgend eine ſtaatliche Verfaſſung bedingt. Im geſchichtlichen Verlaufe hat es ſogar nicht einmal ſittliche Grundſätze für den Staat aufgeſtellt, ſondern ſtets nur die Sittlichkeit der Individuen unter Regel und Forderung gebracht. Wenn dagegen gewiſſe Staatseinrichtungen, z. B. die Sonntagsfeier, nach den Vorſchriften der chriſtlichen Kirche getroffen ſind, ſo werden dieſe durch die Anſtellung jüdiſcher Beamten durchaus nicht alterirt und hängen überhaupt vom Geſetze ab, das lediglich von den Beſchlüſſen der geſetzgebenden Faktoren ausgeht. Wie alſo die verſchwindende Minderheit einiger jüdiſchen Staatsbeamten auf den Staat, ſoweit er mit dem Chriſtenthum in Berührung ſteht, inſluiren und dieſe Verbindung zerreißen ſollte, iſt gar nicht abzuſehen. Der Vorwurf, daß der Staat dadurch atheiſtiſch werde, kann nur Kurzſichtige blenden. Nicht einmal religionslos wird er dadurch. Die wahre und einzige Religion des Staates beſteht darin, daß der Staat jedes begründete Recht an=

erkenne und bethätige, und soweit und so lange er dies thut, ist er ein wirklich religiöser, welchen kirchlichen Namen man ihm sonst auch anhänge. Selbst wenn er nur Anhänger einer einzigen bestimmten Kirche befaßt, ist er religionswidrig, wenn er die kirchliche Anschauung und das kirchliche Gebahren der Individuen unter sein Regime zu ziehen sich anmaßt. Sind in ihm aber die Bekenner verschiedener Religionen und Confessionen vorhanden, so handelt er wiederum religionswidrig, wenn er, so verschieden auch die Zahl der Bekenner jener sein mag, das Recht dieser einzelnen Gruppen in bürgerlicher Beziehung nicht als ein gleiches anerkennt, sondern verschieden abmißt und beschränkt. Der religiöse Staat ist also gerade das Gegentheil von dem, was die blinden Anhänger einer Kirche an ihm für religiös ausgeben, und seine Religiosität bethätigt sich in dem, was jene religionslos oder gar atheistisch nennen.

In der That ist demnach die Befürchtung, daß dem Juden eine lebensberufliche Wirksamkeit abgeschnitten oder nur verkümmert sei, immer mehr im Verschwinden, und der gewissenhafte Jude wird schon als Mensch sich verpflichtet fühlen, seiner Ueberzeugung unter allen Umständen treu zu bleiben, damit das noch nicht völlig erreichte Ziel ganz erreicht werde.

4. Antipathie und Sympathie.

Wenn die Gegner der Juden und des Judenthums nicht mehr wissen, mit welchen Gründen sie ihre gehässige Handlungsweise motiviren können, so nehmen sie ihre Zuflucht zu einer vermeintlichen angeborenen Antipathie gegen die Juden, die sie namentlich den germanischen Stämmen als einwohnend ausgeben, und welche sie andererseits durch eine unverwüstliche und thatkräftige Sympathie der Juden für einander zu rechtfertigen suchen. Sehen wir diesen Dingen etwas schärfer in's Auge. Antipathie und Sympathie sollen Gefühle der Abstoßung und der Anziehung sein, die unmittelbar aus den Tiefen des Gemüthes entspringen, die innerste Natur des Menschen beherrschen, und für welche daher der Inhaber unverantwortlich sei.

Setzen wir nun die Existenz solcher Gefühle voraus, so frägt es sich zunächst, ob in der That eine Antipathie gegen die Juden bei den germanischen Stämmen ausschließlich zu finden sei, so daß dieselbe einen Stammescharakter an sich trage. Die Geschichte lehrt uns, daß die romanischen Stämme nicht minder, wenn nicht noch viel energischer eine solche Antipathie bethätigten. Die römischen Kaiser, die Christen geworden und die ersten waren, welche die Ausschließung und Erniedrigung der Juden, denen als Menschen und Bürgern sie in ihren Gesetzesnovellen großes Lob ertheilen [1]), in's Werk setzten, die Mitglieder der Concilien, welche die gesellschaftliche Trennung der Christen von den Juden beschlossen, die Päpste, die in ihren Dekreten die schimpflichste Behandlung der Juden befahlen, die Fürsten, welche die Vertreibung der Juden aus Spanien und Portugal auf immer, aus Frankreich wiederholt auf Zeit verordneten, waren sicher keine Germanen, und wenn auch blutige Verfolgungen in Deutschland oft genug Platz griffen, so war dennoch Deutschland für die Juden eine weite offene Wohnstätte, in welcher sie nach Zeit und Umständen eine verhältnißmäßig gute Behandlung erfuhren. Es ist sicher, daß gerade in Deutschland die Juden vor dem Beginne der Kreuzzüge in bürgerlicher Beziehung wohl gelitten waren, und von den Communen vielfach gern gesehen und in ihren Schooß aufgenommen wurden. Andererseits war und ist die Anhänglichkeit der Juden an deutsches Wesen und

1) Als 418 die Kaiser Honorius und Theodosius die Juden vom Kriegsdienste ausschlossen, sagen sie (Cod. Theod. Tit. VIII., Lex 24): „ohne Berücksichtigung alter Verdienste" sollen alle Juden, die den Waffendienst leisten, sofort entlassen werden. Jedoch soll den wissenschaftlich gebildeten Juden die Erlaubniß der Advokatur, auch die Ehre der Kurialämter zu genießen verbleiben, welches sie nach dem Prärogativ der Geburt und dem Glanze der Familie erlangen (praerogativa natalium et splendore familiae sortiuntur). In der letzten Novelle, in welcher die Kaiser Theodosius und Valentinian das grausame Werk des Fanatismus vollendeten, gegeben den 31. Jan. 439 (Legum Novellarum lib. Tit. III.) heißt es: „Wer von den Juden in diesem Augenblicke die Ehrenzeichen eines Amtes schon angenommen, soll der erlangten Würde nicht mächtig sein; wer zu einer Ehrenstelle gekommen ist, soll wie vorher unter den Pöbel gerechnet werden, wenn er auch die ehrenvolle Würde verdient hat". — So tief war aber das Bürgerrecht der Juden im römischen Reiche gewurzelt, daß es immer wiederholter Erlasse, 124 Jahre (von 315—439) bedurfte, um das Werk der Intoleranz zu vollenden. Indeß die Weltgeschichte ist das Weltgericht, und schon 37 Jahre nach dem Erlasse der letzten Novelle — fiel das weströmische Reich in Trümmer. (S. unsre Schrift: Wie verloren die Juden das Bürgerrecht im west= und oströmischen Reiche? Berlin 1832. Israelitisches Predigt= und Schulmagazin, II. Aufl. Leipzig 1854.)

deutsche Sprache eine unbestreitbare Thatsache. Sie haben dieselbe bis an die Ufer des schwarzen Meeres und an die Küsten des stillen Oceans mit sich getragen; wir können behaupten, daß die Juden das deutsche Element auch in den entferntesten Erdtheilen viel treuer bewahren, als die christlichen Deutschen. Christliche Reisende haben oft genug das wohlthuende Gefühl ausgesprochen, welches sie empfanden, wenn deutsche Laute auf den Straßen von Jerusalem, am Cap der guten Hoffnung, wie auf den Quai's von San Franzisco in ihr Ohr drangen, und zwar aus dem Munde jüdischer Kinder [1]). Bei genauerer Beobachtung findet es sich auch, daß es nicht das deutsche Volk ist, welches solche Antipathie fühlt, hegt und bethätigt, sondern daß es besonders die deutschen Aristokraten, deutschen Literaten und sogenannten Gebildeten sind, welche sich durch Wort und That als im Besitze dieser zarten Empfindungen ausgeben. Das Volk amalgamirt sich im geselligen und kommerziellen Verkehr gern mit den Juden, wenn es nur nicht von oben herab, von Feudalen und Ultramontanen aufgestachelt wird, und die Wahlen in allen deutschen Städten bezeugen, daß das Volk, wenn es gerade unter Juden tüchtige Werkzeuge findet, durchaus nicht ansteht, sie im Gemeinwesen zu verwenden. Allen diesen Thatsachen gegenüber erscheint die Behauptung, daß dem germanischen Stamme eine besondere Antipathie gegen die Juden einwohne, völlig gemacht.

Ist aber eine solche Antipathie nicht germanisch, sondern, wenn sie vorhanden, eine allgemeine, so kann sie auch nicht eine Stammeseigenschaft sein, und wenn sie dies nicht ist, so kann sie auch keine natürliche sein. Denn es ist wohl naturgemäß, daß e in Stamm gegen einen anderen vermöge durchaus widersprechender Eigenthümlichkeiten antipathisch gestimmt sei, aber ein solches Gefühl aller Stämme liegt außerhalb der Natur. Was aber ist sie dann? Nichts anderes, als eine geschichtlich gewordene, eine anerzogene und absichtlich und künstlich genährte; und als solche erweist sich auch die Antipathie gegen die Juden. Hervorgewachsen ist sie aus dem religiösen Antagonismus des Christenthums und Judenthums, in

---

1) Wir nennen z. B. Titus Tobler, Gerstäcker, der freilich weniger davon angenehm berührt sich zeigt. Vor Jahrzehnten gab es noch ungarische Dörfer, in denen die Juden am Werkeltage ungarisch, am Sabbath aber deutsch sprachen, als sei dies eine heiligere Sprache. Jetzt wird dies wohl anders sein.

welchen sich insonders das Christenthum nach der ersten Periode seines Aufblühens gegen das Judenthum versetzte, und in dem die Träger desselben, die geistliche Macht und auf deren Aufforderung auch die weltliche Macht, die Juden aus allen Lebenssphären entfernten und aus der Gesellschaft ausschlossen. Es versteht sich, daß, so gezwungen, eine abgesonderte Körperschaft, die zugleich auf's Schwerste gedrückt und auf's Tiefste verachtet wurde, zu bilden, die Juden auch ihrerseits durch das Versenken in einen abgeschlossenen geistigen Kreis und in einen Komplex absondernder Sitten und Bräuche der nun bereits angeschwollenen Antipathie Nahrung gaben. Was aber geschichtlich geworden, das kann und muß auch geschichtlich vergehen, kann und muß wieder beseitigt werden. Vergebens wird man sich daher auf eine solche Antipathie den Juden des neunzehnten Jahrhunderts gegenüber berufen wollen, da es unwahr ist, sich dabei auf ein natürliches Gefühl zu stützen, während nur ein geschichtliches Vorurtheil zu Grunde liegt. Es ist vielmehr die Pflicht der Kultur, alle solche Vorurtheile und Wahngebilde zu überwinden und auszurotten. Viel mehr als diese Antipathie gegen die Juden hat die Gespensterfurcht, der Glaube an Hexereien einen natürlichen Grund im Menschen, und die Kultur hat nicht angestanden, diese mächtigen Irrthümer zu besiegen und zu vertilgen, als eine ihrer Aufgaben anzusehen. Wenn daher die Juden des neunzehnten Jahrhunderts ihrerseits Alles gethan haben und thun, ohne ihre religiöse Ueberzeugung aufzugeben, was ihrerseits die Absonderung und Ausschließung trägt und befördert, abzulegen, in ihrer Erscheinung, Sprache und Sitte sich dem nationalen Leben und der europäischen Gesittung anzuschließen, so haben sie das vollkommene Recht zu fordern, daß von der gegnerischen Seite jede Antipathie aufgegeben werde, und die Berufung darauf mit der Berufung auf eine das Unrecht deckende Gewalt für gleich bedeutend zu erklären. Wir wissen nur zu gut, daß jene Antipathie von vielen christlichen Eltern, von Lehrern in der Schule, von Geistlichen auf der Kanzel immerfort wieder eingeimpft und systematisch genährt wird. Man höre aber auf, diese künstliche, häßliche Pflanze für eine natürliche und ursprüngliche auszugeben. Der Vorwurf, den religiösen Antagonismus aus dem Reiche der Idee auf den realsten und materiellsten Boden bis zu einer täglichen Praxis versetzt zu haben, fällt somit auf unsere gegnerische Seite, und wenn wir späterhin auf die

Unterscheidung zwischen dem ideellen und faktischen Christenthume kommen werden, so haben wir uns doch hier nur an das letztere zu halten, da es sich um die traurigsten und bittersten Fakten handelt.

Sehr oft wird der Spieß noch obendrein umgekehrt, und der gedachte Antagonismus dem Judenthume in die Schuhe geschoben; man sagt, das Judenthum hege den Geist jenes so sehr, daß er von christlicher Seite folgerichtig sei, daß man ihm daher nur von vornherein entgegengetreten sei, daß es dem Judenthume nur an materieller Macht gefehlt habe, um ihn seinerseits zu üben. Wir halten dies für eine Verspottung. So lange einem Unterdrückten niemals die Gelegenheit geboten war, Unterdrückung auszuüben, so lange hat der Unterdrücker nicht das Recht zu sagen, daß er nur ein präsumtives Vergeltungsrecht übe. Hatten die Franzosen, als sie Deutschland geknechtet, das Recht, ihre übermüthige Herrschaft damit zu rechtfertigen, daß sie behauptet hätten, die Deutschen würden ihrerseits ebenso gegen die Franzosen verfahren sein, da die Geschichte dies mit keiner Thatsache belegt und hinterdrein die Deutschen 1814 und 1815 als Sieger in Frankreich kein Vergeltungsrecht sich zu Schulden kommen ließen? Wie könnte dies also eine unermeßliche Mehrheit einem kleinen Häuflein gegenüber behaupten wollen? Wir läugnen also das Vorhandensein einer natürlichen Abneigung, sondern glauben erwiesen zu haben, daß diese nur eine geschichtlich gewordene, von wahrer Religion und Kultur verworfene ist, die nur mit künstlichen Mitteln fernerhin erhalten wird, und deren Existenz daher jetzt mehr als je der gegnerischen Seite, sei sie ideelle Lehre oder konkrete Kirche, zum Vorwurfe gereicht.

Wenn man nun von der intensiven Sympathie der Juden unter einander spricht, so erkennen wir diese innerhalb gewisser Grenzen als eine berechtigte, andererseits als eine bei Weitem überschätzte an. Es liegt in der Natur jeder Gemeinsamkeit, auch ein gemeinsames Interesse zu wecken und zu pflegen. Die Gemeinsamkeit des Vaterlandes, der Vaterstadt, der Gemeinde, der Beschäftigung, der Familie ruft unter den Gliedern dieser Verbände ein besonderes Interesse hervor, und Niemand findet daran Anstoß. Wie sollte nicht die Gemeinsamkeit der Religion auch ein solches mit sich bringen? wer verargt es den Katholiken, den Protestanten, den Herrnhutern u. s. w. ein besonderes, auch in Werk und That sich kund gebendes Interesse für die Mitglieder ihrer Kirche oder Sekte zu hegen? Wohlverstanden, sobald es nicht zu einer Beeinträchtigung Andersgläubiger, zur Verletzung der allgemeinen Menschenpflichten, zur Schädigung dessen, was wir dem Staat und der Kommune schuldig sind, ausartet. Wie sollten daher nicht die Juden sympathisch unter einander gestimmt sein, bei denen zur Gemeinschaft der religiösen Ueberzeugung sich noch die Stammesverwandtschaft, die Wirkung einer tausendjährigen Bedrückungsgeschichte und eine von der Welt noch immer festgehaltene gewisse Solidarität gesellten? Tausend Fälle giebt es, in welchen sich die Juden zurückgewiesen sehen von anderen Kreisen, von anderen Mitteln und Hülfsquellen, und sich so von selbst ihr Anspruch an ihre Glaubensgenossen und ihre Zuflucht bei diesen einstellen muß. Wo man aber in Gesellschaft und Noth auf eine bestimmte Anwartschaft beschränkt wird, da ergiebt sich innerlich und äußerlich auch die Pflicht und der Drang, diesem Anspruch vorzugsweise zu genügen. So natürlich und gerechtfertigt dies also auch ist, so übertreibt man doch gewöhnlich die Meinung von der Sympathie unter den Juden. Wir legen durchaus keinen Accent auf die anerkannte Uebung der Wohlthätigkeit seitens der Juden gegen Andersglaubende, auf ihre notorische Theilnahme an allen allgemeinen Kundgebungen des Gemeinsinns und der Barmherzigkeit — aber jedenfalls liegt doch darin der Beweis, daß ihr Interesse und ihre Sympathie sich nicht durchaus auf ihre Glaubensgenossen beschränkt. Wir können sogar mehrere wohlthätige Stiftungen nennen, die den statutarischen Artikel besitzen, im Falle der Gleichstellung der Juden die beschränkende Bedingung sofort aufzuheben, und den Genossen aller Konfessionen gleiche Ansprüche zu gewähren, wie dies z. B. auch schon mit der Salomon Heineschen Altversorgungsstiftung in Hamburg geschehen ist. Sobald man aber aus dem Kreise der Wohlthätigkeit und etwa noch der Geselligkeit herausschreitet, so irrt man gänzlich, wenn man noch von jener Sympathie spricht. Im Handel und Verkehr, überall wo es das Mein und Dein gilt, irrt man durchaus, wenn man auf eine solche rechnet. Da walten die ganz gewöhnlichen Leidenschaften, die Konkurrenz und Rivalität, die Habgier und der Neid unter ihnen ganz wie unter allen Menschenkindern vor, und der jüdische Gläubiger verfolgt den jüdischen Schuldner nicht im Geringsten weniger, als den christlichen. Der jüdische Verkäufer behandelt den jüdischen Käufer ganz in derselben Weise wie den christlichen. Noch lächerlicher ist es, von einer Verbindung kommerzieller oder irgend gewerblicher Art, von einer Koterie oder Kameraderie unter den Juden zu schwatzen. Eine solche besteht nirgends und existirt nur als ein Hirngespinnst in verschrobenen Köpfen, welche die Wirklichkeit nicht kennen. — Ja, wer diese Wirklichkeit kennt, den wird es nicht überraschen, wenn wir sagen, daß neben der von uns zugestandenen, aber beschränkten Sympathie der Juden unter einander auch eine gewisse Art Antipathie in ihnen vorhanden ist. Als erst den Juden selbst die Verachtung zum Bewußtsein kam, in welcher sie so viele Jahrhunderte gelebt, und die Geschmacklosigkeit ihnen zum Gefühle drang, in welche sie vielfach versunken, da sie überhaupt die Fehler und Mängel an ihren Glaubensgenossen selbst am ehesten kennen, fand sich bei sehr vielen Individuen eine gewisse Antipathie von Juden gegen Juden ein, um so mehr, da es die allgemeine Menschenschwäche ist, den Splitter in des Nachbarn Auge zu sehen, den Balken in dem eignen nicht. Der Einzelne glaubt sich von jenen Fehlern frei, die er an den anderen zu bemerken meint. Die Zahl der Juden, die nach nichts mehr als nach christlichem Umgange streben, ist sehr groß, die Menge derer, welche jede Berührung mit ihren Glaubensgenossen scheuen und die in wegwerfendem Tone über sie sprechen, ist nicht gering, und es giebt deren schon genug, welche den hülfesuchenden Juden von der Thüre weisen, während sie dem Christen, der sie anspricht, eine offene Hand bieten. Wir müssen dies an dieser Stelle allerdings scharf betonen, um den Gegnern zu zeigen, welcher Unwahrheit sie sich schuldig machen, wenn sie gegen das feste Zusammenhalten der Juden losdonnern. Es ist nicht so, wenigstens jetzt nicht mehr so, ja jene Sympathie zeigt sich öfters nicht einmal mehr so stark, wie sie von Rechtswegen vor Gott und Menschen sein müßte.

5. Kirchenstaat; Staatskirche; Mehrheitskirche; Minderheitskirche.

Wir begreifen sehr wohl, was Kirchenstaat heißt. Es ist ein Staat, der einer Kirche gehört, ein Staat, der als solcher nichts bedeutet, sondern wie ein Ding, ein Stück Land, ein Rittergut, einer Kirche gehört, auf welche Weise sie auch zu diesem Besitze gekommen sei. Der Regent eines solchen Staates ist ein Priester, die Verwaltung geht von der Geistlichkeit aus. Recht und Gesetz sind auf den Satzungen der Kirche beruhend, unveränderlich, kanonisch. Der Staat ist hier gänzlich in die Kirche aufgegangen, und die Kirche hat sich als Staatsbehörde verweltlicht. Solch' ein Kirchenstaat existirt in Italien, in Tibet, dem Staate der Dalai Lama, und vielleicht noch hie und da. Der israelitische Staat war niemals ein Kirchenstaat; er war es principiell nicht, denn die Schrift stellt neben den Hohenpriester die weltliche Macht in den Aeltesten, einem Richter oder einem Könige auf, und nicht factisch, denn Moses schon trennte das Priesterthum von seiner Person, Josua war kein Priester, die Aeltesten, die Richter, die Könige waren keine Priester und neben dem Priester Esra stand der Landpfleger Nehemia. Es war reiner Zufall, daß der Richter Eli, aber auch nur dieser, Hoherpriester war, und daß die Makkabäer aus priesterlichem Geschlechte stammten und daher eine Zeit lang die weltliche und priesterliche Macht in ihrer Person vereinigten. Beide Ausnahmefälle zeigten übrigens, wie schlecht sich bei dieser Vereinigung sowohl der Staat als die Religion standen. Aber auch hinsichtlich des Rechtes und des Gesetzes fand in Israel eine stets lebendige Entwickelung, ein immer reger Fluß, wenn auch auf dem festen Grunde der mosaischen Gesetzgebung statt. Die Entfaltung, die Vermannigfaltigung und Veränderung des Lebens und seiner Verhältnisse wirkten stets gestaltend auf Recht und Gesetz, auf Sitte und Brauch. Die talmudische Bearbeitung beweist dies erst recht, und die eherne Fixirung des jüdischen Rechtes trat erst ein, als es nach dem Abschluß des Talmuds, mit geringer Ausnahme, gar keinen Boden in der Wirklichkeit mehr hatte. —

Die Christenheit hat wenigstens für ihren römisch = katholischen Theil einen solchen Kirchenstaat producirt, während sie in ihrem griechischen Antheil nur ein starkes Priesterthum besitzt, das dem Staate untergeordnet ward, im protestantischen auch dieses aufgab. In der römisch = katholischen Welt wird nun die Unentbehrlichket des Kirchenstaates für die Unabhängigkeit der Kirche behauptet und die protestantischen Priester stimmen darin bei. Die starken Proteste der eignen Unterthanen des Kirchenstaats werden zwar als gerechtfertigt, aber nicht als rechtmäßig erklärt. Es ist nicht unsere Sache, die Richtigkeit dessen zu prüfen; der Kirchenstaat besteht noch heute und wird durch Waffengewalt aufrecht erhalten. Das Judenthum besteht jetzt drei Jahrhunderte länger in der Zerstreuung, als es nur in Palästina bestanden hat. Mit dem Falle des Tempels hörte sein Priesterthum auf; was von seiner Priesterschaft noch conservirt worden, gleicht nur welken Blättern, welche die Pietät vom Grabe der Ahnen gepflückt und zum Andenken aufbewahrt hat. So also hat das Judenthum, wie es niemals einen Kirchenstaat hatte, so auch schon 18 Jahrhunderte des Priesterthums und der Priesterschaft entbehrt, und besaß dabei eine Selbstständigkeit, eine innere Unabhängigkeit, eine Lebenskraft, wie keine zweite religiöse Erscheinung in der Menschenwelt, da es eben so starke Erhaltungskraft nach innen, wie Widerstandskraft nach außen bethätigte.

Wenn wir also leicht begriffen, was ein Kirchenstaat bedeutet, so ist dagegen der Begriff einer Staatskirche überaus dunkel. Staat und Kirche stehen sich namentlich auf dem Boden des Christenthums geradezu gegenüber. Die Religion befaßt das Verhältniß des Menschen zu Gott; die christliche Religion setzt sich als das Verhältniß des individuellen Menschen zu Gott und weis't allen Einfluß und alle Beziehung auf die Gemeinsamkeit der Menschen im Staate als in einem „Reiche dieser Welt" von sich ab. Die Kirche als die concrete Erscheinung dieser Religion hat es daher nur mit der Gemeinsamkeit der Individuen in ihren individuellen Beziehungen zu Gott, durchaus aber nicht mit ihrer Gemeinsamkeit im Staate zu thun. Die Kirche kann daher absolut ebenso wenig Staat, wie der Staat Kirche sein; der Staat kann ebensowenig die Kirche beherrschen, wie die Kirche den Staat, da sie beide ihren Inhalt und Wesen nach ganz verschiedene und von einander getrennte Wesen sind; der Staat muß ebenso frei von der Kirche sein, wie die Kirche vom Staate; denn der Staat kann sich nicht vom Individuum und dem Individuellen beeinflussen lassen, wie hingegen der Staat kein Recht hat und auch nur eine äußerliche Macht, das Individuum in seinen Beziehungen zu Gott beeinflussen zu wollen. Was soll also eine Staatskirche heißen, da beide nur eine freie Coexistenz ihrem Wesen nach haben und haben sollen? Sie kann keine Kirche bezeichnen, die sich dem Staate unterordnet, denn dagegen würde sie selbst am heftigsten protestiren; aber ebenso wenig eine Kirche, welcher sich der Staat unterordnet, da dieser hiermit seinen freien Bestand aufgiebt und der Kirche ein Recht verleiht, welches ihrem eignen Wesen an sich widerspricht.

Gut. Wir haben hiermit nur erwiesen, daß begrifflich das Wort „Staatskirche" eigentlich gar keine Bedeutung hat, begrifflich gar nicht existirt. Factisch aber stellt sich die Sache doch anders. Da ist, um es kurz zu sagen, die „Staatskirche" eine Kirche, welche die polizeiliche, militärische und gesetzgeberische Macht des Staates in Anspruch nimmt, um entweder alle Glieder des Staates, vom Sclaven oder Leibeignen bis zum König oder Kaiser unbedingt ihrem Bekenntnisse, ihrer Satzung und ihrem Brauche zu unterwerfen, und in Unterwürfigkeit zu erhalten, oder doch, wenn einmal in dem Staate Bekenner anderer Religionen, Anhänger anderer Kirchen bestehen, die größtmöglichste Herrschaft zu üben, die bedeutendsten Vorrechte und Einkünfte zu besitzen und so viel wie möglich die Einrichtungen des Staates zu beherrschen. Solche Staatskirchen hat es allerdings gegeben und giebt es noch. In Spanien hat sie jene höchste Stufe erreicht, wenn auch gegenwärtig Andersglaubende stillschweigend in kleiner Zahl dort geduldet werden; in Rußland existirt sie, in Oesterreich so lange das Concordat noch besteht. [1]) Eigenthümlich ist es', wenn diese so gezeichnete „Staatskirche" ihre Herrschaft selbst in einem Lande behauptet, wo die große Mehrheit des Volkes einer anderen Kirche angehört, wie die anglikanische in Irland, wo in manchem Sprengel Pastor und Küster die einzigen Anglikaner sind, und doch sehr bedeutende Einkünfte ziehen. So geartet, wie diese „Staatskirche" ist, läßt es sich voraussetzen, daß, wo sie auch gesetzlich abgeschafft und die Parität aller Religionsgenossenschaften durch das Gesetz ausgesprochen wird, factisch dieses Verhältniß noch lange nicht eintritt, daß die. frühere „Staatskirche" noch Jahrhunderte lang ihre Macht und ihren Einfluß zu conserviren und wieder zu erlangen strebt. [2]) Andererseits hat die Geschichte die großen Schäden hinlänglich nachgewiesen, welche eine solche Staatskirche sowohl dem Staate als sich selbst zufügt. Denn sich selbst muß sie gezwungener Weise alle Entwickelung, Erfrischung und Verjüngung abschneiden; sie muß streben, alle Geister in ihren

---

1) Die neuen confessionellen Gesetze haben diese Vorrechte der katholischen Kirche sehr vermindert. —

2) Dies beweist das gegenwärtige Frankreich hinlänglich.

einmal beschriebenen Kreis zu bannen; jede geistige Regsamkeit muß sie mit dem Verlust oder der Einschränkung ihrer Macht bedrohen, und so kann sie nicht anders, als sich zur Gegnerin alles Geistes machen und ihre Macht auf Unterdrückung verwenden. Liegt schon hierin die höchste Gefährdung des Staats= und Volkslebens, so weiß man ja, daß Recht und Freiheit nicht Dinge sind, die man an einem Ende versagen, mit Gewalt vorenthalten, am andern Ende zu fröhlichem Blühen frei geben kann. Sie sind in sich organische Wesen, denen sämmtliche Glieder absterben, wenn wesentliche Organe unterbunden und getödtet werden. Wie es also in Staaten mit „Staatskirchen" geht, wird hieraus ersichtlich, und wie berechtigt der lange und schwere Kampf gegen die „Staatskirche" ist.

Ein anderes ist es mit der Mehrheitskirche. Sie ist einfach die Kirche, zu welcher sich die Mehrzahl der Staatsangehörigen bekennt. Es kommt hierbei auf die geschichtliche Entwickelung, auf den historischen Boden an, aus welchem dieser Staat und diese Kirche erwachsen sind, um bei gewissen Einrichtungen des Staates mit vollem Rechte eine Berücksichtigung dieser Mehrheitskirche stattfinden zu lassen. Hat der Staat die früheren Güter der Kirche eingezogen und ihr dafür die Befriedigung ihrer Cultusbedürfnisse garantirt, so hat allerdings der Staat eine bestimmte Verpflichtung — eine Verpflichtung, die freilich, da die dazu nöthigen Gelder aus dem Geldsäckel aller Staatsunterthanen fließen, zuletzt auch eine solche gegen die anderen Religionsgenossenschaften involvirt. Es kommt nämlich hierzu, daß im Laufe der Zeit viele säcularisirte Kirchengüter, selbst wenn sie theilweise eine längere Zeit zu Schulzwecken benutzt wurden, in einigen Ländern Domänen der Familie des Souveräns wurden, und nicht in das allgemeine Staatsgut übergingen. Abgesehen hiervon ist es vorzugsweise die Feier der Ruhe= und Feiertage, welche nach der Religion der Mehrheit auf die Staatseinrichtungen einigen Einfluß üben muß. Nichts ist natürlicher, als daß in den Staaten der Christenheit der Sonntag, in denen des Islam der Freitag durch den Stillstand der Geschäfte in solchen Verwaltungszweigen, welche eine Unterbrechung gestatten, und durch die Beobachtung der öffentlichen Ruhe begangen werde. Damit ist freilich ein strenges polizeiliches Sonntagsgesetz nicht gerechtfertigt, und der Staat wird nicht das Recht haben, in das Innere der Häuser zu bringen und da die Ruhe den Individuen aufzuzwingen.

Läßt der Staat nicht blos seine eigenen, drängenden Anstalten, wie die militärischen Handwerksstätten am Sonntage arbeiten, sondern schließt auch die Fabriken nicht, welche nicht ohne große Nachtheile den Betrieb am Sonntage einstellen können, so darf er gewiß nicht den armen Handwerksmann zwingen, seine Arbeit einzustellen, wenn diese auch in nächster Nähe einiges Geräusch mit sich führt, oder dem Kaufmann verbieten, im Innern seines Geschäftslocals zu verkaufen. Es ist einmal die Natur der Menschen, gegen Leistungen auch Rechte zu beanspruchen, und so kann es nicht in Verwunderung setzen, daß der Staat auch auf kirchlichem Gebiete, wenn er für dieses Ausgaben übernimmt, das Recht einer Einmischung und Autorität sich aneignet. Jedenfalls ist daher die Stellung der Religionsgenossenschaften, welche eine Minderheit an Bekennern besitzen, viel vortheilhafter, wenn sie zum Staate in einem solchen Verhältnisse gar nicht stehen. Wenn schon überhaupt jede Religionsgemeinde, so weit sie eben nur religiöse Zwecke verfolgt, völlig frei dastehen sollte, wenn jede staatliche Einmischung in die Angelegenheiten derselben eine Beschränkung der religiösen Freiheit ist, wenn selbst die sog. Oberaufsicht des Staates über die Religionsgemeinden jeder Art, so lange sie eben nichts weiter als solche sind, ein sehr zweideutiges und zweischneidiges Recht ist, wenn daher jede Religionsgemeinde, sobald sie eine „Staatsanstalt" wird, von ihrem höheren und eigentlichen Standpunkte herabsinkt und mehr oder weniger depravirt: so ist dies Alles für eine Minderheitsgemeinde um Vieles gefährlicher. Denn da die Staatsbehörden aus Männern anderer Confession bestehen, so sind sie gar nicht im Stande, die Angelegenheit der Minderheitsgemeinde richtig zu beurtheilen, noch dazu, wenn diese eine jüdische ist, und demnach nicht einmal auf das Verlangen nach einem richtigen Verständniß und auf eine günstige Geneigtheit in der Beurtheilung rechnen kann. Der Staat verlangt selbstverständlich von einer Religionsgemeinde, für welche er Zahlung leistet, eine äußere Organisation, die auf eine hierarchische Gliederung hinausläuft und die Unabhängigkeit der Cultusbeamten von der Gemeinde völlig involvirt; die Gemeinde wird diesen als so untergeordnet betrachtet, wie die Staatsangehörigen den Beamten überhaupt. Beides sind unjüdische Situationen. Denn selbst in der Priesterschaft fand eine Gliederung nicht statt, und außer dem Hohenpriester waren alle Priester unter einander völlig gleich. In allen Fällen, die das

Individuum betrafen, stand diesem die Wahl des Priesters, welchen es fungiren lassen wollte, frei. Unter den Rabbinen war von Seiten des Judenthums selbst keine Gliederung vorhanden; was von einer solchen vorkommt, war von außen aufgenöthigt; jeder Rabbiner verdankte seine Autorität zuerst sich selbst, dann der Bedeutung seiner Gemeinde. Das Verhältniß zwischen Rabbiner und Gemeinde war stets ein contractliches; schon die Priester waren in ihren Einkünften vom Volke, die Rabbinen ganz und gar von der Gemeinde abhängig. Und wenn nun dahin gestrebt werden muß, daß diese Abhängigkeit niemals in eine Unterwürfigkeit ausarte und, wie die Gemeinde vor allen hierarchischen Uebergriffen, so die Cultusbeamten vor Willkür und Laune, vor Beschränkung in ihrer freien Wirksamkeit gesichert werden müssen: so dürfen doch jene beiden Principien in dem Verhältniß zwischen Gemeinde und Cultusbeamten nicht verletzt werden, ohne der Sache des Judenthums großen Nachtheil zu bringen. Allerdings wird dadurch den Gemeinden eine sehr große Last auferlegt. Es ist aber erfahrungsmäßig, daß die Theilnahme der Menschen für eine Sache mit dem Maße der Opfer, die sie für dieselbe zu bringen haben, wächst und hingegen erschlafft, sobald ihnen alle Beschwernisse erspart werden. Die Bequemlichkeit macht gleichgültig. Wenn also die jüdischen Gemeinden der Gleichheit wegen und um aus ihren Leistungen auch einen Vortheil zu schöpfen, auf Subsidien von Staatsseiten Anspruch machen, so sollte dies stets nur auf Unterstützung allgemeiner Anstalten für sämmtliche Gemeinden, wie der Seminare, allgemeinen Wohlthätigkeitsanstalten für die Juden des ganzen Staates oder der Provinzen beschränken, damit das religiöse Leben der einzelnen Gemeinden von oben herab unbeeinflußt bleibe. Wir haben die nachtheiligen Wirkungen der staatlichen Einmischung in die jüdischen Gemeinden genugsam erfahren; wir sahen bald Reformen, bald die orthodoxen Einrichtungen von Gensdarmen und Polizei eingeführt und aufrecht erhalten, und mußten gegen beides protestiren.

Wir sehen also, daß das Judenthum weder einen Kirchenstaat und eine Staatskirche, noch eine hierarchische Gliederung und Trennung der Cultusbeamten von der Gemeinde will und beansprucht, daß diese vielmehr theoretisch und praktisch ihm widersprechen, daß es vielmehr seinen Bestand und seine Kraft der Selbstständigkeit, Unabhängigkeit und inneren Freiheit verdankt, daß es jene Institu-

12*

tionen den Kirchen überläßt, die darin ihre Wesenheit und ihr Heil finden, und daß die jüdischen Enkel berufen sind, das Erbe ihrer Väter innerhalb der Gemeinde unangetastet von außen zu erhalten.

6. Englisch und Deutsch in jüdisch=religiösen Dingen.

Man spöttelt sehr oft in Deutschland über die Kirchlichkeit der Engländer, die strenge Sonntagsfeier, das tägliche Bibellesen und den anhänglichen kirchlichen Sinn derselben. Aber wer die Eng= länder, ihre Sitten und Literatur kennt, muß eingestehen, daß auch in ihrem religiösen Verhalten Ernst, Würde, Aufrichtigkeit, Wahrheit enthalten sind, ein Geständniß, das, wir sagen es, so leid es uns thut, offen, den Deutschen auf diesem Gebiete nicht gemacht werden kann. In Deutschland werden alle religiösen Fragen und Ansichten sofort zu theologischem Gezänk, zu geifernder Parteisucht, zu Schmähung, Verfolgung, womöglich Unterdrückung. Gerade dieses aber ist dem Menschenkenner ein Beweis von geringerer innerer Ueberzeugung, von Mangel an wahrer Gläubigkeit an die Meinung, die man vertheidigt, für die fehlende Wahrheitsliebe. Wer seinen Meinungs= gegner mit Hohn und Schimpf zu überschütten, wer ihn zu ver= derben und zu vernichten strebt, wer ihm alles Recht und alle Wahr= heit abspricht, und ihn, wenn nicht mit Schlägen, doch mit Worten todtzuprügeln sucht, der ist wenig von dem Rechte und der Wahr= heit seiner eignen Ansicht durchbrungen, der fürchtet, daß die gegnerische Meinung Raum und Anhänger gewinnen werde, und darum will er seinen Gegner aus der Welt schaffen.

Diese Beobachtung hat sich insonders Seitens der christlichen Schriftsteller, ob von Fach oder Laien, dem Judenthume und den Juden gegenüber allzu oft uns aufgedrängt. Man weiß, daß die Juden in der Regel nur passive Zuschauer bei den Kämpfen und Zersetzungsprozessen innerhalb der christlichen Kirchen abgeben, daß sie eine Beurtheilung derselben nicht vornehmen, und weder ein besprechendes, noch entscheidendes Wort darüber verlauten lassen. Ob sie recht daran thun und ob es immer so bleiben wird, wollen wir hier nicht untersuchen. Jedenfalls aber hätte diese bescheidene Zurückhaltung, wenn nicht ein gleiches, doch ein würdiges Benehmen christlicherseits verdient. Nun, in England finden wir es, in Deutsch= land das Gegentheil. Dazu kommt, daß die Juden tausendfach mehr Gelegenheit haben, das Christenthum kennen zu lernen, als die Christen das Judenthum. Denn ein Jude kann keine Schule und Universität besuchen, kein Buch öffnen und keinen Schritt in's Leben hinein thun, ohne auf christliche Momente zu stoßen, während seine Literatur und sein Leben nur wenigen Christen einen Gegenstand, wenn auch nur flüchtiger Prüfung und Forschung bilden.

Vor einiger Zeit kam uns das Januar-Heft (1863) der „Edinburgh Review" zu, in welchem von S. 180—208 ein Artikel „Moderne Judaisme" unsere Aufmerksamkeit auf sich zog; und zu gleicher Zeit erhielten wir 6 und 7 eines in halben Bogen im Städtchen Werden erscheinenden Pietistenblättchens „Neues Zeitblatt für die Angelegenheiten der lutherischen Kirche", welche einen Aufsatz „Blicke in die Kämpfe und Aussichten des Judenthums" enthalten. Allerdings muß der wissenschaftlich kritische Engländer es uns verzeihen, daß wir dieses deutsche Machwerk nur neben ihm nennen. Aber es geschieht auch nur, um den Gegensatz hervorzuheben, einen Gegensatz, der unserer deutschen Selbstüberschätzung wohl schmerzlich, aber auch heilsam ist. Und dann, wo finden wir im Deutschen etwas Besseres über das Judenthum? Begegnet uns nicht dasselbe, wenn wir Hengstenberg's evangelische oder Krause's protestantische Kirchenzeitung oder gar die Wiener aufschlagen? Es ist überall dasselbe unwissenschaftliche, unkritische, hohle Gewäsch nach einem und demselben hergebrachten Schema. Man lobt Alles, was am Judenthum des 17. Jahrhunderts unverrückt festhält, man verwirft Alles, was die Verjüngung und Klärung des Judenthums und das Kulturleben der Juden fördert und erzeugt hat, man verhöhnt dies als Abfall und Sünde, als fade und flach; man findet schließlich aber auch das orthodoxe Judenthum lebensunfähig und weiß kein anderes Heil, als daß die Juden sammt und sonders den lutherischen Katechismus beschwören! Freilich, daß auch alsbann ⁵/₆ der Christenheit sie immer noch als Ketzer betrachten würden, und daß ⁵/₆ der Protestanten selbst diesen lutherischen Katechismus verleugnen, lassen die Herren außer Acht. In diesem Sinne verlaufen alle diese Expektorationen pietistischer Schulfuchser über das Judenthum, von dessen Schriften sie keine Notiz nehmen und von dessen eigentlichem Inhalte sie keine Ahnung haben. Noch ein weiteres Wort über diese armselige Schaar zu verlieren, die weder einen Begriff von der geschichtlichen Vergangenheit, noch einen Einblick in den Geist,

die Bewegung und die Aufgabe der Gegenwart besitzt, doch aber
über Leben und Tod großer welthistorischer Erscheinungen zu Gericht
sitzen will, während sie selbst der Verwesung schon längst anheim=
gefallen, das halten wir für überflüssig, wenden uns vielmehr mit
Vergnügen dem ernst und würdig arbeitenden Engländer zu, von
dessen Artikel wir folgende Analyse geben wollen.

Er beginnt mit folgenden Bemerkungen: „Es ist noch jetzt die
gewöhnliche Meinung unter uns, daß nichts unveränderlicher ist
als der jüdische Geist — nichts unbefähigter für Gründe und Fort=
schritt. Wir denken uns ein Volk, welches in abergläubischen Vor=
urtheilen aufgewachsen ist und einem traditionellen Glauben anhängt,
welchen viele Christen als ein Strafgericht ansehen; ein Glaube,
der nur theilweise auf ihre eigenen Schriften basirt ist, und mit
jenen Schriften in vielen Dingen ebenso wenig übereinstimmt als
mit unserm christlichen Glauben; ein Glaube, der jedenfalls dazu
bestimmt ist, unverändert zu bleiben, bis eine höhere Hand als die
eines Menschen ihn ändern wird. Aber wenn wir den wahren
Verhalt der Dinge prüfen, so finden wir, daß dieser Glaube immer
in Gährung und Fluß war: neue Lehren wurden vorherrschend,
neue Formen erhoben sich, neue Berührungspunkte mit anderen
Religionen, neues Verlangen nach Glaubensannäherung oder nach
lauterem Gedankenaustausch mit ihren Mitbrüdern unter den Völ=
kern. Dies brauchte uns nicht zu überraschen; es war eben nur
das, was wir erwarten mußten. Es war nur die alte Geschichte
von dem Sturme und dem Sonnenscheine in der Fabel. Der
Mantel, welcher unter den Windstößen der Verfolgung und Ver=
achtung fester angezogen wurde, ist jetzt gelockert, wenn nicht gänzlich
unter dem freundlichen Einfluß von Sympathie und Achtung bei
Seite gelegt.“

Was aber der Verfasser als eine für die Christen so über=
raschende Erscheinung in der Gegenwart ansieht, erkennt er auch bei
Durchforschung der Geschichte in früheren Epochen des Judenthums,
und er wirft deshalb einen schärferen Blick auf die Vergangenheit.
Die Entstehungsgeschichte des Talmuds giebt ihm zu der Bemerkung
Veranlassung, daß auch unter den Juden selbst die Autorität des
Talmuds sehr verschieden angesehen wurde und wird, und die Quelle
von Spaltungen im Schooße der Juden gewesen und noch sei; doch
sehen die Juden im Talmud, auch wenn sie für dessen Schwächen

ein offenes Auge hätten, immer eine reiche Quelle der Erläuterung
für die Bibel. Nachdem der Verf. einen Blick auf die Verfolgungen
der Juden durch die christliche Kirche geworfen hat, erinnert er an
die Verdienste der Juden um die Wissenschaften während des Mittelalters, deren Erwerbung ihnen durch die milde Behandlung Seitens
der Mohammedaner ermöglicht war. Er sagt: „Dies ist ein Capitel
der Geschichte, welches die Christen mit Scham lesen müssen. Zu
einer Zeit, wo jede Art von Verachtung und Ungerechtigkeit und
Grausamkeit durch die christliche Morallehre gerechtfertigt wurde,
wenn auch nur in Hinsicht auf die Juden, haben die Anhänger
Mohammeds, obgleich sie die Juden auch als schuldig der Verwerfung
der offenbarten Wahrheit ansahen, sie dennoch sich selbst in der Pflege
der Wissenschaften zugesellt. Durch die Juden wurden die Werke
von Aristoteles und andere Productionen des griechischen Geistes
ins Arabische übersetzt, und später gaben diese Arbeiten die Veranlassung zur scholastischen Philosophie des Westens. Durch die Juden
wurde die medicinische Wissenschaft wieder erweckt, — welche nicht
blos auf der Lehre der Griechen beruhte, sondern auch auf den
traditionellen Vorschriften des Talmuds: und die medicinischen
Schulen eröffneten bekanntermaßen den Anfang und die weitere
Pflege der Physik.“ Nicht minder weiß der Verfasser die Verdienste
der Juden um Handel und Politik hervorzuheben. Hierauf geht
er näher auf die Stellung und genialen Schöpfungen des Maimonides ein, und vergleicht dann die Einwirkung auf die allgemeine
Cultur, welche aus der Vertreibung der Juden aus Spanien und
Portugal und deren Zerstreuung im westlichen Europa floß, mit der
Vertreibung der Griechen aus Konstantinopel. Denn wie durch
diese die Kenntniß der griechischen Sprache und also der classischen
Literatur in Europa verbreitet wurde, so förderten die vertriebenen
Juden die Kenntniß der hebräischen Sprache und gehörten so zu den
wesentlichsten Vorbereitern der Reformation. Verschaffte doch nach
der Ansicht unsres Verfassers gerade das Alte Testament und die
Kenntniß seines Urtextes den Reformatoren die schärfsten Waffen
gegen die Herrschaft des Papstes. Der Uebergang zu Spinoza war
hiermit gegeben und der Verf., der es verstand, einen bedeutsamen
Schlüssel zur Doctrin Spinoza's in dessen Charakter zu finden, erkennt dessen Philosophem als die Grundlage aller modernen Philosophie, und weiß nicht minder die unmittelbare Einwirkung der-

selben auf die bedeutendsten Geister Deutschlands, wie Göthe, Schleier=
macher ff. zu berühren. Jetzt wendet er sich zu Moses Mendelssohn,
dessen Stellung und Leistungen er nicht ohne Verständniß würdigt.
Die Veränderungen, die mit der französischen Revolution eintraten,
das Pariser Sanhedrin und die Vollendung der Gleichstellung seit
1830 in Frankreich, sowie in den übrigen europäischen Staaten,
werden an uns vorübergeführt. Er macht hier den Uebergang mit
folgenden Worten: „Die natürliche und nothwendige Consequenz
ist, daß in allen diesen Ländern die Vorurtheile und Absonderungs=
gefühle, welche die Juden von ihren Mitbürgern trennten, nach und
nach verschwinden. Die vom Rabbinismus aufrecht gehaltenen
Schranken, welche in den letzten Jahrhunderten in ihrer Strenge
nur gewachsen waren, besonders unter dem von den Schulen Böh=
mens, Ungarns und Polens ausgegangenen Systeme, verloren nach
und nach, aber schnell genug ihre restrictive Macht; es erstanden
neue Systeme unter den Juden, welche mit der gesunden Vernunft
und der heil. Schrift Israels mehr übereinstimmten, und die Stelle
der alten Orthodoxie einnahmen."
    Von dieser Grundlage aus, welche also die Ansicht des Verfassers,
daß der jüdische Geist zu aller Zeit in Fluß und Gährung geblieben,
genügend erhärtet hatte, zeichnet er nun die religiösen Zustände der
Juden in den einzelnen Ländern, wenn auch nur in flüchtigen
Skizzen. In Frankreich findet er, wie er sagt, sonderbar genug,
während jene Bewegung am schnellsten vorging, den geschilderten
Wechsel am langsamsten. Die französische Synagoge ist am meisten
stehen geblieben. Man findet dort keinen reformirten Gottesdienst,
keine getrennte oder nur in sich uneinige Gemeinde. Die politische
Freiheit und die Unabhängigkeit von ihren Rabbinen scheint den
französischen Israeliten genügt zu haben. Gleich den römisch = katho=
lischen Laien in Frankreich begnügen sie sich, das alte Ceremoniale
und die Dogmen ihrer ererbten Religion zu toleriren und theil=
weise mitzumachen, da sie sich dabei als Individuen des weitesten
Latitudinarismus zu erfreuen hätten. „Der französische Jude ist
principiell und vor allen Dingen Franzose. Es mag ihm ein Ehren=
punkt sein, den Glauben seiner Väter, welchem er in manchen Fällen
eine tiefe Anhänglichkeit widmet, aufrecht zu erhalten, aber seine
wirkliche Religion (allgemein gesprochen) ist ein liberaler und philo=
sophischer Deismus." — Betreffs Englands hebt der Verfasser her=

vor, daß in diesem seinem Vaterlande sowohl die socialen als die religiösen Unterschiede schärfer und nachhaltiger bestehen bleiben, und die englische Nation daher in nicht wenigen Beziehungen in eine mannigfaltige Gruppirung zerfällt. Hier haben die Juden sich zu der bekannten Reform in der Westend=Synagoge bewogen ge= funden, deren leitender Grundsatz die Anerkennung der h. Schrift als Basis in allen Lehrfragen und religiösen Vorschriften ist, ohne dieselbe Bedeutung der talmudischen Tradition einzuräumen. Der Verf. freut sich übrigens, daß die anfängliche Feindseligkeit zwischen diesen Reformern und der alten Gemeinde gegenwärtig geschwunden sei. — Aus den wenigen Worten, die der Verf. den Juden in Holland widmet, und in welchen er sie auf dem französischen Stand= punkte erblickt, ersieht man, daß er diese wenig kennt. — Die deut= schen Juden könnten sich darüber beklagen, daß er sie wenig im Detail besprochen und gerade in die reiche und umfängliche Literatur derselben nicht eingeht. Indeß scheint er über den Charakter unserer Zustände wohl unterrichtet. Er sagt: „Es ist hierin, wie anderswo, Deutschland vorzugsweise vorbehalten, die sorgfältigst und dauerhaftest durchgearbeiteten Systeme der Theologie hervorzubringen. Unter den deutschen Juden bestehen, wenn wir es richtig erfassen, fünf religiöse Parteien, und jede derselben ist durch eine eigene Synagoge repräsentirt und geistlich wie doctrinell unterschieden. Erstens, die talmudisch=orthodoxe Partei, streng anhängend allen Vorschriften der Tradition, obgleich auch sie in vielen Dingen z. B. in der Er= ziehung der Frauen und in dem weitausgedehnten Kreise des Unter= richts die Wirkung der Einflüsse, deren Canal Mendelssohn gewesen, verspürt und zeigt. Zweitens, die neuorthodoxe Partei, welche gleicherweise dem alten Ritual anhängt, aber, obgleich sie die Gültig= keit der Tradition anerkennt, doch historische Untersuchungen über deren Ursprung für berechtigt hält und solche Veränderungen zuläßt, welche die Resultate ihrer Forschungen verbürgen. Diese Schule, sagt man, unterscheide sich durch gelehrte und in ihrem Vorsatz ehrliche Männer, die aber nothwendig ungewiß und schwankend und uncon= sequent in ihren Schlüssen sind. Drittens, die biblischen Juden, welche im Ganzen das Alte Testament zu ihrem Führer nehmen, sich aber nicht an die Aussprüche des Talmuds gebunden erachten, weshalb sie bedeutende Reformen und Abkürzungen im alten Gebet= buche zulassen. Diese stehen den Reformjuden in England am näch=

ften, zeichnen sich aber durch eine tiefere Kenntniß der biblischen und jüdischen Literatur vor ihnen aus. V i e r t e n s, die älteren Reformjuden, anhangend der göttlichen Autorität des Alten Testaments und besonders des Pentateuchs, aber sich selbst meist gänzlich vom traditionellen Ritual befreiend, deutsche Gebete in ihre Synagogen einführend, und eine freiere Ansicht von Ceremonien im Allgemeinen annehmend. Endlich f ü n f t e n s, die neuen Reformjuden aus dem Jahre 1845 datirend, welche das Ceremonialgesetz nicht allein des Talmuds, sondern auch des Pentateuchs verwerfen, und die Vorschriften nicht allein betreffs der verbotenen Thiere, sondern auch hinsichtlich der Beschneidung außer Augen setzen, obgleich die meisten Glieder ihrer Gemeinde diesen Ritus noch ausüben." Nach dieser Schilderung fügt der Verf. hinzu, daß es zu weit führen würde, diese verschiedenen Schulen im Detail zu zeichnen und beschränkt sich darauf, als zwei Charakteristica das Religionsbuch von Pleßner (1838) und das Gebetbuch der Berliner Reformgemeinde (1859) anzuführen. Es ist dem Verfasser genehmer, den vorzüglichsten Sprecher der französischen Judenheit, S a l v a d o r, kritisch zu beleuchten. Der übrige Theil des Aufsatzes ist daher den Werken dieses Schriftstellers gewidmet. So sehr wir nun auch unsererseits die Verdienste Salvador's anerkennen, so müssen wir doch Verwahrung dagegen einlegen, ihn als den wirklichen Repräsentanten des modernen Judenthums zu betrachten. Salvador hat vom Beginne seiner schriftstellerischen Laufbahn an sich zu sehr isolirt gehalten, zu sehr gestrebt, der Entwickelung seines eigenen Geistes, seiner eignen Gedankenwelt sich zu widmen; er besitzt zu wenig Kenntniß der hebräischen Sprache und Literatur und weiß von den Arbeiten der deutschen Juden so gut wie gar nichts, um ihn anders als eine originelle Individualität ansehen zu können. Bei aller Achtung und Reserve, welche der Verf. des englischen Aufsatzes an den Tag zu legen sucht, können wir uns dennoch von der Annahme nicht trennen, daß er sich gerade Salvador ausgesucht, weil dessen Ansicht einige schwache Seiten bieten, auf welchen der Kritiker dem modernen Judenthume überhaupt beizukommen und es zurückzuweisen, den Schein annehmen konnte.

Die Beurtheilung der früheren Werke Salvador's, wie der mosaischen Institutionen, des Römerkriegs ff. können wir hier übergehen und bei dem letzten „Paris, Rom und Jerusalem", das soeben

in der dritten Ausgabe erschienen ist, stehen bleiben. Wer dieses
Werk kennt, weiß, daß es an Inhalt und Form nicht selten abstrus
ist. Die Hauptansicht Salvador's ist, daß alle Formen der jetzt
noch in der civilisirten Welt bestehenden Religionen mangelhaft und
veraltet seien, daß ein neues und faßlicheres Glaubenssystem aus
den Original-Elementen der Offenbarung sich entwickeln müsse; das
Christenthum in seinen drei Hauptformen, der Islam, welcher das
wilde Heidenthum des Ostens besiegt habe, und die jüdische Reli=
gion selbst in ihrer jetzigen Entwickelung durch die Propheten und
Rabbinen, enthielten einen vorwiegenden Theil der Wahrheit, aber
auch seit ihrem Beginne ein Element des Irrthums. Die fran=
zösische Revolution, welche die Todtenglocke des Mittelalters geläu=
tet, sei der Anfang einer neuen Aera welche bei der unauflöslichen
Verbindung zwischen Politik und Religion in einer religiösen Revo=
lution resultiren müsse. Für diese Religion der Zukunft sei die
jüdische Nation der Träger, Wächter und Darsteller. Zu diesem
alten Stamm, dem Inhaber der primitiven Wahrheit, würden alle
Nationen der Erde sich wenden, und Jerusalem die heilige Stadt
der Welt, das religiöse Centrum aller Nationen werden. Dort,
wohin schon jetzt die Aufmerksamkeit Aller gerichtet sei, würden alle
Menschen die Wahrheiten, welche sie in ihrem bisherigen Glauben
schon besessen, zur Consolidirung des allgemeinen Glaubens bei=
steuern und so ihr Heiligthum in Zion, ihren geistigen Führer in
Moses finden.

Diese eclectische Religion Salvador's, deren eigentlichen Inhalt
dieser selbst nicht angiebt, auch wohl nicht angeben konnte, bietet
nach vielen Seiten hin Angriffspunkte, von denen aber unser Eng=
länder nur einige benutzt. Er richtet sein erstes Argument gegen
den Einfluß der Juden überhaupt. In den früheren Zeiten wäre
es nicht ein eigenthümlicher Geist des jüdischen Stammes gewesen,
der ihm einen Einfluß auf die Welt gegeben, sondern daß er Etwas
gehabt hätte, was, der Welt bis dahin unbekannt, er dieser geben
konnte. „Als die einzigen Anbeter eines Gottes, sagt er, als In=
haber traditioneller Weisheit, dann als Erben einer höheren Cultur
und Kenner verschiedener Sprachen, endlich als Reisende, Cosmo=
politen, Bürger jedes Landes, konnten die Juden dem Alterthume
und dem Mittelalter so viele Dienste leisten.“ In allen diesen
Dingen sei ihre Superiorität jetzt vorüber; sie könnten auf allen

Gebieten als Individuen Bedeutendes leisten, aber besäßen keine höheren Geistesgaben als ihre Mitbürger, um einen allgemeinen Einfluß üben zu können. — Dieses Raisonnement unsers Engländers leidet an einem doppelten Widerspruch. Denn zuerst zählt er die großen Gaben, welche der jüdische Stamm der Welt gebracht habe, auf, und will ihm doch alle besonderen Geistesgaben absprechen. Aber wodurch hätte denn der jüdische Stamm diese, der ganzen übrigen Welt unbekannten und verschlossenen Güter bekommen? Muß er, der allem Supernaturalismus feindlich ist, sie nicht als unmittelbare Schöpfungen des jüdischen Geistes, welche die Geister der übrigen Völkerschaften nicht hervorbringen konnten, ansehen, und so dem jüdischen Stamme besondere Gaben zusprechen? Der zweite Widerspruch liegt darin, daß er den jüdischen Geist als beständig in Fluß und Gährung begriffen anerkennt, und dennoch die Möglichkeit einer neuen Entwickelung aus ihm heraus leugnet. Wir fügen hinzu, daß es überhaupt mehr als Vermessenheit ist, einem Stamme, dessen Lebenskraft bereitwillig gerühmt wird, alle Zukunft neuer Schöpfungen abzusprechen. Wir thun dies hinsichtlich keiner lebenden Nation, und darum gestehe man es auch uns zu. Die ganze Darstellung des Verfassers hat zum eigentlichen Inhalt, den bedeutenden Entwickelungsprozeß zu zeigen, welchen das moderne Judenthum und seine Bekenner mit Ernst und Energie durchmachen, und nun will er apodictisch absprechen, daß sich Etwas daraus entwickeln könne. — Zweitens leugnet er, daß das Judenthum auf das Christenthum reagiren könne und behauptet, daß vielmehr der Protestantismus dahin strebe, sich von den jüdischen Ideen frei zu machen, was er insonders durch die auf das Alte Testament und besonders den Pentateuch geübte Kritik erwirkt glaubt. Wir wollen dies zugestehen. Aber wohin wird der Protestantismus dadurch geführt? Weiß er nicht, daß dieselbe protestantische Kritik auch die Schriften des Neuen Testaments aller Autorität entkleidet und ihren Inhalt zu einer Mythe gemacht hat? Weiß er nicht, daß die protestantische Kritik es zu nichts Anderem als zu Feuerbach und zu den freien Gemeinden bringt? Daß also diese Befreiung des Christenthums von den jüdischen Ideen eben nichts Anderes als eine Zersetzung, eine Auflösung, eine Vernichtung des Christenthums bedeutet? —

Sprechen wir unsere Ansicht daher schon hier, wenn auch nur andeutungsweise aus. Der Verfasser der englischen Abhandlung giebt selbst zu, daß das Christenthum gleich in seiner ersten Periode heidnische Elemente in sich aufgenommen. Er sagt dies wörtlich so. Wenn also das wirkliche Judenthum diese heidnischen Elemente nicht in sich aufgenommen und wenn nothwendiger Weise jene ins Christenthum aufgenommenen heidnischen Momente auch die aus dem Judenthum herübergenommenen Wahrheiten alteriren mußten, wie sollte das Judenthum nicht noch Vieles, nicht die intact gebliebene Wahrheit enthalten, welche dem Christenthum zu einer neuen Phase verhelfen und ihr den wesentlichen Inhalt geben wird? Dann: zur siegreichen Aufstellung einer neuen Religionsphase — eine solche ist der eigentlich blos negirende Protestantismus nicht — sind etliche Verstandesbegriffe oder formulirte Lehrsätze nicht genügend. Es gehört dazu eine von innen entflammte Begeisterung, ein intensiver Enthusiasmus, eine Steigerung und Durchglühung aller Geistesgaben, welche wir Gläubigen als den von Gott unmittelbar verliehenen prophetischen Geist verehren, und diese ekstatische Begabung des Geistes kann weder theoretisch noch factisch den Germanen, Romanen und Slaven, also den Völkern des Christenthums zugesprochen werden, da sie sich bei ihnen nur in untergeordneten Maßen gezeigt hat, hat sich aber wiederholt in Söhnen des jüdischen Stammes erwiesen und bethätigt. Wer dieses vorurtheilslos erwägt, kann selbst vom rationalistischen Standpunkte aus die Möglichkeit einer abermaligen derartigen Erscheinung innerhalb des jüdischen Stammes nicht verneinen. —

Doch dies nur zur Widerlegung der Kritik des Engländers. Worin aber die deutschen Juden, so weit diese sich dem neuen Entwickelungsprocesse anheimgegeben, von dem Systeme des Herrn Salvador gänzlich abweichen, ist, daß sie nicht wie dieser Autor, an der alten Symbolik festhalten, um für die aus dem Judenthume sich entwickelnde allgemeine Religion des Einig-Einzigen Gottes, der allgemeinen Liebe und des allgemeinen Rechts ein geographisches Centrum, einen sichtbaren Sitz der Religion als Mittelpunkt der ganzen Welt erforderlich zu achten, sondern die jüdische Nationalität nur so weit sie mit der Religion, mit der Gotteslehre und allen ihren Consequenzen identisch ist, nothwendig und für immer bestehend glauben, die Religion des Geistes aber in der allgemeinen Verbreitung durch das ganze Menschengeschlecht, nicht aber in dem Gebundensein an irgend eine materielle Localität finden.

Doch wir wollen uns nicht vorgreifen, und indem wir von dem englischen Kritiker achtungsvoll scheiden, können wir doch die Bemerkung nicht unterlassen, daß auch er das gewöhnliche Schicksal theilt, sich, sobald man an eine Beurtheilung des Judenthums geht, in Widersprüche und sophistische Folgerungen zu verlieren.

7. Was ist Judenthum? was Christenthum?

Nachdem wir wichtige äußere Momente, welche das Verhältniß beider Religionen und die Stellung ihrer Bekenner zu einander kennzeichnen, besprochen haben, und uns anschicken, dem Wesen jener näher zu treten -- drängt sich uns und gewiß Jedem unserer Leser vor Allem die Frage auf: was ist Judenthum? und was Christenthum? oder vielmehr: was sehen wir als solches an und mit welchem Fug und Recht? Diese Frage müssen wir uns zu beantworten suchen. Denn nur allzuoft geschieht es, sei es in polemischen, sei es in apologetischen Besprechungen, daß ein jeder Theil sich ein eigenes Gebilde vom Gegenstande macht, dieses angreift oder vertheidigt, während der Gegner wieder eine ganz andere Vorstellung, einen sehr verschiedenen Begriff in's Feld bringt, wodurch dann die Verwirrung nur noch größer, das Resultat nur noch schwankender und somit die ganze Verhandlung unnütz wird. Suchen wir diesem Fehler zu entgehen.

Jeder Sachkundige wird aber die Beantwortung der aufgestellten Frage als eine überaus schwierige ansehen, die, immerfort versucht, immer neue Hindernisse bietet. Allerdings, und darum glauben wir, daß die Antwort gerade in der Schwierigkeit selbst gegeben ist.

Was ist Christenthum? Wir treffen hier auf zwei Eigenthümlichkeiten in der Geschichte des Christenthums. Die eine liegt in der außerordentlichen Zersplitterung der ganzen Masse seiner Bekenner. Von dem Augenblicke an, wo sich schon unter den Aposteln völlig verschiedene Richtungen zeigten, Richtungen, die übrigens, wie wir später ersehen werden, schon in den Aussprüchen, welche das N. T. Jesu selbst in den Mund legt, begründet erscheinen, bis auf den heutigen Tag hat das Christenthum, je mehr es sich ausdehnte,

auch desto größere Zerklüftung im Innern erfahren. Die zahlreichen Sekten der ersten Jahrhunderte bei Seite gelassen, geschah
es doch frühzeitig genug, daß die große Spaltung in die griechische und
römische Kirche, so den alten Zwiespalt zwischen Osten und Westen
verewigend, vor sich ging, und nicht minder schied sich dann durch
die Reformation der Norden vom Süden. Wenn es der katholischen
Kirche da, wo sie sich herrschend erhalten, durch eine beispiellos
günstige hierarchische Organisation gelang, eine compacte Einheit
zu bleiben, so entstanden hingegen in der griechischen hunderte von
Sekten, die theils in den wesentlichsten Prinzipien, theils aber auch
nur in den geringfügigsten Dingen sich widersprechen, aber mit der
ausdauerndsten Hartnäckigkeit aller Gewalt gegenüber sich am Leben
zu erhalten die Kraft besaßen. Wie vielen Kirchen dagegen die
Reformation in den von ihr ergriffenen Ländern und Ländchen
Entstehung gab, brauchen wir nur anzudeuten, und ist der Wirr-
warr der Sekten hier so groß, daß nur ein ausgedehntes Studium
die Kenntniß aller zu verschaffen vermag. Auch ist diese Erzeugung
neuer Sekten jetzt noch nicht abgestorben, wie die Unitarier, die
Irvingianer, die Deutsch-Katholiken, die christliche freie Religionsgemeinde, die neuen Secten in Schweden u. A. beweisen, selbst
wenn wir die Mormonen und die ganz freie Religionsgesellschaft,
wie sie sich bereits an mehreren Orten von der christlich freien Gemeinde getrennt hat, als völlig vom Christenthume abgefallen, nicht
hierherziehen. Hierbei ist aber nun nicht zu verkennen, daß es
nicht blos vermeintliche Verschiedenheiten, nicht bloß Unterschiede in
nebensächlichen Lehrsätzen sind, welche die Kirchen und Sekten des
Christenthums trennen, sondern daß die durchgreifendsten Widersprüche und Gegensätze sich in solchem Maße in ihnen ausprägen,
daß fast jede Kirche und jede Sekte ein völlig anderes Bild vom
Christenthume aufstellt, dessen ungleichartige Züge nur wenig Aehnlichkeiten verrathen. Aber auch innerhalb derselben Kirche und Sekte,
namentlich so weit diese auf dem Boden der Reformation erwuchsen, erscheinen uns sehr verschiedenartige Auffassungen des Christenthums, und Niemand wird ein Zollikoffer'sches, Bretschneider'sches,
Schleiermacher'sches und Hengstenberg'sches Christenthum identificiren
wollen. — Die zweite Eigenthümlichkeit besteht nun aber darin,
daß alle diese außerordentlichen Verschiedenheiten nicht etwa in geschichtlichen, sich nach einander entwickelnden Phasen bestehen, so daß

die eine nach der andern und aus einander entstand, blühete und überwunden wurde, sondern daß sie alle neben einander existiren, die Erscheinungen älteren Ursprunges mit zähester Lebensdauer auch in der Jetztzeit fortdauern und voraussichtlich noch eine lange Zukunft vor sich haben. Es ist dies ebenso innerlich wie äußerlich der Fall. Die römische Kirche z. B. bewahrt ihr Prinzip der unverrückbaren Stabilität noch heute wie jemals, würde, wenn die Völker und ihre Herrscher sich nicht entgegenbäumten, noch jetzt zu der Verfassung der mächtigsten und furchtbarsten Päpste zurückgreifen und das Inquisitionsgericht wieder herstellen, und eine Zeit, in welcher das bekannte Dogma über die Mutter der Jungfrau sanktionirt und diesem Dogma öffentliche Denkmäler aufgerichtet werden konnten, muß sich an Gläubigkeit mit jeder vergangenen messen können; wohingegen die protestantische Kirche ihr Prinzip der Kritik auch heute trotz allen Anstrengungen der Pietisten unleugbar sich in ihrem Schooße erhält, wie die Kritik der biblischen Bücher erweist, die von protestantischen Forschern, ohne daß diese aus der Kirche geschieden angesehen werden, geübt wird.

Was folgt hieraus? Daß die Frage, was Christenthum sei, nicht anders beantwortet werden kann, als indem wir dem Christenthume in seine ganze Zersplitterung und Verästelung folgen und uns jedem speziellen Produkte desselben speziell gegenüber stellen. Wir haben es mit dem Christenthume des N. T., mit dem römischen, griechischen, lutherischen, reformirten, anglikanischen u. s. w. Christenthume zu thun, und es würde uns auch, konkret genommen, eine jede dieser Kirchen sehr verübeln, wenn wir eine derselben als den Typus aller andern ansehen und beurtheilen wollten. Der Weg ist dadurch ein viel weiterer und mühseligerer, aber es giebt keinen andern, um gerecht und wahr zu sein. Es versteht sich von selbst, daß es eine kleine Zahl von Dogmen giebt, welche alle Kirchen und Sekten, so lange sie noch christlich sein wollen, bekennen müssen, und die daher als das Allgemeine und Gemeinsame des Christenthums anzusehen sind; aber sobald man an das eigentliche Verständniß dieser Dogmen geht, stößt man eben auf das völlige Auseinandergehen, und dann erhalten selbst diese Dogmen ihr eigentliches Leben erst aus der weitern Verarbeitung und ihren Consequenzen.

In beiden Momenten bietet aber das Judenthum den vollen Gegensatz. Die großen Verschiedenheiten, welche das Judenthum befaßt, sind nur die Phasen seiner Entwickelung innerhalb der beinahe vier Jahrtausende seines Bestandes, Phasen, welche sich theils nach den Gesetzen des Geistes, theils aus den geschichtlichen Vorgängen und Einwirkungen, nach- und auseinander entwickelten; und wenn in den Epochen, wo diese Entwickelungsphasen des Judenthums sich herausbildeten und nach Gestaltung rangen, mächtige Kämpfe und Parteiungen hervortraten, so hatten sie dennoch niemals eine gesonderte Ausprägung in dauernden konkreten Sekten zur Folge, sondern nach Durchkämpfung der Streitelemente verschwanden diese wieder, und die fixer gewordene Phase vereinigte in sich, was sie ihrem Geiste nach von den Resultaten ihrer Parteien gebrauchen konnte. Erweisen wir dies aus der Geschichte.

Das Judenthum fand nach der Zeit des Patriarchalismus im Mosaismus eine einheitliche und konsequent in sich abgeschlossene Begründung. Der einzige Widerspruch im Aufstande des Korachs war von keiner Dauer und Folge. In dem nächsten Jahrtausend fand in Israel noch die Spaltung zwischen der Gotteslehre und dem Heidenthume Statt, aber dies war keine Spaltung in der erstern selbst. Der Kampf war ein heftiger, von großen Zuckungen begleiteter, in die erste Zerstörung und Verbannung endender, und der Prophetismus war die, den Mosaismus vielfach erweiternde Phase, welche diesen Kampf durch und zum Siege führte. Der Prophetismus ist aber in allen seinen Gliedern ein ebenso einheitlicher, wie der Mosaismus selbst. Während des zweiten Bestandes begann allmählig die große Auslegung und Verarbeitung des mosaischen Gesetzes, die wir jetzt die Tradition nennen, und sich als die dritte Phase, der Talmudismus, ausbildete. In dieser Periode geschah es, daß zum ersten Male verschiedenartige Auffassung und Parteiung sich zeigte, und, so lange das politische Element sich damit vermischte, auch zu äußeren, zum Theil blutigen Kämpfen führte. Zwar die verschiedenartige Auffassung in einzelnen Büchern der Hagiographen, z. B. in Koheleth, hatte keine für uns sichtbare Folge, wie auch der Tempel des Onias zu Heliopolis nur ein schwaches Abbild des jerusalemischen, eine Synagoge mit Opferdienst, nicht aber das Objekt einer Sekte war. Dagegen kann die Existenz der drei Parteien der Pharisäer, Essäer und Sabuzäer nicht weggeleugnet werden, wie auch der Zwiespalt zwischen den Schulen Hillel's und Schammai's ein sehr bedeutsamer war. Dennoch finden wir bald von jenen keine reale Spur mehr, und die Ausgleichung der letzteren geschah durch die Praxis fast ohne Kampf: ein Bruch im Judenthume erfloß aus allem Diesen nicht. Nur der kleine Bruchtheil der Karäer löste sich wie ein geringer Zweig vom großen Stamme als Widerspruch gegen die bereits entwickelte Tradition ab, ohne aber der Nothwendigkeit einer Tradition entgehen zu können, die der Karäismus nur von Neuem und selbständig anfing. Nach dem Abschlusse des Talmudismus begann als vierte Phase der Rabbinismus, der keine andere Aufgabe hatte, als aus dem großen Chaos der talmudischen Tradition sich ein festes Land zu konzentriren, das unveränderlich die Normen des jüdischen Lebens stabil erhalte. Ehe der Rabbinismus diese seine Aufgabe, zu einer völlig fixirten Stabilität zu gelangen, ganz löste, mußte sich ein abermaliger Kampf erheben, der hauptsächlich in der Bekämpfung des Maimonides, außerdem aber in vielen andern kleinern Parteistreitigkeiten, z. B. des Salomon ben Abereth, zu Tage trat. Aber auch diese Kämpfe brachten keine Sektirerei zu Wege, der Rabbinismus ging über sie hinweg, nahm die halachischen Arbeiten gerade des Maimonides als eine seiner tüchtigsten Grundlagen für sich, und überließ ruhig seine philosophischen Werke dem Studium der darnach gelüstenden Individuen. Als sich später neben dem großen Stamme des halachischen Rabbinismus noch die Mystik der Kabbala aufrankte, blieb der letztern Raum genug, um fortzuwuchern, ohne ein Anderes zu bewirken, als daß den Individuen überlassen blieb, von deren mysteriösen Ceremonien zu üben, was ihnen beliebte. Die Lehren der Kabbala wurden von der Synagoge weder sanktionirt, noch verurtheilt und verketzert.

Als einen ganz besonderen Beweis, daß im Judenthume der ursprüngliche Trieb, sich in der Einheit zu erhalten, dauernd lebte, haben wir hier noch anzuführen, daß auch die nicht unbedeutenden Verschiedenheiten in der Liturgie, welche in den Synagogen der einzelnen Länderkomplexe erwuchsen, zu keiner Spaltung in Sekten führten, eine Erscheinung, die sich auf keinem andern Religionsgebiete wiederholt. Wenn die sog. Spanier und Portugiesen sich in sozialer Beziehung, selbst im Heirathen, von den übrigen Glaubensgenossen fern hielten, so lagen nicht religiöse, sondern eine Art aristokratischer Motive zu Grunde, da sich in Lehre und Gesetz selbst keine Differenz herausstellte. Seit der Mitte des vorigen Jahrhunderts entspann sich allmählig eine neue Phase der Entwickelung, die sich von den früheren mehr unterscheidet als eine der andern, in deren Entfaltung aber wir jetzt noch begriffen sind, deren endliche Gestaltung noch nicht resultirt ist, deren Geist und Ziel jedoch schon begriffen werden können. Wenn nämlich auch früher schon und zwar in der babylonischen Gefangenschaft, in der griechisch-römischen und spanisch-arabischen Periode die Juden mit dem Kulturleben der Völker in nähere Berührung traten, und dadurch unleugbar influirt wurden, so geschah dies doch immer nur theilweise, wirkte lediglich auf den vorzugsweise gebildeten Theil der Nation und ging für die große Masse und das wesentliche Leben des Judenthums, ohne tiefere Spuren zu hinterlassen, vorüber. Wir besitzen aus den drei genannten Perioden literarische Produkte, die von der Einwirkung jenes fremden Geistes Zeugniß geben, aber gerade in ihrer Isolirtheit bekunden, daß dieser Einwirkung bald wieder Grenzen gesetzt waren. Vorzugsweise ist dies bei der griechisch-römischen Zeit der Fall, während die babylonische Einwirkung sich selbst durch den Talmud in bestimmten Fäden hindurchzieht, und die spanisch-arabische Periode nach dem neuerwachten Studium derselben auch auf unsere Zeit einen nicht geringen Einfluß übt. Dieser Ausgang war theils von den Geschicken des jüdischen Stammes bedingt, theils war das Kulturleben jener Völker und Zeiten selbst noch zu sehr einseitig und auf niederer Stufe, oder schon verlebt und abgeschwächt wie das griechisch-römische, um einen dauernden, bezwingenden Einfluß haben zu können.

Seit der Mitte des vorigen Jahrhunderts aber zeigten sich sowohl die civilisirten Völker als auch die unter diesen lebenden Juden genugsam herangereift, daß diesen die Bahnen in das allgemeine Kulturleben geöffnet wurden. Die immer unbedingtere bürgerliche Gleichstellung, die immer unbeschränktere Theilnahme an allen realen Verhältnissen in Industrie und Politik und vor Allem das stets wachsende Eingehen in die Bildung und das Geistesleben der gesammten Civilisation stellten dem Judenthume die großartige Aufgabe, nunmehr, wie nie zuvor, sich mit der menschengeschlechtlichen Kultur auszugleichen, hinwiederum ein integrirendes Element derselben zu werden, und sich einen unmittelbaren Einfluß auf sie

13.

zu erwerben, den es bisher nur mittelbar und darum schwächer geübt. In der Lösung dieser Aufgabe stehen wir gegenwärtig mitten inne, und es kann daher nicht verwundern, daß sich gegenwärtig abermals verschiedene Geistesrichtungen, verschiedene Gesichts= und Standpunkte theils ideell, theils praktisch herausgearbeitet haben, die zeitweise den Charakter ringender Parteien annehmen, auch hie und da, links und rechts, das Gelüste nach konkreter Spaltung innerhalb der Gemeinden hervorbringen. Aber auch jetzt schon läßt es sich übersehen, daß nicht minder wie die früheren Phasen auch die jetzige tief einschneidende und umgestaltende Entwickelung keine solche dauernde Spaltung und Sektenbildung auf die Dauer bewirken werde, daß vielmehr Geist und Verhältnisse dahin führen, die Ein= heit im Judenthume aufrecht zu erhalten.

Frägt man nach den Ursachen dieser gegensätzlichen Erscheinung im Christenthume und Judenthume, so können wir zunächst darauf hindeuten, daß das letztere ein einheitliches Substrat hatte und hat, welches durch Nationalität und Geschick auf ein einheitliches Zu= sammenhalten verwiesen und geführt ward, während das Christen= thum berufen war, eine Masse von Nationen anzugehen, die an Eigenthümlichkeit, Charakter, Sitte, Kultur und geschichtlichen Ver= hältnissen weit von einander abstanden. Das zweite Kausalmoment wird aber darin gefunden werden müssen, daß das Christenthum den aus dem Judenthume entnommenen Lehrinhalt, um ihn den Völkern zugänglich zu machen, sofort mit einem mannigfaltigen Zu= satze von Dogmen, Anschauungen und anderen Elementen umgeben, erweitern und ausfüllen mußte, der sich nun in den einzelnen Na= tionen und Zeiten sehr verschiedenfarbig reflektirte, und den Stoff zu den mannigfaltigsten gegensätzlichen Auslegungen hergab, aus welchen zahllose Kirchen und Sekten entspringen mußten.

Wie dem aber auch sei, es leuchtet ein, daß wir ganz genau sagen können, was Judenthum ist; es ist: die geschichtliche Entwickelung des Mosaismus in den obengezeichneten Phasen, und das Judenthum des neunzehnten Jahr= hunderts ist das im und zum menschengeschlechtlichen Kulturleben sich entwickelnde Judenthum.

8. Das jüdische Glauben und das christliche Glauben.

Glauben heißt: Etwas als wahr annehmen. Wir glauben Etwas, theils weil die Person, welche die Mittheilung macht, uns glaubwürdig erscheint, theils weil unser Verstand und unsere Gefühle dem Mitgetheilten nicht widersprechen, theils endlich, weil bei der Prüfung unsere Wahrnehmungen und Schlüsse mit dem Mitgetheilten in Uebereinstimmung sich befinden. Je entschiedener diese letztere erzielt wird, desto eher wird in uns das Glauben zum Wissen.

Ohne Glauben kann der Mensch nicht existiren, weder im Leben, noch in der Wissenschaft, noch in der Religion. Wir verbringen keine Stunde im Leben, ohne daß wir tausendfältige Mittheilungen auf guten Glauben annehmen, theils weil sie für uns zu unwichtig sind, um sie einer Prüfung zu unterziehen, theils weil wir hierzu keine Veranlassung und Gelegenheit haben; wir würden in der That kaum einen Schritt vorwärts kommen, sollten wir genöthigt sein Alles, was uns mitgetheilt wird, zu prüfen und zum Wissen zu bringen. Gleiches findet in der Wissenschaft statt. Selbst dem strengsten Forscher auf einem einzelnen beschränkten Gebiete ist es unmöglich, alle Thatsachen von vornherein zu prüfen, alle Ergebnisse von Neuem zu untersuchen und festzustellen; er muß vielmehr eine Menge von Daten als wahr annehmen, die von Anderen gelehrt worden, wenn sie nur seinem Verstande und seinen eigenen Wahrnehmungen nicht geradezu widersprechen, oder wenn sich die Personen, auf deren Autorität hin der Ausspruch angenommen worden, ihm als glaubwürdig anderweitig erwiesen haben. Hierzu kommt, daß viele Dinge auf dem historischen Felde gar nicht mehr geprüft, und daß die übersinnlichen ihrer Natur nach niemals zum wirklichen und völligen Wissen gebracht werden können. Darum ist es eine Täuschung, wenn man fordert oder annimmt, daß eine Religion ohne Glauben bestehe und bestehen könne, vielmehr muß auch sie, wie alle Dinge in der Menschenwelt, Glauben voraussetzen und beanspruchen.

Was wird aber hierin einen wesentlichen Unterschied ausmachen? Nichts Anders als: ob eine Religion Glauben lediglich aus der Glaubwürdigkeit heraus fordert, die sie den ursprünglichen Ueberlieferern ihrer Glaubenssätze beilegt, auch wenn diese letzteren dem Verstande und den Gefühlen widersprechen und darum jeder Prüfung durch unsere Wahrnehmungen und Schlüsse sich entziehen müssen —

ober ob eine Religion diese Forderungen nicht stellt, ihre Glaubens=
sätze dem Verstande und den Gefühlen nicht widersprechen und
darum einer Prüfung sich willig unterziehen. In dem ersteren Falle
wird die Religion sich im Widerspruch mit dem Verstande und dem
Herzen befinden, also mit dem ganzen Wesen des Menschengeistes,
und ein unbedingtes, oder wie man zu sagen pflegt, blindes Glau=
ben erfordern. Es wird sich wohl auch finden, daß dann die einzelnen
Personen innerhalb dieser Religion für sich unterscheiden, was in
ihr mit ihrem Verstande und ihrem Herzen übereinstimmt, und
was diesen widerspricht, jenes verwerfen und dieses annehmen.

Nach diesen Voraussetzungen prüfen wir einmal genauer, was
für Glauben das Judenthum und was für Glauben das Christen=
thum fordert.

Die h. Schrift Israels stellt als höchste Forderung auf: „Und
nun, Israel, was fordert der Ewige, dein Gott, von dir? Daß du
Ehrfurcht habest vor dem Ewigen, deinem Gotte, in allen seinen
Wegen wandelst, ihn liebest und ihm dienest mit ganzem Herzen und
mit ganzer Seele." (5. Mos. 10, 12). Hierin wird also keine Forderung
des Glaubens aufgestellt, sondern die Ehrfurcht vor und die Liebe zu
Gott und die Verwirklichung und Bethätigung dieser in Wort und
Werk. So findet sich denn auch das Wort „Glauben" nur wenige
Male und zwar bei speciellen Verheißungen und Geschehnissen, wo
hingegen „du sollst erkennen" und „du sollst dir zu Herzen nehmen"
sehr oft vorkommt. Die h. Schrift setzt den Glauben an das Dasein
Gottes voraus und beginnt daher mit den Worten: „Im Anfang
schuf Gott den Himmel und die Erde." Sie setzt diesen Glauben
voraus, weil sie ihn bei allen Völkern und Menschen vorfand, weil
er dem Verstande und Gefühle des Menschen nicht widerspricht,
sondern zum eigentlichen Wesen des Menschen gehört. Die h. Schrift
läßt sich also auf Beweise für das Dasein Gottes gar nicht ein,
sondern ihre Aufgabe ist nur, gegenüber den Verirrungen und Ver=
wirrungen des Heidenthums, den rechten und wahren Begriff von
Gott bestimmt und ausführlich zu lehren und die daraus consequent
erfließenden Gesetze der Sittlichkeit für den Einzelnen wie für die
ganze Gesellschaft aufzustellen. Die h. Schrift überläßt es also der
Philosophie, wie diese mit den Beweisen für das Dasein Gottes
fertig wird, sie sich construirt oder nicht; sie selbst aber stellt den
rechten und wahren Inhalt des Begriffes von Gott auf dem ewigen

Grunde des Glaubens an Gott fest. Diese Lehre von Gott wieder=
spricht nun in keinerlei Weise unserem Verstande und Herzen, und
überläßt sich daher auch willig der weiteren Prüfung unserer Ver=
nunft. Immer den Glauben an Gott vorausgesetzt, kann ein Wider=
spruch oder eine Nichtübereinstimmung mit dieser Lehre von einem
einzigen, unkörperlichen, unendlichen, allmächtigen, ewigen, allgütigen,
allgerechten und allbarmherzigen Gotte, Schöpfer der Welt, Vorsehung
und Vergeltung in der Menschenwelt, von unserer Vernunft nicht
gefunden werden.

In gleicher Weise spricht der Talmud den Grundsatz aus, daß
ein Jude, so lange er den Satz: „Höre, Israel, der Ewige, unser
Gott, der Ewige ist einzig" bekennt, durchaus als Jude anzusehen
ist. Wie er sich auch in jeder andern Beziehung zum Judenthume
verhalte, kann er mehr oder weniger ein gerechter und frommer oder
ein sündiger Jude sein, aber dem Judenthume gehört er an. Also
auch hier wird nur der Glaube an einen einzigen Gott vorausgesetzt.

Indeß ist doch noch ein zweiter Glaubenssatz, den die Schrift
präsumirt. So einfach, wie sie mit ihrem ersten Worte die Schöpfung
der Welt durch Gott ausspricht, ebenso einfach sagt sie: Gott sprach
zu Adam, Noah, Abraham u. s. w., redete vom Sinai zu dem ver=
sammelten Volke Israel, und das Wort Gottes kam zu dem und
dem Propheten. Sie setzt also die unmittelbare Offenbarung Gottes
an hierzu berufene Menschen ebenfalls als Glauben voraus, und giebt
nur hier und da einen Wink, wie man sich die Offenbarung zu
denken habe. Die heilige Schrift spricht nirgends aus, daß ihr ge=
sammter Inhalt Wort für Wort von der Genesis bis zur Chronik
unmittelbar von Gott herrühre, wohl aber, daß die Lehren Mosis
und der Propheten diesen göttlichen Ursprung haben. In der tal=
mudisch=rabbinischen Epoche ging man hierin nun weiter, nahm die
ganze Bibel und Alles, was darin enthalten ist, als von Gott
unmittelbar herrührend an, so daß nicht blos die prophetischen
Reden und Aussprüche aus Gott unmittelbar erflossen, sondern auch
der geschichtliche Theil und die Hagiographen von einem „heiligen
Geiste" (רוח הקדש) eingegeben seien, ja, daß es auch Traditionen
gebe, welche unmittelbar vom Sinai, also göttlichen Ursprungs seien,
und daß überhaupt die Aussprüche, Folgerungen und Festsetzungen
der Weisen dieselbe Verpflichtung wie die heilige Schrift für die
Bekenner des Judenthums hätten.

Das schriftgemäße Judenthum kennt also zwei Glaubens=
sätze, die es als seine Basis dem Glauben übergiebt: das Dasein
Gottes und den unmittelbaren Ursprung der Lehren Mosis und der
Propheten aus Gott. Ueber diese beiden Sätze hinaus stellt es
durchaus keine Forderung an das bloße Glauben, sondern überläßt
den ganzen Inhalt dieser Lehren der Prüfung unseres Verstandes
und Herzens, um sich mit ihnen in völliger Uebereinstimmung zu
befinden, gewiß, daß diese nicht ausbleiben könne.

Wie verhält sich nun das Judenthum unserer Zeit hierzu? Wie
sich von selbst versteht, sieht es den ersten Glaubenssatz ebenfalls völlig
als seine Basis an, und betrachtet denjenigen, der den Glauben an
Gott in Frage stellt, nicht mehr als Juden. Es wird dem Einzelnen
nicht verwehren, auch über das bloße Dasein Gottes für sich zu
philosophiren — wie dies ja auch Maimonides und Mendelsohn
gethan — aber so wie er zu einem abweichenden Resultate käme,
hätte er sich ganz außerhalb des Judenthums gestellt. Wir stehen
dabei völlig auf dem talmudischen Standpunkte und fordern vom
Juden unbedingt das Bekenntniß, daß der Ewige, unser Gott, einzig
ist. Hinsichtlich des zweiten Glaubenssatzes befindet sich das neuere
Judenthum nicht mehr auf dem Standpunkte des unbedingten Glau=
bens, wie das talmudisch=rabbinische Judenthum. Denn es gestattet
dem Juden immerhin die Frage: ob er sich in Uebereinstimmung
finde mit dem Glauben, daß die Lehre unmittelbar von Gott ein=
gegeben, oder ob sie das geschichtliche Eigenthum und Erbtheil des
jüdischen Stammes sei? Allerdings wird die eigentliche Theorie auch
des gegenwärtigen Judenthums auch diesen zweiten Glaubenssatz
aufrecht erhalten und mit aller Kraft diese Ueberzeugung pflegen
und nähren, aber in der Praxis kann man das Wesen des Juden=
thums noch immer als bewahrt und gerettet auch in den jüdischen
Individuen ansehen, welche sich hinsichtlich des zweiten Glaubens=
satzes entweder als im fraglichen Zustande, oder gar in Zweifel und
Widerspruch erklären.

Dies ist das jüdische Glauben. Es wird als eine unbedingte
Forderung der Religion für ihren Inhalt durchaus nicht beansprucht
vielmehr dieser überall als mit unsrer Vernunft und unsrem
Gefühle in Uebereinstimmung vorausgesetzt. Es wird nur im All=
gemeinen für das Dasein Gottes als Basis aller Religion und im

Besondern für den Ursprung unsrer Lehre vorausgesetzt. Vergleichen wir es nun mit dem christlichen Glauben.

Wir halten es für überflüssig, bevor wir die folgende Betrachtung anstellen, noch einmal zu versichern, daß es sich hier nicht um eine Polemik, viel weniger um eine Verunglimpfung oder nur schiefe Beurtheilung handle, daß wir vielmehr nichts Anderes als eine objektive Vergleichung der Thatsachen anstreben, so daß die Resultate von den Gegnern selbst angenommen werden müßten.

Das Christenthum stellt das Glauben, und zwar das unbedingte Glauben, als seine erste und unerläßlichste Forderung auf Nur durch das Glauben, und zwar an den bestimmten Inhalt der christlichen Glaubenssätze, wird der Mensch der Erlösung, des ewigen Lebens, der Seligkeit theilhaftig. Wer diesen Glauben nicht hat, mag er jene Glaubenssätze verwerfen oder von ihnen keine Kunde gehabt haben, ist von der Erlösung, vom ewigen Leben, von der Seligkeit ausgeschlossen, ist der Verdammniß anheimgefallen. Dies ist bereits im Neuen Testamente selbst an vielen Stellen ausgesprochen, von denen wir nur einige anführen wollen. Ev. des Markus 16, 16: „Wer da glaubt und getauft wird, der wird gerettet werden; wer aber nicht glaubt, der wird verdammt werden." Ev. des Johannes 3, 16: „Denn also hat Gott die Welt geliebet, daß er seinen Sohn, den eingeborenen, dahin gegeben, auf daß Jeder, der an ihn glaubet, nicht verloren gehe, sondern das ewige Leben habe." 18: „Wer an ihn glaubet, wird nicht gerichtet; wer aber nicht glaubet, ist schon gerichtet, weil er nicht geglaubt an den Namen des eingeborenen Sohnes Gottes." 36: „Wer an den Sohn glaubet, hat das ewige Leben." Vgl. 6, 47.

Was setzt nun diese aller Lehre vorangehende Forderung des allein die Erlösung, die Rechtfertigung und die Seligkeit verleihenden Glaubens voraus? Nichts Anderes, als daß damit von vornherein der Inhalt der Glaubenssätze als der Vernunft und dem Herzen widersprechend und unbegreiflich bezeichnet ist, darum der Cognition jener völlig entzogen und als ein Mysterium hingestellt wird. Wie bemerkt, wir wollen hier dem Christenthume diese seine Forderung nicht bestreiten, nicht einmal den Widerspruch andeuten, daß eine göttliche Offenbarung nichts weiter als ein unbegreifliches Geheimniß sein solle, sondern wir wollen hier nur konstatiren, daß es so und nicht anders ist. Dieser unbedingten Forderung seitens

des Christenthums entspricht dann auch der Inhalt seiner Glaubens=
sätze. Ohne jetzt schon an die Prüfung des ganzen christlichen
Glaubensschatzes zu gehen, werfen wir nur einen Blick auf die
ersten Credo's, die allen christlichen Kirchen gleicherweise eigen und
daher in jedem Katechismus zu finden sind. Sie lauten: 1) „Ich
glaube an Gott den Vater, den Allmächtigen, den Schöpfer des
Himmels und der Erde;" 2) „Ich glaube an Jesus Christus, den
einzigen Sohn desselben, unsern Herrn, der empfangen worden vom
heiligen Geiste, geboren aus der Jungfrau Maria, gelitten hat
unter Pontius Pilatus, gekreuzigt, gestorben und begraben, hinab=
gefahren zur Hölle, am dritten Tage wieder erstanden von den
Todten, zum Himmel gestiegen, sitzend zur Rechten Gottes des
Vaters, von wo er kommen wird, zu richten die Lebenden und Tod=
ten;" 3) „Ich glaube an den heiligen Geist, der hervorgeht aus dem
Vater und dem Sohne"[1]).

Wir gehen nicht weiter, weil von da ab die Kirchen von ein=
ander abweichen.

Wer diese Fundamentalglaubenssätze des Christenthums liest,
dem wird sofort der Widerspruch einleuchten, den die Vernunft und
das Gefühl dagegen erheben. Sei die Erklärung, Deutung, Aus=
legung noch so einfach, oder gekünstelt, in dem einzigen Gotte eine
dreifache Persönlichkeit anzuerkennen, ist der Vernunft unmöglich;
ja drei Personen, die so von einander gesondert sind, daß die eine
derselben ein eigenthümliches Geschick erleiden und sich ihm
hingeben konnte, in der Einheit des göttlichen Wesens zu
finden, aus seiner Einigkeit eine Dreieinigkeit zu machen, ist die
Vernunft nicht im Stande. Es ist also ein Mysterium, das die
Vernunft und das Gefühl in ihrem ganzen Wesen und in ihrer
Thätigkeit völlig ausschließt. Daß Gott Mensch geworden, als Mensch
geboren werde, esse, trinke, wachse, sich entwickele, thätig sei, leibe
und sterbe, ist der Vernunft und dem Gefühle ebenso unbegreiflich,
ebenso widersprechend, da hier die Grundbegriffe des Unendlichen
und Endlichen, des Unbegrenzten und Begrenzten, des Sinnlichen

---

[1] Es lauten diese Credo's im lateinischen Texte des katholischen Katechismus folgendermaßen, s. Catechismus ex Decreto Concilii Tridentini, ad
parochos Pii V. Pont. Max. jussu editus. Colon. 1661, p. 15 seg.:
. Credo in Deum patrem omnipotentem, creatorem coeli et terrae;

und Uebersinnlichen, des Gottseins und Menschseins geradezu in den Kampf, oder vielmehr in den vollständigsten Widerspruch treten. Es ist wiederum ein Mysterium, das die Vernunft und das Gefühl in ihrem ganzen Wesen und in ihrer Thätigkeit völlig ausschließt. Daß in dem Leiden und dem Tode dieses Mensch gewordenen Gottes nicht blos der Mensch leide und sterbe, sondern auch der Gott, so daß dadurch dieses Leiden und Sterben nicht die gewöhnliche Bedeutung eines menschlichen Leidens und Sterbens, sondern eine unendliche Bedeutung und Wirkung, nämlich die Erlösung der sündigen Menschen, jedoch nur sofern sie daran glauben, erhielt, ist wiederum der Vernunft und dem Gefühle unbegreiflich, da der Begriff Gott und der Begriff Leiden und Sterben sich gegenseitig aufheben, also abermals ein Mysterium, das die Vernunft und das Gefühl ausschließt. Daß die dritte göttliche Person, der „heilige Geist", aus den beiden anderen „hervorgeht", dennoch aber von ihr die zweite, der Sohn, „empfangen" worden, ist ebenfalls der Vernunft und dem Gefühle widersprechend, unbegreiflich, ein Mysterium. Wir haben es also mit den weiteren Glaubenssätzen, die an diese Credo's sich anschließen, aus ihnen hervorgehen, von ihnen bedingt werden, die aber auch jene Glaubenssätze selbst bedingen, noch gar nicht zu thun; denn diese schon erweisen vollkommen, daß sie im Gegensatz zur Vernunft und zum Herzen des Menschen stehen, nicht etwa bloß von diesen nicht erwiesen, vielmehr bei jeder Prüfung verworfen, sondern schon gar nicht verstanden und begriffen werden weil alle Begriffe der Dinge darin sich selbst aufheben. Darum hat schon das „Neue Testament" selbst, dann die Kirche und die Kirchenväter, ja alle Kirchenlehrer bis auf diesen Tag das unbedingte Glauben als das erste und wesentlichste Erforderniß angesehen und ausgesprochen, weil ohne dieses Glauben jene Glaubenssätze des Christenthums nur Worte sind, und derjenige, sei es christlicher Laie oder christlicher Theologe, der die angeführten Glaubens-

Et in Jesum Christum, filium ejus unicum, Dominum nostrum, qui conceptus est de Spiritu sancto, natus ex Maria Virgine, passus sub Pontio Pilato, crucifixus, mortuus et sepultus, descendit ad inferos, tertia die resurrexit a mortuis, ascendit ad coelos, sedet ad dextram Dei patris omnipotentis, inde venturus est judicare vivos et mortuos.

Credo in Spiritum Sanctum, qui ex Patre Filioque procedit.

Das lutherische Bekenntniß lautet bekanntlich ebenso.

sätze nicht als die wirklichen und wesentlichen des Christenthums annimmt, nicht bloß die Kirche, Kirchenväter und Kirchenlehrer, sondern auch das „Neue Testament" verwirft, sich also ein Christenthum eigener Art und auf eigene Hand fabricirt. Ganz in derselben Weise, wie die h. Schrift, der Talmud und das jetzige Judenthum, also das Judenthum in allen seinen Phasen einmüthig den für keinen Juden erklärt, der den Glaubenssatz: „der Ewige, unser Gott, ist einzig und einig" (beide Begriffe sind im אחד verbunden) läugnet, so erklären das „Neue Testament", die Kirche und die Kirchenlehrer den für keinen Christen, der die obigen drei Credo's nicht glaubt. Ebenso aber wie vom Judenthume nichts übrig bleibt, wenn jene drei Zeugnisse des Judenthums (die h. Schrift, der Talmud und das jetzige Judenthum) verworfen werden, so bleibt auch vom Christenthume nichts übrig, wenn diese drei Zeugnisse des Christenthums (das Neue Testament, die Kirche und die Kirchenlehrer aller Zeiten) verworfen werden.

Es resultirt hieraus also: daß das Judenthum kein unbedingtes Glauben, sondern überall nur ein vernunftgemäßes Glauben als Forderung und Erforderniß hinstellt, da es lediglich das Glauben an das Dasein Gottes als sein unverrückbares Fundament aufstellt, dieses Glauben aber in dem Wesen des ganzen Menschen begründet ist und der Vernunft und dem Gefühle nicht widerspricht, dann zwar auch das Glauben an die göttliche Offenbarung will, welches Glauben jedoch darum nicht unbedingt ist, weil eine Uebereinstimmung mit dem Lehrinhalt des Judenthums immer noch auch mit der Nichtannahme dieses Glaubenssatzes bestehen kann. Das Christenthum hingegen stellt das unbedingte Glauben als seine erste Forderung und Erforderniß auf, weil dieses unbedingte Glauben sein eigentliches Wesen ist, und sein Lehrinhalt unbegreiflich, der Vernunft und dem Gefühle widersprechend, sie daher ausschließend, Mysterium ist.

Wir haben hier, unserer Aufgabe gemäß, keinen Blick auf den Islam zu werfen; aber auch dieser, wie schon sein Name giebt („Islam: die unbedingte Hingebung" [1]) stellt Glaubenssätze als unbedingte Forderungen auf, wie das unbedingte Glauben an das höchste Prophetenthum Muhameds, an die Praedestination, welche

[1] S. Tornauw, moslem. Recht S. 2 ff.

die Freiheit des Menschen aufhebt (Fatalismus), an die Unerschaf=
fenheit des Korau, der dem Muhameb durch den Erzengel Gabriel
vom Himmel gebracht wurde — Glaubenssätze, deren unbedingte
Annahme den Begriff des „Gläubigen" ausmacht und allein dem
Gläubigen die Seligkeit des Paradieses sichert, deren Annahme
aber von einer vernunftgemäßen Prüfung nicht abhängig gemacht,
einer solchen vielmehr nicht unterzogen werden darf. —

Wir wollen nun dem Christenthume das Recht, das unbedingte
Glauben als sein Wesen von seinem Bekenner zu fordern, durch=
aus nicht bestreiten, und gestatten uns daher nur die e i n e Be=
merkung, daß freilich, sobald einmal ein unbedingtes Glauben
gefordert wird, der I n h a l t desselben ohne bestimmbare Grenze ist,
da ihm das einzige Korrektiv, die Uebereinstimmung mit der Ver=
nunft, fehlt. Es ist daher auch den Reformatoren nie eingefallen,
die weiteren Glaubenssätze der katholischen Kirche zu verneinen,
weil sie der Vernunft widersprächen, sondern weil sie nicht schrift=
gemäß seien, aus dem „Neuen Testamente" nicht erwiesen und be=
legt werden könnten. Aber auch das Heidenthum stand auf dem
unbedingten Glauben, und die Gebilde aller heidnischen Religionen
konnten von ihren Bekennern nur durch das unbedingte Glauben
gehalten werden. War doch selbst die Art von Philosophemen,
welche in einigen heidnischen Religionen wie der indischen und per=
sischen, enthalten war, in deren konkreter Gestaltung dem vernunft=
gemäßen Begreifen längst entzogen.

Das Judenthum unterscheidet sich daher wesentlich h i e r d u r c h
von allen übrigen Religionen. Es hat den Kampf um das Dasein
Gottes nur mit dem Atheismus, Materialismus und Skeptizismus,
dagegen den Kampf um den rechten Begriff, die rechte Lehre von
Gott mit allen anderen Religionen zu führen.

Dieses schwer wiegende Moment des so durchaus entgegen=
gesetzten Glaubens macht von vornherein einen so großen Unter=
schied zwischen Judenthum und Christenthum aus, eröffnete, seitdem
das Christenthum dieses Glauben zu seinem Wesen gemacht, eine
so tiefe Kluft zwischen den beiden Religionen, eine so unausfüllbare,
daß wir noch länger dabei verweilen müssen. Nicht erst die Glau=
benssätze selbst, sondern schon das unbedingte, die Vernunft und
das Herz ausschließende Glauben als erstes und unweigerliches
Erforderniß des Christenthums bewirkte eine Differenz, die nicht

auszugleichen ist. Die h. Schrift Israels lehrt uns ausdrücklich, daß das Wort, welches uns übergeben worden, „dir ganz nahe, in deinem Munde und in deinem Herzen ist", nicht im Himmel, um zu sprechen: „wer steiget für uns in den Himmel hinauf und holet es uns und verkündigt es uns?" sie lehrt uns, daß es nicht „wunderbar" für uns ist, daß das Geheimnißvolle nur Gottes, das Offenbare und das Begreifliche aber des Menschen ist (5. Mos. 30, 11 ff. 29, 28.) — während das Christenthum seine Glaubenssätze als unbegreifliche Geheimnisse, als der Vernunft unfaßbare Mysterien verkündet.

Glauben ist weder ein gesondertes Vermögen, noch eine unterscheidbare Thätigkeit des menschlichen Geistes. Sobald es sich als eine von außen gestellte Forderung setzt, also die Thätigkeit der Vernunft und des Herzens ausschließt, kann es nur noch als eine Thätigkeit der Phantasie gelten, und der Glaubenssatz als eine Vorstellung, welche der Phantasie anheimfällt und übergeben wird, weil er der Vernunft nichts Faßbares und Begreifliches übergiebt. Dies war die Basis, auf welcher das ganze Heidenthum beruhete und sich bewegte. Denn selbst die vernunftgemäßen Vorstellungen, welche einige heidnische Religionen an ihre Spitze gestellt, wurden von ihnen alsbald der Vernunft entzogen und der Phantasie zum bunten Spiel der sinnbildlichen Verarbeitung übergeben. Diesem einseitigen Wesen sollte nun die israelitische Religion von Beginn an entgegentreten, und eine Religion begründen, welche den ganzen Menschen beanspruchen, den ganzen Menschen umfassen und befriedigen sollte. Der Begriff Gottes und das Verhältniß des Menschen zu Gott sollte aus dem Bereiche der bloßen Phantasie herausgeschafft und der Vernunft und dem Herzen des Menschen überantwortet werden. Nur dadurch konnten die Wahngebilde der Phantasie zerstört und ihnen vorgebeugt, nur dadurch eine dauernde religiöse Ueberzeugung geschaffen, der Geist zur Erkenntniß gebracht, die wahre und sichere Sittlichkeit begründet und zur Herrschaft im Leben des Menschen geführt werden. Diesen Standpunkt, daß die Religion alle Kräfte des Menschengeistes zur Thätigkeit und Befriedigung bringen müsse, und daß nur die eine wahre Religion sei, welche sich ebenso auf Vernunft und Herz wie auf die geschichtliche Ueberlieferung stützt, die daher nicht in einem ewigen Widerstreit der Vernunft und des Herzens gegen die geschichtliche Ueberlieferung besteht, jene auf immer zurückweisen und verdammen, diese als das alleinige Heil aufrecht erhalten muß, diesen Standpunkt nahm die Religion Israels von Anfang an ein und behauptete ihn, selbst durch die Trübnisse dunkler und trauriger Zeiten hindurch, immer fest, so daß er, wenn er eine Zeit lang verdunkelt war, doch immer wieder zum Vorschein und zum Durchbruch kam und sich als das erhabene Charakteristikum dieser Religion bewährte. Was Wunder demnach, daß, als das Christenthum sich von diesem Standpunkte zu entfernen begann und seinem Glaubensinhalte gemäß das unbedingte Glauben, das Mysterium, welches die Vernunft und das Herz ausschließt, wieder zu seiner Grundlage machte, das Judenthum sich mit ihm in voller Opposition befand, seitdem in ununterbrochenem Gegensatz beharrt und diesen gar nicht aufzugeben vermag. Diesen Gang verfolgte das Judenthum ganz besonders auch in der Auslegung der h. Schrift selbst. Das Wort derselben war stets der Prüfung, Forschung und Auslegung nach allen Seiten hin frei gegeben. Auch der Talmud bringt die mannigfaltigsten Deutungen jedes Wortes der h. Schrift heran; auch die treuesten Anhänger des Talmud hielten sich für befugt, den talmudischen Deutungen gegenüber zu dem einfachen Wortsinn zurückzukehren und diesen auf Grund der Fortschritte der Grammatik und Lexikographie zu eruiren. Erlaubt sich ja sogar der Talmud, irgend einem Ausspruche der Schrift durch Versetzung oder Veränderung von Buchstaben einen verschiedenen Sinn beizulegen; er erlaubt es sich, weil er eben weiß, daß er hiermit nicht eine unabänderliche Deutung aufstellen, sondern nur einen neuen Gedanken anknüpfen wollte; und die verschiedensten Auslegungen, wenn sie nur nicht geradezu schriftwidrig sind, werden mit dem Spruche gerechtfertigt: „Dies und dies sind Worte des lebendigen Gottes". Es war daher immer ein sehr erfolgloses Bestreben der christlichen Missionäre, Juden dadurch zu ihrem Glauben zu bekehren, daß sie die kirchliche Auslegung einiger aus ihrem Zusammenhange gerissenen Stellen der Schrift als Beweise für die christlichen Glaubenssätze ihnen insinuiren wollten.

Es giebt demnach hierin gar keine Wahl, gar keine Ausgleichung, gar keine Connivenz. Entweder das Judenthum oder das Christenthum müßte sein ganzes, eigenes Wesen aufgeben, wenn eine Vereinigung stattfinden sollte. Entweder das Christenthum muß seine Glaubenssätze und damit das unbedingte Glauben, d. h. den

Ausschluß der Vernunft und des Herzens aufgeben, das ist nichts Anderes, als Judenthum werden; oder das Judenthum müßte seine Grundlage in der Vernunft und dem Herzen, seine Uebereinstimmung der geschichtlichen Ueberlieferung mit der Vernunft und dem Herzen aufgeben, und könnte dann Christenthum, aber auch etwas Anderes, wie Islam oder sonst, werden. Es liegt aber darum offenbar, daß jenes dem Christenthume eher möglich wäre, während dies dem Judenthume ganz unmöglich ist, weil es dem ganzen Menschen, der einmal als solcher in geheiligter Weise befaßt ist, nicht möglich ist, sein ganzes Wesen gegen die Thätigkeit eines Theiles, Vernunft und Herz gegen die Phantasie aufzugeben. Nicht als ob diese Procedur nicht in einzelnen wenigen Individuen vor sich gehen könnte, dies leugnen wir nicht — aber nicht in einer Gesammtheit, in einer großen Vielheit von Menschen, weil jene Procedur eine sehr besondere Beschaffenheit in einem solchen Individuum voraussetzt. Dies liegt denn auch factisch vor; denn was band denn die Juden an ihre Religion so viele Jahrhunderte hindurch, und ließ sie um derenwillen die größten Leiden ertragen? Was bindet sie noch heute einer tausendfach verlockenden Welt, einem zersetzenden Leben gegenüber an dieselbe, und läßt sie noch heute vielfache Ausschließung und Beschränkung geduldig ertragen? Nichts anderes, als daß in ihrer Religion der ganze Geist beansprucht und befriedigt wird, während sie dies aufgeben müssen, wenn sie übertreten; weil in ihrer Religion Vernunft und Herz frei und thätig sind, während sie diese gebunden und ausgeschlossen bekommen, wenn sie ihre Religion verlassen wollten. Es findet dies so sehr statt, und darin liegt der beste Beweis für unsere Deduction, daß dies nicht blos Ansicht der Intelligenz ist, sondern wie zum Instinkte bei der Masse geworden, und daß sie hiernach jeden Abfall von der Religion Israels wie einen Abfall von Vernunft und Herzen, von Vernunftgemäßem und Herzgemäßem beurtheilt. Ja, es ergiebt sich daraus, daß mit der größern allgemeinern Herrschaft von Bildung und Gesittung auch das der Bildung sich anschließende Judenthum nur ein um so festeres Band um seine Bekenner schließt; daß, je mehr im Allgemeinen Vernunft und Herz vorwaltend werden, das Judenthum, das diesen gegen die auch in seinem Schooße durch das Mittelalter aufgehäuften Mißbräuche und Mißstände zu ihrem Platze verhilft und sich dadurch klärt und läutert, nur um so sicherer seine Bekenner festhalten werde, so daß der Traum jener Gegner, welche von der wachsenden Aufklärung den Untergang des Judenthums verkündeten, zu Schanden wird, weil sie das Wesen des Judenthums nicht kannten, da dieses in der Klärung jenes nur eine um so mehr verjüngende und erfrischende Kraft gewinnt.

9. Die Konsequenz im Judenthum und Christenthume.

Konsequenz heißt die folgerichtige Durchführung der Grundbegriffe auf dem ganzen Gebiete des betreffenden Gegenstandes nach allen Richtungen hin. Durch eine solche Konsequenz werden die Grundbegriffe erst lebendig, wirksam und darum zur Wahrheit; durch sie wird ein wesenhafter Organismus hergestellt, in welchem alle Glieder und Organe zusammengehören, sich ineinanderfügen und zu einem großen ganzen Leben werden; ohne sie wird Alles Schein, jene Grundbegriffe hängen in der Luft, oder verwirklichen sich nur in unzusammenhängenden Erscheinungen, welche nicht im Stande sind, die realen Verhältnisse und Hindernisse zu überwinden.

Die israelitische Religion stellt von ihrem Beginne an ein Bild vollendeter Konsequenz dar. Sie hat zu ihrer Basis die Lehre vom einzigen Gotte, der die Welt geschaffen. Ihre erste Folgerichtigkeit bethätigte sie nun in der Lehre von Gott selbst, als dem unendlichen, unveränderlichen und ewigen, allmächtigen, allerheiligsten, d. h. vollkommensten Wesen. Ihre zweite Folgerichtigkeit war die Einheit des ganzen Weltalls und aller Wesen und Existenzen in ihr, die alle zu einem unermeßlichen Ganzen eingegliedert und zusammengefügt sind. Folgerichtig erscheint Gott in dieser Schöpfung allweise und allgütig, darum die Welt vollkommen, kein Uebel in ihr vorhanden — alles Uebel ist nur ein Verhältniß zum Menschen — ein Prinzip des Bösen nicht existirend. Sie faßt den Menschen in dieser geschaffenen Welt als das sittliche Wesen, aus Körper und Geist bestehend, diese beiden zu einer harmonischen Einheit verbunden. Ihre dritte Folgerichtigkeit ist daher, den Menschen als Gott ebenbildlich zu fassen, und zwar im Selbstbewußtsein, in der Unerschöpflichkeit der Gefühle, im freien Willen und der daraus folgenden Sittlichkeit. Folgerichtig erkennt sie daher Gott in einem unmittelbaren Verhältniß zum Menschen als Vorsehung und Vergeltung, jene die Menschheit zur fortschreitenden Vervollkommnung führend, diese die Schuldhaftigkeit des reuigen Individuums in Barmherzigkeit auslöschend, vergebend, versöhnend. Folgerichtig bestimmt sie daher das Selbstbewußtsein des Menschen zur Erkenntniß, das Gefühl zur Liebe und den freien Willen zur Tugend und Läuterung, zur freien Selbstbestimmung für Recht und Pflicht. Folgerichtig wendet sie sich daher an alle Thätigkeiten des Menschengeistes, stellt als höchste Gesetze der Liebe auf: „Liebe den Ewigen, deinen Gott, mit deinem ganzen Herzen, mit deiner ganzen Seele und mit deinem ganzen Vermögen" (Herz, Vernunft, Willen), und: „liebe deinen Nächsten wie dich selbst", und findet in der freien Uebung des Rechts und der Pflicht das „Leben". Ihre vierte Folgerichtigkeit besteht nämlich nun in der Auffassung des Menschengeschlechts als Einheit, alle Menschen aus einem Ursprunge als Kinder des einzigen Schöpfers und Vaters betrachtend. Folgerichtig stellt sie daher für die menschliche Gesellschaft die Grundsätze der Gleichheit, Bruderliebe und persönlichen Freiheit auf. Hier ist es aber, wo sie auf die realen Verhältnisse traf, zu deren Ueberwindung sie ihre Grundsätze niemals aufgab, aber nur auf die allmählige Entwicklung der Menschheit rechnen durfte. War sie daher gezwungen, ihre ganze Lehre inmitten aller in das Heidenthum versunkenen Völker an eine hierzu erzogene Nation zu richten, von Beginn an aber mit der Tendenz und Gewißheit, daß im Laufe der Jahrtausende die ganze Menschheit sich dieser Lehre zuwenden werde, indem von Zeit zu Zeit aus ihr große Strömungen in die Menschheit eindringen würden: so waren auch innerhalb dieser dazu bestimmten Nation die realen Hindernisse zu beachten und zu überwinden. Indem sie daher jene obersten Grundsätze für die Gesellschaft dieser Nation proklamirte, mußte sie in der folgerichtigen Verwirklichung derselben durch das Spezialgesetz an Zeit und Ort gebunden sein. Wenn sie die Gleichheit durch den Wegfall aller Geburts- und Standesunterschiede thatsächlich ausführte, so mußte sie andererseits ein Hinderniß durch die Heiligkeit des Eigenthums, das wiederum in der persönlichen Freiheit seine Vollberechtigung hatte, finden, und konnte daher nur die unaufhörlichen Schwankungen des Besitzes und die daraus erfließende Ungleichheit durch die möglichste Vermeidung der Gegensätze, d. i. des übermäßigen Reichthums und der übermäßigen Armuth, vermittelst des Gesetzes

vom Erlaß= und Jobeljahre zu vermindern suchen. Ebenso traf sie
für die persönliche Freiheit auf das heidnische Sklaventhum, und
konnte dies nur dadurch zu beseitigen hoffen, daß sie dasselbe in
eine zeitweise Vermiethung verwandelte, ganz wie sie den Verkauf
der Erbgüter in eine zeitweise Verpachtung verwandelte, beide noch
durch das beständige Lösungsrecht beschränkend. Um so freier war
sie in Bezug der Bruderliebe, die sie auch dadurch vor jedem Miß=
verständniß sicherte, daß sie ausdrücklich hinzufügte: „Liebe den
Fremdling wie dich selbst". Sie stellt daher die Hülfeleistung für
jeden Hülfsbedürftigen in Gefahr und Noth als ein volles Anrecht
des Letzteren auf und verkörperte dies außer der allgemeinen Aus=
sprache im Spezialgesetz in einer Reihe von Verordnungen, die sich
zunächst an die Zustände eines ackerbauenden Volkes lehnten. Weiter=
hin lief dieses Moment auch in die schonende Behandlung des
Viehes aus und deutete noch ferner auf die Bewahrung und Be=
achtung aller natürlichen Einrichtungen und der naturgemäßen Ein=
fachheit hin. Folgerichtig baute sie aber die ganze Gesellschaft auf
der Familie auf, schützte diese in ihrer ganzen Heiligkeit, indem sie
insonders durch das Ehe= und Keuschheitsgesetz jede Ausschweifung
und Entartung verhinderte. Hier angekommen, bethätigte sie folge=
richtig jene von ihr anerkannte harmonische Einheit des Körpers
und Geistes im Menschen, indem sie nachhaltige Störungen der=
selben seitens des Körpers, nachtheilige Einflüsse dieses auf die
Reinheit der Seele durch die Reinigkeitsgesetze, wohin auch die
Speisegesetze gehören, zu beschränken suchte. Auf diese Weise inner=
halb der Gesellschaft bei dem Individuum angelangt, weckte und
pflegte sie in diesem vorzugsweise das Bewußtsein, Glied einer
großen religiösen und nationalen Gemeinschaft zu sein, erzog es
dann zu den Gefühlen der Ehrfurcht vor Gott, der Anhänglichkeit
und Treue für seine Ueberzeugung, zur Unterdrückung aller bösen
Begierden, zur Bekämpfung aller schlechten Leidenschaften und zur
Vermeidung aller unrechten Handlungen. — Es war daher schließ=
lich die fünfte Folgerichtigkeit, daß sie diese ihre großen im Allge=
meinen aufgestellten, im Spezialgesetz mit Beachtung und nach Maß=
gabe von Zeit und Ort verarbeiteten Grundsätze durch die strengste
Uebung des Rechts in der Gesellschaft vermittelst der unparteiischesten
öffentlichen und mündlichen Gerichtsbarkeit, mit Ausrottung aller
Selbsthülfe, Selbstrache, Foltern, Gottesurtheile ꝛc. und im Indivi=

duum vermittelst der Verantwortlichkeit vor Gott und Menschen sicherte. —

Dies ist in großen Zügen ein Bild der vollendeten Konsequenz, welche der Mosaismus als Grundlage für das Judenthum durchführte. Es ist hier nun nicht der Ort, zu zeigen, wie dieser der israelitischen Religion aufgeprägte Charakter sich in der ganzen Geschichte des Judenthums realisirte. So viele Hindernisse die realen Verhältnisse und deren geschichtlicher Wandel auch mit sich brachten, so gab doch das Judenthum diese Konsequenz niemals auf, was Folgen hatte, die wir weiter unten näher in Betracht ziehen werden. Stellen wir zuvörderst eine ähnliche Betrachtung hinsichtlich des Christenthums an.

Sobald wir in das Glaubensgebiet des Christenthums eintreten, treffen wir auf die erste große Inkonsequenz. Wir erkennen an, daß das christliche Glaubenssystem an sich, völlig konsequent sich auseinander entwickelt. Die Urheber der christlichen Glaubenssätze legten den Lehren, die aus dem Munde des Stifters der christlichen Religion geflossen, nicht den ausschließlichen Werth bei, um ihn genügend zu finden, ihn als einen Propheten, einen gottbegeisterten und gottgesandten Seher zur Anerkennung zu bringen. Dazu hatten in der That diese Lehren innerhalb des Judenthums nichts Neues und Besonderes genug. Es galt daher, seinem Tode und dem voraufgegangenen Leiden eine höhere Bedeutung zu geben, und zugleich eine solche, welche für schwärmerische Gemüther, zumal außerhalb des Judenthums, wo das zur Carricatur herabgesunkene Heidenthum zahllose Geister sehnsüchtig nach einer neuen Verkündigung gemacht, eine große Anziehung üben könne. Dies konnte nicht erreicht werden, indem man dieses Leiden und diesen Tod etwa blos als ein Vorbild hinstellte, wie man für seine Ueberzeugung leiden und sterben müsse, sondern indem man ihm eine ganz außerordentliche Wirkung zuschrieb: die Erlösung der sündigen Menschen, die Läuterung derselben zum ewigen Leben, selbstverständlich nur für den, der an diese Erlösung glaube. In diesem Falle konnte aber dieser Tod nicht für den eines Menschen angesehen werden, da es nicht ersichtlich sein konnte, wie dem Tode eines Menschen eine solche Kraft einwohnen konnte. Folgerichtig mußte daher dieser Stifter für mehr als einen Menschen, für einen Gott erklärt werden, der sich zwar als Mensch dem Tode hingab, aber doch zugleich als Gott darunter

litt und buldete. Nahm man nun in der Gottheit erst zwei Persön=
lichkeiten an, so war es folgerichtig, noch eine dritte zu constatiren,
„den heiligen Geist,“ durch dessen Vermittelung „der Sohn“ in die
menschliche Erscheinung trat, und welcher dauernd die Vermittelung
zwischen Gott und den Menschengeistern vollführe. War dieses an
sich folgerichtig, so traf man eben auf das Hinderniß, daß die Religion,
an welche man anknüpfte, die Lehre von einem einzigen Gotte in
ganz unbedingter Weise aussprach, und dieses Axiom doch dem Heiden=
thume gegenüber und bei der nothwendig festzuhaltenden Lehre von
der Einheit der geschaffenen Welt nicht entbehrt werden konnte.
Man mußte daher zu der Inkonsequenz greifen: an der Spitze der
Religion einen einzigen Gott zu lehren und doch in diesem eine
dreifache Persönlichkeit anzunehmen. Das Dogma von der Erlösung
führt folgerichtig zu der Annahme, daß alle Menschen etwas in sich
trügen, wovon sie erlöst werden müßten; daß alle Menschen von
Geburt an eine Sünde in sich trügen, welche durch eigene Reue
und Buße nicht gesühnt werden könne, also eine Erbsünde. Hier=
durch aber gerieth man in die zweite Inkonsequenz, daß der Mensch
als Gott ebenbildlich anerkannt werden mußte, und dennoch mit
dieser unermeßlichen Erbsünde behaftet in die Welt trete; ferner,
daß Gott allbarmherzig, ist, und dennoch diese Sünde durch sich selbst
nicht versöhnen könne: endlich, daß Gott die Welt vollkommen er=
schaffen habe, und dennoch der Mensch mit einer durch das Indi=
viduum unverschuldeten Sünde geboren werde. Glaubte man nun
diesen letzten Einwand dadurch zu beseitigen, daß man die Veran=
lassung zu dieser Erbsünde in der ersten Sünde des ersten Menschenpaares
finden wollte, so war man doch wiederum hierdurch genöthigt, die
Existenz eines „bösen Prinzips“ anzunehmen, den „Satan“, der im
A. T. nur eine poetische Figur gespielt hatte, in den Kreis des
fixirten Glaubens einzuführen und so zu dem alten persischen Dua=
lismus zurückzukehren, der in so inkonsequenter Weise dem jüdischen
Monotheismus angeheftet wurde. Drittens erkannte man die Ein=
heit des Menschengeschlechts an, aber man gelangte aus dem Dogma
von der Erlösung sofort dahin, eine Unterscheidung zwischen den
„Gläubigen“ und den „Ungläubigen“ zu machen, zwischen beiden eine
wesentliche Ausschließung zu constatiren. Wenn auch dogmatisch
diese Unterscheidung vielmehr für den Himmel, für das jenseitige
Leben gemacht wurde, so lehrt doch die Geschichte bis auf den heutigen

Tag, welche faktische Gewalt dieses Dogma auch auf das bürgerliche Leben geübt hat, und wie es zu Verbannung, Unterdrückung und Ausrottung ganzer Völkerstämme geführt. Aus ihm heraus floß das Motiv, die Verbreitung der Religion auch mit dem Schwerte zu bewirken, eine Folge, die sich aus gleichem Dogma und in noch erweitertem Maße auch im Islam gezeigt hat. — Die bedeutendste Inkonsequenz lag aber darin, daß das Christenthum sich lediglich als eine Religion des Individuums ankündigte, die deshalb mit der Gesellschaft, ihrer Verfassung, ihren Gesetzen, dem in ihr geltenden Rechte, also auch mit ihren Zuständen nichts zu schaffen habe. Es war dies allerdings folgerichtig, insofern das Christenthum den Schwerpunkt des individuellen Lebens in das jenseitige Leben verlegte, ihm die Vorbereitung des Individiums für das Jenseits als das Hauptmoment des religiösen Lebens des Individuums erschien so daß der von der Welt sich völlig zurückziehende Mensch, der die bürgerlichen Verhältnisse völlig von sich abstreift, sich dem Himmel am nächsten dünkte. Aber es ist dies inkonsequent, und zwar von den nachhaltigsten Wirkungen, weil das Individuum, in eine den Grundsätzen und Lehren der Religion völlig entgegengesetzte bürgerliche Welt versetzt, durchaus nicht umhin kann, bei tausendfachen Gelegenheiten jenen Lehren und Grundsätzen zuwider zu handeln, die so geartete Gesellschaft zahllose Individuen von Religion und Sittlichkeit abwenden, und die Gesammtheit der Individuen als Staat verüben wird, was den Individuen als Sünde und Frevel von der Religion verboten wird. Müssen wir die Gesellschaft als die eigentliche Pflanz- und Erziehungsstätte der Individuen ansehen, so ist es die größte Inkonsequenz, das Individuum religiös-sittlich erziehen zu wollen, jene eigentliche Pflanz- und Erziehungsstätte aber dem Heidenthume zu überlassen. Die jetzt fast zweitausendjährige Geschichte zeigt denn auch, welche traurige Folgen diese Lehre, daß die Religion mit der bürgerlichen Gesellschaft nichts zu schaffen habe, gehabt, und daß es erst einer, von der Religion unabhängigen, selbstständigen civilisatorischen Entwickelung bedurfte und bedarf, um die offenbarsten heidnischen Einrichtungen und Grundsätze aus dem Staatsleben, und zwar immer noch in unvollkommener Weise herauszuschaffen. Nur so war es möglich, daß nach der Verbreitung des Christenthums wieder eine Zeit der rohesten Barbarei, ein tausendjähriges Mittelalter eintreten konnte, ja daß die Kirche selbst mit heidnischen Einrichtungen wie dem Sklaventhum sich unmittelbar vertrug. — Aber auch selbst in der Religion des Individuums erblicken wir darin eine Inkonsequenz, daß die Liebe und das Recht voneinander völlig unterschieden wurden, und der Liebe allein die Eigenschaft des religiösen Lebens beigelegt wurde. Das Judenthum betrachtet Liebe und Recht zwar nicht als identisch, aber als aus einheitlicher Wurzel entspringend, so daß im höheren Sinne die Liebe zum höchsten Rechte, und das Recht zum integrirenden Wesen der Liebe wird, wie etwa Denken und Fühlen verschiedene Thätigkeiten des Geistes sind, dieser aber in seiner Einheitlichkeit eins mit dem anderen verbindet, eins ohne das andere nicht sein läßt. Die christliche Lehre aber läßt die Liebe weit über das Recht hinausgehen, so daß jene dieses beeinträchtigt und verletzt, ja, dem Rechte vor der Liebe die Existenz abgesprochen wird. Wenn das Christenthum die aus der Liebe entspringende Duldung so weit verlangt, daß dem Räuber und Gewaltthätigen auch noch das gegeben werde, was er nicht geraubt, so heißt dies nichts Anderes, als dem Unrechte und der Gewaltthätigkeit freien Spielraum gewähren, dem Rechte vor dem religiösen Tribunal das Recht absprechen, abgesehen davon, daß dadurch dem Sünder die Gelegenheit und Veranlassung zu immer größerer Sünde gegeben wird.

Daß durch diese Verschiedenheit des innersten Wesens zwischen Judenthum und Christenthum der Gegensatz ein vollendeter wurde, ist leicht einsichtlich, und man wird hieraus erkennen, daß es sich bei der Differenz der beiden Religionen durchaus nicht allein um die Glaubenssätze handelt, sondern um alle Konsequenzen derselben bis in die letzten Ausströmungen innerhalb des Lebens. Der Mosaismus hatte die Identität der Idee und des Lebens aufgestellt, begründet und durchgeführt; er konnte sich das Leben nicht ohne die durchgreifende und erfüllende Herrschaft der Idee, und die Idee nicht ohne die Realisirung im realen Leben denken; ihm war die Idee ohne Realität, und die Realität ohne die Idee nichts: sie verhielten sich ihm nicht etwa wie Schale und Kern, sondern wie ein Erzeugniß desselben Geistes, wie dasselbe Wesen. Das Judenthum hat dies festgehalten, so weit ihm nur Raum dazu gegeben war. Das Christenthum trennte Idee und Leben, bildete jene als Ideal aus und überließ das letztere sich selbst.

Können wir dies hier noch nicht weiter verfolgen, so ist es doch nöthig, einige Blicke auf die Wirkung dieser entgegengesetzten Prinzipien und Anschauungen zu werfen. Es läßt sich nicht verkennen, daß das Christenthum allein durch diese Gestaltung seines Inhalts befähigt ward, in die heidnische Welt einzubringen und große Massen sich zuzuwenden. Abgesehen von der Annäherung an die heidnische Anschauungswelt, sowohl prinzipiell auf dem Boden des unbedingten Glaubens, d. h. des Phantasielebens, als auch in den Dogmen, würde das Christenthum, wenn es den Staat und die ganze bürgerliche Gesellschaft hätte nach bestimmten Grundsätzen ergreifen, umkehren und umgestalten wollen, wenn es sich den Rechten und Sitten der heidnischen Völker nicht anschmiegen gekonnt, von vornherein auf solche Schwierigkeiten gestoßen und einem so erbitterten Kampfe auf Tod und Leben gegenüber gestanden haben, daß an einen Sieg nicht zu denken gewesen wäre. Sollte also das Christenthum seine weltgeschichtliche Mission haben übernehmen können, so mußte es gerade in der Weise vorgehen, wie es geschehen ist: es mußte lediglich die Individuen beanspruchen und die staatlichen Zustände sich selbst überlassen, so daß alle herrschenden Parteien sich ohne Beschädigung ihrer Macht zu ihm bekennen konnten. Je vollständiger wir aber dies würdigen, desto weniger wird man es uns verargen dürfen, wenn wir das so gestaltete Christenthum eben darum nur als für eine, wenn auch noch so große Phase der menschengeschlechtlichen Geschichte bestimmt und geeignet ansehen. — Im Gegentheil war das Judenthum durch seine Konsequeuz, durch seine Identificirung der Lehre und des Lebens um so geeigneter, die bestimmte Nation, welche es zu seinem Gefäße und Träger gemacht, festzuhalten und mitten in dem Wandel der Zeiten und in dem furchtbarsten Drange der Verhältnisse unbedingt an sich zu fesseln. So realisirte sich die providenzielle Absicht mit beiden: durch das Christenthum einen Theil der Gotteslehre in die heidnische Welt auszuströmen, in der israelitischen Nation aber die Gotteslehre in ihrer vollendeten Konsequenz zu bewahren.

Aber auch nachtheilige Folgen mußten sich an beide Erscheinungen knüpfen. Wie wir schon berührt haben, konnte das Christenthum vermöge der von uns geschilderten Konstruction jenen weltumgestaltenden, reformatorischen Einfluß nicht üben, den man ihm freilich oft genug nachrühmt. Es blieb im großen Ganzen nur der passive

Zeuge, wie das absterbende Alterthum mit seiner ganzen Kultur eingesargt wurde, und sich auf dessen Gräbern eine neue Zeit der dunkelsten Unkultur, der traurigsten Barbarei und Rohheit, der Unwissenheit und Gewaltthätigkeit erhob, aus welcher eine Anzahl Nationen nur theils vermittelst der selbstständigen Entwickelung ihres Genius, theils·vermittelst des wieder belebten Einflusses der antiken Wissenschaft und Kunst sich retten konnte. — Im Gegensatz aber mußte in den späteren Geschlechtern die Konsequenz im Judenthume zu einer Konsequenzmacherei ausarten, welche den Geist erdrückte und den Buchstaben vergötterte; welche das Prinzip und den Gedanken verkannte und den Ausdruck und die Form als unveränderlichen Grundsatz ansah. Wenn der Mosaismus seine allgemeine Prinzipien, indem er sie im Leben realisiren wollte, im Spezialgesetz oft nach Zeit und Ort, nach den gegebenen Lebensverhältnissen innerhalb der ihn aufnehmenden Nation zum Ausdruck bringen mußte, so kommt es den späteren Geschlechtern zu, diese allgemeinen Prinzipien aus den Spezialgesetzen zu ziehen und nach den veränderten Lebensverhältnissen in veränderten Formen zur Verwirklichung zu führen. Geben wir nur ein erläuterndes Beispiel, das wir absichtlich aus den letzten Fäden des Systems entnehmen. In 5 Mos. Kap. 25 V. 2. u. 3. heißt es; „Und es geschehe, wenn Schläge verdient der Schuldige, so lasse ihn der Richter hinlegen, und man schlage ihn vor seinem Angesicht; nach dem Maße seiner Schuld an Zahl: vierzig Schläge lasse er ihm geben, nicht mehr, daß er nicht mehr als diese ihn schlagen lasse, zu viel Schläge, und dein Bruder entwürdigt werde vor deinen Augen". Den wahren Sinn des Gesetzes enthalten offenbar die letzten der citirten Worte. Wenn es der Zeit und dem Orte gemäß die Geißelung als strafrechtliches Mittel zur Anwendung zuließ, aber auch zur Sicherung des Verurtheilten die Gegenwart des Richters und die Beschränkung der Geißelhiebe auf das Maximum von vierzig (nach der Tradition 39) verordnete: so ist ihm doch die Aufrechterhaltung der menschlichen Würde auch im Verbrecher die Hauptsache, und es hat hiermit constatirt, daß zu einer Zeit, wo überhaupt die Geißelung als eine Herabwürdigung des Menschen angesehen wird, die Geißelung abzuschaffen sei. Für uns enthält daher dieses Gesetz den großen Grundsatz, daß der Adel des Charakters des Menschen auch in allem strafrechtlichen Verfahren gewahrt und geschont werden müsse, und daß vor diesem Grundsatze die Modificationen der

Strafmittel einzutreten haben. Statt dessen hat aber die Konsequenz=
macherei im Judenthume die nach Verhältniß von Zeit und Ort
gegebene specielle Bestimmung für das unveränderliche Moment ge=
halten und erklärt, den Gedanken und Grundsatz aber, der in jener
leben sollte, verkannt und unberücksichtigt gelassen. Hierin liegt eine
der bedeutendsten Aufgaben für das Judenthum des neunzehnten
Jahrhunderts, das freilich vor dem entgegengesetzten Irrthum zu
hüten ist, der beides, den Gedanken und die alte Norm, weil letztere
ihm nicht mehr zu passen scheint, aufgiebt, und hiermit dem Wesen
des Judenthums und der Religion der Konsequenz unendlichen Scha=
den zufügt.

10. Die jüdische und die christliche Weltanschauung.

Wie man dem Judenthume so gern Alles abzusprechen sucht,
was eine höhere geistige Bedeutung hat, so hörte und hört man
auch öfter den Ausspruch: ein Jude könnte keine Weltgeschichte
schreiben; nur auf der Basis der christlichen Weltanschauung ver=
möge man die Weltgeschichte zu begreifen und darzustellen. Wir
geben in diesen Betrachtungen nichts auf solche gegnerische Abur=
theilungen und gehen nicht näher darauf ein. Aber von vornherein
muß es uns doch fraglich sein, ob das wirklich die christliche Welt=
anschauung sei, welche man dafür ausgiebt, und ob es keine jüdische
Weltanschauung gebe, die einer nachhaltigen Geltung würdig sei?
Untersuchen wir daher den hochwichtigen Gegenstand etwas näher.

Wenn man die Begriffe der heidnischen Welt von einer Welt=
ordnung in Betracht zieht, so erkennt man auch hier die schwanken=
den, widersprechenden und sich aufhebenden Vorstellungen, welche
überall das Heidenthum charakterisiren. Die indische Ansicht von
dem ewigen Kreislauf, der ebenso physisch im Werden, Sein und
Vergehen, wie psychisch in der beständigen Seelenwanderung besteht;
der persische Glaube von dem immerwährenden Kampfe des Lichts
und der Finsterniß, dessen endliche Entscheidung ungewiß ist; die
Meinungen der europäischen Völkerstämme, der Griechen, Rö=
mer, wie der Germanen und Skandinavier, welche den herrschenden
Gottheiten keine Ewigkeit und keine Unabhängigkeit zuschrieben,
sondern sie von der höheren Macht eines Fatums abhängig dachten,

bei denen allen zugleich der eigene Volksstamm als Vertreter der ganzen Menschheit galt, während die anderen Nationen als untergeordnete Barbaren existirten, ließen einen eigentlichen Begriff von einer Weltordnung nicht zu. Vielmehr war der h. Schrift Israels auch diesen aufzustellen vorbehalten. Dieselbe brachte in unzweideutiger Weise die Lehre einer von Gott geleiteten sittlichen Welt= ordnung in die Welt, und gab so das Fundament zu einer histo= rischen Weltanschauung. Dies kann nicht zweifelhaft sein, wenn wir die Art und Weise betrachten, wie sie Gott zu Adam und zu Kain sprechen, wie sie ihn die große Fluth über das enartete, zu sittlichen Zwecken unbrauchbar gewordene Geschlecht bringen, wie sie ihn das richterliche Urtheil über Sodom und Gomorra aussprechen und verwirklichen läßt, bis zu den vielfachen Aussprüchen der Pro= pheten über das Schicksal der gewaltthätigen und sittenlosen Völker — Israel eingeschlossen. Ueberall werden alle Vorkommnisse und Ereignisse in der Menschenwelt als von dem Walten Gottes ab= hängig und, so weit die Bethätigungen des freien Willens der Men= schen reichen, dem Gerichte Gottes unterworfen gelehrt. Welche ist nun die Weltanschauung, die sich in der Schrift auf diese Welt= ordnung aufbaut?

Die Schrift beginnt die Geschichte der Menschheit, welche letz= tere sie als eine Einheit betrachtet, mit der Darstellung, wie die Seelen der Menschen in Unschuld und Reinheit in die Erdenwelt treten, und aus welchen Momenten der Mensch zur Sünde kommt; nämlich aus zwei Momenten, aus der Sinnlichkeit und aus der Gesellschaftlichkeit; das erstere zeigt die Geschichte Adams in dem sog. Paradiese, das andere in der Geschichte Kains und Abels. Adam und Eva konnten ihrer Sinnlichkeit keine Schranke setzen, sondern ergaben sich dem unbegrenzten Genusse derselben; Kain und Abel, jener der Ackerbauer und feste Ansiedler, dieser der nomadisi= rende Hirt, geriethen in Besitz= und Rangstreitigkeiten, welche mit einem ungeheuern Verbrechen endeten. Die Schrift fügt aber gleich die Art der Sühnung und Buße hinzu, indem sie den durch sinn= lichen Genuß sündigen Adam seine Bedürfnisse fernerhin mühsam aus dem Boden der Erde erarbeiten, den festen Ansiedler Kain „unstät und flüchtig" werden läßt. So kommt ihr der Mensch aus der Unschuld innerhalb der Sinnlichkeit und Gesellschaftlichkeit zur Sünde und von dieser durch Sühnung und Buße zur Befreiung von der Schuldhaftigkeit, zur Schuldlosigkeit. Hiermit hat sie bei ihrem Beginne die sittliche Weltordnung, soweit sie die Individuen betrifft, festgestellt, und verfolgt nun das Menschengeschlecht auf seinem Entwickelungsgange. Hier zeichnet sie in Lapidarstyl zuerst die äußerliche Entwickelung, theils in den Erfindungen der Industrie und Kunst, der Zelte, Häuser und Städte, der Musik, Dichtkunst und Erzbearbeitung, theils in der Vermehrung der Menschen, der Verzweigung in Stämme und Nationen mit ihren verschiedenen Sprachen, der Vertheilung in große Völkergruppen, der Ausbreitung über die ganze Erde; es entstehen Staaten, Königreiche mit ihren Residenzen, große Bauten zu Land und zu Wasser vor unsern Augen. Soweit gelangt, ist ihr von nun an die innere Entwickelung die Hauptsache; und diese liegt ihr vorzugsweise in dem Entstehen, der Begründung, Fortbildung, Ausbreitung und Verwirklichung der religiösen Idee, in deren Totalität und ganzen Konsequenz. Um zu wissen, was wir unter dieser religiösen Idee der Schrift zu verstehen haben, rufe man sich unsere Darstellung von dem konsequenten religiösen System in No. 9 dieser Abhandlungen zurück. Es handelt sich hierbei niemals blos um einige Glaubenssätze, sondern um deren sämmtliche und feste Konsequenzen in Sittlichkeit, Gesellschaft und Staat. Zu diesem Zwecke greift nun die heilige Schrift aus der gesammten Völkermasse eine Nation heraus, welche für die religiöse Idee erzogen, der sie übergeben werden, die sie tragen und erhalten soll, während die übrige Menschheit ihren weiteren freien Entwickelungsgang verfolgen soll, bis sie in den Jahrtausenden zuerst für die Erkenntniß, dann für die Verwirklichung der religiösen Idee reifen werde. Auch hier tritt uns kein Deus ex machina entgegen, sondern eine Entwickelung, die nach vielen Jahrhunderten zählt. Wir sehen den Mann Abraham mit dem Begriffe des allmächtigen Gottes, Schöpfers der Welt und Richters aller Menschen aus Innerasien nach dem Westen ziehen; wir sehen die Nachkommen seines Enkels, zu einer Volksmasse geworden, in die Wüste ziehen, um während eines vierzigjährigen Aufenthaltes durch Moses die Grundlage der ganzen religiösen Idee zu erhalten; wir sehen während des darauf folgenden tausendjährigen Kampfes der religiösen Idee mit dem Heidenthume im Schoße dieser Nation selbst die Propheten den Sieg der ersteren herbeiführen, vermittelst eines furchtbaren Geschickes, daß diese Nation als Folge dieses

Kampfes betraf. Mit diesem Siege erweitert sich aber der Gesichts=
kreis und schon die Propheten erschauen den Eintritt der religiösen
Idee in die übrige Menschenwelt, den vieltausendjährigen Kampf
derselben mit dem Heidenthume in den übrigen Theilen des Men=
schengeschlechts, aber auch den endlichen sichern Sieg jener über das
letztere, zuerst als Erkenntniß in der Geisteswelt, dann als Ver=
wirklichung in der Gesellschaft zu einem allgemeinen Reiche des
Rechts, der Liebe und des Friedens. — Während nun in dem wieder=
hergestellten Israel während des zweiten Tempels die siegreiche
religiöse Idee zu dauernder Befestigung in dieser Nation für die
ganze nun beginnende Zukunft in ein bis ins einzelnste verästeltes,
das ganze Leben umspannendes Gesetz durchgearbeitet wurde, schritt
die heidnische Welt in ihrer Entwickelung so weit vor, daß das
antike Wesen erschöpft und die Geistesbildung eine verhältnißmäßig
vorgeschrittene war. Es kam die Zeit, wo die erste Strömung der
religiösen Idee in die übrige Menschheit eindringen und in der
abendländischen wie der morgenländischen Welt einen weiten Kampf=
platz gewinnen konnte, indem die religiöse Idee mit heidnischen
Elementen zuerst verschmolzen wurde, dann aber auch hier den
inneren Kampf begann. Dieses Eindringen war auf dem vorbe=
reiteten Boden nicht schwer, gelang dem Christenthum in einigen
Jahrhunderten, dem Islam in einem Jahrhundert; der innere
Kampf begann sofort und dauert bereits durch die ganze Zeit bis
zur Gegenwart und wird noch viele Epochen hindurch andauern
müssen. Mit diesem Eindringen war aber zugleich die Zerstreuung
der die totale religiöse Idee tragenden Nation nothwendig, und
dieses Schicksal traf sie nicht nur theilweise mit der zweiten Zer=
störung ihres nationalen Mittelpunktes, sondern war schon mit der
babylonischen Gefangenschaft begonnen und durch die folgenden
Jahrhunderte fortgesetzt, so daß der an Zahl größere Theil der
Nation längst schon in zahllosen kleineren und größeren Gruppen
über die Erde zerstreut war, bevor der kriegsmächtige Römer die
Mauern Jerusalems brach. Schon Moses hat diesen Gang in der
Voraussicht des Kampfes, den die Gotteslehre mit dem Heidenthume
im Schooße Israels zu bestehen haben werde, in großen Zügen an=
gedeutet; schon im Buche Josua (4, 24.) wird die Erkenntniß Got=
tes seitens „aller Völker der Erde“ als Ziel ausgesprochen; in dem
Gebete Salomo's bei der Tempelweihe tritt es im deutlichsten Aus=

bruck entgegen; und die Propheten verkünden es immer klarer und unumwundener, die ersten mit speciellem Bezug auf Assyrien und Egypten, dann auf Chaldäer, Meder und Perser, zuletzt auf alle ihnen bekannten und zukünftigen Völkerschaften. Wir geben zu, daß in den späteren trüben Zeiten bei den Bekennern des Judenthums der Gesichtskreis sich wieder verengerte, daß sie sich inmitten unsäglichen Mißgeschicks, niedergebeugt von dem beispiellosesten Joche, an den konkreten Ausdruck eines persönlichen Messias fest anklammerten und die Wiederherstellung des nationalen Israels und seines Heiligthums buchstäblich nahmen; dennoch aber zeugen viele Sentenzen in unserem Gebetbuche [1]), daß die höhere und allgemeinere Ansicht auch damals nie ganz geschwunden, und in der Tiefe immer die Ueberzeugung von dem einstigen allgemeinen Siege der Gotteslehre bestand. Das Judenthum des 19. Jahrhunderts aber konnte darum um so leichter unmittelbar an die Weltanschauung der Propheten anknüpfen, und diese durch die großen faktischen Erfahrungen der Menschheit, durch das große Material der seitdem verlebten Geschichte zu klarem Verständniß ausbilden. Fügen wir nur die eine Bemerkung hinzu, daß allerdings vor dieser Weltanschauung, ihren wahren Momenten und großen Zielen der Glanz weltlicher Herrschaft, kriegerischer Großthaten und mächtigen Reichthums nur wenig Geltung hatte, und diese lediglich als zeitliche Faktoren der Weltereignisse galten, die ohne sittlichen Inhalt der Verwesung um so eher anheimfallen; daß vor ihr selbst wissenschaftliche und künstlerische Ausbildung nur eine sekundäre Bedeutung hatte; ferner, daß sie mit um so bewunderungswürdigerem Freimuth nicht zögerte, gegen die weltbeherrschenden Dynastien, gegen den höchsten Völker-

---

1) So in dem täglichen Morgengebete: „es werden erkennen und einsehen Alle, die in die Welt kommen, daß Du allein Gott bist über alle Reiche der Erde". Ferner: „Alle Lebenden sollen Dir danken und Deinen Namen loben in Wahrheit!" Im täglichen Schlußgebete: „daß alle Fleischgebornen Deinen Namen anrufen, daß erkennen und einsehen alle Bewohner des Erdenrundes, daß Dir sich beugen müsse jedes Knie, schwören müsse jegliche Zunge, und der Herrlichkeit Deines Namens Alle Preis bringen u. s. w." Eben so im Sabbath- oder Festgebet Nischmath; endlich im Gebete am Neujahrs- und Versöhnungsfeste: „So lege die Ehrfurcht vor Dir, Ewiger, unser Gott, auf alle Deine Werke, und Deine Verehrung auf Alles, was Du geschaffen, daß Dich ehrfürchten am Wesen, und Dich anbeten alle Geschaffenen, und Allesammt Einen Bund schließen, Deinen Willen zu thun mit ganzem Herzen."

ruhm und die ausgedehnteste Völkermacht sich zu erklären und ihnen das Verdammungsurtheil ins Gesicht zu schleudern. Möge immerhin darum von den Trägern dieser Anschauung die Einseitigkeit nicht fern geblieben sein; mögen sie in ihrem Eifer für Wahrheit und Recht, für Liebe und Frieden, der Entwickelung der Geisteskräfte durch Politik, Wissenschaft und Kunst viel zu geringe Bedeutung beigelegt haben — im großen Ganzen des Menschengeschlechts hatten sie den allein wahren Gesichtspunkt inne und hielten ihn mit eiserner Konsequenz fest. Hierzu kömmt, daß es seitens der Bekenner des Judenthums nicht bei dem blos theoretischen Aussprechen dieser Anschauung verblieb, sondern daß sie selbst zum realen Prüfstein, zum Werkzeuge des Martyriums für diese Weltanschauung dienen mußten, so daß der Mangel oder das Wachsthum jener höchsten Grundsätze sich an ihnen praktisch erprobten [1]).

Dies ist die jüdische Weltanschauung, welche den Menschen aus dem unmittelbaren Naturleben durch die Sünde zum sittlichen Bewußtsein („Erkenntniß des Guten und Bösen") kommen läßt und ihn von da aus unter der Waltung der göttlichen Vorsehung den großen und weiten Gang der Entwickelung vorwärts führt, dieser Entwickelung aber als Inhalt die Erkenntniß der Gotteslehre und die Verwirklichung des Rechts und der Liebe anweist. —

Betrachten wir nun die Weltanschauung, wie sie unmittelbar aus dem Christenthume sich ergiebt. Wer vorurtheilslos das Christenthum, wie es im Neuen Testamente, im Kirchenthume und in seiner jetzt fast zweitausendjährigen Wirksamkeit sich darstellt, erwägt, der gewahrt an ihm zwei Seiten: die dogmatische und die ideale. Wir wollen nicht unterlassen beide nach ihrem Inhalte zu würdigen. Das dogmatische Christenthum beginnt ebenso wie das Judenthum mit dem unmittelbaren Naturleben des Menschen, erkennt ebenso die Waltung der göttlichen Vorsehung und das göttliche Gericht in den Geschicken der Einzelnen wie der Völker an. Allein es kann von diesen der Gotteslehre entnommenen Fundamentalsätzen in seiner Weltanschauung nur einen sekundären Gebrauch machen, nämlich in der Beurtheilung der einzelnen Fakta und Personen.

1) Den früheren Ausschließungen und Verfolgungen gegenüber bezeugt die Emancipation der Juden stets die Herrschaft des Rechts und der Humanität in ihrem Fortschreiten.

Für das Allgemeine wird ihm durch das ihm unentbehrliche Dogma
der Erbsünde ein ganz anderer Boden bereitet. Hierdurch sind also
die Menschen von Geburt an der Sünde und dem Verderbniß ver=
fallen, und erlangen die Erlösung von diesen erst durch den Glau=
ben an das Faktum der durch den Tod des Stifters der christlichen
Religion für den Gläubigen erwirkten Erlösung. Hiermit ist für
den ganzen Theil der Menschheit, in welchem dieser Glaube nicht
vorhanden oder nicht zum Durchbruch kam, das Heil unerreichbar.
In den Jahrtausenden, die diesem Faktum vorangingen, so wie in
den zahllosen Geschlechtern der Menschheit, die diesen Glauben nicht
besitzen, ist alles Geistesleben nur verderbt, dem Heile abgewandt,
der Verdammniß geweiht; ja, je größer die Geistesgaben in ein=
zelnen Völkern und in Individuen sind, desto verderblicher wirkt
ihre Thätigkeit ohne diesen Glauben. Der Grundsatz der Ent=
wickelung fehlt hier also gänzlich, oder dieselbe wird nur als auf
verkehrte Wege und zum Unheile führend angesehen. Dies hat sich
denn auch faktisch genugsam erwiesen, da die Kirche der freien Ent=
wickelung der Wissenschaft und Kunst stets entgegentrat, und wo
sie auf sie traf, ihre „Umkehr“ verlangte, ihre engste Begrenzung
von der Staatsgewalt forderte. Die einzige Entwickelung besteht
dem dogmatischen Christenthume daher nur in der Verbreitung
dieses Glaubens, und so lange die letztere in der Menschenwelt
nicht fortschreitet, ja, da diese in den letzten Jahrhunderten eher
Rückschritte gemacht und in zahllosen Geistern der zivilisirten Welt
an Boden verloren hat, ist ihm die Entwickelung nur zum Bösen
und zum Verderbniß gewandt. — Betrachten wir nun die andere,
die ideale Seite, so besteht sie wesentlich in einer unbegrenzten
Entfaltung der Liebe, sie bringt nicht blos auf Versöhnlichkeit gegen
die Feinde, auf die thatkräftige Barmherzigkeit auch gegen die Feinde
— denn diese lehrt und befiehlt auch das Judenthum — sondern
auch darauf, daß wir unsere Feinde auch segnen; daß wir ihrer
Gewaltthat durch die freiwillige Hingabe dessen, was sie uns ge=
lassen, entgegenkommen; daß wir das Unrecht dulden und demselben
nicht durch Abwehr und Hinwegschaffung entgegentreten sollen. Sie
besteht ferner in der dem jenseitigen Leben vorzugsweise zugewandten
Betrachtung, in der Gleichgültigkeit gegen das reale Leben auf der
Erde, in der Zurückgezogenheit vom weltlichen Verkehr, in der Er=
tödtung des sinnlichen Lebens, in der Rückkehr zu dem unmittel=

baren Leben der kindlichen Unschuld. Diese ideale Seite des Christenthums befaßt daher lediglich das Leben des Individuums, löst das ganze Menschengeschlecht in die bloße Masse der Individuen auf, erkennt die Gesellschaft als solche nicht an und überläßt sie sich selbst. Während das Heidenthum das Individuum gar nicht kannte, sondern nur den Staat, das Individuum nur als Glied der Staatsgemeinde faßte; während das Judenthum Idee und Realität nicht trennte, sondern den von der Idee erfüllten, durchdrungenen und beherrschten Realismus, oder anders gesagt, die von dem realen Leben erfaßte und verwirklichte Idee wollte: weiß das ideale Christenthum nur vom Individuum, das dem Ideale eines jenseitigen Lebens zustrebt, und setzt ihm darum Bedingungen, welche über die Natur des Menschen weit hinaus reichen und ein gesellschaftliches Leben entweder unmöglich machen oder in ihm unbeachtet lassen. Es geht hieraus hervor, daß die aus dem Christenthume erfließende Weltanschauung keine einheitliche ist, sondern aus dem dogmatischen Christenthume in die extensive und intensive Verbreitung des Glaubens an die christlichen Dogmen, aus dem idealen Christenthume in die Vernichtung des Realismus durch das der jenseitigen Existenz zugewandte Leben des Individuums gesetzt wird.

Es ist nicht unsere Sache, den Zwiespalt und Widerspruch zwischen diesen beiden Anschauungen hervorzuheben oder auszugleichen. Das Kirchenthum, das selbstverständlich das Hauptgewicht auf die erstere legte, hat das ideale Moment immer durch das dogmatische beschränken, den Kreis der Wirksamkeit jenes auf die Anhänger dieses abgrenzen wollen, und die konsequenteste Ausschließung aller Andersgläubigen nicht blos aus dem Himmel sondern auch von allen gesellschaftlichen Beziehungen vorgeschrieben. Wir überlassen es dem Urtheile des unparteiischen Forschers, welche von diesen beiden Weltanschauungen der Wahrheit am nächsten komme; welche von ihnen dem Begriffe der göttlichen Vorsehung, der göttlichen Gerechtigkeit und Liebe am meisten entspreche; welche von ihnen ein klares Licht in das große Konvolut des geschichtlichen Stoffes bringe oder das Wirrsal in demselben noch mehr verwirre; welcher von ihnen das aus der geschichtlichen Entwickelung sich ergebende allgemeine Bewußtsein am meisten gleiche; und ob daher die jüdische oder die christliche Weltanschauung einer allgemeineren Anerkennung fähig sei?

11. Die Zehn-Worte und die Bergpredigt.

Jedermann weiß, daß die Zehn-Worte (Zehngebote) die feier=
lich verkündeten Grundgesetze des Judenthums sind, und daß ebenso
zu aller Zeit die vom Evang. Matthäi (IV, 23 ff.) mitgetheilte
Bergpredigt als die Grundlage der christlichen Sittenlehre ange=
sehen wurde und wird. Dies ist Motiv genug, beide mit einander
zu vergleichen, wozu wir schon dadurch aufgefordert werden, daß die
Bergpredigt in mehrfachen Punkten an die Zehn-Worte anknüpft
und sie kommentirt, und daß die äußere Scenerie bei der Berg=
predigt eine Nachahmung der der Zehn-Worte ist.

Es heißt Matth. 4, 25 [1]): „Und es folgte ihm viel Volkes aus
Galiläa und den Zehnstädten und Jerusalem und Judäa und von
jenseits des Jordans. Da er aber das Volk sah, stieg er auf den
Berg; und er setzte sich, und seine Jünger traten zu ihm. Und er
that seinen Mund auf, und lehrete sie und sagte". Man sieht, daß
alle Theile des damaligen jüdischen Landes genannt werden, um
die Vorstellung zu wecken, daß das gesammte jüdische Volk dabei
vertreten gewesen, wie einst das ganze Israel, Männer und Frauen,
Greise und Kinder, am Fuße des Sinai versammelt war, und daß
von der Höhe des Berges herab die Belehrung kam, wie einstens
vom Sinai. So schwach nun auch diese Nachahmung ist gegen die
großartige Scenerie am Sinai, so liegt es doch zu Tage, daß der
Evangelist die Analogie beabsichtigte. Dies wird auch dadurch be=
stätigt, daß das Evangelium des Lukas (VI, 17 ff.) die Scenerie
anders beschreibt, und die „Bergpredigt" zu einer „Feldpredigt"
macht. Er berichtet: „Und er stieg herab mit ihnen, und trat auf
einen ebenen Platz, und (mit ihm) der Haufe seiner Jünger, und
eine große Menge Volkes aus ganz Judäa und Jerusalem und der
Meerküste von Tyrus und Sidon, welches gekommen, ihn zu hören
und geheilet zu werden von seinen Krankheiten, und solche, welche
geplagt waren von unreinen Geistern; und sie wurden geheilet.
Und alles Volk begehrte ihn anzurühren; denn eine Kraft ging von
ihm aus, und heilete Alle. Und er erhob seine Augen auf seine
Jünger, und sagte".

---

1) Der Unparteilichkeit wegen citiren wir nach der Uebersetzung de Wette's.

Auch die Zehn=Worte sind uns in zwei Recensionen (im 2. und 5. B. M.) überliefert. Während aber zwischen diesen beiden nur sehr kleine Wortverschiedenheiten stattfinden, die an sich von keiner Bedeutung sind, und daher rühren, daß die Zehn=Worte im 2. B. Moses ausgesprochen, im 5. B. ihre Verkündigung nur erzählt wird: so bieten die Bergpredigt des Matthäus und die Feldpredigt des Lukas in Ausdruck, Folge und Umfang die größten und wichtigsten Verschiedenheiten dar [1]).

Doch bevor wir in das Einzelne eingehen, sind noch einige allgemeine Bemerkungen nothwendig. Das Judenthum, auf dem Grunde des Mosaismus, kennt keine Trennung der Glaubenslehre und Sittenlehre. Ihm sind beide identisch, oder besser, die eine so sehr die Konsequenz der andern, daß sie ihm gar nicht zu trennen sind. Das Sittengesetz folgt dem Judenthume aus der Lehre von Gott so unmittelbar, daß jenes ohne diese unverständlich, diese ohne jenes ein unzulängliches Bruchstück wäre. Denn die Lehre von Gott wäre ohne den Begriff der Vorsehung und Vergeltung unvollständig, und das Sittengesetz, welches seinen Fundamentalsatz in: „Ihr sollt euch heiligen, denn ich, der Ewige, euer Gott, bin heilig,“ und sein Axiom in: „Gott schuf den Menschen in seinem Ebenbilde“ hat, ist in seinen Einzelheiten immer nur Folgerung aus den Eigenschaften, die dem göttlichen Wesen beigelegt werden. Gott ist dem Judenthume die wahre Quelle der menschlichen Pflichten, und die eigentlichen Motive zu deren Erfüllung liegen ihm wiederum in Gott. Dies ist selbst äußerlich der Fall, indem vielen Geboten das Wort ה' אני „ich bin der Ewige“ hinzugefügt wird. Anders ist es im Christenthume. Hier, wo die Glaubenslehre eine Reihe von Dogmen aufstellt, die, ohne auf Erkenntniß und Verständniß sich zu stützen, für sich ein abgeschlossenes Ganzes bilden und die das Glauben zu ihrer Grundlage haben, ergiebt sich mit diesen auch kein wirklicher und innerlicher, faktischer und logischer Zusammen=

---

1) Wir setzen voraus, daß es hinlänglich bekannt ist, wie bereits wiederholt nachgewiesen worden, daß die Bergpredigt in allen ihren Sätzen Anklänge, sogar wörtliche, in dem A. T. und in den Talmuden und Midraschim hat und daher nicht als Original angesehen werden kann. Dies haben wir aber hier nicht zu berücksichtigen, da jene Stellen eben nur zerstreut sind und die gesammte Anschauung als schon vorhanden erweisen, aber in der Bergpredigt die Grundlage eines ganzen Systems gegeben und gesehen wird.

hang mit der Sittenlehre, welche hingegen einen für sich selbstän=
bigen Theil der Religionslehre bildet. Es ist daher durchaus un=
richtig, wenn man so oft behauptete, daß die jüdische und christliche
Sittenlehre dieselbe seien. Allerdings werden, praktisch genommen,
sie dieselben Resultate haben und Beider Vorschriften auf ein ge=
rechtes, liebevolles, barmherziges und friedliches Handeln hinaus=
laufen, und dies bewog wohl auch, sie für gleichartig anzusehen; in
der Grundlage und Ausführung aber sind sie äußerst verschieden.

Die Zehn=Worte treten von ihrer Verkündigung an als die
Grundsätze der mosaischen Religion auf; als solche werden sie von
Gott selbst dem Volke verkündet, als solche in zwei steinerne Tafeln
gegraben und in der heiligen Lade aufbewahrt. Ganz in der
Grundidee des Mosaismus umfassen nun die Zehn=Worte in ihrem
Lapidarstyle alle Bezüge des Menschen in ihrem inneren Zusam=
menhange, in ihrer natürlichen Aufeinanderfolge. Obenan die Er=
kenntniß des wahren Gottes, alsdann die Anbetung des einzigen
Gottes im Geiste, ohne Bilder und Symbole, hierauf die Heilig=
haltung Gottes innerhalb der Menschenwelt (Eid) und die Heiligung
des Menschen in Gott (Sabbath); die Verehrung der Eltern, die
Heiligkeit des Lebens, der Ehe und des Eigenthums schließen sich
daran; die Wahrhaftigkeit und die Unterdrückung aller bösen Be=
gierden machen den Schluß. So sind hier Gott, Gesellschaft und
Persönlichkeit des Menschen miteinander unlöslich verbunden und
das Verhältniß des Menschen zu Gott, zur Menschenwelt und zu
sich selbst in großen Zügen charakterisirt und ausgefüllt. Die Er=
kenntniß und Anbetung Gottes und die Heiligung des Menschen
in Gott können in ihnen voneinander nicht geschieden werden, aber
ebensowenig von ihnen das Leben des Menschen in der Gesellschaft
und in sich selbst. Der prägnante und kurze Ausdruck machte nun
diese Zehn=Worte fähig, zugleich als bestimmt formulirte Gesetze zu
gelten und die Grundlage alles religiös=sittlichen Lebens zu werden
In ihrer Tiefe enthalten sie die höchste Verständigkeit und die Be=
friedigung des ganzen Herzens und sind dabei so einfach und klar,
daß über sie und ihre Bedeutung auch dem einfältigsten und unge=
bildetsten Geiste Zweifel nicht möglich sind.

Prüfen wir nun diesem gegenüber, die Bergpredigt. Dieselbe
zerfällt in mehrere Absätze. Im ersten (5, 3—16) wird die „Se=
ligkeit" und das „Himmelreich" verheißen: „den Armen im Geiste —

den Trauernden — den Sanftmüthigen — denen, die nach Gerechtigkeit hungern und dürsten — den Barmherzigen — denen, die reinen Herzens sind — den Friedfertigen — denen, die verfolgt werden um der Gerechtigkeit willen — die verfolgt und verleumdet werden um Jesu willen" — und die Aufforderung an diese gerichtet, standhaft zu bleiben und in ihren Werken dem Volke zum leuchtenden Beispiel zu dienen. — Bei Lukas wird die Seligkeit dagegen versprochen: „den Armen — die jetzt hungern — die jetzt weinen — die die Menschen hassen, verfolgen, verleumden um des Menschen-Sohnes willen" — und hieran schließt sich das „Wehe den Reichen — den Gesättigten — die jetzt lachen — von denen die Menschen Gutes reden." (6, 20—26.) — Man erkennt leicht, daß diese Sätze einen allgemeinen, objektiven Charakter nicht haben, sondern daß sie gerichtet sind an die Menge, die aus Leidenden, Gebeugten, Gedrückten besteht, diese aufzurichten, in ihrem Weh und Verlangen selbst den Trost und die Hoffnung finden zu lassen, und zur Geduld, Ergebung und Gerechtigkeit anzuleiten. Darum erscheinen die Worte, wie sie Lukas giebt, unmittelbarer und schlagender an das Volk gerichtet. Es sind die Armen, die Hungernden, die Weinenden, welchen die Verheißung der Seligkeit wird, so wie das Wehe den Reichen, Gesättigten, Lachenden, Geehrten. Nun sind weder die Reichen allesammt Träger der Laster und Unsittlichkeit, noch die Armen die Inhaber aller Tugenden und sittlichen Vorzüge; nicht die sind des Glückes stets unwürdig, die sich dessen freuen, wie auch die Trauernden noch oft genug dessen ermangeln, was sie zur „Seligkeit" und zum „Himmelreich" befähigt. Für die Ursprünglichkeit bei Lukas spricht auch das Gegenüberstellen des „Selig" und „Wehe" — letzteres fehlt bei Matthäus — eine Nachahmung des ברוך und ארור 5 Mos. 28, wobei auch nicht zu übersehen, daß Matthäus wie Lukas schließen: „denn so haben sie die Propheten verfolgt, die vor euch waren," während Lukas dann ebenso die „Wehe" schließt mit den Worten: „denn solchergestalt haben ihre Väter den falschen Propheten gethan." — Allerdings aber faßt Matthäus die Sache aus höherm Gesichtspunkte. Ihm sind es „die Armen im Geiste," nicht die Hungernden, sondern die nach Gerechtigkeit hungern und um der Gerechtigkeit willen verfolgt werden; er lobpreist die Tugenden der Sanftmuth, Barmherzigkeit, Herzensreinheit und Friedfertigkeit. Aber eine objektive Grundlage einer umfassenden und allgemeinen Sittenlehre geben diese auch nicht ab. Denn „die Armen im Geiste" können damit getröstet werden, daß es des Wissens, der Bildung, des Reichthums im Geiste nicht bedarf, um selig zu werden — aber ihnen ausschließlich die Seligkeit zuzusprechen, wäre eine Härte und Ungerechtigkeit, ja eine Unwahrheit. Und so sind auch die aufgeführten Tugenden von hohem Werthe, aber nicht vom höchsten, und nicht sie allein; vielmehr wohnt ihnen ein passiver, fast weiblicher Charakter bei, eine sentimentale Natur, die sich auch in den folgenden Absätzen vorherrschend zeigt.

Indem der Prediger nun beginnen will, eine Reihe von Gesetzesauslegungen zu geben, hebt er mit einer Versicherung über das mosaische Gesetz und die Propheten an, die bei Lukas gänzlich fehlt, und fehlen mußte, weil Lukas eine Reihe von Vorschriften, aber keine Gesetzesauslegungen giebt.

Dieser zweite Absatz der Bergpredigt (V. 17—20) versichert also, daß der Prediger nicht gekommen, „das Gesetz oder die Propheten aufzuheben, sondern zu erfüllen." Himmel und Erde werden eher vergehen, als „daß ein Buchstabe oder ein Strichlein vom Gesetze vergeht"; „wer irgend nur eines dieser Gebote, auch der geringsten, aufhebt und also die Menschen lehrt, der wird der geringste heißen im Himmelreich." Und hieran reiht sich der Vers (20): „denn ich sage euch: Wenn eure Gerechtigkeit nicht vorzüglicher ist, als die der Schriftgelehrten und Pharisäer, so werdet ihr nicht in's Himmelreich kommen." Gewichtige Worte, die der sorgfältigen Beachtung werth sind. Der Prediger giebt zuerst seinen Standpunkt zu erkennen: er ist nicht gekommen, das Gesetz aufzuheben oder die Propheten zu verleugnen. Er steht ganz auf dem Boden des Gesetzes. Daß hier das ganze Gesetz gemeint ist, alle Ge- und Verbote des Gesetzes, geht aus dem Folgenden hervor, also nicht etwa blos das Sittengesetz, sondern pure, die ganze Halacha. Die unbedingteste Integrität des Gesetzes wird in kräftigster Weise ausgesprochen. Hieran reiht sich nun eine heftige Polemik gegen die, welche die Gebote aufheben wollen, selbst nur die geringsten, und diese werden verdammt. Wer waren diese? Zu Jesu Zeit Niemand. Vielmehr weiß jetzt Jedermann, daß es eine Polemik gegen den Paulinismus, gegen die „Heidenchristen" und ihre Apostel ist, von Seiten der Partei der „Judenchristen". Man ersieht aus den Büchern des N. T. leicht,

daß zwei Strömungen durch dieselben gehen, die eine für die Be=
schränkung der Bekehrung auf die jüdische Nation, die andere gegen
diese und für die Bekehrung der Heiden, die erstere mit dem Fest=
halten, die andere mit dem Aufgeben des „Gesetzes“. Der Abfasser
der Bergpredigt gehört zu der ersten Partei, und legt hier seine
Ansicht Jesu selbst in den Mund.

Damit aber der Verfasser auch nicht für einen Krypto=Pharisäer
und der damaligen „Schriftgelehrten“ Einen gehalten werde, dehnt
er schließlich seine Polemik auch auf diese aus, was ziemlich herbei=
gezogen aussieht. Hierdurch sind wir der Frage über den krassen
Widerspruch enthoben, in welchem diese Stelle mit anderen des
N. T. und mit der nachherigen Entwickelung des Christenthums
steht: dieser Widerspruch, diese Parteiung und Spaltung war eben
in den ersten Stadien des Christenthums vorhanden, bis der Pau=
linismus gesiegt, und jener Widerspruch nur in den Satzungen des
kanonischen Rechts übrig blieb.

Eine andere Frage ist aber: steht der Verfasser nicht mit seinen
folgenden Aussprüchen, also mit sich selbst in Widerspruch? In
der Schrift heißt es: „Thu nichts hinzu und nimm nichts davon.“
(5. Mos. 4, 2, 19, 1.) Beides thut der Prediger: er erweitert
Gesetzesbestimmungen bis zur Unkenntlichkeit, und hebt andere
geradezu auf. Nun ist es jedoch nicht schwer, Widersprüche nach=
zuweisen, aber schwieriger, sie richtig zu beurtheilen und zu erklären;
denn es ist doch nicht wohlgethan, Jemanden absichtlicher Wider=
sprüche zu zeihen, wo sie so handgreiflich sind. Es scheint sich viel=
mehr so zu verhalten. Wer nur einen Blick in die Mischna ge=
worfen, weiß, daß die vorherrschende Richtung bei den traditionellen
Weisen und Lehrern war, das Gesetz, wie man sich ausdrückte, mit
einem Zaun zu umgeben, um es bei dem Volke vor Verletzung zu
sichern, d. h. man erweiterte das Gesetz, man gab Ge= und Verbote,
welche das Gesetz nicht vorgeschrieben, die aber dazu dienten, bis
zur Verletzung des eigentlichen Gesetzes nicht kommen zu lassen.
Wenn es z. B. verboten war, am Sabbath Licht zu zünden und
auszulöschen, so verbot man, das Licht nur anzufassen, weil, wer
dieses hält, nicht zu ersterem kommen wird. Andrerseits stand man
auch nicht an, den Grundsatz aufzustellen, daß, wo es gelte, den
Bestand des ganzen Gesetzes zu sichern, ein einzelnes Gesetz durch
Synodalbeschluß zeitweise aufgehoben oder beschränkt werden könne,

und geschah dies auch, z. B. durch den Prusbul. Was nun die damaligen Schulen hinsichtlich der Halachah thaten, diese Richtung, durch Auslegung das Gesetz zu erweitern und im Nothfall zu beschränken, scheint der Verfasser der Bergpredigt auf das ethische Gebiet übertragen gewollt zu haben. Wenn dieser daher die Unabänderlichkeit des Gesetzes ausspricht und sich mit Heftigkeit gegen diejenigen erklärt, welche das Gesetz aufheben oder nur verändern wollen, dennoch aber selbst das Gesetz in wesentlichen Punkten modifizirt, so geht daraus für ihn kein bewußter Widerspruch hervor, sondern er bethätigt nur auf ethischem Gebiete, was die allgemeine Richtung seiner Zeitgenossen auf dem halachischen Gebiete war und ihnen ebenfalls als kein Widerspruch mit der Unabänderlichkeit des Gesetzes erschien. Es ist dies eine Erscheinung, die immer hervortritt, wenn eine große Fluktuation und Wandelung des Lebens vor sich geht, die Einen die Continuität der gesetzlichen Zustände erhalten, die Anderen durch eine radikale Veränderung jener zu genügen trachten.

Im dritten Absatze der Bergpredigt folgen also Gesetzesauslegungen und zwar zunächst aus den Zehn=Worten. Es heißt hier (B. 21, 22): „Ihr habt gehört, daß von (oder zu) den Alten gesagt ist: Du sollst nicht tödten; wer aber irgend tödtet, der soll dem Gerichte verfallen sein. Ich aber sage euch: Wer seinem Bruder zürnet (ohne Ursache), der soll dem Gerichte verfallen sein; und wer irgend zu seinem Bruder sagt: Raka (Taugenichts), der soll dem Synedrium verfallen sein; und wer irgend saget: Thor, der soll für die Feuerhölle verfallen sein." Daß hiermit der Zorn, wohl insonders der nachhaltige, zu Haß und Rache entflammende, und dann die Beleidigungen, besonders die öffentliche Beschämung als schwere Sünden bezeichnet werden, und die Verwarnung vor ihnen dem Volke ans Herz gelegt wird, ist gewiß sehr angemessen. Wir brauchen kaum an die mehrfachen Stellen über den Zorn in der heiligen Schrift zu erinnern, und führen nur an, wie ganz in demselben Geiste ein Ausspruch, lange vor Jesu in Gebrauch, sagt: „Wer seinen Nächsten öffentlich beschämt, ist des zukünftigen Lebens nicht theilhaftig" (Pirke Aboth III, 15), und ein talmudischer Lehrer: „Es wäre für den Menschen besser, er würde in einen Feuerofen gestürzt, als daß er seinen Nächsten öffentlich beschämt." (Sota 10, 2.) Es liegt auf der Hand, daß in diesen Aussprüchen eine orientalische

Uebertreibung des Ausdrucks enthalten ist, welche eben nur nach=
drücklich vor diesen Fehlern verwarnen will. Aber ein Anderes ist
es doch, wenn mit einfachen Worten der Zorn, die Beleidigung und
die Beschämung dem Morde an die Seite und gleich gestellt, und
jenen theils dieselbe gerichtliche Strafe, also der Tod, theils die
Verdammniß zur Hölle zugeschrieben wird. Der Moralist kann
wohl darauf aufmerksam machen, daß eine Sünde die andere nach
sich zieht, daß der Schritt von Sünde zu Sünde leicht und daher
der erste schon eifrig zu vermeiden sei; aber eine Verschiedenheit
der Vergehen, leichterer und schwererer Art, ist nicht abzuleugnen,
und daß es in der Sünde wie in der Strafe eine Abstufung giebt.
Es kann daher in Wirklichkeit eine Grundanschauung weder der
Sittlichkeit noch des Staates sein, die gedachten Handlungen gleicher
Schuldhaftigkeit und gleicher Strafbarkeit zu zeihen. Wir sehen
daher auch hier den Prediger, der das sittlich verwilderte Volk heben
und bessern will, und das Volksbewußtsein mit starken Schlägen
treffen muß, um es aufzurütteln. Aber sobald solche Aussprüche
eine allgemeine und höhere Geltung haben sollten, würde daraus
eine sittliche Verwirrung in Begriffen und Gefühlen entstehen, deren
Folgen nicht abzusehen. — Hieran schließt sich V. 23 und 24 eine
Mahnung, daß man sich erst mit seinem Nebenmenschen versöhnen
solle, bevor man seine Opfergabe darbringe, und V. 25 und 26 zur
Verträglichkeit mit seinem „Widersacher", um sich keine Strafe zu=
zuziehen. Es entspricht dies ähnlichen Aussprüchen in der Schrift
und im Talmud und trägt keinen besonderen Charakter.

Hierauf wendet sich der Prediger zu: „Du sollst nicht ehebrechen",
woran er zwei Auslegungen knüpft. Zuerst (V. 28): „Ich aber
sage euch: Wer ein Weib ansiehet, um ihrer zu begehren (oder:
so daß er ihrer begehrt), der hat schon mit ihr die Ehe gebrochen
in seinem Herzen." Fast ganz mit denselben Worten findet sich
derselbe Ausspruch im Talmud, nur mit der Vorsicht, daß dieser
ein „so zu sagen" eingeschoben hat. Sicherlich ist nun der unreinen
Herzens, welcher ein Weib begehrlich ansieht, und das letzte der
Zehn = Worte sagt daher nachdrücklich: „Du sollst nicht begehren
deines Nächsten Weib." Aber es ist doch ein großer Unterschied,
ob die Begierde flüchtig durch die Seele geht, oder ob sie sich dieser
so bemächtigt, daß sie dieselbe mit dauerndem Gefühle anfüllt und
zur That, zum Verbrechen führt. Ist doch eine flüchtige Begehrlich=

keit oft ganz unwillkürlich und in ihrer Unterdrückung ein verdienst=
licher Sieg der Tugend. Man könnte Obiges also vielmehr für
eine erweiternde Auslegung zu dem letzten der Zehn=Worte ansehen,
wohin auch die folgenden Verse verweisen. Dagegen ist es eben
bezeichnend, daß es als Erklärung zu „Du sollst nicht ehebrechen"
gegeben wird, wodurch die Begehrlichkeit dem Ehebruche wirklich
gleichgestellt wird, und die Sentenz hiermit alle objektive Wahrheit
verliert und zu nichts als einer exaltirten Uebertreibung des Volks=
redners wird. — Die beiden folgenden Verse, welche auffordern,
das rechte Auge auszureißen und die rechte Hand abzuhauen,
wenn sie uns verführen wollen, da es besser sei, daß ein Glied
verloren ginge, als daß dein ganzer Leib in die Hölle geworfen
werde, sind, wie bemerkt, eine Illustration zu dem letzten der Zehn=
Worte, und will den Ernst und die Kraft aufrufen, womit wir mit
aller Selbstverleugnung die böse Begierde in uns unterdrücken
sollen. Sie sind sehr volksthümlich und fanden sich bei den Juden
bereits im Schwunge, wie sie der Midrasch durch Wort und Legende
ausdrückt. Hieran schließt sich zweitens (B. 31, 32) ein Ausspruch
über Ehescheidung (B. 32): „Ich aber sage euch: Wer irgend sein
Weib entlässet, außer um Hurerei willen, der machet, daß sie die
Ehe bricht; und wer irgend eine Entlassene freiet, der bricht die
Ehe." Hier tritt der Charakter, welchen wir oben der Bergpredigt
zugeschrieben haben, recht deutlich hervor: es soll ein Zaun um das
Gesetz gemacht werden. Die Ehescheidung soll nur in e i n e m
Falle gestattet sein, der wirklichen fleischlichen Vergehung, und da=
durch verhütet werden, daß eine Geschiedene sich nicht wieder ver=
heirathen dürfe. Beide Fälle werden dem Ehebruche gleich gestellt.
Was den ersten Punkt betrifft, so standen bekanntlich die beiden
Schulen Hillel und Schammai sich hierin gegenüber, indem die
erste nur durch formale Schwierigkeiten die Scheidungen mindern
wollte [1]), die letztere sie aber außerdem überhaupt nur im Falle
fleischlicher Vergehungen zugestand, so daß also hierin der Verfasser
der Bergpredigt auf die Seite Schammai's sich stellte. Dagegen
hebt er die Erlaubniß, eine Geschiedene zu heirathen, gänzlich auf,
während das Gesetz nur die Wiederheirathung der geschiedenen

---

1) Es versteht sich, mit den beiden Ausnahmen, welche nach dem Gesetze
überhaupt eine Scheidung unzulässig machen.

Frau Seitens ihres Mannes verbietet, wenn sie bereits einen andern wieder geheirathet gehabt hätte. Bekanntlich konnte selbst das kanonische Recht die Ehescheidung nicht verhindern, und mußte sie faktisch als Trennung von Tisch und Bett zugestehen. Von religiös-sittlichem Standpunkte predigt gegen Ehescheidungen schon der Prophet Maleachi (2, 13 ff.)

Nunmehr wendet sich der Prediger (V. 33—37) zu dem (nach der bei den Juden üblichen Zählung) dritten der Zehn-Worte, welches den falschen Schwur verbietet. Auch hier grenzt die Erweiterung des Verbotes an eine Aufhebung des Gesetzes. Es wird jeder Schwur verboten, und zwar nicht blos bei Gott, sondern auch bei jedem anderen Gegenstande, bei Himmel, Erde, Jerusalem und dem eignen Haupte, sondern alle Versicherungen der Wahrheit sollen allein durch ein Ja und Nein geschehen. Man sieht leicht ein, daß dieses Verbot jedes Schwures wiederum ein Zaun um das Gesetz sein soll, um den falschen Schwur zu verhüten. Hierin steht die Bergpredigt der jüdischen Ansicht gegenüber, welche in einem wahrheitsgetreuen Schwure ein Bekenntniß Gottes, gleichsam eine Anbetung sieht.¹) Die Gesetzgebungen aller, auch der christlichen Völker stehen bis jetzt auf der Seite der jüdischen Ansicht; aber noch überraschender ist es, daß dieses Verbot des Schwures durch das Beispiel Jesu selbst (Matth. 26, 63.) und des Apostels (Röm. 1, 9) aufgehoben wird, wie die christlichen Lehrer selbst bemerken. (So z. B. Dubelmanns Katholischer Religionsunterricht, Th. II, S. 107.) Also gerade diesem konkreten Ausspruche wird der objektive Werth von selbst abgesprochen.

Bis hieher mußten wir den einzelnen Auslegungen des Gesetzes eine objektive Bedeutung absprechen, und konnten wir sie, wie sie hier gegeben sind, nur als Anknüpfungspunkte, als Mittel und Wege betrachten, um durch sie den Mahnungen zur Tugend, zur Gerechtigkeit, Friedfertigkeit und Keuschheit den kürzesten Weg in das Herz des Volkes zu öffnen. Jetzt aber halten wir an einem Satze, welcher eine entschiedene Wendung enthält, und nicht mehr

¹) Wenn in Baba Mezia 49, 2 eingeschärft wird, dein Nein sei ein Nein und dein Ja sei ein Ja, so soll damit nicht der Schwur beseitigt, wie V. 37 in der Bergpredigt thut, sondern zur Wahrhaftigkeit überhaupt ermahnt werden, also zur Unterstützung des neunten der Zehn-Worte: „du sollst nicht aussagen wider deinen Nächsten als falscher Zeuge."

als bloße moralische Nutzanwendung auf dem Wege des Midrasch (der hagadischen Auslegung) gelten kann. Es heißt (V. 38—42): „Ihr habt gehört, daß gesagt ist: Auge um Auge, Zahn um Zahn. Ich aber sage euch, daß man nicht dem Ungerechten wider= stehen soll; sondern wer dir einen Streich giebt auf deinen rechten Backen, dem biete den anderen auch dar; und dem, der mit dir rechten will, und deinen Rock nehmen, dem lasse auch den Mantel; und wer dich nöthiget eine Meile, mit dem gehe zwo; dem, der dich bittet, gib, und den, der von dir borgen will, weise nicht ab.“ Mit diesen Worten wird nicht ein Grundsatz der Sittenlehre, sondern ein Grundsatz des staatlichen Strafgesetzes angegriffen, umgestoßen und in bündigster Weise durch einen andern ersetzt. Wenn im mosaischen Gesetze als Fundament für das sittliche Verhalten eines Jeden zu seinem Nebenmenschen der Satz aufgestellt ist: „Liebe deinen Nächsten wie dich selbst,“ wenn auf Grund dessen jeder Haß, jede Rache und Ver= geltung, wie wir im nächsten Absatze näher sehen werden, streng untersagt, und auch dem Feinde in dessen Nöthen alle mögliche Hülfe zu leisten vorgeschrieben wird: so ist es ein anderes, wenn es sich um die staatlichen Einrichtungen handelt, deren erster Zweck die Sicherung des Lebens und des Eigenthums seiner Angehörigen und Aller, welche sich innerhalb seiner Grenzen aufhalten, ist. Hier müssen Gerichte eingesetzt, die strafbaren Handlungen und die Stra= fen festgestellt werden, um das Unrecht zu verhüten und auszu= gleichen. Die allgemeine Vorschrift ist hier (5. Mos. 16, 18—20): „Richter und Vorsteher sollst du dir geben in allen deinen Thoren, welche der Ewige, dein Gott, dir giebet, nach deinen Stämmen, damit sie das Volk richten, ein gerechtes Gericht. Du sollst das Recht nicht beugen, kein Ansehen anerkennen und nicht Bestechung nehmen: denn die Bestechung verblendet die Augen der Weisen und verdreht die Worte der Gerechten. Gerechtigkeit, Gerechtigkeit folge nach, damit du lebest.“ Es unterscheidet sich hier wieder das Civil= und das Criminalrecht; in letzterem muß wiederum der Artikel über Mord, Todschlag und körperliche Verletzung von den andern unter= schieden werden, und für diesen Artikel stellte das mosaische Gesetz den Grundsatz: „Auge um Auge, Zahn um Zahn, Glied um Glied“ auf. Es ist dies das bekannte jus talionis, welches auch im alt= attischen Gesetze und in den Zwölf=Tafeln der Römer ausgesprochen war. Das traditionelle Gesetz unterscheidet nun zwischen Mord

und Verletzung eines Gliedes; für den ersteren läßt sie die Hin=
richtung zu, wie sie vom mosaischen Gesetze vorgeschrieben, für die
dauernde Verletzung eines Gliedes aber erklärt sie den obigen Satz
so, daß eine Schätzung des verletzten Gliedes stattfinde und dann
auf eine dieser entsprechende Geldstrafe erkannt werde (Baba Kama
83, 2 ff. Maim. Hilch. chobel umasik I § 3.) [1] Ob die Tradition
bei dieser Unterscheidung der mosaischen Bestimmung wirklich gefolgt
ist, kann bezweifelt werden, da es 5. Mos. 19, 21 heißt: „So blicke
dein Auge nicht schonend: Leben um Leben, Auge um Auge, Zahn
um Zahn, Hand um Hand, Fuß und Fuß," wo also das Leben
und die Glieder nicht von einander getrennt sind.   Allein es ist
einsichtlich, daß, abgesehen von der Tödtung, die Verletzung eines
Gliedes nach dem Buchstaben des Wiedervergeltungsrechtes gar
nicht möglich ist, denn es wird fast in allen Fällen die Grenze der
Verletzung, die geschehen, bei wortgemäßer Strafausführung nicht
eingehalten werden können.   Das Motiv jenes Satzes war viel=
mehr: die Unsitte des Lösegeldes für Gewaltthätigkeiten an Leben
und Gliedern, wie sie im Oriente bis auf den heutigen Tag vor=
handen und auch durch den Koran sanktionirt worden (Sur. II,
S. 18 der Ueberj. Ullmann), zu beseitigen, eine Unsitte, welche für
die Reichen so gut wie Strafbefreiung ist, denn selbst für den Mord
empfiehlt noch Mohamed, daß die Hinterbliebenen mit dem Mörder
sich über ein Lösegeld vereinigen mögen.   Diesem entgegen wollte
das mosaische Gesetz seinen Grundsatz der Gleichheit Aller und der
Heiligkeit des Menschenlebens durchführen, und hatte die körperliche
Züchtigung (5. Mos. 25, 2 ff.) als ein Aequivalent für die Ver=
letzung eines Gliedes. — Diesen Grundsatz der mosaischen Criminal=
justiz betreffs des Mordes und der Verletzung von Gliedern stößt
nun der Absatz der Bergpredigt, bei welchem wir jetzt stehen, um,
und stellt dafür den Grundsatz auf: dem Ungerechten nicht zu
widerstehen, ihm also keinen Widerstand zu leisten, sich gegen
ihn weder zu wehren, noch ihn zur Bestrafung zu bringen.   Um
diesen neuen Gesetzesgrundsatz wird denn auch gleich durch Erwei=

---

1) Auch die Berurtheilung zum Tode umgab das tradionelle Gesetz mit
vielen beschränkenden Bedingungen, und brachte sie fast bis an die Grenzen der
Aufhebung der Todesstrafe.   S. unsere „Israelitische Religionslehre". Bd. III.
S. 172 ff. besonders S. 177.

terung ein Zaun aufgestellt, indem vorgeschrieben wird, dem Ungerechten Raum und Veranlassung zu geben, sein Unrecht zu vollenden, dem, der die eine Wange schlägt, die andere zu reichen, der
den Rock nimmt, auch den Mantel zu überlassen, der zum Gange
einer Meile zwingt, für ihn gleich zwei zu gehen. Betrachten wir
von hier aus die vorangegangenen Sätze noch einmal, so gewahren
wir erst den rechten Zusammenhang und die Vorbereitungen, die
bis zu diesem Satze getroffen worden. Dem Morde wurde der
Zorn und die Beleibigung gleichgestellt, dem Ehebruche ein begehr-
licher Blick, die Ehescheidung und die Wiederverheirathung der Geschiedenen abgeschafft, und der Eidschwur verboten. Jetzt nun wird
die gerichtliche Bestrafung jedes Unrechts durch die Beseitigung
alles strafrechtlichen Verfahrens, durch das Verbot des Widerstandes
gegen den Ungerechten, ja durch die freiwillige Hingabe der weiteren
Objecte für gewaltthätige Handlungen aufgehoben. Hieraus ist
deutlich erkennbar, daß es sich um eine neue, ja entgegengesetzte Anschauung handelt, die, wenn wir uns an die obige Auslassung über
die Unveränderlichkeit des Gesetzes erinnern, sich selbst noch nicht
klar und bewußt war, nichtsdestoweniger aber mit voller Entschiedenheit sich aussprach. Die Religion sollte aus der Gesammtheit sich
herauslösen, die Gesellschaft verlassen und zur Religion des Individuums werden. Dieses Individuum hatte nur noch ein Verhältniß zu den andern menschlichen Individuen, nicht aber zur Gesellschaft. Diese existirte für die Religion nicht, und die Religion
nicht für sie; das Verhältniß zur bestehenden Gesellschaft blieb nur
noch das völliger Passivität. Es wird daher nicht gesagt: die Gerichte werden beseitigt, der Strafcodex aufgehoben, sondern: du
sollst fortan den Ungerechten bei dem Gerichte nicht anklagen und
verfolgen, du sollst ihm vielmehr keinen Widerstand leisten, ihn nicht
von dir abwehren, sondern ihm freien Spielraum, ja sogar Förderung für seine Gewaltthat gewähren. Wir brauchen hier nicht auszuführen, daß ein solches Gesetz weder den Bedingungen des staatlichen und gesellschaftlichen Lebens, noch denen einer objectiven Sittlichkeit entspricht, daß es in ersterer Beziehung so viel wie die
Auflösung des Staates und der Gesellschaft durch die offenbare
Spaltung in Gewaltthätige und Leidende bewirken müßte, für die
Sittlichkeit aber eine unhaltbare Grundlage schafft, indem es das
bloße Dulden zum sittlichen Ideal macht, das Rechtsgefühl verwirrt

und auslöscht, sowohl in dem Thäter, wie in dem Dulder, und weder dem Rechte, noch der Natur entspricht. So lange wir uns die Menschen in ihrer sittlichen Unvollkommenheit denken, so lange die Menschen den Leidenschaften unterworfen sind, müßte sich aus diesem Grundsatze der Bergpredigt ein völlig unerträglicher Zustand entwickeln, da den wildesten und rohesten Leidenschaften ein unbegrenzter Spielraum und Vorschub eröffnet wäre. Aber denken wir uns selbst alle Menschen von diesem Grundsatze beherrscht und geleitet, so würde der Erfolg nur der sein, daß man zum Grundsatze des strengen Rechtes und zur Aufstelluug von Richtern wieder zurückkehren müßte, um den Einen vor dem Begehen eines Unrechtes zu schützen, da der Andere vor dem Erleiden des Unrechts nicht geschützt sein soll. — Nicht als Allgemeinsatz, sondern für einzelne Fälle finden sich schon im A. T. Anklänge, z. B. Klgl. Jerem. 3, 30., Jes. 50, 6., aber mit ganz andrer Folge, nämlich dem Vertrauen, abß Gott dem Dulder Recht schon schaffen werde. Auf die Wiedervergeltung im moralischen Sinne kommen wir sofort.

Diese eigenthümliche Vorschrift soll motivirt werden. Warum sollen wir denen, die uns berauben, noch das geben, was sie uns übrig gelassen haben? Weil wir unsere Feinde lieben sollen. Aber der Bruch mit dem Gesetze war nun wider die Absicht des Predigers so offenbar geworden, daß er auch die Motivirung als eine dem Gesetze fremde, ja entgegengesetzte aufstellen will, und zu diesem Zwecke, da er die Methode einer Erweiterung des Gesetzes abermals wählt, sich eines höchst auffälligen Irrthums, um nicht mehr zu sagen, schuldig macht. Er sagt (V. 43. 44.): „Ihr habt gehört, daß gesagt ist: Du sollst deinen Nächsten lieben, und deinen Feind hassen. Ich aber sage Euch: Liebet Eure Feinde, segnet die Euch fluchen, thut wohl denen, die Euch hassen, und betet für die, so euch verleumden und verfolgen.“ Wo ist nun eine Spur in allen vorchristlichen Schriften der Juden, daß jemals gesagt worden, „hasset eure Feinde?“ Es heißt (3. Mos. 19, 17. 18.): „Hasse deinen Bruder nicht in deinem Herzen, du magst deinem Nebenmenschen zwar Verweise geben, doch trage ihm das Vergehen nicht nach. Du sollst Dich nicht rächen und nicht Zorn nachtragen, sondern liebe deinen Nächsten wie dich selbst.“ Schon der Zusammenhang zeigt hier, daß „liebe deinen Nächsten wie dich selbst“ den Feind so gut wie den Freund befaßt und eben keinen Unterschied macht. Wie du dich selbst nicht hassest,

dir nicht selbst Zorn nachträgst, dich an dir selbst nicht rächest, son=
dern dich selbst liebest, so sollst du allen Nebenmenschen thun. So
werden auch konkrete Vorschriften gegeben, welche den Allgemeinsatz
„thuet Gutes denen, die euch hassen,“ praktisch durchführen[1]). So
heißt es auch (Spr. Sal. 25, 21): „hungert dein Feind, so reiche
ihm Speise, dürstet er, so lange ihm Wasser zu;“ so wird jede Schaden=
freude untersagt (24, 17.). Vor jeder Wiedervergeltung des uns
angethanen Bösen wird streng verwarnt (20, 22. 24, 19.). Führen
wir nun nur noch den dreimal im Talmud vorkommenden Spruch
an (Gittin 36, 2. Sabb. 88, 2. Joma 23, 1.) „Die bedrückt wer=
den und nicht bedrücken, ihre Schmähung hören und nicht erwiedern
die Alles aus Liebe thun und die Leiden freudig tragen, von ihnen
sagt die Schrift (Richt. 5, 31.): die ihn lieben sind wie der Auf=
gang der Sonne in ihrer Kraft“ — so kann wohl von Wiederver=
geltung, Feindeshaß nicht die Rede sein, und die Feindesliebe tritt
so konkret und faktisch uns entgegen, daß das „Segnen und Beten
für die Feinde“ kein Aequivalent dafür bietet. Mit uns muß daher
jeder Wahrheitsfreund die Insinuation des Verfassers der Berg=
predigt zurückweisen. Sie ist die Wurzel jener Verleumdungen gegen
das Judenthum, welche in der christlichen Welt, man möchte sagen,
unvertilgbar vorhanden sind und von Unkenntniß, Hochmuth und
Religionshaß eifrig gepflegt werden in Kirche, Schule und Haus. —
Abgesehen hiervon, erkennen wir gern an, daß das Gebot der Fein=
desliebe hier einfach und bestimmt aufgestellt ist. Freilich wird der
objektive Werth durch das „Segnen“ der Feinde wieder in das Extra=
vagante und Sentimentale hinübergespielt und ebenso wenig kann die
Motivirung dafür als gelungen betrachtet werden, dem Ungerechten zur
Verdoppelung seines Unrechtes die Hand zu bieten. — Den letzten
Vers des Absatzes hat bereits wörtlich 1. Mos. 17, 1. 5. Mos. 18, 13.

Von hier aus verläßt die Bergpredigt die Auslegungen des
Gesetzes, und verfolgt ihren Weg stelbständig. Zunächst (6, 1—18.)
bringt sie nachdrückliche Verwarnungen, mit der Wohlthätigkeit, dem
Gebet und dem Fasten Heuchelei zu treiben, und sie vor den Augen
der Menschen so zu üben, daß diese es gewahren. Diese Warnungen
sind gewiß zu allen Zeiten und an allen Orten an ihrem Platze,

---

1) Z. B. 2. Mose 23, 4: „So du triffst den Ochsen deines Feindes oder
seinen Esel irrend an, sollst du ihn demselben zurückbringen.“

und werden in eindringlicher Weise vorgetragen. Neues und Origi-
nales enthalten sie nicht, da sich über alle Punkte Parallelstellen im
A. T., so wie in den Talmudim und Midraschim reichlich finden,
und selbst das vortreffliche Gebet „Vater unser," welches seitdem in
der christlichen Kirche eine so große Rolle spielt, in allen seinen
einzelnen Sätzen vorchristlichen Ursprungs ist, und nur in seiner
Zusammensetzung sein besonderes Verdienst hat. Dennoch kann auch
hier nicht übersehen werden, daß der Prediger, seinem Geiste gemäß,
in Uebertreibungen verfällt. Nach dem V. 6 wäre jede Theilnahme
an öffentlichem Gottesdienste, also dieser selbst, auszuschließen. Damit
der Beter nicht in die Gefahr komme, mit seinem eifrigen Beten
vor Anderen sich sehen zu lassen und zu prunken, soll er sich in
seine Kammer verschließen, wenn er beten will. Noch auffälliger
wird V. 17. 18 demjenigen, der fasten will, vorgeschrieben, bei dem
Fasten sich das Haupt zu salben, damit die Leute das Fasten nicht
gewahren. Es ist dies abermals ein Zaun, der das religiöse Verhalten umgeben soll, und am Ende dennoch wieder, statt den inneren
Geist, auf den es allein ankommt, zu heben, den Blick auf Aeußerlichkeiten wendet.

Der folgende Absatz will darauf bringen, daß die Menschen
vor Allem nach dem Reiche Gottes trachten, und warnt daher nachdrücklich vor dem Hangen an irdischen Schätzen. Hieraus wird nun
aber der Schluß gezogen, daß wir für die Bedürfnisse des Lebens,
wie Nahrung und Kleidung, keine Sorge tragen, sondern diese
Gott überlassen sollen, der die Vögel des Himmels nährt, die nicht
säen noch ernten, noch einsammeln, und die Lilien des Feldes klei-
det, die nicht arbeiten und spinnen. Bezieht man dies auf die
übermäßige Sorglichkeit der Menschen für den Bedarf des Leibes,
auf das unbegrenzte Versenken in die gewerblichen Arbeiten, so ist
es eine angemessene Mahnung. Sie wird aber zur gefährlichen
Uebertreibung, sobald sie jede Arbeit und Sorge für das Nothwendige des Lebens zurückweist. Die menschliche Gesellschaft würde
unter solchen Bedingungen nicht bestehen können und der Segen
der Thätigkeit dem Menschen entfallen. Auch treffen die Gleichnisse
nicht zu, denn die Vögel des Himmels müssen ihre Nahrung suchen,
und die Pflanzen arbeiten gar wohl, um die Säfte der Erde an
sich zu ziehen, Nahrung aus Luft und Licht zu gewinnen, und verarbeiten diese in ihrem Innern. Diese Gegensätzlichkeit der gott-

seligen Beschaulichkeit und der Arbeit, der Gottesverehrung und des Gewerbfleißes, die sich hierin wie in dem Spruche „Niemand kann zweien Herren dienen" (B. 24.) so nachdrücklich geltend macht, ist eine schiefe und unnatürliche, da der Mensch der Arbeit und des Erwerbes nicht entbehren kann, und es nur darauf ankommt, die Arbeit und den Erwerb zu versittlichen und mit den höheren Aufgaben des Menschen zu vereinbaren.

Ganz eben dahin zielt ein nachfolgender Absatz, nachdem zuvor mit eindringlichem Wort und Gleichniß das Urtheil über einen Nebenmenschen untersagt worden. Es versteht sich, daß hier (7, 1—5) nicht vom Amte eines Richters die Rede sein kann, weil sonst die Gerichtspflege, dieser höchste Theil des Staatszweckes, nämlich der Schutz des Schwächeren vor dem Stärkeren und die Ausgleichung jedes Streites auf friedlichem Wege, unmöglich wäre, sondern von dem Aburtheilen unserer Nebenmenschen, wie es in leichtfertiger und böswilliger Weise stündlich geschieht. Allerdings ist hier ein egoistischer Abmahnungsgrund gegeben: „Richtet nicht, auf daß ihr nicht gerichtet werdet; denn so wie ihr richtet, werdet ihr gerichtet werden, und mit welchem Maße ihr messet, wird euch gemessen werden". Man dürfte dieses Abschreckungsmotiv auf keine logische Waagschale legen. Wir erwarten von der Gerechtigkeit und Barmherzigkeit Gottes, daß er uns nicht so richtet, wie wir als Menschen über Menschen gerichtet haben, und um der Schwäche unserer Natur willen, um unserer Kurzsichtigkeit und nie ganz auszurottenden Selbstliebe willen, auch diese Irrthümer und Fehler uns vergiebt. Wir ziehen daher die alten Aussprüche: „Beurtheile Jedermann zu seinen Gunsten," und „beurtheile Niemanden, bevor du an seine Stelle gekommen" (Pirke Aboth, 1, 6. 2, 4.) vor. Sehr richtig und volksthümlich ist hingegen das Gleichniß vom Splitter und Balken. [1] — Den Vers 6, welcher einem zum Volke sprechenden Redner nicht wohl geziemt, indem er „das Heilige," d. i. hier die neue Lehre dadurch zu profanisiren verbietet, daß man sie ungeeigneten Personen

---

[1] Eigenthümlich ist es, daß im Talmud dasselbe Gleichniß in entgegengesetzter Weise gebraucht wird. Da über die Pflicht, einen irrenden Nebenmenschen zum Guten zu ermahnen, gehandelt wird, sagt ein Rabbi: Wie soll man einen Anderen ermahnen? Ruft man ihm zu: ziehe den Splitter aus deinem Auge! so antwortet er: ziehe zuvor den Balken aus deinem eigenen Auge! (Erachin 16, 2.)

vorträgt — abermals ein polemischer Ausspruch gegen den Paulinis=
mus, der die neue Lehre unter die Heiden bringen wollte — diesen
Vers übergehend, gelangen wir zu dem Absatze B. 7—11, in welchem,
wie oben die unthätige Sorglosigkeit, hier das Gebet als das Mittel
empfohlen wird, um von Gott zu erhalten, wessen wir bedürfen.
Daß dies zu der irrthümlichsten Voraussetzung führen kann und
nach den verschiedensten Seiten hin beschränkt werden muß, ist ein=
sichtlich. Der Vergleich, der diese Zusicherung, daß unser Bitten
von Gott erfüllt werde, bekräftigen soll, nämlich daß ein Vater seinem
Sohne, wenn er um Brod und Fisch bittet, doch nicht Stein und
Schlange geben werde, ist nicht zutreffend, denn es setzt voraus,
daß der Sohn immer um Brod und Fisch bittet, während er sicher
nicht selten um das bittet, was ihm wie Stein und Schlange ist;
und andrerseits reicht der Vater dem Sohne Brod und Fisch, bevor
und ohne daß er ihn darum bittet.

Hieran schließt sich, ohne genauen Zusammenhang, ein Vers,
welcher den objectivsten Werth in der ganzen Bergpredigt besitzt,
und der in der Feldpredigt sich angemessener in dem Absatze über
die Feindesliebe befindet. Er lautet (B. 12.): „Alles nun, was ihr
irgend wollt, daß euch die Leute thun, das thut auch ihr ihnen;
denn das ist das Gesetz und die Propheten.“ Er ist in der That
ein Fundamentalsatz, auf den die Sittenlehre sich stützen kann. Bei
genauerer Prüfung zeigt sich jedoch, daß er doch nichts weiter als
die Erklärung der Worte „wie dich selbst“ in dem Gebote: „liebe
deinen Nächsten wie dich selbst,“ enthält: wir sollen das, was wir
wünschen, daß es uns geschehe, dem Nebenmenschen thun, und ver=
meiden, einem Anderen zu thun, was wir wünschen, daß es uns
nicht gethan werde. Dies deutet auch der Zusatz „denn das ist das
Gesetz und die Propheten“ an, und führen uns diese Worte
auf die Quelle dieses Spruches hin. Als ein Heide von Hillel
(geb. 75 vor Jesus) verlangte, ihn das Judenthum zu lehren, wäh=
rend er auf einem Fuße stehe, antwortete dieser: „Liebe deinen
Nächsten; thue einem Anderen nicht, was dir mißfallen würde; dies
ist das ganze Gesetz, alles Andere ist dessen Erklärung: gehe hin
und lerne es.“ (Sabb. 31, 1.) In dieser negativen Form, welche
die positive auch in sich schließt, muß übrigens der Satz gang und
gäbe gewesen sein, denn wir finden ihn so wörtlich im Buche Tobiä

4, 15. wieder, immerhin kann die positive Form Eigenthum der Bergpredigt gewesen sein; der Gedanke selbst war nicht neu.

Die Bergpredigt endet nunmehr mit Mahnungen in Gleichniß= form (wie das Evangelium Lukas sie bezeichnet 6, 39) von der engen Pforte, den Schafen in Wolfskleidern, den Früchten der Bäume, dem Hause auf Felsengrund.

Uebersehen wir die Resultate dieser Prüfung, so zeigt sich uns, daß die Zehn=Worte ein konsequentes, abgeschlossenes Fundament eines aus der Gotteslehre gezogenen Sitten= und Rechtssystems von so allgemeiner Bedeutung und Geltung sind, daß sie eben zu sol= chem Grundgesetz nicht blos für das Judenthum, sondern auch für alle christlichen Völker wurden, daß hingegen die Bergpredigt nichts anderes als eine Volksrede mit allen Vorzügen und Nach= theilen einer solchen bildet. Wir müssen uns hierbei die damalige Lage des Volkes und seine Zustände kurz vergegenwärtigen. Nach vielfachen Bruder= und Bürgerkriegen unter den Gliedern der has= monäischen Fürstenfamilie, die sich bis in das Nationalheiligthum erstreckten, war der Römer theils mit List, theils mit Gewalt in das Land gedrungen, hatte den Staat seiner Selbständigkeit be= raubt, dem Volke eine unerträgliche Last von Steuern, Erpressungen und Gewaltthätigkeiten aufgebürdet, und streckte bereits seine despo= tische Hand nach Heiligthum und Cultus, und das Volk stand am Vorabend eines Aufstandes, der zum blutigen Vernichtungskampfe werden sollte. Dabei war es in politische und kirchliche Parteien gespalten, und die Tendenz seiner damaligen Theologen nach Er= weiterung und Modifikation des Gesetzes konnte dem Volke zwar eine unerschütterliche Glaubenstreue einflößen, nach der sittlichen Seite aber nicht mildernd und beschwichtigend einwirken. Die Lei= denschaften waren also in hohem Grade erregt und drohten um so mehr zu entflammen, je mehr Ursachen in den Ereignissen jedes Tages sich dazu aufhäuften. Hier hinein tritt die Bergpredigt, um das Volk zu ergreifen, zu beschwichtigen, zu trösten und dem Sturm, welcher der Gesammtheit drohete, die Individuen möglichst zu ent= ziehen. Der Zweck der Bergpredigt war also ein örtlicher und momentaner. Nun wiederholen sich zwar Zustände und Leiden= schaften in der Menschheit immer von Neuem. Es kommen immer wieder Zeiten der Unterdrückung, der Verwirrung und Zersetzung, und unter deren Einfluß werden immer wieder dieselbe sittliche

Verwirrung und Verwilderuug und Leidenschaftlichkeit im Volke erstehen. Die Bergpredigt wird also in jener Tendenz auch einen
allgemeineren Charakter beanspruchen können, aber immer nur
unter gewissen Bedingungen, welche der Zeit, dem Ort und der
Individualität angehören. Sie thut ein großes Werk, indem sie
zur Resignation, zur Friedfertigkeit und Versöhnlichkeit, zum Dulden, wo der Kampf nur Zerstörung und Barbarei hervorruft, zum
stillen Bewußtsein und zum unbedingten Vertrauen auf Gott ermahnt. Aber indem sie so dem zeitweisen Bedürfniß der Individuen
im Volke genügt, geräth sie selbst vom allgemeinen Gesichtspunkt
aus in Extravaganzen, in Verwirrung der sittlichen Begriffe, des
Rechtsgefühls, zieht die Individuen aus der Gesammtheit und deren
Zusammengehörigkeit heraus und stellt sie auf sich selbst, löst die
Gesellschaft auf, beseitigt deren Institute, lähmt die Thätigkeit und
die Energie und vertauscht die letztern mit Sentimentalität und Paf-
sivität. Wir haben dies im Einzelnen hinreichend nachgewiesen.
Sie reißt einzelne Momente aus dem Bereiche des Lebens heraus,
läßt überall Lücken übrig, macht in allen Punkten Einschränkungen
und Abschwächungen nothwendig, und stellt in ihrer idealen und
sentimentalen Extravaganz Forderungen, die über die Natur, den
Beruf und die Pflicht des Menschen hinausgehen. Sehen wir
daher auf die historische Wirksamkeit der Bergpredigt, so erkennen
wir, daß sie allerdings dem idealen Christenthume, wenn nicht den
ersten Anstoß, doch den ersten Ausdruck seines Charakters als Religion der Individuen gab, aber sobald das Christenthum in den
Kreis des Konkreten hinaustrat, von ihm völlig verlassen wurde.
Ihre Wirksamkeit war daher stets individuell, örtlich und zeitlich, die
geschichtliche Entwickelung der Gesellschaft, des Staates und des
Lebens konnte sie nicht beeinflussen, sondern es mußte hier immerfort von ihr abstrahirt werden. Je weiter diese Entwickelung vorschreitet, desto mehr bleibt sie dahinter zurück.

12. Versöhnung und Erlösung.

a.

Eins der wichtigsten Momente in der Religion ist die Frage
über die Ausgleichung der Sündhaftigkeit, über die Rückkehr aus

der Verschuldung. Jeder Mensch sündigt. Aber diese allgemeine Möglichkeit, Anlage, Neigung zum Bösen, ohne welche der Mensch auch kein sittlich freies Wesen werden könnte, entschuldigt die Sünde eben nur im Allgemeinen, rechtfertigt sie aber nicht. Denn jede Sünde ist eine besondere That für sich, ein Unterliegen der Pflicht vor der Leidenschaft, eine Uebertretung eines göttlichen Gebotes, ein Abfall von unserer Bestimmung, eine Handlung wider die Absicht Gottes, eine Entfernung von Gott. Indem also jede Sünde ein besonderer Ausfluß unserer Willensthätigkeit ist und die Neigung zum Guten ebenso immer in uns vorhanden ist wie die Neigung zum Bösen, sind wir durch und für jede Sünde schuldbar. Wie werden wir nun dieser Schuldhaftigkeit ledig? Wie gelangen wir zu Gott zurück?

Judenthum und Christenthum beantworten diese Frage verschieden, und diese Verschiedenheit charakterisirt sich durch zwei Worte: das Judenthum spricht von der Versöhnung, das Christenthum von der Erlösung.

Denn das Judenthum stellt an die Spitze dieser Lehre den Satz: „Der Ewige, der Ewige, Gott, barmherzig und gnädig, langmüthig und voller Huld und Wahrheit, bewahrend Huld den Tausenden, vergebend Sünde, Missethat und Schuld, läßt aber nichts unbestraft" (2. Mos. 34, 6. 7). Wenn also auch Gott an die Sünde die natürlichen Folgen, ja wenn er auch an dieselbe durch seine Fügung schmerzliche Wirkungen für den Thäter sich knüpfen läßt, so genügt dies für die Schuldhaftigkeit der Seele nicht. Das Kind, das von dem zürnenden Vater gezüchtigt worden, schnell ist der Schmerz vorübergegangen; aber so lange der Blick des Vaters noch streng auf es gerichtet, es aus seiner Nähe verbannt ist, es in seine Liebe und sein Vertrauen nicht wieder völlig eingesetzt worden, fühlt sich das Kind tief betrübt und unglücklich, und dieser Schmerz brennt mehr und länger als alle leibliche Strafe. Wehe dem Kinde, wo es nicht also ist! Da tritt die Religion Israels zu ihm und spricht: „Kehre um, bereue und bessere dich, thue das Böse nicht wieder, schaffe das Unrecht aus deiner Hand, und dir ist vergeben, dein Gott ist versöhnt mit dir."

In der That war und ist das Judenthum die Religion der Versöhnung und ihr einfacher Lehrsatz war stets: Gott ist allbarmherzig, und wenn du von der Sünde lässest und das Unrecht, das du begangen, wieder gut machst, so ist deine Schuldhaftigkeit ausgelöscht und Gott mit dir versöhnt. Daher ziehen sich die Worte der oben angeführten Verkündigung wie ein rother Faden durch die ganze heilige Schrift[1]) und liegen z. B. dem ganzen Buche Jonah zu Grunde. So spricht auch Jesaias (55, 7): „Der Frevler verlasse seinen Weg, der Mann der Sünde seine Gedanken; er kehre zum Ewigen, der wird sich seiner erbarmen, zu unserm Gotte, denn der ist reich im Vergeben". Ebenso der Psalmist (32, 5. vgl. Ps. 51): „Meine Sünde that ich dir kund, meine Schuld verdeckt' ich nicht, ich sprach: auch meine Missethat will ich dem Ewigen bekennen — da vergabst du meine Sündenschuld". Der locus classicus ist bekanntlich hierüber das Kapitel 18 des Jecheskel, aus welchem wir nur V. 21—23 anführen: „So der Frevler zurückkehrt von all' seinen Sünden, die er vollführte, und all' meine Satzungen wahret und Recht und Gerechtigkeit übet, so wird er leben, nicht sterben. All seiner Missethat, die er vollführte, wird ihm nicht gedacht, durch seine Gerechtigkeit, die er übte, wird er leben. Sollt' ich denn Wohlgefallen am Tode des Frevlers haben? spricht der Herr, der Ewige; nicht daß er zurückkehrte von seinem Wandel und lebe?" — Das Judenthum begnügte sich mit der Aufstellung dieses Lehrsatzes nicht, sondern um seinen Bekennern ein konkretes Mittel der Mahnung und Anleitung, aus der Sünde und Sündhaftigkeit zur Läuterung und zur Versöhnung mit Gott zu kommen, zu verschaffen, setzte es den Versöhnungstag mit seinen Vorbereitungstagen, dem Drommetenfeste und den Bußtagen, ein. Die Bedeutung, welche diese vom religiös-sittlichen Standpunkte aus höchst wirkungsreiche Institution hat, liegt in der Zurückgezogenheit von allem weltlichen Leben an diesem Tage, in der alleinigen Beschäftigung mit gottesdienstlichen, insbesondere das Bekenntniß der Sünde, die Reue und die Umkehr tragenden Verrichtungen und in dem für diesen Tag vorgeschriebenen Fasten, wozu die von dem Drommetenfeste bezweckte Selbsterkenntniß und die für die Bußtage verordnete Versöhnung mit seinen Nebenmenschen vorbereiten soll. Die Religion wollte

---

1) 5 Mos. 4, 31. Joel 2, 13. Jonah 4, 2. Ps. 86, 15, 103, 8. 111, 4. 112, 4. 116, 5. 145, 8. Nech. 9, 17. 9, 31. 2 Chron. 20, 9; auch die Synagoge erkannte diesen Ausspruch als Bekenntnißwort an und stellte ihn an die Spitze aller Bußgebete.

also hiermit ihren Bekennern die Mittel darbieten, durch welche sie bei aufrichtiger Benutzung zur Versöhnung mit Gott, zur Ausgleichung ihrer Schuldhaftigkeit, zur Läuterung gelangen können. Ausdrücklich aber hat sie sich zu aller Zeit dagegen verwahrt, daß die bloße Werkheiligkeit, die bloße Uebung der Ceremonien, das bloße leibliche Kasteien die göttliche Versöhnung erwirke. Haben dies die Talmudisten schon durch die Wahl des Haphtorastückes für den Versöhnungstag Jes. 57, 14.—58, 14, worin der Prophet dem Fasten alle Kraft abspricht, wenn nicht die Hinwegschaffung alles Unrechts und die Uebung der wahren Menschenliebe damit verbunden ist, erwiesen, so lehren sie es auch selbst in unzweideutigen Ausdrücken. Sie sagen, daß Sünden gegen die Nebenmenschen nicht versöhnt werden können, wenn nicht eine Versöhnung des Beleidigten, eine Entschädigung des Geschädigten vorangegangen ist[1]; daß, wenn der Sünder im Sinne habe, er könne sündigen, der Versöhnungstag versöhne, und dann könne er wieder sündigen, der Versöhnungstag nicht versöhne[2] u. dgl. m. Andererseits dehnen sie aber auch die Versöhnung des sündhaften Menschen mit Gott aus. Sie legen den Leiden und Schmerzen des Menschen eine ausgleichende, versöhnende Kraft bei, ebenso dem Tode des Bußfertigen. Sie sagen charakteristisch: „Kehre einen Tag vor deinem Tode um"[3], um sowohl auszudrücken, daß, da der Mensch den Tag seines Todes nicht vorauswisse, er jeden Tag seines Lebens zur Umkehr vom Bösen und zur Rückkehr zu Gott verwenden solle, als auch, daß er zu jeder Zeit dazu befähigt sei und ihm der Weg zur Versöhnung alle Zeit offen gehalten werde.

So hat das Judenthum die unmittelbare Verbindung des Menschen mit Gott auch auf dem Gebiete des persönlichen sittlichen Verhaltens in nachdrücklichster Weise gelehrt, schließt keinen Menschen, und wenn er auch auf das tiefste gefallen, von der Gnade Gottes aus[4], zeigt ihm überall die Möglichkeit der Rückkehr, den

---

1) Unter vielen Stellen nur diese Mischn. Jom. Abschnitt 8, 9: עבירות שבין
אדם לחברו אין יום הכפורים מכפר עד שירצה את חברו .

2) Ebendas. האמר אחטא ואשיב אין מספיקין בידו לעשות תשובה . אחטא ויום
הכפורים מכפר ' אין יום הכפורים מכפר .

3) Pirk. Aboth. II, 15.

4) Berach. 10, 1. drückt dies charakteristisch aus: אפילו חרב חדה מונחת על
צוארו של אדם לא ימנע עצמו מן הרחמים „Selbst wenn das scharfe Schwert schon auf dem Nacken liegt, verzweifle nicht an der Barmherzigkeit Gottes."

Weg der Besserung und Läuterung, legt dies aber lediglich in seine eigene Hand, in aufrichtige Reue, in wahrhafte, thatsächliche Umkehr und gesteht ihm die Befreiung von seiner Schuldhaftigkeit nur zu, wenn er in Gedanken, Wort und That, in allen seinen Gefühlen und deren Ausprägung durch Handlungen von der Sünde sich entfernt, sich rein macht und läutert[1].

Das Christenthum nennt die Rückkehr zu Gott und die Vergebung der Sünden — Erlösung. Auf die Pforte dieser Erlösung hat es das erschütternde Wort geschrieben: „Wer da glaubt, der wird selig werden; wer aber nicht glaubt, der wird verdammt werden;" „wer an ihn glaubet, geht nicht verloren, sondern hat das ewige Leben. Wer an ihn glaubet, wird nicht gerichtet; wer aber nicht glaubet, ist schon gerichtet, weil er nicht geglaubt an den Namen des eingeborenen Sohnes Gottes" (Marc. 16, 16. Joh. 3, 16., 18.). — Und es ist der unumstößliche Lehrsatz der christlichen Kirche aller Confessionen: „damit der Mensch wirklich entsündigt und begnadigt werde, ist von seiten des Menschen nothwendig, daß er an Jesus Christus und seine Lehre glaubt"[2]. — Die christliche Lehre von der Erlösung geht von der Erbsünde aus, daß also durch die Sünde des ersten Menschenpaares jeder Mensch sündig geboren werde und nun zu diesem seinem sündigen Wesen noch die eigenen Sünden hinzufügt. Keine Sinnesänderung, keine Buße, keine Besserung, kein noch so gerechter und frommer Lebenswandel vermögen an sich die Befreiung von der Erbsünde und die Vergebung der eigenen Sünden, die Wiederherstellung der Verbindung mit Gott und die Versöhnung Gottes zu erwirken, sondern um diese zu ermöglichen und herbeizuführen, ließ Gott die zweite göttliche Persönlichkeit, seinen „eingeboren Sohn" Mensch werden und in diesem Menschen leiden und sterben. Durch diesen Tod ist das Erlösungswerk vollbracht, und wer an diesen Gott Erlöser, an dessen Tod und an die Erlösung durch diesen Tod glaubt, dem werden sowohl die Erbsünde als auch die eigenen Sünden vergeben[3].

1) Jechesk. 18, 20.
2) Wir führen als Belege zwei in den höheren preußischen Lehranstalten eingeführte Lehrbücher, für den katholischen Religionsunterricht von Dr. Dubelmann (Bonn 1862) Theil I. S. 84, für die evangelische Relionslehre von Dr. Lochmann (Göttingen 1856) S. 65 an.
3) Dubelmann S. 83. „Durch das Erlösungswerk hat uns Christus

Es ist nicht im entferntesten unsere Absicht und unsere Aufgabe, gegen diese Lehrsätze zu polemisiren. Vielmehr wollen wir nur konstatiren, daß das Christenthum die Vergebung der Sünden und die Versöhnung mit Gott allein durch dieses Erlösungswerk seines Stifters ermöglicht und von dem Glauben daran bedingt lehrt. Die Erbsünde ist ihm darum der Eckstein der ganzen Erlösungslehre[1]), die Menschwerdung Gottes der Mittelpunkt und das Leiden und der Tod dieses Gottes der Ausgangspunkt: Glaubenssätze, die von der Kirche selbst für Geheimnisse, Mysterien, d. h. dem Verstande unbegreiflich erklärt werden, ja, wie wir hinzufügen müssen, der Vernunft geradezu widersprechen, da der Begriff Gott durch sie völlig aufgehoben wird. Allerdings trennt das Christenthum von diesem Glauben die Entfernung von der Sünde und die Erfüllung der göttlichen Gebote nicht, allein es hält die letzteren doch für durchaus ungenügend und unzulänglich ohne den Glauben und muß dies auch, weil ja sonst jenes Erlösungswerk unnöthig gewesen wäre, damit aber auch die christliche Lehre selbst zusammenfiele.

Das Christenthum ruft also dem sündhaften Menschen, der zu Gott zurückkehren und dessen Vergebung erlangen will, zu: Verschaffe dir den Glauben an diese Erlösungslehre, und du wirst nicht allein von der Sünde, sondern auch von ihrer Strafe[2]) befreit;

1) die Befreiung von aller Sünde, von der Gewalt des Teufels und von allen Strafen der Sünde und 2) die Zuwendung aller Gnaden, welche von Gott den Menschen verliehen werden, verdient".

1) Die Erbsünde wohnt nach der Lehre der Kirche jedem Menschen durch die Abstammung von dem ersten Menschen inne, und die vermittelnde Ursache dieses sündhaften Zustandes in jedem Menschen ist nicht etwa eine Nachahmung der Sünde Adams durch Uebertretung eines göttlichen Gebotes, sondern die Abstammung von dem ersten Menschen. Dubelmann S. 50. Vgl. August. confessio Art. 2. Daß die „Erbsünde" durchaus nicht alttestamentarische Lehre ist, erweist sich schon daraus, daß die Kirchenlehrer keine andere Schriftstelle anzuführen wissen als die gelegentlichen Worte 1 Mos. 8, 21: „denn das Bilden des Menschenherzens ist böse von seiner Jugend an", wo aber nicht „das Herz oder Wesen", sondern nur „das Bilden des Herzens", und nicht „von Geburt an", sondern „von Jugend an", als der eigentlichen Zeit des Schwankens und Irrens, steht, und nicht auf die Sünde Adams, sondern auf die große Fluth Bezug genommen ist.

2) „Christus hat uns nicht blos von Sündenschuld, sondern auch von den Strafen der Sünde befreit". Dubelmann. S. 83.

so lange du aber diesen Glauben nicht erlangt hast, so lange er nicht in dir „fest und unerschütterlich" ist, bist du „gerichtet und verdammt"; mit ihm wirst du selig, ohne ihn bleibst du von der Seligkeit ausgeschlossen. Also spricht das Christenthum nicht bloß zu dem in ihm geborenen und erzogenen Menschen, sondern zu allen Menschen.

Wie aber, wenn der nach Gott verlangende Mensch zu diesem Glauben nicht kommt, nicht kommen kann, weil sein ganzes geistiges Wesen, die ganze Entwickelung seiner Geisteskräfte, alles, was er für wahr und recht hält, aus seiner innersten Natur heraus und aus der heiligen Schrift Israels für wahr und recht erkannt hat, sich dagegen sträubt? . . . Das Christenthum hat hierauf keine Antwort, hierauf keine Tröstung.

Allerdings hat die protestantische Kirche die Uebelstände, die mit diesem strengen Dogmatismus verbunden sind, wohl gefühlt; man weiß, wie im Laufe der Zeit in ihm der Rationalismus damit umgesprungen ist und ihn zu einer Scheinlehre umgewandelt hat. Allein er hat sich damit von seiner ganzen Basis, vom Neuen Testamente selbst völlig entfernt und wird daher immer wieder aus der Kirche hinausgewiesen. Dennoch finden wir selbst bei strenggläubigen Protestanten eine Abschwächung der Glaubenslehre, wie denn der von uns angeführte Lohmann S. 25 in der Behandlung der Dreieinigkeitslehre schließlich sagt: „Es wird diese Lehre ein Mysterium bleiben. Die Hauptsache bleibt, daß wir den wesentlich praktischen Inhalt dieser Lehre gläubig in uns aufnehmen, daß wir an Gott nicht bloß als Schöpfer, sondern auch als Erlöser und Heiligmacher glauben u. s. f." Freilich müßten wir dann fragen, was dem Christenthume gegenüber dem Judenthume dann noch übrig bliebe? Denn daß Gott nicht bloß Schöpfer, sondern auch Erlöser (גואל) und Heiligmacher (אני ה׳ מקדישכם „ich bin der Ewige, der euch heilig macht") ist, wird in unserer heiligen Schrift an tausend Stellen gesagt und in den jüdischen Gebeten täglich zwanzigmal wiederholt — also als Erlöser und Heiligmacher wird Gott auch im Judenthum gedacht — ohne Trinität. Aber gehen wir einen Augenblick, sowenig wir vom Christenthume hierzu berechtigt werden, darauf ein und fragen wir: Was findet der reuige Mensch im Christenthume, wenn er es nur von der praktisch-ethischen Seite in Betracht zieht? Wir verweisen auf das, was

wir von der idealen Seite des Christenthums in einem früheren
Artikel gesagt. Es werden ihm da die Forderungen gestellt: sich
des ganzen menschlichen Lebens zu entäußern, alle bürgerlichen
Werthe aufzugeben, sich über alle Bande, die ihn auf Erden an
andere Wesen knüpfen, hinwegzuheben, sich ganz allein in seine
Individualität zurückzuziehen und diese auf eine überirdische Höhe
hinaufzuwinden; und Handlungen als Gebote hingestellt, welche der
Natur des Menschen widersprechen, die Grenzlinien zwischen Recht
und Unrecht verwischen und an die Stelle der geistigen Entwickelung
und Kraft eine sentimentale Idealität setzen, die dicht an krankhafte
Schwärmerei grenzt.. Wird er im Stande sein, diesem allen zu
genügen? wird sich nicht das Bewußtsein der Unzulänglichkeit seiner
Seele bemächtigen? wird er nicht in jedem seiner Schritte im Leben
einen Rückfall, mit welchem er sich dem Heiligen und Göttlichen
wieder entzieht, erblicken müssen? Ja, mit je größerer Aufrichtigkeit
und Anstrengung er auf dem Wege, der ihm hier vorgezeichnet
wird, fortstrebt und weiter gelangt, wird sein Gewissen, seine sitt=
liche Empfindlichkeit immer zarter, reizbarer, gegen sich selbst schärfer
und bitterer werden — bis er gänzlich verzweifelt. —

Wir aber sagen noch heute mit dem Psalmisten (34, 15. 16.):
„Weiche vom Bösen und thue Gutes, suche den Frieden und jage
ihm nach: die Augen des Ewigen sind den Gerechten zugewendet
und seine Ohren ihrem Flehen"; und (57, 27. 28.): „Weiche vom
Bösen und thue Gutes, dann wohnst du in Ewigkeit; denn der
Ewige liebt das Recht und verläßt nicht seine Frommen; sie wer=
den bewahrt in Ewigkeit."

b.

Dennoch müssen wir auf diesen wichtigsten Punkt der Religions=
lehre noch einmal, noch tiefer eingehen, zuerst weil die Kluft zwischen
Christenthum und Judenthum sich hier am weitesten zeigt; dann
aber auch, weil die Lehrer des Christenthums behaupten, daß in
diesem allerbedeutendsten Zwecke der Religion das Christenthum die
Erfüllung der von unserer heiligen Schrift aufgestellten Forderungen
sei und enthalte, das Judenthum aber dieselben unerledigt lasse
und somit den Juden das Heil und die Seligkeit entgehe. Eine
desfallsige Untersuchung wird daher immer von Neuem nothwendig,

und ihre Ergebnisse haben für uns die zwiefache Wichtigkeit, diese letztere Behauptung aus dem Wege zu räumen, und uns die Segensfülle der Lehre unserer Religion immer wieder zugänglich zu machen. Noch vor Kurzem schreibt Prof. Lotze (Mikrokosmus B. III. S. 350): „Die Juden haben mißkannt, daß in der Person Christi in vertiefter Bedeutung vereinigt war, was vom Messias gehofft worden: die abschließende Prophetie der endgiltigen Offenbarung, das hohepriesterliche Mittleramt der Versöhnung durch das Opfer, welches der Mittler selbst ist, die königliche Gewalt des Herrn über die Gemeinde aller Zeiten." Dies ist nun freilich, wenn es dem jüdischen Messiasglauben als Ingredienzen imputirt und eingeschachtelt wird, Alles falsch. Der Messias ist in der heil. Schrift kein Prophet, kein hoherpriesterlicher Mittler und kein Opfer. Aber es zeigt uns, daß auch der nicht strenggläubige, philosophirende Christ von vorurtheilsvoller und ganz unrichtiger Vorstellung ausgeht.

Die katholische Kirche geht noch weiter und sieht in dem „Meßopfer" die immerwährende Wiederholung des Kreuzesopfers in unblutiger Weise, durch welches Meßopfer daher die Vergebung der Sünden, und der Nachlaß zeitlicher Strafen erworben werde. (Vergl. Dr. Dubelman, Leitfaden für den katholischen Religionsunterricht an höheren Lehranstalten. 3. Aufl. Th. 2. S. 11 ff.) Und zu diesem Allen soll die Lehre des Judenthums von der Unentbehrlichkeit eines Sühnopfers zur Sündenvergebung die vorbildliche Veranlassung, und darum das gegenwärtige Judenthum nach seiner eigenen Lehre zur Erlangung der Sündenvergebung unfähig sein. Es ist demnach nothwendig, beide Lehren noch einmal genauer zu prüfen. Wir thun dies, indem wir der Unparteilichkeit wegen für die christliche Lehre die Darstellung eines der bedeutendsten neueren christlichen Forscher in der Geschichte der Philosophie wörtlich hierherstellen, nämlich aus der „Geschichte der neueren Philosophie von Kuno Fischer" (Bd. I. Th. I. Allgemeine Einleitung. 2. Aufl. 1865. S. 50 ff.) Daselbst heißt es: „Vorausgesetzt ist der Christusglaube als Prinzip. In diesem Glauben ist das Erste, daß in der Person Jesu der Messias geglaubt wird; das Zweite, daß in diesem Messias der Welterlöser geglaubt wird; der höchste Glaubensgesichtspunkt entdeckt in diesem Welterlöser das erlösende Weltprinzip, den ewigen Christus, den fleischgewordenen Logos, den menschgewordenen Gott; in diesem Lichte erscheint ihm die Person und das Leben Jesu. In diesem Glauben sollen die Menschen eins werden, in dieser Glaubensgemeinschaft sich einigen zu einer neuen Lebensordnung, welche die Aufgabe hat, sich über die Welt zu verbreiten. Die gläubigen Gemeinden streben nach einer organisirten Vereinigung, diese Vereinigung ist die Kirche." — Innerhalb dieser Kirche wird nun die christliche Glaubenslehre von den Kirchenvätern entwickelt und festgestellt. „Aus dem Gesichtspunkte und der Grundidee des Christenthums läßt sich leicht die Richtschnur erkennen, welche die Fassung und Lösung der patristischen Aufgabe leitet. Was geglaubt werden soll, ist Christus als der Erlöser der Menschheit. Er soll geglaubt werden als die Person, in welcher die Thatsache der Welterlösung vollbracht ist. Der Glaube an diese Thatsache bildet die feste Voraussetzung, auf welcher die Kirche beruht. So sind es im Hinblick auf jene Urthatsache des Glaubens drei Probleme, welche die Kirchenlehre bewegen: wie muß das Wesen Gottes, Christi, des Menschen gedacht werden, damit in allen drei Punkten unsere Vorstellungen der Thatsache der Erlösung conform sind? Die Lösung der ersten Frage fordert die Unterscheidung der göttlichen Personen und deren Wesensgleichheit, die Feststellung der göttlichen Oekonomie, den Begriff der Trinität; die Lösung der zweiten Frage fordert die Unterscheidung und Vereinigung der beiden Naturen in Christus, den Begriff der Gottmenschheit; die Lösung der dritten Frage, den Begriff der Prädestination auf Seiten Gottes und der Erbsünde auf Seiten des Menschen, wodurch das Verhältniß bestimmt wird der göttlichen Gnade und menschlichen Freiheit." Diese letzte Frage wurde nun auf eine für das Christenthum für immer entscheidende Weise durch den Kirchenvater Augustin gelöst, und wir setzen deshalb zu diesem Zwecke den ganzen Absatz Fischers hierüber her.

„Augustin ist unter den kirchlichen Denkern der bedeutendste, und wenn von der kirchlichen Bedeutung die theologische abhängt, so ist er unter allen christlichen Theologen der größte, denn er hat die Kirche über sich selbst ins Klare gebracht, er hat erleuchtet, was sie ist, er hat ihr das Licht angezündet, in welchem die Kirche sich selbst erkannt hat, und in diesem Sinne darf man von diesem Kirchenvater mit Recht sagen, daß er das größte Kirchenlicht gewesen ist; Er hat nicht blos den Glauben der Kirche vollendet, sondern zugleich den Glauben an die Kirche begründet, indem er aus dem

Glaubensprinzip der Erlösung alle Folgerungen zog, welche die menschliche Natur betreffen."

„Die menschliche Natur soll so gedacht werden, daß sie in die Heilsthatsache der Erlösung eingeht und paßt. Also ist das Erste, daß sie gedacht wird als erlösungsbedürftig, d. h. als sündhaft. Sie kann erlöst werden nur durch Christus. Also ist das Zweite, daß sie gedacht wird als von sich aus erlösungsunfähig, d. h. als in ihrer Sündhaftigkeit unfrei. Also muß die Sünde gedacht werden als die Macht, welche den Willen beherrscht, als eine Beschaffenheit des Willens, von welcher dieser nicht loskommen kann, d. h. als Natur des menschlichen Willens. Aber die Sünde ist Schuld, die Schuld setzt die Freiheit voraus, denn nur diese kann schuldig werden. Eine Sünde, welche die Freiheit ausschließt, hebt sich selbst auf. Also muß die Sünde gedacht werden als eine That der Freiheit und zugleich als deren Verlust. Der Mensch hat ursprünglich die Freiheit gehabt, nicht zu sündigen; er hat gesündigt, damit hat er jene Freiheit verloren, und zwar von sich aus für immer. Seitdem kann er nichts als sündigen. In der ersten Sünde ist das Menschengeschlecht gefallen, in Adam haben alle gesündigt. Die Sünde muß gedacht werden als Erbsünde. Das ist der Grundbegriff Augustins, den er zuerst in dieser Bedeutung geltend gemacht hat. In dem Zustande der Erbsünde kann der Mensch die Erlösung nicht erwerben, er kann sich dieselbe weder geben, noch auch von sich aus verdienen, sie kann ihm nur zu Theil werden wider sein Verdienst, d. h. durch Gnade. Diese Gnade ist von Seiten des Menschen durch nichts begründet. Also handelt sie grundlos, sie muß gedacht werden als ein Akt göttlicher Willkür. Der Mensch wird ohne sein Zuthun von Gott begnadigt, d. h. zur Erlösung erwählt. Die Erlösung muß gedacht werden als Gnadenwahl. Diese Wahl ist von Seiten des Menschen durch nichts bedingt, wonach sie sich zu richten hätte; sie handelt also unbedingt, sie geht dem Menschen voraus, sie muß gedacht werden als göttliche Vorherbestimmung oder Prädestination. Der Mensch wird von Gott zur Erlösung prädestinirt. Nun kann der Mensch der göttlichen Gnade nur theilhaftig werden durch Christus, nun ist die Gemeinschaft mit Christus nur möglich durch die Kirche; also muß die Kirche gedacht werden als das Reich der Gnadenmittel, als die göttliche Gnadenanstalt auf Erden, welche die menschliche Erlösung bedingt und vermittelt. Es giebt kein Heil außer in der Erlösung. Dieser Satz wird jetzt dahin bestimmt: es giebt kein Heil außer in der Kirche. Das ist der Begriff der alleinseligmachenden Kirche."

„Die Glaubensthatsache der Erlösung fordert, daß die menschliche Natur unter der Herrschaft der Erbsünde gedacht werde. Zu derselben Forderung führt der Begriff Gottes und der Begriff der Kirche."

„Gott muß gedacht werden als unbedingter d. h. allmächtiger Wille. Nicht blos als Macht, sondern als Wille: dieser Begriff verneint alle emanatistischen Vorstellungsweisen. Als unbedingter Wille der durch nichts außer ihm beschränkt wird, außer dem es also nichts giebt, das ihn einschränken könnte: dieser Begriff verneint alle dualistischen Vorstellungsweisen. Der religiöse Platonismus, die Neuplatoniker, die christlichen Gnostiker dachten entweder emanatistisch oder dualistisch. Die augustinische Theologie ist diesen Denkweisen vollkommen entgegengesetzt. Ist Gott Wille, so ist die Welt ein Werk seines Willens d. h. sie ist Geschöpf und die göttliche Wirksamkeit ist schöpferisch. Ist Gott unbedingter Wille, so kann die Welt, da sie nicht aus dem göttlichen Wesen hervorgeht, nur durch den göttlichen Willen geschaffen sein aus Nichts: sie ist per Deum de nihilo; so ist die Welterhaltung, da die Welt in sich nichtig ist, eine fortgesetzte Schöpfung Gottes, eine creatio continua; so ist Alles, was in der Welt geschieht, durch den göttlichen Willen bestimmt, vorherbestimmt. d. h. durchgängig prädestinirt, so sind auch die Menschen zur Erlösung prädestinirt, die Einen sind von Gott erwählt zur Seligkeit, die andern zur Verdammniß; so kann die Erlösung von Seite des Menschen durch nichts bedingt sein, d. h. die Menschen von sich aus erscheinen als vollkommen unwürdig der Erlösung, als dergestalt in der Herrschaft der Sünde befangen, daß diese ihre Willensbeschaffenheit ausmacht, die sich forterbt von Geschlecht auf Geschlecht. Hier mündet die augustinische Theologie in den Begriff der Erbsünde."

„Zwei Hauptbegriffe des augustinischen Systems scheinen im Widerstreit mit einander. Der Begriff Gottes fordert die Unbedingtheit des Willens und diese fordert den Begriff der Prädestination, welche die menschliche Freiheit aufhebt. Aber ohne Freiheit giebt es keine Sünde, ohne diese keine Erlösungsbedürftigkeit, ohne diese keine Erlösung. Was der Gottesbegriff verneint, bejaht der Erlösungsbegriff.

Diesen Widerspruch will Augustin so lösen, daß er die menschliche Freiheit nicht als solche verneint. Gott hat sie dem Menschen gegeben, aber dieser hat sie durch die Sünde verloren, und eben dadurch ist die Sünde zur Erbsünde geworden."

„Der Begriff der Kirche fordert den der Erbsünde. Die Einsicht in diesen Zusammenhang ist für das augustinische System durchaus erleuchtend. Die Kirche muß gedacht werden als das Reich, innerhalb dessen allein wir der Gemeinschaft mit Christus und dadurch der göttlichen Gnade theilhaftig sein können. Also besitzt die Kirche die Macht der Sündenvergebung; nur durch sie und in ihr können die Sünden vergeben werden, dieses Heil widerfährt dem Menschen, indem die Kirche ihn aufnimmt in ihren Schoß durch das Gnadenmittel der Taufe. Nun ist die Kirche als das Reich der göttlichen Gnade, wie diese selbst, unbedingt und unabhängig von dem Zuthun des Menschen. Sie geht den Einzelnen voraus. Sie gilt, was bei den Alten der Staat gegolten hatte, als das Ganze, welches früher ist als die Theile; sie empfängt daher den Menschen im Beginn seines irdischen Daseins, bei seinem Eintritt in die Welt. Sie muß schon die Kinder sich einverleiben, indem sie dieselben tauft. Durch die Taufe werden die Kinder der Sündenvergebung theilhaftig, also müssen sie gelten als der Sündenvergebung bedürftig d. h. als sündhaft, was sie nur sein können in Folge der Erbsünde. Es ist sehr bezeichnend, daß über die Verdammniß der ungetauften Kinder der Streit ausbricht zwischen Pelagius und Augustin. Wenn es außer der Kirche kein Heil giebt und die Seligkeit nur durch sie erreicht werden kann, so ist der außerkirchliche Zustand heillos, so ist diesseits der Taufe das Verderben, so herrscht im Reiche der Natur die Sünde, die zur Verdammniß führt. Ohne Erbsünde keine Sündhaftigkeit der Kinder, also keine Nothwendigkeit in diesem Falle der Sündenvergebung, also keine Nothwendigkeit der Kindertaufe, keine Geltung der Kirche vor den Einzelnen, keine unbedingte Geltung der Kirche d. h. keine Kirche als Reich der Gnade. Das Dogma der Erbsünde ist das Dogma der Kirche. Der Glaube an die Kirche fordert den Glauben an die Erbsünde und umgekehrt. Was das ewige Heil des Menschen betrifft, so geschieht nichts durch den natürlichen Menschen und alles nur durch die Kirche. Das ist der Mittelpunkt der augustinischen Lehre, die mit rücksichtsloser Energie

und Schärfe alle Folgerungen löst, welche das vorausgesetzte Glaubens=
prinzip gebietet, selbst in ihren unvermeidlichen Widersprüchen."

„Auf dieses System gründet sich die Kirche des Mittelalters.
Von hier aus empfängt sie das Bewußtsein ihrer unbedingten Herr=
schaft. Aber im Verlauf der kirchlichen Entwickelung müssen Folgerungen
hervortreten, unter denen sich das Prinzip der augustinischen Lehre
verdunkelt. Der Glaube an die Kirche ist der unbedingte Gehorsam,
welcher thut, was die Kirche fordert. Der Gehorsam kann sich nur
auf eine einzige Weise bewähren: durch das folgsame Thun, durch
das äußere Werk, in diesem Fall durch die kirchliche Leistung. Das
Werk, von Innen betrachtet, kann gesinnungslos sein; von Außen
geschätzt, kann es das Maß der geforderten Leistungen weit über=
schreiten, ein verdienstvolles, heiliges Werk sein. Und es liegt in
der Natur der Werke, daß sie von Außen geschätzt werden. Jetzt
bietet sich die Möglichkeit dar, kirchliche Verdienste zu erwerben, sich
durch kirchliche Werke zu rechtfertigen. Gelten aber Werke als Mittel
zur Rechtfertigung, so ist das menschliche Zuthun nicht mehr aus=
geschlossen aus den Bedingungen zur Erlösung, so muß in demselben
Maße, als dieses Zuthun verdienstlich ist, auch der menschlichen Freiheit
Geltung eingeräumt werden. Und so geht aus dem Glauben an die
Kirche, den Augustin begründet, eine menschliche Werkheiligkeit her=
vor und damit eine semipelagianische Richtung, die dem augustinischen
System im Prinzip zuwiderläuft. Gegen diese Folgen erhebt sich
das Prinzip der augustinischen Lehre: die Kirche selbst ist bedingt
durch die göttliche Gnade, diese allein gilt unbedingt in der mensch=
lichen Erlösung, unabhängig von den kirchlichen Werken. Und so
bildet die Wiederbelebung des augustinischen Grundgedankens einen
reformatorischen Faktor, der sich gegen das katholische System der
Werkheiligkeit, nachdem dieses in allen seinen Folgerungen erfüllt
ist, aufrichtet in Luther, Calvin, Jansen."

Das wesentliche Werk der Reformation war also die Hinweg=
räumung der kirchlichen Werke und die Rückkehr zu dem reinen
augustinischen Glaubenssystem. Ob die erstere von ihr gänzlich voll=
bracht sei, wollen wir hier nicht weiter untersuchen. Gewiß aber
ist, daß sie das gedachte System zum Inhalte der protestantischen
Kirche machte, und diese dasselbe trotz aller Kämpfe und Deutungs=
versuche noch jetzt festhält. —

Welches ist nun Diesem gegenüber die Lehre des Judenthums von der Sühne, der Sündenvergebung, der Versöhnung mit Gott? Wir werden hier dieselbe zuerst beleuchten, dann ihre Schriftgemäßheit erweisen und insonders das Verhältniß der Opfer, namentlich der Schuld= und Sühnopfer besprechen müssen.

Wir konstatiren zuerst, daß auf diesem Gebiete durchaus keine Verschiedenheit zwischen der jüdischen Auffassung in unserer Zeit und der in früheren Epochen, etwa zwischen einem reformistischen und orthodoxen Judenthume besteht, daß vielmehr die Lehre von der Sühne zu den Grundgedanken und Grundlehren des Judenthums gehört, welche den einheitlichen Mittelpunkt des Judenthums bilden. Um nun in einfachster Weise diese Lehre zu charakterisiren, brauchen wir nur an den in unseren Neujahrsgebeten mit so großem Nachdrucke hervorgehobenen Ausspruch zu erinnern:

תשובה ותפלה וצדקה מעבירין את רע הגזרה

das heißt: „reuige Umkehr, Gebet und Uebung von Werken der Liebe heben die Verurtheilung des Menschen auf.“ Es ist also die Sühne, die Vergebung der Sünden, die Versöhnung mit Gott abhängig von der Reue und Besserung, von dem Bekenntniß der Sünde vor Gott und dem aufrichtigen Gebet um Vergebung, sowie daß diese Reue nicht blos in der ferneren Unterlassung der Sünde, sondern auch in der Uebung von Werken der Liebe sich bethätige. Dies entspricht auch den seelischen Zuständen des sündigen Menschen. Jede Sünde enthält die geistige Verblendung, welche zur Sünde führt, die That selbst und die darin enthaltene Entfernung von und Feindseligkeit gegen Gott. Es bedarf daher zur Beseitigung des sündhaften Zustandes zuerst der Erkenntniß der Sünde, des aufrichtigsten Schmerzes über dieselbe und der Unterlassung der Sünde mit möglichster Beseitigung des von ihr angerichteten Schadens. Schon hierin ist naturgemäß das Bewußtsein enthalten, von Gott abgewichen zu sein und gegen dessen heiligen Willen feindselig gehandelt zu haben, und wie von selbst wird daher die reuige Seele sich Gott zuwenden, und vor Ihm im Gebete all' den schweren Druck des Herzens in offenmüthigem Bekenntniß und heißem Flehen um Vergebung ausschütten. In jenem Bewußtsein aber und in dieser innersten Zuwendung zu Gott und dem Zurückstreben nach Ihm hin liegt es abermals wie von selbst, den geläuterten Zustand der Seele mit größerer Kraftanstrengung und freudiger Opferwilligkeit in

17*

Werken der Liebe zu bethätigen, nicht etwa um sich dadurch größere
Ansprüche auf die Barmherzigkeit Gottes zu erwerben, sondern um
dem innersten Drange der Seele zu genügen, der nach treuester
Pflichterfüllung strebt, und allerdings mit dem Nebengedanken, dadurch zum Theil wieder gut zu machen, was man Schlimmes ange-
richtet. Es ist einmal die Anlage des Menschen, Alles, was er wahrhaft denkt und fühlt, durch Wort und That zum Ausdruck zu bringen,
und hinwiederum kommt ein Gedanke und Gefühl in uns nicht eher
zu einer klaren und vollständigen Entfaltung, als bis sie durch Wort
und That zum Ausdruck gekommen sind. Dieser Natur des Menschen gemäß liegen daher Gebet und Werk der Liebe eigentlich wie
von selbst in dem Gedanken und Gefühle der reuigen Umkehr, der
תשובה, so daß תפלה und צדקה selbstverständliche Theile derselben
sind, wenn jene aufrichtig und ganz sein soll, und nur hinzugefügt
werden, um die Menschen darauf aufmerksam zu machen, wann ihre
תשובה eine vollständige wäre, und was zu ihr gehöre.

Ueber den Begriff der תשובה brauchen wir daher nur einfach an
den ersten Paragraphen des ersten Abschnittes von הלכות תשובה des
Maimonides zu erinnern. Es wird darin ausgeführt, daß jede Sünde
durch die תשובה vergeben werde, und diese in der Rückkehr des
Menschen von der Sünde auf immer und in dem reuigen Bekenntniß vor
Gott bestehe, indem er spricht, daß er diese und diese Sünde gethan,
sie mit zerknirschtem Herzen bereue und sie niemals wieder begehen
wolle. Je tiefer er sich hierin versenkt, desto näher tritt er der Versöhnung. Maimonides führt ferner aus, daß auch zur Zeit des
Opfercultus die Schuldigen durch Darbringung von Opfern, bevor
sie nicht תשובה in obiger Weise gethan, keine Vergebung von Sünden
erlangten, daß die Verbrecher, welche vom Gerichte zur Geißelung
oder zum Tode verurtheilt worden, durch Erleidung dieser Strafen
keine Sündenvergebung erlangten, wenn sie nicht ihrerseits Buße
und Bekenntniß damit verbanden; ja, daß auch die Zurückerstattung
des Gutes, um welches man einen Nebenmenschen geschädigt hat,
ohne Bekenntniß und niemalige Wiederholung solcher Sünde die
Vergebung nicht bewirke. [1]

1) Da wir auf diese Stelle wieder zurückkommen mögen, und nicht Jedem
die Jad hachs. zur Hand ist, geben wir hier den ganzen Paragraphen. כל מצות
שבתורה בין עשה בין לא תעשה אם עבר אדם על אחת מהן בין בזדון בין בשגגה כשיעשה תשובה

Wenn also die Sühne, die Vergebung der Sünden, die Ver=
söhnung mit Gott von dem sündigen Menschen selbst abhängt, von
seiner Erkenntniß, seiner Reue, seiner Besserung, seinem Streben
zu Gott zurück ausge t: so kann doch die Religion dieses Heil ihres
Bekenners nicht allein ihm selbst überlassen. Allerdings weiß sie,
daß die Fügungen der göttlichen Vorsehung mit dazu beitragen, den
Menschen zur Erkenntniß und Reue zu führen [1]): aber es ist ihre
Pflicht und Sache, in der Seele des Menschen das Bedürfniß der
Sündenvergebung, das Gefühl und Bewußtsein der Schuldhaftigkeit
zu wecken und ihm die Mittel zu bieten, den Weg zur Sühne zu
beschreiten und zurückzulegen. Die Religion Israels that dies durch
die Einsetzung des „Versöhnungstages" (יום הכפורים). Durch die
jährliche Wiederkehr dieses, der Reue, Buße und dem Sünden=
bekenntniß geweihten Tages, durch die an demselben zu vollführen=
den Ceremonialien, durch die, diesem Tage, der schon in der heiligen
Schrift „Sabbath der Sabbathe" genannt wird, beigelegte Heiligkeit
wird dem Israeliten die Nothwendigkeit der Sündenvergebung und
das Bedürfniß nach ihr von Jugend auf eingepflanzt, in ihm stets
von Neuem geweckt und genährt. Seit dem Erwachen seines Be=
wußtseins fühlt er sich dadurch auf einem Boden, auf welchem der
innere Zusammenhang mit Gott, ein lauteres Verhältniß zu Gott
als die unumgängliche Bedingung eines heilsamen Lebens erscheint,
so daß ihm jener Tag willkommen und geheiligt ist, an welchem er
alle eingetretenen Störungen in diesem Verhältnisse wieder besei=
tigen soll und kann. Es ist daher hierdurch Zwiefaches erlangt:
einerseits, daß schon im gewöhnlichen Gange des Lebens alle die

---

וישוב מחטאו חייב להתודות לפני האל ברוך הוא שנאמר איש או אשה כי יעשו וגו' והתודו את חטאתם
אשר עשו זה וידוי דברים . וידוי זה מצות עשה כיצד מתוודין אומר אנא השם חטאתי עויתי
פשעתי לפניך ועשיתי כך וכך והרי נחמתי ובושתי במעשי ולעולם איני חוזר לדבר זה וזהו עיקרו
של וידוי . וכל המרבה להתוודות ומאריך בענין זה הרי זה משובח . וכן בעלי חטאות ואשמות
בעת שמביאין קרבנותיהן על שגגתן או על זדונן אין מתכפר להן בקרבנם עד שיעשו תשובה
ויתודו וידוי דברים שנאמר והתודה אשר חטא עליה . וכן כל מחוייבי מיתות בית דין ומחוייבי
מלקות אין מתכפר להן במיתתן או בלקייתן עד שיעשו תשובה ויתודו וכן החובל בחבירו והמזיק
ממונו אף על פי שישלם לו : מה שהוא חייב לו אינו מתכפר עד שיתודה וישוב מלעשות כזה
לעולם שנאמר מכל חטאות האדם .

1) Dahin deutet z. B. der Ausspruch der Mischna (Joma 8, 9) האומר אחטא
ואשוב אחטא ואשוב אין מספיקין בידו לעשות תשובה:

„Wer da denkt: Ich will nur sündigen und mich später belehren, der wird
nicht (von oben her) dahin geführt Buße zu thun."

kleineren und größeren Fehler, deren sich der Mensch im Laufe des Jahres der Schwäche seiner Natur gemäß schuldig macht, zu beseitigen und deren Schuldhaftigkeit sich zu entäußern, der Versöhnungstag die Veranlassuug bietet; andererseits, daß der gröbere und verstockte Sünder durch ihn zur Erweckung kommen und den dadurch eröffneten Weg beschreiten könne. Dem ungeachtet widerspräche es der ganzen Lehre des Judenthums und insonders der obengezeichneten von der Sühne, wenn bei aller Würdigung dieser Wirksamkeit des Versöhnungstages die Meinung gehegt werden sollte, daß dieser Tag und seine ceremonielle Beobachtung an sich die Sündenvergebung herbeiführe. Dann würde eine nur äußerlich gebliebene Formheiligung die wirkliche Sühne, Umkehr und Besserung verdrängen und der religiöse Schaden größer sein als der Nutzen. Dies verhindert schon der Schrifttext, wo 3. Mos. 16, 30. nicht heißt: כי ביום הזה ונו׳ sondern כי היום הזה יכפר עליכם דגו׳, also nicht: „dieser Tag wird euch versöhnen," sondern: „An diesem Tage wird Er (Gott) euch versöhnen." Wir brauchen nur an den Ausspruch der Mischna zu erinnern (Joma 8, 9): „Wer da denkt: Ich will nur sündigen, der Versöhnungstag bringt mir Vergebung, dem bringt der Versöhnungstag keine Vergebung."[1] Vielmehr ist die תשובה mit allen ihren seelischen und thatsächlichen Momenten die unumgängliche Bedingung der Sündenvergebung, und die Mischna theilt weder dem Versöhnungstage, noch der blos innerlichen Umkehr bei Sünden gegen die Nebenmenschen eher die Sündenvergebung zu, als der Nebenmensch befriedigt, d. h. ihm für die Beleidigung Abbitte, für die Beschädigung Ersatz geleistet worden ist[2]). Somit ist der Versöhnungstag nur ein sehr heilsames Mittel der Religion, welchem jedoch der Mensch selbst erst die Wirkung der Sündenvergebung zu verschaffen hat. Ganz gleich wird auch das Verhältniß der Opfer am Versöhnungstage, welche im Tempel, so lange er stand, dargebracht wurden, angesehen. Ohne wahrhafte תשובה sind sie wirkungslos und verleihen keine Sündenvergebung. (Vergl. Maimonides a. a. O. §. 2). Auch diese Opfer waren Mittel und zwar symbolischer Art, um die reuige Umkehr und das aufrichtige Sündenbekenntniß zu veranlassen, nicht aber, daß in ihnen

---

1) האומר אחטא ויום הכפורים מכפר אין יום הכפורים מכפר .

2) עבירות שבין אדם לחברו אין יום הכפורים מכפר עד שירצה את חברו .

selbst die Wirkung der Sündenvergebung enthalten gedacht wurde. Hierauf müssen wir noch einmal zurückkommen.

Wenn demnach die תשובה das Werk des Menschen selbst ist, durch welches er zur Sündenvergebung gelangt, und für welche der Versöhnungstag jetzt, wie früher mit seinen Opfern, nur ein wirksames Mittel ist, so ist es die **Barmherzigkeit Gottes**, welche jeder aufrichtigen Reue und Buße die Sündenvergebung gewährt, die Schuldhaftigkeit ausgleicht, so daß der Sünder nunmehr wieder mit Gott versöhnt ist. Wie Gott allheilig ist, vollkommen und unendlich, so auch seine Barmherzigkeit, die, unbegrenzt, jedem Sünder, der aufrichtig bereut, bekennt, sich bessert und zu Gott sich zurückwendet, die Sünde vergiebt, die Schuldhaftigkeit auslöscht. Dies ist die Lehre des Judenthums, wie sie von seinem ersten Beginne an ausgesprochen ward und zu seinem unveränderlichen Inhalt in allen seinen Epochen und Phasen wurde. Die Stellen der h. Schrift hierüber sind allbekannt; führen wir dennoch einige hier an, so geschieht es, weil wir uns später noch darauf berufen müssen. Hier vor Allem das Wort 2. Mos. 34, 6. 7., das zum Bekenntnißwort der Synagoge geworden: „Der Ewige, der Ewige, Gott, barmherzig und gnädig, vergebend Sünd' und Missethat und Schuld," welches von 5. Mos. 4, 31, von Joel, Jona, in sechs Psalmen, von Nehemia und dem Chronisten wiederholt wird. Der Prophet Hosea spricht (14, 3.): „Nehmt Worte mit euch, und kehret zum Ewigen, sprechet zu ihm: vergieb alle Schuld und nimm es gut an, daß wir die Farren (der Schuld) mit unseren Lippen entrichten." Der Prophet Ezechiel spricht (18, 19): „So der Frevler zurückkehrt von allen seinen Sünden, die er vollführte, und all' meine Satzungen wahret und Recht und Gerechtigkeit übet: so wird er leben, nicht sterben. All' seiner Missethat, die er vollführte, wird ihm nicht gedacht, durch seine Gerechtigkeit, die er übte, wird er leben. Sollt' ich denn Wohlgefallen am Tode des Frevlers haben? spricht der Herr, der Ewige; nicht daran, daß er zurückkehrte von seinem Wandel und lebe?" Der Prophet Jesaias spricht (55, 7.): „Der Frevler verlasse seinen Weg, der Mann der Sünde seine Gedanken; er kehre zum Ewigen, der wird sich erbarmen, zu unserm Gotte, denn er ist reich im Vergeben." (43, 25.): „Ich, ich bin's, der dein Vergehen tilget um meinetwillen, und deiner Sünden gedenk' ich nicht." (44, 22.): „Ich tilge wie Wolken deine Vergehungen, wie Gewölk deine Sün-

ben: kehr' um zu mir, denn ich erlöse dich." Der Psalmist spricht
(32, 5.): „Meine Sünde that ich Dir kund, meine Schuld verdeckt'
ich nicht, ich sprach: auf meine Missethat will ich dem Ewigen bekennen — da vergabst du mir meine Sündenschuld." Und so an
vielen anderen Stellen. Nur noch eine heben wir hervor, weil sie
für unseren Zweck sehr bezeichnend ist. In dem Gebete, welches
nach 1. Kön. 8. Salomo bei der Weihe des Tempels hält, heißt es
Vers 33: „Wenn dein Volk Israel geschlagen wird von dem Feinde,
weil sie gegen dich gesündigt, und sie bekehren sich zu dir und bekennen deinen Namen und beten und flehen zu dir in deinem
Hause: So höre du es im Himmel und vergieb der Sünde deines
Volkes Israel." Gleicher Vers 35, 38, 42, 44. Endlich Vers 46:
„Wenn sie sündigen wider dich — denn es ist kein Mensch, der
nicht sündigt — und du zürnest über sie, und sie nehmen es zu
Herzen, und sie bekehren sich und flehen zu dir, sprechend: Wir
haben gesündigt und uns vergangen, wir haben gefrevelt! und sie
bekehren sich zu dir mit ganzem Herzen und ganzer Seele und
beten zu dir: so höre du im Himmel, der Stätte deiner Wohnung,
ihr Gebet und ihr Flehen und vergieb deinem Volke, was sie gesündigt wider dich und alle ihre Vergehungen, die sie begangen
wider dich." Bekehrung, Bekenntniß, Besserung, Gebet seitens der
Sünder und die Barmherzigkeit Gottes sind also auch hier die einzigen Erfordernisse der Sündenvergebung, und von Opfern, selbst
während des Bestandes des Tempels, unmittelbar bei der Weihe
desselben durchaus nicht die Rede. Mag nun die Kritik die Abfassung dieses Gebetes in seinem uns vorliegenden Wortlaute Salomo selbst nicht zusprechen wollen, so gehören die zwei Bücher der
Könige doch jedenfalls einer Zeit an, nach welcher der Opferkultus
im Tempel noch mindestens ein halbes Jahrtausend bestand, abgesehen davon, daß die bedeutendsten Stücke dieser beiden Bücher
älteren Schriften entnommen sind.

Es ist nicht unsere Absicht, diese Lehre des Judenthums von
der Sühne hier philosophisch oder nur psychologisch zu begründen,
ihre Vernunftmäßigkeit und ihre Uebereinstimmung mit den Gefühlen
des Menschenherzens, wie sie nicht blos mit dem Begriff der Barmherzigkeit Gottes, sondern auch mit dem der göttlichen Gerechtigkeit
in Harmonie steht, nachzuweisen — wie der Psalmist sagt: „Denn
er gedenkt, daß sie Fleisch, ein Hauch, der geht und nimmer wieder-

kehrt" (Pf. 78, 39.), ein Gedanke, der öfter wiederholt wird und den Anspruch des reuigen Menschen auf die Vergebung der Sünde rechtfertigen soll. Vielmehr ist es uns nur darum zu thun, jene Lehre in kurzen, treffenden Zügen vor unser Bewußtsein zu bringen.[1])

Worin unterscheidet sie sich nun von der christlichen Lehre über die Sündenvergebung? Dadurch, daß die letztere eine Vermittlung und ein Opfer zwischen dem bußfertigen Sünder und der Barmherzigkeit Gottes für unumgänglich erforderlich erklärt, und zwar so, daß der Mittler sich selbst als Opfer zum Tode hingegeben, durch diesen Tod die sündige Menschheit erlöst hat, und nur der die Vergebung der Sünden erhalten kann, welcher in dieser Mittler= schaft und diesem Opfer die Vergebung der Sünde anerkennt. Hier ist also Zwiefaches angenommen, einerseits daß der Mensch sowohl durch die Erbsünde des ganzen Geschlechts als auch durch die Sünd= haftigkeit jedes einzelnen Menschen so versündigt ist, daß keine Reue und Buße, keine Umkehr und Besserung, kein Bekenntniß und Gebet die Sündenvergebung bewirken könne; andrerseits daß die Barmherzigkeit Gottes an sich nicht so groß, so allumfassend sei, um durch sich selbst dem reuigen Sünder die Vergebung verleihen zu können, so daß Beide erst des Opfers eines Dritten und zwar der Todes des Mittlers bedürfen, um die Sündenvergebung bewerk= stelligen zu können.

Dies ist die unausfüllbare Kluft zwischen der jüdischen und des christlichen Lehre von der Sühne, der Sündenvergebung, der Versöhnung mit Gott.

Allein die Anhänger dieser christlichen Lehre wenden ein, daß diese jüdische Lehre das mosaische Gesetz mißkannt und beseitigt habe, daß allerdings das mosaische Gesetz die Sündenvergebung an die Bedingung von Schuld= und Sühnopfern geknüpft habe, und daß diese mosaischen Schuld= und Sühnopfer in dem Opfertode des christlichen Mittlers ihre Erfüllung und ihren Ersatz für immer ge= funden, weßhalb das Christenthum die Erfüllung des mosaischen Gesetzes sei. Dieser wichtigen Frage wollen wir nun unsere Auf= merksamkeit zuwenden.

Die Talmudisten sahen die Gebete, d. i. die vorgeschriebenen, formulirten Gebete grundsätzlich als an die Stelle der Opfer getreten,

---

1) Vgl. unsere israelitische Religionslehre Band 2 Seite 126 ff.

an. Nachdem seit dem Entstehen der Synagogen neben dem Opfer=
kultus im Tempel die Gebete noch in sehr flüssigen Formen be=
standen, wurde allmählig der Gebetcyklus fixirt und als ein Ersatz
für die Opfer betrachtet. Es geschah dies nicht blos der Idee nach,
sondern ganz formell, so daß die Zahl und Zeit der Gebete nach
denen der Opfer geordnet und festgestellt wurde [1]). Dem Geiste
und der Wirkung nach legten sie sogar dem Gebete eine höhere
Bedeutung bei als dem Opfer (Berach. 33, 1 ff. u. a. anderen St.),
und trafen durch ihre Vorschriften alle möglichen Vorkehrungen, daß
das Gebet mit aller Weihe und Andacht, die Gedanken vollständig
darauf gerichtet und das Herz mit Gottesfurcht erfüllt, verrichtet
werde, indem sie erklärten, daß ein Gebet ohne Andacht kein Gebet
sei. (S. Orach Chaj. 1, 4. 98, 1 ff.) Hieraus folgt: 1) daß sie
die Opfer nicht als ein unentbehrliches Gnadenmittel, als einen
integrirenden Theil des israelitischen Kultus anerkannten, 2) daß
sie ihnen kein konkretes faktisches Element, sondern nur eine sym=
bolische Natur beilegten. Sie sahen also in den Opfern nur vom
Gesetze dargebotene und festgesetzte Mittel zur Erweckung, Be=
wirkung und Förderung der Gottesfurcht, Anbetung, Reinigung und
Läuterung, die daher nach ihrem durch die Schicksale der Nation
herbeigeführten Wegfall, durch andere derartige Mittel, nämlich die
formulirten Gebete, ersetzt werden konnten. Weder aber das Opfer
an sich, noch das Gebet besitzt die erhebende, läuternde und ver=
söhnende Kraft, sondern sie erlangen diese erst durch die כונה, d. i.
die Andacht und Weihe der sie begleitenden Gedanken und Gefühle.
Je mehr deshalb die Opfer im Laufe der Zeiten das unmittelbare
Verständniß ihrer Symbolik, aus welchem sie entsprungen, in den
Geistern verloren hatten, desto natürlicher war es, daß die Geister
sich in einem erhebenden und das Herz erfüllenden Gebete weihe=
voller und heimischer fühlten, als in den unverstandenen, mit ihrer
Seelensphäre nicht mehr zusammenhängenden, daher zur bloßen ge=
heiligten Form gewordenen Opfern, und dieses fand denn selbst bei
den Talmudisten trotz ihrer unerschütterlichen Verehrung für die
Formen des mosaischen Gesetzes seinen Ausdruck. Ihre Ansicht, daß

---

[1]) Maimonides Hilch. Thephill. I. 5 sagt: וכן תקנו שהא מנין התפלות כמנין
הקרבנות שתים תפלות בכל יום כנגד שני תמידין וכל יום שיש בו קרבן מוסף תקנו בו תפלה
שלישית כנגד קרבן מוסף was nun weiter im Detail ausgeführt wird.

auch zur Zeit des Opferkultus die Schuld=, Sühne= und Versöhnungs=
tagsopfer ohne Buße und Bekenntniß die Sündenvergebung nicht
bewirkten, wie wir sie in der zuerst zitirten Stelle des Maimonides,
auf Talmudstellen begründet, ausgesprochen fanden, war demnach
ganz natürlich. Die Frage ist nun: sind die Talmudisten hierbei
schriftgemäß verfahren? oder stehen sie mit der h. Schrift hierin
im Widerspruch, indem sie diese mißverstanden? Dieses ist der
Angelpunkt unserer Untersuchung.

Wir haben bereits oben eine Anzahl Schriftstellen aus den
Propheten und den h. Scribenten angeführt, welche die Sünden=
vergebung lediglich von der Sinnesänderung, der Umkehr im Thun
und Lassen, dem demüthigen Bekenntniß und der innigsten Zuwen=
dung zu Gott abhängig machten, ohne nur im geringsten auf das Er=
forderniß von Opfern, als eines unentbehrlichen Mittels der Sünden=
vergebung, hinzuweisen. Diese Schriftstellen gehören zweifellos der
Zeit an, in welcher der Tempel= und der Opferkultus bestanden,
ja reichen in die Zeit Salomo's hinauf, der den Tempel erbauete.
Wir haben uns aber noch auf Schriftstellen zu berufen, welche sogar
g e g e n die Opfer gerichtet sind, und ihnen alle Bedeutung absprechen,
ja sie für religiös schädlich erklären, wenn den Darbringenden der
gottesfürchtige Lebenswandel, die aufrichtige Umkehr und Besserung
fehlt. Es reichen diese Stellen bis in die Zeiten Samuel's hinauf,
der (1. Sam. 15, 22.) dem Könige Saul erwiderte: „Hat der Ewige
Gefallen an Ganzopfern und Schlachtopfern wie an Gehorsam gegen
die Stimme des Ewigen? Siehe! Gehorsam ist besser denn Opfer,
Aufmerken denn der Widder Fett!" Jesaias ruft gleich am Eingange
seiner Phrophetieen (1, 11.): „Wozu mir eurer Opfer Menge?
spricht der Ewige. Satt bin ich der Ganzopfer von Widdern, des
Fettes der Mastkälber, am Blut der Farren und Lämmer und
Böcke hab' ich keinen Gefallen"; und darauf (B. 16): „Waschet euch,
reinigt euch, schafft das Böse eurer Werke aus meinen Augen hin=
weg, höret auf zu freveln" In gleichem Sinne spricht Jesaias II
die Nichtigkeit der Opfer vor Gott aus (40, 16). Ja Jeremias
(7, 21—23) kommt zu dem Ausspruche: „Also spricht der Ewige
der Heerscharen, der Gott Israels: „Eure Ganzopfer füget zu euren
Schlachtopfern, und esset Fleisch davon. Denn nicht redete ich zu
euren Vätern und nicht gebot ich ihnen, am Tage, da ich sie aus
dem Lande Mizrajim führte, betreffs des Ganzopfers und des

Schlachtopfers, sondern dies Wort befahl ich ihnen, sprechend: auf meine Stimme höret, und ich werde euch zum Gotte sein, und ihr werdet mir zum Volke sein, und wandelt in allem Wege, den ich euch gebiete, damit es euch wohlergehe." Hiermit wollte der Prophet selbstverständlich nicht sagen, daß in der Offenbarung nach dem Auszuge aus Aegypten gar kein Opfergesetz gegeben worden, sondern, daß nicht dies das Hauptgebot Gottes an Israel gewesen und der Zweck der Offenbarung, vielmehr die Anbetung Gottes und ein Lebenswandel nach den Geboten des Herrn; wie denn auch in den Zehnworten und in dem Gesetze bei Marah (worauf sich die Tradition hierbei beruft) nichts von Opfern vorkommt.

Höchst wichtig sind aber hierfür zwei Psalmen, von denen der eine zweifellos von David selbst, der andere von einem Aßaph aus der Zeit Salomos abgefaßt ist. In dem ersteren (40) will der Sänger, der sich aus furchtbarer Gefahr durch die Hand Gottes gerettet sieht, dem Herrn „ein neues Lied, einen Lobgesang" darbringen, und stellt dessen Werth dem der Opfer gegenüber. Das Lied wird Vers 5—11 mitgetheilt. Hier heißt es (7—9): „Schlacht- und Speisopfer begehrest du nicht — hast mir ja Ohren gehöhlet — Ganz- und Sühnopfer forderst du nicht. Da sprach ich: Sieh, ich komme, in der Buchrolle ist mir vorgeschrieben: Deinen Willen zu thun, mein Gott, begehr' ich, und deine Lehre ist in meinem Innersten." Der Sänger ist offenbar durch seine Feinde von der Opferstätte ferngehalten, und sie weisen höhnend darauf hin, daß er keine Opfer bringen könne. Hierauf antwortet er, indem er die volle Bedeutung und Wirksamkeit des mit frommem Sinne und Thun verbundenen Liedes, d. i. Gebetes, auch ohne Opfer, geltend macht. Aßaph aber führt folgende Worte in feierlichster Weise ein (50, 7—15): „Höre, mein Volk, ich will reden, Israel, ich will wider dich zeugen: Gott, dein Gott, bin ich. Nicht um deine Opfer verweis' ich dich, und deine Ganzopfer sind stets vor mir. Nicht mag ich nehmen aus deinem Hause Stiere, aus deinen Hürden Böcke. Denn mein ist alles Gewild des Waldes, die Thiere auf Bergen bei Tausenden. Ich kenn' alle Vögel der Berge, der Fluren Gewild ist mir kund. So mich hungerte, dir sagt' ichs nicht, denn mein ist der Erdball und was ihn erfüllt. Eff' ich denn Fleisch der Thiere und trink' ich Blut der Böcke? Dank opfere Gott und dem

Höchsten bezahle deine Gelübde; und rufe mich an am Tage der Noth — ich werde dich retten — und ehre mich!"

Aber als Krone und Schluß dieser Aussprüche führen wir das Wort des Propheten Michah an, welches sich nicht blos gegen die Nothwendigkeit der Opfer, sondern auch gegen jede Idee einer Stellvertretung entschieden ausspricht, nämlich 6, 6—8. „Womit soll ich vor den Ewigen treten, mich beugen vor dem Gott der Höhe? Soll ich mit Opfern vor ihn treten, mit Kälbern, jährigen? Hat der Ewige an Tausenden von Widdern Wohlgefallen, an Myriaden Strömen Oels? soll meinen Erstgebornen ich für meine Sünde geben, meines Leibes Frucht für meiner Seele Schuld? Verkündet hat er dir, o Mensch, was gut, und was der Ewige von dir fordert: nur Recht zu üben, und Huld zu lieben, und demüthig zu wandeln vor deinem Gott!" Der Prophet spricht sich also, wie im Voraus, gegen die Christologie auf eine Weise aus, wie es kräftiger und entschiedener nicht geschehen konnte.

Diese Schriftstellen sind überzeugend genug. Allerdings war ihr Sinn und Zweck nicht, den Opferkultus aufzuheben und zu beseitigen und ihm für das religiöse Leben des Volkes in damaliger Zeit alle Bedeutung abzusprechen — wohl aber gehen sie darauf aus, zu erweisen, daß die aufrichtige Anbetung Gottes und ein gerechter, liebevoller und gottgefälliger Lebenswandel den wesentlichen Inhalt der Religion Israels ausmachen und den Weg darbieten, der zur Sündenvergebung führt, wie der letzt zitirte Psalm endet (V. 23): „Wer, opfernd Dank, mich ehret, und seinen Wandel leitet, ihn laß' ich schauen Gottes Heil." Ja, sie richten ihre Schläge gegen frömmelnde Heuchelei, welche mit zahlreichen Opfern die schlechtesten Handlungen decken will, und gegen den Wahn, daß die Opfer genügen und nothwendig sind, um das Wohlgefallen Gottes zu erlangen. Sie legen vielmehr dem, aus der Tiefe des Herzens quillenden Gebete einen höheren Werth bei. Sie erweisen hiermit zur Evidenz, daß die oben gezeichneten, talmudischen Ansichten völlig schriftgemäß sind, keine anderen, als bereits die Propheten und h. Sänger lange vor ihnen ausgesprochen. Auch für diese sind die Opfer nichts als religiöse Mittel, welche lediglich von der frommen Gesinnung und dem gerechten und sittlichen Lebenswandel eine religiöse Bedeutung erhalten, an sich allein keinen Inhalt haben, daher durch andere Mittel, namentlich das Ge-

bet erfetzt werden können. Werden nun die chriftlichen Lehrer
behaupten, daß auch die Propheten und h. Sänger die Thora
mißverstanden haben?

Kommen wir daher nunmehr zum pentateuchifchen Gefetze felbft.

Die Apologeten der chriftlichen Lehre von der Sühne und
Sündenvergebung behaupten zuerft: „Die Idee, daß Jemand ftellvertretend für einen anderen leiden könne, d. h. von Gott geftraft
werde, ift an vielen Stellen des Alten Teftaments ausgefprochen."
Hierdurch wollen fie erweifen, daß der Gedanke des Sühnopfers der
fei, daß das Opferthier den Sünder vertrete, für ihn den Tod er-
leide, und deffen Schuld dadurch gefühnt werde; und diefes wieder
führe unmittelbar zu dem Dogma von der durch die Leiden und
den Tod Jefu für alle Gläubigen bewirkten Sündenvergebung,
welche letztere daher denen, die nicht daran glauben, überhaupt nicht
gewährt werden könne.

Faffen wir daher zuerft diefe Idee, daß Jemand ftellvertretend
für einen Anderen leiden könne, ins Auge. Vor Allem müffen
wir hier auf das Wort „ftellvertretend" ein großes Gewicht legen.
Daß Jemand für einen Anderen leiden könne, d. h. daß die Folgen
einer böfen Handlung oft auch auf andere ganz unfchuldige Menfchen fich erftrecken, ift keine bloße Idee, fondern eine tägliche That-
fache. Die Verhältniffe der Menfchen unter einander find fo eng
verknüpft, daß es nur fehr wenige Handlungen, vielleicht gar keine
geben kann, deren Wirkungen nicht mehrere Menfchen, oft ganz un-
betheiligte treffen müffen. Daß alfo der Eine fündigt und der
Andere dadurch leidet, gefchieht immerfort. Dies erfteckt fich fogar
von Gefchlecht auf Gefchlecht. Der Vater, der feine Habe ver-
fchwendet, läßt feine Kinder in Armuth fchmachten. Wer ehrlos
handelt, befchimpft feine Familie, fo daß alfo die Kinder von den
Folgen der väterlichen Sünde zu ihrem großen Leiden betroffen
werden. Welche unermeßliche Leiden können über ganze Völker-
fchaften durch die Handlungen ihrer Herrfcher gebracht werden. Erwägen wir dies genauer, fo erkennen wir in diefer Ordnung der
menfchlichen Dinge einen zwiefachen Zweck. Einentheils gereicht
diefes Leiden Anderer dem Sünder oft zur fchärfften Strafe, mehr,
als wenn er unter den Folgen feiner That felbft litte, und uns
zu ftrengfter Mahnung, weil eben Andere an unferen Werken betheiligt find; anderentheils liegt in dem Leiden jedes Individuums,

mag es dieses selbst, oder mögen Andere es verursacht haben, stets ein Selbstzweck für dieses Individuum, den wir zu erkennen vermögen, oder der uns, wie so Vieles im Leben, verborgen bleibt. Es kommt dies auf die Lehre von den Leiden und Prüfungen des Menschen überhaupt hinaus, und beruht auf dem allgemeinen Gesetze, das Gott auch in seiner Weltschöpfung verwirklicht hat, daß jedes Wesen einen Selbstzweck in sich hat, und zugleich als Glied der ganzen Schöpfung einen Zweck für diese! Welche bittrere Strafe, um auf das erste Moment noch einmal zurückzublicken, kann einen Vater, der noch nicht völlig verstockt ist, treffen, als seine Kinder, in Folge seiner leichtsinnigen und schlechten Handlungen, leiden, ver- und untergehen zu sehen? Wer am Krankenbette eines Andern, der durch seine Schuld die Schmerzen und Gefahren des Siechthums trägt, sitzt, wird der nicht zehn Mal lieber diese Krankheit selbst ertragen wollen? Welche Qualen müssen in dem Herzen eines Fürsten wühlen, der durch seine Schuld sein Volk elend sieht? Wie oft sah man schon Verbrecher sich selbst angeben, wenn ein Unschuldiger statt ihrer verurtheilt wurde, weil die Qual, einen Anderen für sich leiden zu wissen, ihnen unerträglicher war als die Strafe selbst?

Aber etwas ganz Anderes ist es, wenn gesagt wird, daß der Eine „stellvertretend" für den Anderen leide, d. h. gestraft werde, und dadurch Jenen von seiner Schuld lösen, sie sühnen soll. Diesen Gedanken weist unsere Vernunft, weist unser Herz mit Entschiedenheit ab, weil er gegen alle Gerechtigkeit verstößt, weil er uns die göttliche Gerechtigkeit in einen mystischen Nebel zurückdrängt, der uns nicht blos einzelne Erscheinungen, sondern sie in ihrer Totalität in undurchdringliches Dunkel hüllt. Prüfen wir also aufmerksam die dafür angeführten Stellen unserer h. Schrift. Es ist schon ein ungünstiges Zeichen für jene Behauptung, daß eine so bedeutsame, in das höchste Heil des Seelenlebens eingreifende Lehre nicht in bestimmten, zweifellosen Ausdrücken nachgewiesen werden kann, sondern aus einigen zerstreuten Andeutungen und Anspielungen herausgesucht werden soll, während, wie wir sehen werden, das gerade Gegentheil in den faßlichsten und zweifellosesten Sätzen ausgedrückt worden ist. Zuerst führen die christlichen Apologeten 2. Sam. 12, 15 ff. an. David hat mit der Bath=Seba gesündigt; sie hatte ihm einen Sohn geboren; da heißt es: „Da du die Feinde des Ewigen durch diese Sünde zur Lästerung veranlaßt haft, soll auch der Sohn, der dir geboren ist, sterben." Der Knabe erkrankte, „und David fastete und ging hinein und lag Nachts auf der Erde" und härmte sich so sehr, daß Niemand wagte, ihm den erfolgten Tod des Kindes anzuzeigen. Es ist also wahr, daß das Kind in Folge der Sünde seiner Eltern litt und starb. Wo aber ist es ausgedrückt, daß das Kind hiermit die Stelle Davids vertrat, und ihm durch seinen Tod die Vergebung der Sünden brachte? Litt nicht David viel härter als das Kind, an dessen Lager er Tag und Nacht fastend und betend und voll Verzweiflung zubrachte, und steht nicht (B. 15) vorher schon: „und Nathan sprach zu David: der Ewige hat deine Sünden vergeben?" Aber die Strafe, die einschneidendste Reue und damit die wahrhafte Läuterung sollte David erst durch die Krankheit und den Tod seines Kindes erfahren. — Ganz gleich verhält es sich mit der zweiten Stelle 2. Sam. 24, 10 ff. David hatte das Volk gezählt, kam hierüber zum Bewußtsein seiner Sünde und sprach: „Ich habe sehr gesündigt mit dem, was ich gethan, und nun, Ewiger, verzeihe doch die Sünde deines Knechtes, denn ich habe sehr thöricht gehandelt." Darauf wird ihm vom Propheten Gad die Wahl unter drei Uebeln vorgelegt, und es kam die Pest über das Volk, bis der Ewige sich dessen erbarmte. Ist auch hier im Schrifttexte von irgend einer „Stellvertretung" die Rede? Das Unglück (הָרָעָה B. 16) trifft das Volk, aber die Strafe, um das sündige Herz zu treffen, zu zerknirschen, zu demüthigen und zur Läuterung zu bringen, ist Davids. Dies drückt der Text in B. 13 deutlich aus: „Sollen dir sieben Jahre Hunger kommen in dein Land, oder daß du drei Monde fliehest vor deinen Feinden, und daß sie dich verfolgen, oder daß drei Tage Pest sei in deinem Lande? „Die Qual Davids bei dem Anblick des leidenden Volkes war furchtbar, und machte sich in dem Ausruf Luft (B. 17): „Und David sprach zum Ewigen, als er sah den Engel, der das Volk schlug, und sprach: Siehe, ich, ich habe gesündigt, und ich, ich habe mich vergangen, doch diese, die Heerde, was haben sie gethan? Möge deine Hand wider mich sein und wider das Haus meines Vaters." — In beiden Fällen kann von einer „Stellvertretung" gewiß nicht die Rede sein. Die Folgen der That dehnten sich auf Andere aus, aber die Strafe, eine um so härtere, da die Verschuldung nur um so größer erscheinen mußte, traf den Thäter. Ganz anders bei einem Opfer, wo das Thier allein leidet und von einem tiefer gehenden Mitgefühl nichts vorhanden sein kann. Die Hingabe eines Kindes oder eines Theiles des Volkes mit der Hingabe eines Opferthieres in den Tod auf eine Linie stellen zu wollen, kann doch nur mindestens als irrig bezeichnet werden.

Sehen wir nun noch die anderen Stellen. [1]) Es folgt Jef. 43, 3: „Denn ich, der Ewige, bin dein Gott, der Heilige Israels, dein Retter, ich gab Mizrajim als dein Lösegeld hin, Cusch und Seba statt beiner." Wer die Stelle im Zusammenhange liest, sieht, daß sie ihrem wahren Sinne nach nichts sagt, als: Cyrus wird die mächtigsten Nationen besiegen und dadurch auch die Möglichkeit haben, Israel aus der Gefangenschaft wieder in das h. Land zurückziehen zu lassen. (Vgl. 45, 14.) Die ersteren fallen und Israel erhebt sich wieder. Diese Fügung ist das Werk der göttlichen Vorsehung. Dies ist in jenen Worten figürlich, ja hyperbolisch ausgedrückt. Dem Siege des Cyrus ist die Bedingung gestellt, daß er Israel freiläßt, und dafür werden die mächtigsten Nationen ihm preisgegeben; „dafür" כפרך, das „Auslösungsgeld," das für die Freiheit oder das Leben gezahlt wird, wie 4. Mos. 35, 31. 2. Mos. 21, 30. In dem Falle großer Völker und Staaten liegt ein Selbstzweck, ein Gericht über ihre Entartung, ihre Tyrannei, ihren Verfall. In der Verknüpfung der Geschicke liegt aber auch, daß durch diesen Sturz andere Nationen frei werden, und wer könnte hierin nur eine „Stellvertretung" der einen als Strafopfer für die Sünden der anderen finden, wenn nicht an der Hand vorgefaßter Meinungen? — Diese Stelle führt nun zu einer andern, die von den christologischen Dogmatikern als Hauptstelle, von den rationellen nur ungern angeführt wird: Jef. 53, 4 ff. Wir wollen hierbei auf die einzelnen Worte nicht eingehen, denn man kann diese nicht verstehen, bevor man nicht zum Verständniß des Ganzen gekommen ist. Es ist dies die vierte Rede (52, 13 — 15 und Kap. 53). Der Prophet bemüht sich in diesen Reden, alle Einwände gegen die Rückkehr Israels zu entkräften. Er hat an die Macht Gottes und die Nichtigkeit aller Furcht vor den Menschen erinnert, daß die Verbannung Israels nur Folge von dessen Sündhaftigkeit gewesen,

---

1) Die Stelle Spr. Sal. 21, 18 ist als durchaus nicht zutreffend von den christlichen Dogmatikern selbst aufgegeben.

II. 18

Gott es aber niemals ganz verstoßen habe, indem es noch immer exi=
stirt, und endlich, daß der Beruf Israels, den Völkern die Erkennt=
niß des Einzigen zu bringen, vollführt werden müsse. Wies man
nun hiergegen auf den Druck, die Verachtung und tiefe Erniedri=
gung Israels hin, womit doch diesem Berufe gänzlich widersprochen
werde, so erklärt der Prophet in der uns vorliegenden Rede: daß
die gegenwärtige Erniedrigung Israels n o t h w e n d i g zur Erfüllung
jenes Berufes sei, weil die Erhöhung dieses erniedrigten, die Ver=
herrlichung dieses verachteten und mißhandelten Volkes den Völkern
die Erlösungskraft des E i n z i g e n, den Israel anbetet, so klar, so
überraschend vor Augen stellen wird, daß sie sich zum Einzigen be=
kennen werden. Dann werden die Völker glauben, daß die Leiden
Israels nur stattgefunden, damit die Völker hieraus die Erkenntniß
der Wahrheit ziehen können; sie werden Israel als den Märtyrer
der Wahrheit ansehen und verehren. Diese Anschauung der Völker
n a c h ihrer Bekehrung schildert der Prophet in den citirten Versen.
(S. die ausführliche Erörterung in unserem Bibelwerke, im Commen=
tar zu 52, 13 ff.) Auch hier ist demnach nicht von einer objectiven
Anschauung die Rede. Die Leiden Israels hat der Prophet nach=
drücklich genug in ihrem Selbstzwecke, die Israeliten für Abfall und
Entartung zu strafen und durch diese Strafe zur Umkehr und zur Läu=
terung zu bringen, hervorgehoben; in der vorliegenden Stelle betonte
er den zweiten Zweck, durch diese Leiden, deren standhaftes und
gottgetreues Ertragen und endliche Lösung die Völker zur Erkennt=
niß Gottes zu bringen, und wie zuletzt die Menschheit zur Einsicht
in die Wege der göttlichen Vorsehung und Vergeltung kommt. Wenn
daher der Prophet hier die Völker sagen läßt, daß Israel die Leiden
für sie getragen, so sagt er damit durchaus n i c h t, daß Israel für
die Sünden der andern Völker gestraft worden sei, sondern damit
sie Belehrung daraus schöpfen und zur Erkenntniß gebracht werden.
— Endlich glaubt man auch „die Vorstellung einer Uebertragung
der Schuld" im Pentateuche selbst zu finden, und zwar in der
5. Mos. 21, 1 — 9 vorgeschriebenen Ceremonie, wenn man auf dem
Felde einen Erschlagenen findet, und der Thäter ist unbekannt, be=
sonders in V. 8. Allein Nichts ist ferner hiervon. Für alle Arten
des Mordes sollte eine gesetzliche Bestimmung vorhanden sein, um
dem Volke einen tiefen Abscheu gegen Mord und Todtschlag einzu=
flößen: für den vorsätzlichen Mörder die gerichtliche Todesstrafe, für

ben unvorfätzlichen Tobtfchläger bie Internirung bes Thäters in einer ber Freiftäbte bis zum Tobe bes jeweiligen hohen Priefters, für ben Morb, deffen Thäter unbekannt, biefe Ceremonie. Diefe beftanb weber in einem Opfer, benn es wirb kein Ausbruck, ber Opfer bebeutet, von ber jungen Kuh, beren Genick gebrochen wirb, gebraucht, fie wirb nicht gefchlachtet, nicht verbrannt unb von ihrem Blute nicht gefprengt, noch in bem Gebanken juribifcher Stellver-tretung, benn fobalb ber Thäter entbeckt warb, verfiel er ber gefetz-lichen Strafe. Sonbern bie Ceremonie follte fymbolifch in bem Genickbrechen ber jungen Kuh bas zeigen, was mit bem Mörber, fo er aufgefunben, gefchehen wäre, in bem Wafchen ber Hänbe ebenfo fymbolifch, baß bie Anwefenben in Vertretung bes ganzen Volkes Ifrael ihre Unfchulb an ber That betheuerten, unb im Ge-bete ift V. 8 ausgebrückt, baß bas burch ben Morb geftörte Verhältniß Ifraels zu Gott wieber hergeftellt würbe, weil eben unfchulbiges Blut vergoffen worben, aber bie Möglichkeit nicht vorliege, es burch Beftrafung bes Thäters zu fühnen. Dies ift ber klare unb einfache Sinn unb Zweck biefer Vorfchrift.

Man fieht alfo, baß in unferer heiligen Schrift bie Ibee, baß Iemanb ftellvertretenb für einen Anbern leiben könne, nicht vorhanben ift unb höchftens in zweifelhafter Weife hineininterpretirt werben kann. Um wie viel gewichtiger ift es nun, wenn bie klar-ften unb unzweibeutigften Ausfprüche ber heil. Schrift gerabezu bas Entgegengefetzte feftftellen. Wir wollen nur zwei berfelben anführen. Als einer ber höchften Rechtsgrunbfätze wirb 5. Mof. 24, 16 feft-geftellt: „Nicht follen getöbtet werben Väter um Kinber, unb Kinber nicht getöbtet werben um Väter, Iebweber für feine Schulb follen fie getöbtet werben." Was hier von ber höchften Strafe ausgefagt wirb, gilt felbftverftänblich von allen. Daffelbe fagt nun auch ber Prophet Ezechiel in ber Sphäre bes allgemeinen Seelenheiles aus (18, 20): „Der Sohn foll nicht tragen an ber Schulb bes Vaters, unb ber Vater nicht tragen an ber Schulb bes Sohnes; bes Ge-rechten Gerechtigkeit wirb an ihm fein, unb bes Freulers Freuel wirb an ihm fein." Diefen Grunbfätzen gegenüber kann eine „Vor-ftellung von ber Uebertragung einer Schulb" keinen Raum gewin-nen, felbft wenn fich hier unb ba in populärer Erzählung unb im prophetifchen Gleichniß ein Anklang fänbe, wie es aber nicht ber

18*

Fall ift. Um fo weniger ift die Wurzel für eine folche Deutung der Opfer gegeben, an welche wir daher jetzt herantreten können.

Die Chriftologen fagen alfo: das mof. Gefetz verordnet Sühnopfer, Sünd = und Schuldopfer für jede Sünde und Schuld nach deren Darbringung die Sünde oder Schuld vergeben werde. Auf dem Grunde des Gefetzes konnte daher ohne ein folches Opfer die Sündenvergebung nicht erlangt werden, bis dies durch den Tod Jefu ein für alle Mal erfetzt ward. Wenn daher die Talmudiften das Sühnopfer durch das Bußgebet erfetzt erklärten, fo thaten fie diefes wider das mofaifche Gefetz. Wir haben nun erwiefen, daß die gefammte heil. Schrift außer der Thorah diefer Bedingung zur Sündenvergebung widerfpricht, fo wie daß der Idee einer Stellvertretung bei Sühnung einer Sünde oder Schuld auch von der Thorah widerfprochen wird, und nunmehr haben wir zu zeigen, daß auch das mofaifche Gefetz von diefer unbedingten Nothwendigkeit des Sühnopfers zur Sünden= vergebung nichts weiß.

Wir wollen hierbei uns nicht in die überaus fchwierige Frage der eigentlichen Bedeutung der Opfer, alfo in die Symbolik der= felben verfenken — denn Argumente, die hieraus gezogen würden, könnten die Gegner mit der Bekämpfung der gewonnenen Deutung zurückweifen — auch in die Streitfragen über den Unterfchied von Sündopfer (חטאת) und Schuldopfer (אשם) wollen wir uns aus dem= felben Grunde nicht einlaffen — wir verweifen über beides auf unferen ausführlichen Commentar zu den betr. Schriftftellen in unferem Bibelwerke. Wir vermögen bereits zu unferem Ziele zu gelangen, wenn wir das Gefetz ganz einfach und faktifch fo nehmen, wie es dafteht.

Der fchlagendfte Beweis gegen jene Chriftologen liegt darin, daß das Gefetz 4. Mof. 15, 22—31 einen Unterfchied macht zwifchen Uebertretungen, die aus Ver= fehen (בשגגה), und folchen, die in Frevelmuth, mit Vor= fatz und vollem Bewußtfein (ביד רמה) begangen werden, und nur für die erftern ein Sündopfer verordnet, hingegen für die letzteren das Sündopfer nicht zuläßt, fondern den Thäter dem göttlichen Strafgericht (ונכרתה וגו׳) überweift. Ueber die Bedeutung des בשגגה kann kein Zweifel fein, da V. 24 und an den weiter anzuführenden Stellen es durch das „Nichtwiffen" erklärt wird und es auch 4. Mof. 35, 11 bei der

Beſtimmung über die Freiſtädte für den unvorſätzlichen Todtſchläger gebraucht wird. Dieſem gegenüber kann auch das ביד רמה nicht zweifelhaft ſein, es bezeichnet eine That, welche mit vollem Bewußtſein der Schuld, die darin liegt, der böſen Folgen, die ſich daran knüpfen, mit klarer Abſicht und beſtimmtem Vorſatz begangen wird. In ähnlichem Sinne kommt es noch zwei Mal 2. Moſ, 14, 8 und 4. Moſ. 33, 3 von den aus Egypten ziehenden Iſraeliten vor, um auszudrücken, daß ſie nicht als heimliche Flüchtlinge, ſondern „vor den Augen der Egypter" offen und mit ausgeſprochenem Zwecke, nicht wiederzukehren, auszogen. Maimonides erklärt es daher mor. neb. III, 41 als von dem geltend, „welchen nicht die Leidenſchaft oder böſe Angewöhnung verleitet, ſondern ſein Beſtreben, dem Geſetze entgegen zu handeln und zu widerſprechen." Dieſe Erklärung halten wir freilich für etwas zu weit gehend, denn auch die Leidenſchaft und die böſe Angewöhnung ſchließen nicht immer ein volles Bewußtſein und eine klare, beſtimmte Abſicht aus, und auf letzteres kommt es vorzugsweiſe an. Denn wenn der unvorſätzliche Todtſchläger der iſt, welcher „aus Verſehen," ohne Abſicht, alſo durch die von ihm nicht bezweckte Fügung (Zufall) oder durch leichtſinniges Verfahren mit Werkzeugen, die den Tod des Andern herbeiführen können, einen Tod verurſachte: ſo iſt im Gegentheil der ein Mörder, welcher den Vorſatz und die Abſicht zu tödten hatte, mag dies nun aus der Leidenſchaft oder einer böſen Angewöhnung, z. B. dem Jähzorn willig nachzugeben, gekommen ſein. Wie dem aber ſei, das Geſetz ſtellt feſt, daß für mit vollem Bewußtſein in Frevelmuth vollbrachte Sünden ein Sühnopfer nicht zu bringen ſei, daß der Prieſter hierbei nicht dazwiſchen zu treten habe, ſondern daß zwiſchen einem ſolchen Sünder und ſeinem Gotte die Ausgleichung und Verſöhnung in ganz anderer innerlicher und energiſcher Weiſe vor ſich gehen müſſe. Vielmehr heißt es V. 28: „Und der Prieſter verſöhne die Perſon, welche verſehen hat in einer Sünde aus Verſehen, vor dem Ewigen, ſie zu verſöhnen, und es ſei ihr vergeben." Hiermit fällt denn aber auch die ganze Theorie der Chriſtologen, denn es ſind nach dem Geſetze eben nur die leichteren Vergehungen, nämlich die aus Verſehen und ohne Wiſſen begangenen, für welche ein Sündopfer die Vergebung vermittelt, während ein ſolches Opfer für die bewußt und frevelhaft begangenen Verbrechen in Wegfall kommt. Nach den Grundſätzen der Chriſtologen aber hätte gerade das Sündopfer bei den schweren Sünden die bedeutendste Rolle spielen müssen. Wer sieht nicht ein, daß hierdurch die Lehre des Judenthums, daß die Vergebung der Sünde durch Bekenntniß, Bußgebet und Besserung von der Barmherzigkeit Gottes erlangt werde, als völlig auf dem Grunde des Gesetzes beruhend erwiesen wird, da nach diesem für frevle Sünden Bekenntniß, Buße und Besserung erforderlich sind und nur für Sünden aus Versehen Sündopfer gefordert werden und genügen!

Doch wir wollen hierüber auch ins Detail gehen.

Bekanntlich handeln Kapp. 4 und 5 des 3. Buches Mos. über die Sünd= und Schuldopfer. Sehen wir zu was wir hier finden. Das 4. Kap. beginnt (B. 2): „Rede zu den Söhnen Israels und sprich: so eine Person sündigt aus Versehen wider eines der Verbote des Ewigen, die nicht gethan werden sollen, und thut wider eines derselben," ist diese Person ein Priester, der „zur Verschuldung des Volkes sündigt," oder „die ganze Gemeinde Israels, die sich versehen, daß die Sache verborgen war vor den Augen der Versammlung, und nun wird die Sünde bekannt" (B. 13. 14), oder „ein Fürst" oder „eine Person sündigt aus Versehen vom Volke des Landes, nun aber wird ihr ihre Sünde bekannt" (B. 27. 28): so wird ein Sündopfer dargebracht, verschieden nach der angegebenen Verschiedenartigkeit der Person, „und der Priester versöhnt sie und es wird ihr vergeben." In Kap. 5 nun wird ferner angeführt: wenn Jemand eine Sache erfahren hat, und tritt nicht als Zeuge auf, oder berührt etwas Unreines, „und es war ihm verborgen, und nun wird er es inne und ist verschuldet," oder thut ein Gelübde „unbedacht mit den Lippen, und es war ihm verborgen, wird es aber inne und ist verschuldet: so soll er bekennen, womit er sich versündigt, und bringe sein Schuldopfer dem Ewigen" (B. 1—13). Hat Jemand aus Versehen an den Heiligthümern des Ewigen eine Untreue begangen, so soll er dies erstatten, ein Fünftel dazu legen und ein Schuldopfer bringen (B. 14 ff.) Hat eine Person ihrem Nebenmenschen ein Unterpfand oder etwas Anvertrautes oder Geraubtes abgeleugnet oder einen Betrug geübt, oder etwas Verlorenes, von ihm gefunden, abgeschworen (B. 23. 24). „so er also gesündigt und sich verschuldet hat: so gebe er den Raub, den er geraubt, oder das, um was er berücket hat, oder das Unterpfand, das ihm anvertraut, oder das Verlorene, das er gefunden, zurück, oder um was er sonst falsch

geschworen, und erstatte es nach seinem Werthe, und lege ein Fünftel
dazu, dem es gehört, soll er dies geben am Tage seines Schuld-
opfers," und bringe ein Schuldopfer dar (B. 26): „Und der Priester
versöhne ihn vor dem Ewigen, und es wird ihm vergeben wegen
irgend, was er gethan, sich damit verschuldend." Der Kreis der
Handlungen, für welchen also ein Sünd= oder Schuldopfer bestimmt
ist, ist hier vollständig vorgezeichnet. Es sind Handlungen, welche
aus Versehen, oder in zeitweisem Leichtsinn, oder aus einer augen-
blicklichen bösen Anregung geschahen, dann aber zum Bewußtsein
kamen, und nun durch offenes Bekenntniß und ein Sünd= oder
Schuldopfer gesühnt werden. Fand hierbei eine Veruntreuung gegen
das Heiligthum oder gegen einen Nebenmenschen statt, so genügte
das Opfer durchaus nicht, sondern es mußte der Werth des Verun-
treuten und dazu ein Fünftel dieses Werthes als Strafgeld vorher ent-
richtet werden. Demnach ist auch hier zwischen Versehen, Unwissenheit, Irrthum, augenblicklicher Verblendung und dem revelen Sinn,
vollen Bewußtsein, Absicht und Vorsatz genau unterschieden, nur
für jene ein Sühnopfer bestimmt, für diese das Sündopfer gar nicht
zulässig; aber auch bei jenen zuvor eine factische Sühne, nämlich
der volle Ersatz mit einem Fünftel Strafgeld da erforderlich, wo
durch die That ein Anderer zu Schaden gekommen. Die Bedeutung
der Sühnopfer ist daher völlig klar: sie sind das Mittel, das Gewissen bei Uebertretungen aus Versehen zu beruhigen und das ge-
störte Verhältniß zu Gott und zum Heiligthume auszugleichen,
bei Veruntreuungen, nachdem dieselben er=, bekannt und gebüßt
sind, die völlige Ausgleichung mit Gott und dem Heiligthume sym-
bolisch darzustellen. Wir können nun auch das Motiv erkennen,
aus welchem die Sühnopfer bei Sünden, die „mit erhobener Hand"
begangen worden, nicht stattfinden sollen; hier genügt ein einzelner
Ersatz und eine symbolische Handlung nicht, hier bedarf es einer
völligen Umwandlung der ganzen Gesinnung, einer Umkehr des
ganzen Geistes des Sünders, einer tiefergreifenden Erschütterung
der Seele, der Zerknirschung und Demüthigung, der Buße und
Besserung, und leicht hätte hierbei die Verordnung eines symbolischen
Aktes den Sünder verleiten können, sich mit diesem zu begnügen
und sich durch ihn gesühnt und versöhnt zu halten.

Dieselbe Anschauung liegt auch in dem Gesetze über den Versöhnungstag ausgesprochen. Lesen wir Kap. 16 des 3. B. Mos.,

so soll an diesem Tage der Hohepriester einen Stier zum Sünd=
opfer für sich darbringen, „daß er versöhne für sich und für sein
Haus", (B. 6) und einen Bock als Sündopfer für das Volk (B. 15).
Dadurch vollbringt er „die Versöhnung des Heiligthumes und
der Stiftshütte und des Altars für sich und für sein Haus und
für die ganze Versammlung Israels." (B. 17. 20.) Dann soll er
„seine beiden Hände auf den Kopf des anderen, des lebenden Bockes,"
der in die Wüste geschickt werden soll, „legen und darauf alle Sün=
den der Söhne Israels und alle ihre Missethaten in all' ihren Ver=
schuldungen bekennen." (B. 21.) Und da heißt es zum Schlusse
(B. 32. 33): „Und es versöhne der Priester, den man gesalbet und
den man eingesetzt, Priester zu sein an seines Vaters Stelle; der
lege die Kleider von Linnen, die heiligen Kleider an, und versöhne
das Allerheiligste, und das Zelt der Zusammenkunft und den Altar
versöhne er und die Priester und das ganze versammelte Volk ver=
söhne er." — Daß diese ganze Opferfeier allein die Gesammtheit
des Volkes und sein allgemeines Verhältniß zu Gott und seinem
Heiligthum, sowie die Priester als die Vertreter des Volkes im
Heiligthume und den Hohenpriester als Spitze der Priesterschaft
enthalte, ist offenbar. Die dargebrachten Opfer sühnen das Volk
als solches und die Priesterschaft, für welche sie dargebracht worden,
und insonders deren Verhältniß zu den Heiligthümern, also die
kultuellen Vergehungen, und ebenso kann das Bekenntniß nur die
allgemeinen Verschuldungen umfassen, da ja ein Bekenntniß der
Sünden der Individuen durch den Hohenpriester unmöglich ist.
Das Werk der Versöhnung für die Gesammtheit des Volkes ist es
daher allein, welches hiermit durch Bekenntniß und Opfer vollbracht
ist; das Werk der Versöhnung für jedes Individuum bleibt dadurch
noch ganz unberührt und diesem selbst überlassen. Es wird den
Individuen nicht auferlegt, zu ihrer Versöhnung an diesem Tage
ein Sünd= oder Schuldopfer zu bringen, während es doch jedem
Familienoberhaupte am Peßach geboten war, ein Peßachlamm zu
schlachten. An diesem letzteren Feste galt es nur, das Bekenntniß
als Angehöriger Israels zu erneuen, und dies konnte durch eine
symbolische Handlung geschehen. Für den Versöhnungstag wird
eine derartige Handlung für das Individuum nicht vorgeschrieben,
und dies ist für unsere Frage abermals entscheidend. — Dennoch
sollten allerdings auch die Individuen in den Kreis des Versöhnungs=

werkes am Versöhnungstage hineingezogen werden, aber nur mittel=
bar. Es wird allen Individuen geboten, „einen Ruhetag zu halten
und sich zu kasteien." (V. 31.) Dieses letztere sollte das Mittel sein,
durch welches das Individuum in seinem Stolze, seiner Zuversicht,
seinem Selbstvertrauen, seiner Verblendung und Selbstüberschätzung
gebrochen, zur Erkenntniß seiner Schwäche und Abhängigkeit geführt
und zu Reue, Buße und Besserung aufgeregt und angeleitet werde.
Hiermit erst begann das Werk der Versöhnung für das Individuum,
das nur bei der oben bezeichneten Kategorie der Vergehungen aus
Versehen an ein Sünd= oder Schuldopfer geknüpft war. Daß
dieses Kasteien oder Fasten eben nur ein solches Mittel sein sollte
und als solches wiederum dem Mißbrauche anheimfallen konnte,
spricht Jesaias im 58. Kap. energisch aus, und gerade deshalb hat
die Synagoge dieses Kapitel zur Vorlesung als Haphtarah am
Versöhnungstage bestimmt. Der Prophet verwirft das Fasten an
sich nicht, er sagt V. 4: „Ihr fastet nicht also, daß Eure Stimme
in der Höhe erhört werde," er verwirft nur die Ansicht, daß das
Fasten ohne Reue, Buße und Besserung irgend eine Heilswirkung
habe; er predigt laut, daß es durch die Jahrtausende schallt, daß
nur die Uebung des Rechts und der Liebe, aller Werke der Gerech=
tigkeit und Barmherzigkeit das Heil des Menschen, die Vergebung
der Sünden und den göttlichen Segen erwirken: „dann wird wie
Morgenröthe dein Licht anbrechen, und deine Heilung schnell ge=
deihn, und vor dir zieht dein Heil daher, des Ew'gen Herrlichkeit
schließt deinen Zug."

Dies ist die Lehre des Judenthums; darin beharrten unsere
Väter, darin beharren auch wir, denn es ist das klare Wort der
heil. Schrift in allen ihren Theilen, die übereinstimmende Lehre
Mose's, der Propheten und heiligen Sänger, wie die Lehre aller
nachfolgenden Geschlechter, ihrer Weisen und Lehrer; es ist zugleich
die Lehre, mit welcher die Begriffe des Verstandes und die Gefühle
des Herzens sich in Uebereinstimmung finden; und darum sollen
keine Deutungen und Sophismen, so wenig wie Verlockungen und
Drohungen uns davon abbringen. Wir rufen uns vielmehr noch
heute zu das Wort des Propheten (Joel 2, 12—13): „Und doch
auch jetzt noch, spricht der Ewige, kehret zu mir zurück mit eurem
ganzen Herzen, mit Fasten, Weinen und mit Trauer. Zerreißt euer
Herz und nicht euer Kleid, und kehrt zum Ewigen, eurem Gott,

zurück: denn gnädig und barmherzig ist er, langmüthig und von großer Huld, ihn reut des Unheils." (Vgl. Jerem. 18, 11. 25, 5. 35, 15. Jechesk. 33, 11. Secharj. 1, 3. 4. Mal. 3, 7.) Wir halten uns noch heute an das einfache Wort des Herrn (2. Chron., 7, 14): „So sich demüthigt mein Volk, darauf mein Name genannt wird, und sie beten und suchen mein Angesicht, und kehren um von ihren bösen Wegen: so werde ich es hören vom Himmel und ihrer Sünde vergeben."

13.   Die jüdische und die christliche Messiaslehre.

Wir haben an einem anderen Orte [1]) diesen interessanten und bedeutsamen Gegenstand ausführlich behandelt, und besonders sämmtliche Stellen des Alten Testamentes über die Messiasidee einer sorgfältigen Prüfung unterzogen. Indem wir diejenigen, welche das gesammte Material genauer überschauen wollen, darauf verweisen, ist es doch nicht möglich, in einer Reihe von vergleichenden Skizzen zwischen Judenthum und Christenthum diese Frage unberührt zu lassen. Geben wir daher die gewonnenen Resultate hier übersichtlich wieder.

Zwischen der antiken und der israelitischen Weltanschauung findet sich hinsichtlich der inneren, insonders sittlichen Entwickelung des Menschengeschlechts der große Unterschied, daß die erstere nach rückwärts, die letztere nach vorwärts schaut. In der antiken Welt herrschte die Ansicht vor, daß das Menschengeschlecht sich immer mehr verschlechtere, und daß es aus der Unschuld den Weg der Entartung wandele, bis es in der äußersten Verderbniß den völligen Untergang finde. Die Dichter, schon Hesiod, nach ihm Ovid, stellten dies als die vier aufeinander folgenden Zeitalter, das goldene, silberne, erzene und eiserne dar. Gerade im Gegensatz läßt die h. Schrift die Menschheit zwar in Unschuld entstehen, schildert, wie der Mensch zur Sünde kommt, dann aber zeigt sie, wie die ersten Geschlechter in die wüstesten Laster verfielen, so daß sie in ihrer Entartung das moralische Motiv zur noachidischen Fluth findet, und deshalb einem besseren Geschlechte Platz machen, welches in steigender Ent-

---

1) S. unsere „Ausführliche Darstellung der israelitischen Religionslehre" Bd. III. S. 134 ff.

wicklung vorwärts schreitet, bis es zuerst der theilweisen, dann der ganzen Annahme der Lehre und des Rechts, die Israel geoffenbart worden, zureift und so endlich zum ewigen Reiche des Rechts und des Friedens gelangt[1]).

Als Moses das große Werk seines Lebens vollendet, die geoffenbarte Lehre, welche die Verbindung der Idee und der Wirklichkeit, die Identificirung der Lehre und des Lebens zu ihrem Angelpunkte hatte, dem Volke Israel übergeben hatte, lebte es ihm im Bewußtsein, daß es noch weithin sei, bis dieses Volk seine Aufgabe begreifen, sich der Lehre vollständig ergeben und sie im Leben verwirklichen würde. Er sah vorher und sprach es in erhabenster Rede aus, daß es oft abirren und abfallen würde, mahnte und verwarnte es und weissagte ihm all das Unheil, das darob über dasselbe kommen und aus dem es sich erst spät herausretten werde, aber auch da schon andeutend, daß es nicht zum Untergange bestimmt sei, sondern zur endlichen Wiederherstellung. Auf diesem Boden nun stand das ganze Prophetenthum. Es hatte den wirklichen Abfall, den religiösen und sittlichen Verfall, den immer wiederholten Rückfall in das Heidenthum vor sich, und diesem mit aller Kraft und Selbstaufopferung entgegenzutreten war sein eigentlicher Beruf. Es verkündete daher immerfort den durch die religiöse und sittliche Entartung herbeigeführten Sturz Israels, den Untergang seines weltlichen Bestandes, die Verbannung in fremde Länder, die Verfolgung und Unterdrückung, die es daselbst zu ertragen haben werde. Durch dieses Strafgericht aber werde Israel geläutert, von allem Sündhaften und aller Schuld befreit und zu Gott zurückgeführt werden. Dann würde auch über die Völker, welche aus Herrsch- und Raubsucht alle diese Leiden über Israel gebracht, das göttliche Strafgericht ergehen und aus diesem die Wiederherstellung Israels in äußerer und innerer Größe, in äußerer Verherrlichung und innerer Heiligung erfolgen; diesem wiederhergestellten Israel würden sich die

---

1) Wenn im Exil sich Daniel jenes Bild der vier Zeitalter nach den vier Metallen aneignete, nämlich als vier Weltreiche, die eines das andere zertrümmern, womit er, wie wir glauben, durchaus keine bestimmten geschichtlichen Reiche meinte, so läßt er doch auf diese menschlichen Weltreiche ein ewiges Reich folgen, welches die Versöhnung der menschlichen Wirklichkeit mit der göttlichen Idee eines vollkommenen Zustandes der Menschheit vollbringt (2, 45). Siehe unser Bibelw. Bd. III. S. 799.

Völker anschließen, von ihm die Gotteserkenntniß über alle Nationen ausstrahlen und endlich die ganze Menschheit zu einem ewigen Reiche des Rechts, der Liebe und des Friedens sich vereinigen. Dies sind die Momente, welche alle Reden und Schriftwerke der Propheten ausfüllen. Aus dieser Allgemeinheit treten sie nur zu subjektiver Aussprache hinsichtlich zweier Punkte heraus; nämlich, daß sie meist die Erfüllung dieser Verkündigungen in eine nahe Zukunft setzen und Strafgericht, Wiederherstellung und das ewige Gottesreich nur durch kürzere Zeiträume getrennt sich vorstellen, und daß sie bisweilen die Wiederherstellung Israels und das Friedensreich des ganzen Menschengeschlechts durch eine gottgesandte Persönlichkeit herbeigeführt sich denken. Diese Persönlichkeit bezogen sie dann auf einen Abkömmling des Hauses David. Es ist hierbei hervorzuheben, daß in den ältesten Prophetensprüchen die Idee der messianischen Zeit gegeben ist, daß auf diesem Hintergrunde die Anknüpfung des Eintritts des Gottesreiches an eine Persönlichkeit nur bei den älteren Propheten, wie Jesaias, klarer hervortritt, während sie bei den jüngeren Propheten wieder verklingt und bei Ezechiel und Jesais II. gänzlich verschwindet und immer schärfer in die Idee des durch die Entwickelung selbst eintretenden Friedensreiches aufgeht. Je tiefer also das Haus David sank und jemehr die Propheten in den Zusammenhang der Völker hinaustraten, destoweniger schlossen sich die großen Hoffnungen der erhabensten und geläutertsten Zukunft an eine Persönlichkeit an, sondern vielmehr an das ganze wiederhergestellte Israel und an die durch Gott herbeigeführte Entwickelung der Völker. Die Jahrhunderte vergingen; Juda in seinem zweiten Bestande gelangte nur zu einem kümmerlichen und viel durchstürmten Dasein; die Zustände inmitten einer maßlos verworrenen und ihrem Verfalle zuschreitenden Menschenwelt gaben keine Aussichten zu einer großartigen Umgestaltung. Aber das Judenthum hielt fest an der Weissagung jener großen Heilszeit, die in der ganzen Anlage seiner Lehre, in dem Wesen seiner Gotteserkenntniß und in dem Bewußtsein seines Nationalberufes wurzelte. Da griff es umsomehr zu den alten Weissagungen einer zu erwartenden, die Wiederherstellung Israels und das Heil der Menschheit bringenden Persönlichkeit zurück, belegte sie mit dem Namen משיח „Gesalbter" (Messias, denn diesen Begriff hat dieses Wort in der ganzen heiligen Schrift nicht,) erhob das dereinstige Kommen desselben zu einem Glaubensartikel, schmückte dessen Ankunft mit aller erdenklichen Herrlichkeit aus und schilderte sie mit den lebhaftesten Farben. So beherrschte der Glaube an einen persönlichen Messias das ganze jüdische Mittelalter. Je wirksamer, je trostreicher, je aufrechthaltender dieser Glaube für das zerstreute und unter dem furchtbarsten Geschicke seufzende Juda sein mußte, desto öfter wurde er aber auch gemißbraucht und für die Juden von traurigen Folgen begleitet. Wie einst die Prophetie Gelegenheit gab zu einer Unzahl falscher Propheten, von denen in der heiligen Schrift oft genug die Rede, so beuteten auch falsche Messiasse diesen Glauben aus, und Bar-Kochba und Sabbathai-Zwi haben ihre Namen neben vielen anderen mit dunklen Farben in die Geschichte des jüdischen Stammes eingezeichnet. Sowie aber einst die Propheten, jemehr sie aus dem engen Umkreis ihrer Heimath in die große Welt der Völker hinaustraten, von der Idee eines persönlichen Messias abließen und wieder allein die Idee der messianischen Zeit festhielten: so schwächte sich auch in den Juden der neueren Zeit, sobald sie aus ihren engen Ghettis in das große Culturleben der Völker eintraten, der Glaube an einen persönlichen Messias ab, und erweiterte sich zur festen Ueberzeugung, daß die Menschheit in ihrer Entwickelung zur reinen und ganzen Gotteserkenntniß, wie die Religion Israels sie in ihrem Schooße trägt, und damit auch zur allgemeinen Geltung des Rechts und zum allgemeinen Frieden gelangen werde. Es ist daher im gegenwärtigen Judenthume diese Frage, ob persönlicher Messias oder messianische Zeit? — dem Individuum zu eigener Beantwortung freigestellt — die eigentliche Idee der erhabenen und heiligen Zukunft der Menschheit, zu welcher sie die göttliche Vorsehung bestimmt hat und führt, bleibt in beiden Fällen dieselbe und ist ein unantastbares Eigenthum des Judenthums [1].

1) Von den Propheten, deren Schriften uns überliefert worden, sprechen sich über diese Vereinigung der ganzen Menschheit in der Gotteserkenntniß, im Rechte und Frieden ihrer Zeitfolge nach aus: Amos 9, 11. 12. Jesaias I. 2, 2 — 4, welcher Ausspruch in ursprünglicherer Fassung bei Micha 4, 1 — 4 sich wiederfindet, und von beiden einem alten Prophetenspruche entlehnt ist, ferner Jes. K. 18 und 19; 25, 6 — 8, vgl. Micha 7, 12. Nur zwei Stellen knüpfen bei Jesaias I. die erhabene Zukunft der Menschheit an eine Persönlichkeit, und

Abgesehen nun hiervon, besteht zwischen der Messiasidee, wie sie im Judenthume lebt, und der Messiasidee, welche der Eckstein des Christenthums geworden, ein sehr großer Unterschied. Schon in den ersten Anfängen des Christenthums wurde der Messiasbegriff auf dessen Stifter übertragen. Er trat als Lehrer (Rabbi), dann als Prophet, hierauf als Messias (Christus, Χριστός) auf, wobei es nicht verblieb, sondern welchem der Begriff eines göttlichen Wesens, der einen Persönlichkeit Gottes hinzugefügt wurde. Dennoch gab man, hier angelangt, die Messiaseigenschaft nicht auf, weil sonst die Fäden mit dem Alten Testamente gänzlich zerrissen wären. Alle Stellen der h. Schrift, welche einen messianischen Inhalt hatten, sollten fortwährend auf Jesus bezogen werden. So zaghaft daher

davon bedeutet unter dieser Persönlichkeit die eine 9, 5. 6, nach der Ansicht der bedeutendsten jüdischen Exegeten den Davidischen Prinzen Hiskija (Sanhedr. 94, 1. Raschi, Kimchi, Abarbanel). Fraglicher ist dies an der zweiten Stelle 11, 1 — 10; jedenfalls aber läßt Jesaias an diesen beiden Stellen die messianische Zeit durch eine von Gott hierzu berufene und ausgerüstete Person herbeiführen, ohne jedoch besondere Wunder hiermit zu verbinden, oder die messianische Person anders als vom göttlichen Geiste inspirirt darzustellen. Jeremias verkündet 3, 17. 16, 19 — 21 nur, daß alle Völker dereinst sich zum Ewigen bekennen werden. Sein Zeitgenosse Secharja I. ist es, der schon am Beginn (9, 9. 20) die kommende Zeit des Sieges und des Friedens in der Person eines, den Frieden bewirkenden Königs, dem alle Völker gehorchen werden, symbolisirt; jedoch im 14. Kapitel die messianische Zeit ohne jede symbolische Person klar verkündet. Von der zukünftigen Erkenntniß Gottes durch die Völker spricht auch Habakuk 2, 13. 14, Ezechiel 36, 23. 39, 21. 23. Vor Allem aber besaß Jesaias II. den tiefsten Einblick in die ganze Bewegung der Völker und war von dem Bewußtsein des Berufes Israels als Lehrers der Völker völlig erfüllt. Ihm ist Israel nur das Werkzeug Gottes, um das Menschengeschlecht mit der Lehre und dem Rechte bekannt zu machen, dafür zu zeugen und zu leiden; ihm ist daher die Wiederherstellung Israels nur der Durchgang zum Reiche der Erkenntniß, des Rechtes und des Friedens. 42, 1 — 7. 43, 9. 45, 6. 22 — 24. 52, 13 ff. 56. 66, 22. 23. Von einem persönlichen Messias ist also bei ihm keine Spur. Ebensowenig bei Secharja II. 2, 14. 15. 8, 22 — 23. Maleachi spricht weder von einem Messias noch von einer messianischen Zeit, sondern von einem Gerichte Gottes in Israel Kap. 3. Die Propheten stimmen also sämmtlich darin überein, daß die Zukunft der Menschheit in einer Vereinigung aller Völker zur lauteren Erkenntniß und Anbetung eines einzigen Gottes, zur unbedingten Uebung des Rechtes und zu einem allgemeinen Frieden bestehen werde. Nur Jesaias I. unter vielen Stellen an zwei und Secharja I. an einer Stelle knüpfen diese Zukunft an eine messianische Persönlichkeit.

anfänglich die Bezeichnung Messias (Christus) für Jesus beansprucht wurde, so daß er seinen Jüngern selbst verbot, davon zu reden (Matth. 16, 20), so blieb sie doch die dauerndste und die neue Religion selbst erhielt den Namen davon. Aber schon dieser Prozeß an sich läßt voraussetzen, daß mit dem Namen nicht auch der Begriff überging.

Man nimmt gewöhnlich an, der Unterschied sei: das Christenthum sage, „der Messias sei gekommen", das Judenthum, „der Messias werde kommen". Aber so oberflächlich dies erscheint, so setzt es doch nicht blos eine Verschiedenheit betreffs der Zeit, sondern auch im eigentlichsten Inhalte voraus. Denn jene Aussprüche bedeuten doch: das Christenthum sieht die Verwirklichung der Messiasidee bereits als eingetreten, das Judenthum erst als in der Zukunft eintretend an. Wenn nun das Judenthum nach den Wirkungen der erfüllten Messiasidee fragt, wenn es aus der Geschichte ersieht, daß die achtzehn Jahrhunderte nach dem vorausgesetzten Eintritt des Messias und der messianischen Zeit durchaus keinen besseren sittlichen Anblick bieten als die achtzehn vorhergegangenen, wenn sich in jenen ebenso viel Krieg, Gewaltthat, Unrecht, Haß und Herrschaft aller bösen Leidenschaften zeigen wie in diesen, wenn noch heute die Erde das Blut ihrer Kinder trinkt wie früher, das Christenthum aber dennoch die Wahrheit jenes seines Ausspruches aufrecht erhält: so beweist dies, daß eben eine Grundverschiedenheit in dem besteht, was die eine und was die andere Religion unter dem Messias versteht, also eine Grundverschiedenheit in der Messiasidee der beiden Religionen.

Worin besteht diese nun?

Es ist zwar bedeutsam, daß, während das Judenthum nach dem Vorgange der Propheten ebenso sehr die Messiasidee an sich wie an einen persönlichen Messias geknüpft aufstellt und festhält, ohne eben in der letzteren Anschauung mehr als die Vorstellung von der Art der Verwirklichung der ersteren zu finden, das Christenthum sich lediglich an den persönlichen Messias hält und diese Persönlichkeit zum wesentlichen Mittelpunkt seiner ganzen Glaubenslehre macht; ferner daß, während das Judenthum selbst den Messias niemals anders als einen inspirirten und von Gott mit besonderen Eigenschaften zu seiner Mission ausgerüsteten Menschen machte, dem es seine bestimmte Abstammung aus der davidischen Familie zuweist, das Christenthum in seinem Messias ein göttliches Wesen, Gott selbst findet — dennoch sind dies nur Symptome der in der Tiefe der beiden Ideen liegenden Verschiedenheit.

Diese Verschiedenheit finden wir nämlich in Folgendem. Das Judenthum erkennt in der Messiasidee die dereinstige Anerkenntniß und Anbetung des einzigen, unkörperlichen Gottes, des Schöpfers der Welt, von allen Völkern der Erde, die unbedingte Erfüllung seines Willens von allen Menschen, darum die allgemeine Geltung und Uebung des Rechtes — unter Recht im höheren Sinne versteht das Judenthum auch die Liebe — und darum die allgemeine Herr-schaft des Friedens. Das Christenthum hingegen sieht in der Messiasidee die Vergebung der Sünden, die Versöhnung des schon sündig geborenen Menschen mit Gott durch den Glauben. Das Judenthum faßt die Messiasidee als die Erlösung der Menschheit von Irrthum, Unrecht und Kampf durch Erkenntniß Gottes, Recht und Frieden; das Christenthum die Erlösung von der Sündhaftig-keit durch den Tod des Messias und Erlösers und durch den Glau-ben an diese Erlösung und die Art, wie sie vollführt worden. Dies ist in einfachster und klarster Weise die wahre und ganze Ver-schiedenheit zwischen den Messiaslehren beider Religionen, aber diese ist groß und wesentlich genug, um eine Vermittelung zwischen beiden nicht stattfinden zu lassen. Sie erklärt aber auch die oben ange-führten Momente in ihrer äußerlichen Erscheinung. Ein Kern-gedanke des Judenthums ist, daß, wenn auch die nothwendigen Folgen der Sünden der Väter von den Kindern und andern mit-getragen werden, doch die Versöhnung der Schuld, die Vergebung der Sünde nur von jedem für sich durch sich allein und die All-barmherzigkeit Gottes durch Reue, Buße, Umkehr und guten Wandel erlangt werden kann, daß hierin außer Mahnung und Beispiel niemand etwas für den andern thun könne, daß eine jede Seele nur durch sich selbst geläutert, gesühnt und geheiligt werden könne. Dies ist die bestimmteste Lehre Moses, der Propheten und des ganzen Judenthums. Vergebens weist man auf den Versöhnungs-tag und die an demselben gebrachten Sündopfer. Die letzteren betreffen, wie wir oben nachgewiesen haben, lediglich das Verhältniß der ganzen Nation, der ganzen Priesterschaft und des Hohenpriesters zu Gott und dem Heiligthume, während jedem einzelnen Israeliten die Kasteiung (את נפשׁתיכם ועניתם 3. Mos. 23, 27. 29. 32.) d. i.

die Demüthigung und Bereuung der Seele, getragen und gefördert durch das leibliche Fasten, geboten wird, wie denn auch jeder einzelne Israelit bei jeder einzelnen Sünde, sobald er sie bekannt hatte und bereute, ein Sündopfer zu bringen hatte (3. Mos. 4, 27 ff.).

Es giebt unseres Wissens keine Stelle in der heil. Schrift, worin als die Wirkung des Messias die Sündenvergebung hervorgehoben wird, sondern überall die Erkenntniß Gottes, die Befreiung von jedem Irrthum und Wahn, von jedem Joche und Unrecht, die Erfüllung des göttlichen Willens, die Gerechtigkeit und der Frieden. So lebt die Messiasidee, in welcher Art sie concret auch aufgefaßt werde, im ganzen Judenthume. Wir wollen dafür nur noch ein Beispiel anführen. Es ist bekannt, daß durch die Untersuchungen Bleek's, Möhler's, Alexander's und Frieblieb's es außer allem Zweifel gebracht ist, daß das dritte Buch der Sibyllinen einen jüdischen Verfasser hat und daß dieser zur Zeit der Triumvirn Antonius, Octavian und Lepidus schrieb.[1] In diesem Buche kommt der Verfasser wiederholt auf die Messiaslehre und schildert das messianische Reich folgendermaßen: „Dann wird die Erde die herrlichsten Früchte hervorbringen an Weizen, Wein und Oliven, — Milch und Honig werden fließen und die Städte gefüllt sein mit mannigfachen Gütern. Nicht wird mehr Krieg sein auf Erden, — nicht wird Trockenheit den Boden verderben, nicht wird Hunger mehr sein und nicht zerstörender Hagel; — ein tiefer Frieden lagert folgenreich auf dem weiten Erdenrunde, ein König ist dem andern Freund für ewige Zeiten; — die ganze Menschheit wird nach einem und demselben Gesetze regiert von dem unsterblichen Gotte: denn er ist ein ewiger Gott und außer Ihm keiner.

„Dann wird Gott ein ewiges Reich errichten für alle Menschen der Erde, — was Er verheißen, gewähren den Frommen und Gerechten: die Erde und die Welt, das Heil und die Freude in unbegrenztem Maße; — von der ganzen Erde wird man Geschenke bringen und Weihrauch zu dem einen Tempel, der hienieden nimmermehr seines Gleichen wird haben. — Das hohe Gebirg ist wiederum fahrbar, — eine Heerstraße die brausenden Wogen des Meeres: — denn die Propheten des großen Gottes haben als ge-

[1] Vgl. auch Grätz's Geschichte der Juden Bd. III. S. 492 und die Broschüre, „Die jüdische Sibylle. Vortrag von Dr. Samuel Mühsam. Wien, 1864.

rechte Richter der Menschen das Schwert vom Erdenballe verbannt; sicher durchschreitet man das Land, das tiefen Frieden athmet zum Heile der ganzen Menschheit."

Das Christenthum lehrt also mit seiner Messiaslehre etwas ganz Anderes, als das Judenthum mit der seinigen, und in der Tiefe ist zwischen dem Messias der heil. Schrift und dem Christus der neuen Lehre keine Aehnlichkeit mehr als der Name; wohl aber mußte das Christenthum den persönlichen Messias festhalten, während das Judenthum hieran durchaus nicht gebunden war; ohne die Persönlichkeit Jesu fällt die ganze Christologie; die messianische Idee bleibt dem Judenthume integrirend auch ohne den persönlichen Messias, und das Judenthum bleibt integrirend, auch wenn kein Jude mehr an einen persönlichen Messias glauben sollte.

XV.

Der Islam und sein Verhältniß zum Judenthum und Christenthum.

Lange Zeit herrschte die Ansicht vor, daß die Kultur in den verschiedenen Epochen der historischen Menschheit einen verschiedenen Schauplatz eingenommen und daß daher die Geschichte der Kultur fortschreitend nur die hervorragenden Kulturvölker oder =Völkerfamilien zu beachten habe. Die übrige Menschheit war für diese Anschauung nur gleichsam ein Ausfüllsel, das eben nur die Neugierde anrege, ohne daß ihr Studium für die Weltgeschichte wirklichen Werth und besondere Ergebnisse besitze. So schritt man vom alten Egypten und Indien nach Assyrien, Chaldäa und Persien, von dort nach Griechenland und Rom und hielt sich von da ab an die christlichen Völker, unter denen wiederum im Lauf der Zeiten eines nach dem anderen in den Vordergrund trat, um nach kürzerer oder längerer Periode wieder zurückzuweichen.

Die umfassenden und tiefeingehenden Forschungen der neueren Zeit haben eine andere Anschauung herbeigeführt, die jeden Tag durch neue, großartige Resultate befestigt wird. Wie man einst einsah, daß es eine fast kindische Meinung gewesen, diese kaum mittelgroße Erde sei der Mittelpunkt des ganzen Universums, um den die Sonne wie alle Gestirne sich drehen und um deretwillen das Universum da sei: so kommt es jetzt immer mehr zum Bewußt- sein, daß in der Menschheit nur die kleine Zahl mittlerer Völker, welche für die bisherige Geschichtsanschauung die Träger der Zivili- sation in den verschiedenen Zeitaltern gewesen, gegen die gesammte Menschheit gehalten, in ähnlicher Weise nur einen kleinen Bruch- theil als Zweck des großen Ganzen aufstelle. Denn selbst in der

Reihe der christlichen Völker waren immer nur einige wenige die Brennpunkte der Kultur, und wie diese einst vom Indus und Nil allmählig durch Vorderasien nach Griechenland und Italien gezogen, so ging sie auch vom Süden Europas, zu dessen Blüthezeit Mittel-, Nord- und Osteuropa im Schatten der Unkultur lagen, nach diesem Mittel- und Nordeuropa und fuhr dann über den Ozean nach Nordamerika, so daß es noch nicht lange her ist, daß nicht Wenige die Besorgniß hegten, die Zivilisation werde einmal in ganz Europa erlöschen und ihre Wohnstätte auf der anderen Erdhälfte aufschlagen. Wir wissen es jetzt anders. Das Leben pulsirt in der gesammten Menschheit, und bringt in der gesammten Menschheit, und bringt in den verschiedenen Theilen dieses Organismus zwar verschiedene aber nicht minder großartige Erzeugnisse hervor. Dieser Letzteren Eigenthümlichkeiten verhindern nicht, daß sie nach denselben Gesetzen ihre Entwickelung genommen, und daß in ihrer Tiefe demnach überall dieselben Endresultate sich ergaben. Was die sogenannten Kulturvölker als ihr höchstes Produkt aufzustellen und zu bewundern pflegten, das resultirt sich genau erkennbar auch in den andern Sphären des Menschengeschlechtes und zwar nach einem Prozesse, der, wenn auch nicht Gleichmäßigkeit, doch frappante Analogie zeigt. Hierin liegt das entscheidende Moment. Man faßte früher die letzte Gestalt, welche die religiöse, intellektuelle und künstlerische Bildung in den anderen Völkerfamilien angenommen als das eigentliche Produkt derselben auf und ließ es in seiner Art als ein unwillkürliches Naturprodukt jener gelten. Die tiefere Forschung hat aber bereits an großen Objekten erwiesen, daß jene nur das Ergebniß langer, vielgestaltiger und reicher Entwickelung, mächtiger Bewegungen, Kämpfe und Erschütterungen gewesen, und daß, wenn in diesen anderen Gliedern des Menschengeschlechts ein Stillstand eingetreten, sie gleichsam in eine blos vegetative Sphäre zurückgewichen, hiermit der Tod für immer nicht gekommen, sondern daß auch sie einer neuen höheren Entfaltung fähig geblieben und Stoff und Kraft dazu in sich bewahrt haben. Ebenso hat es sich als ein Vorurtheil ergeben, wenn man glaubte, daß die Zivilisation mit dem Christenthume identisch sei; vielmehr wurde erkannt, daß es von der Natur der Völker und deren geschichtlichen Verhältnissen abhängt, wo und wie jene erblühen und zur Reife kommen solle. Das Christenthum, als es zur Herrschaft gelangte, brachte das

Alterthum erst recht zu Tode, duldete dann ein Jahrtausend der Barbarei und Unwissenheit, und stellte sich oft genug und noch in unseren Tagen der Kultur und ihren Konsequenzen widerstreitend entgegen. Wir finden andrerseits Beispiele, daß das Christenthum, wie z. B. in Rußland, bei seiner Ankunft die Früchte der vorangegangenen Kultur geradezu zerstörte und die drückendsten Verhältnisse einführte. Es gab und giebt Völker genug, welche trotz ihres Christenthums den Zuständen und Bestrebungen sehr fern sind, welche wir mit der Kultur als verbunden anzusehen pflegen. Und endlich gab es und giebt es Völker und Völkerfamilien, die unter anderen Religionen zu einer bedeutenden Blüthe gelangten; Bagdad und Kairo waren so gut wie Rom und Salamanca Heerde der Kultur und Wissenschaft, und als die Araber noch in Granada saßen, stand ihre wissenschaftliche, soziale und sittliche Kultur der kastilianischen und aragonesischen weit voran. Wahr ist es, daß die morgenländische Kultur, wenn sie eine bedeutende Entwickelung zurückgelegt hat, in eine längere Stagnation zu gerathen pflegt, so daß sie gewissermaßen stoßweise ihren Fortgang zu nehmen scheint. Immer aber darf nicht vergessen werden, daß auf demselben Schauplatze, wo einst die assyrische und altpersische Kultur vor sich gegangen, die neupersische und dann wieder die islamitische ihre, viele Jahrhunderte umfassende Entwickelung genommen, und daß diese letztere erst mit der Oberherrschaft des türkischen Stammes der Lethargie in die Arme gefallen. Hierüber haben die Arbeiten neuerer Forscher, insonders deutscher, ein unzweideutiges Licht gebreitet, und den Werken von G. Weil (Geschichte der Chalifen), A. Sprenger (das Leben und die Lehre Mohameds), dem Holländer R. Dozy (Histoire des musulmans d'Espagne und dessen holländisch verfaßte Geschichte des Islams), v. Tornauw (das Moslemische Recht) und Nölbeke (Geschichte des Korans) gesellte sich jüngst die vortreffliche gründliche „Geschichte der herrschenden Ideen des Islams" von Alfred v. Kremer (Leipzig 1868) hinzu.

Diese Bemerkungen sollten die folgende vergleichende Skizze nicht sowohl einleiten oder rechtfertigen, als vielmehr das vorzüglichste Resultat voranstellen.

Wie überall geht eine neue Erscheinung, so originell sie auch in ihrer Fortentwickelung sein möge, immer aus voraufgegangenen

Momenten hervor, und behält dann gewisse Elemente jener in sich, die sie anderen und neuen beimischt und amalgamirt. Müssen sich ja doch schon die Zustände vorbereitet haben, innerhalb derer eine neue Erscheinung einen schnellen und ausgebreiteten Erfolg zu erlangen vermag. Es kann uns nun nicht entgehen, daß der Islam aus dreien solcher Quellen seinen Ursprung hergeleitet. Die Gottesverehrung bei den vorislamitischen Arabern war die Anbetung der Gestirne, besonders der Sonne, wie die Araber selbst überliefern, der Koran dagegen streitet, und Spuren noch bei den Beduinenstämmen unserer Tage gefunden werden. Mit der Sonne und dem Monde wurden auch die anderen Himmelskörper, und zwar verschiedene von den einzelnen Stämmen, angebetet, und hieran schlossen sich örtliche Schutzgeister, Genien und Stammidole, heilige Steine und Bäume, ja selbst einzelne Thiere, z. B. die Schlange, welche illaha d. i. Göttin hieß. Was diese Völker die Gestirne mit der Vorstellung der Gottheit verbinden ließ, war nicht allein ihr Glanz und ihre Wirksamkeit auf die Erde, sondern auch die Unabänderlichkeit ihrer Bahnen, die sie immer wieder trotz Gewölk und Stürmen siegreich an denselben Orten erscheinen läßt. Es vereinigte sich daher mit den Gestirnen der Gedanke der Nothwendigkeit, welcher auch die Geschicke des Menschen im Ganzen und Einzelnen anheimfallen, so daß diese Gestirne zugleich den unabänderlichen Gang des Schicksals für die Menschen bestimmen. Dies war der Grundzug des Sabäismus. Aber gerade hierdurch löste sich allmählig der Gottesbegriff von den Symbolen ab. Hierauf hatten die Juden einen unmittelbaren Einfluß. Frühzeitig war das Judenthum in Arabien eingedrungen, und im Norden, noch mehr aber im Süden der Halbinsel verbreiteten sie den Gedanken eines höchsten Wesens unter dem Namen El, der sowohl in alten Genealogien, als auch auf himjarischen Inschriften vorkommt, die, insofern sie aus Marib stammen, in ein sehr hohes Alterthum zurückreichen. So war diese Idee zur Zeit Mohameds unter den Nomadenstämmen nicht unbekannt geblieben. Besonders aber war Medhyna ein fruchtbarer Boden, wo jüdische Kolonien, zum Theil auch christliche Ideen heimisch waren. Eine Zeit lang bildeten freie jüdische Stämme sogar ein eigenes Königreich und zeichneten sich auch durch geistige Regsamkeit aus. Mohamed ließ sich von Juden, dann auch von Christen unterrichten. Er hatte einen Lehrer und Führer in einem Vetter seiner Gattin,

Waraka Ibn-Naufal, der eine längere Zeit das Judenthum bekannte, einige Stücke der Bibel in's Arabische übersetzt hatte, besonders aber in Abraham den reinsten Gotteshelden erkannte. So wurde er das Medium, durch welches die Uebertragung der neuen Begriffe in den Geist des arabischen Volkes vollzogen werden sollte. Er verpflanzte die von ihm aus jüdischen und christlichen Quellen geschöpften Eindrücke in die Geister seiner Landsleute, indem er sie jedoch mit den vorhandenen Begriffen der arabischen Stämme vermischte. Er vollzog diese Verpflanzung, indem er besonders aus dem Judenthume mit den Hauptbegriffen auch deren Bezeichnung übertrug, und so sehen wir ihn das Wort Nabi als Prophet und Koran als das Buch der Offenbarung (מקרא) aus dem Hebräischen herübernehmen[1]). Der Islam zeigt so denselben Prozeß, wie das Christenthum: er ist eine Emanation aus dem Judenthume, und vermischt mit diesem heidnische Elemente, wie sie dem Geiste der Völker entsprachen, unter denen er Platz griff, jedoch mit dem Unterschiede, daß er auch aus dem bereits entwickelten und festgestellten Christenthume schöpfte. So schuf der Islam in analoger Weise für das Morgenland, was das Christenthum für das Abendland. Wie das Christenthum nur einen geringen Raum in Asien und Afrika einzuehmen vermochte,

---

1) So entstammt auch die Bezeichnung für die Abtheilungen des Korans, Sura, dem hebräischen שורה . Geiger in seiner Schrift: „was hat Mohammed aus dem Judenthume aufgenommen?" (Bonn, 1833), in welcher die Spezialia sehr tüchtig bearbeitet sind, aber das allgemeine Verhältniß gänzlich unbeachtet geblieben, weiset die charakteristischen Worte תיבה, תורה (für den Pentateuch,) חברים, גיהנם, גן עדן (für Lehrer), דרש (forschen, gesucht deuten), שבת רבן und zwar für den siebenten Tag, obgleich dieser den Mohammedanern kein Ruhetag ist, שכינה, עדות (als Götzenthum), פרין Erlösung, משנה Wiederholung, מלכות als göttliche Regierung, als aus dem Judenthume entnommene, in den Koran aufgenommene nach. Indem diese Worte zugleich wichtige religiöse Begriffe repräsentiren, wie die göttliche Lenkung, die Offenbarung, die Vergeltung nach dem Tode, so erweist sich dadurch die Entlehnung dieser Begriffe aus dem Judenthume um so mehr. Eben so findet man im Koran die Zahl und Namen der sieben Himmel mit dem Talmud (Chagiga 9, 2.) übereinstimmend. Das Auferstehungsdogma hat Aehnlichkeit im Talmud und Koran, wo selbst die Kleider der Frommen mit auferstehen (Sanhedr. 90, 2. Chethub. 111, 2.) Die Vorschriften beim Gebet gleichen sich bis auf das Wort. Sehr oft erinnert die Erzählung der Geschichten aus der heiligen Schrift bei Mohammed an den Midrasch. So schließt sich Mohammed viel mehr an das traditionelle Judenthum an, als unmittelbar an die heilige Schrift.

und immer wieder daraus verdrängt wurde: so erging es dem Islam in Europa.

Mohamed hat sich ebenso an das Testament der Christen und an das Testament der Israeliten gelehnt, wie sich jenes an dieses lehnt. Es liegt diesem die Nothwendigkeit zu Grunde, daß nur durch u n s e r e heilige Schrift die Idee einer unmittelbaren Offen= barung Gottes an die Menschen aufgestellt und begründet worden ist. Er mußte daher s e i n e vorgegebene Offenbarung ebenso. auf die vorhandenen lehnen, da er die ganze Idee seiner Religions= begründung aus ihnen geschöpft hatte, wenn er auch nicht, wie der Stifter der christlichen Religion, durch Abstammung von den Israe= liten darauf gewiesen war. Er nennt daher in einer -Anrede an die Israeliten seine Schrift „e i n e   B e s t ä t i g u n g   e u r e r   f r ü h e= r e n   O f f e n b a r u n g e n", (Sure II.), ganz wie es die Begründer des Christenthums thaten. Er nimmt daher auch alle Berichte der h. Schrift in ihrem ganzen Umfange an, und erzählt sie, freilich meist ganz entstellt, theils aus Unkenntniß, theils mit gehörten und selbsterdachten Fabeln verbrämt und verunstaltet, wieder. Er erkennt die h. Schrift als Offenbarung Gottes an, und führt Stellen, aber mit verdorbenem Texte, aus ihr an. Aber er sieht den Koran als die Bestätigung der Schrift an und nennt ihn daher a u c h „Schrift von Gott." Ferner behauptet er, daß in der h. Schrift viele Stellen sich auf ihn bezögen, und von ihm, Mohamed, vorausverkündeten, wie dies bekanntlich von christlicher Seite auch geschieht. Die Juden aber hätten diese Stellen theils gestrichen, theils verdreht. Er giebt nun vor, daß der Engel Gabriel ihm diese seine Offenbarung ge= bracht, und spricht das ganze Verhältniß am deutlichsten aus in den Worten: „Wehe dem, der da ist ein Feind Gabriels, der dir (Mohamed) mit dem Willen Gottes die Offenbarung (den Koran) eingegeben, bestätigend die, welche sie (die Juden) schon besitzen, als eine Richtschnur und Verheißung den Gläubigen". Es ist daher für ihn ein leichter Schritt zur Behauptung: „die, welche die Schrift, so wir ihnen gegeben, so lesen, wie sie gelesen werden soll, die werden auch glauben daran; die aber, so nicht daran glauben, stür= zen sich in's Elend." Diesem suchte er nun eine historische Begrün= dung zu geben, indem er den I s m a e l   v o r   I s a a k in die Reihe der Erzväter treten läßt, (Ismael, von dem die Araber abstammen

follen) und von Abraham und Ismael die Religion des einzigen
Gottes begründen, ja auch die Kaaba zu Mekka errichten läßt.
Mohamed drang daher auch aller Orten auf die Anerkennung seines
Korans als des Wortes Gottes, und kommt bald zum Endpunkte,
indem er spricht: „Diejenigen, welche leugnen die deutliche Lehre
und Leitung, die wir geoffenbaret und den Menschen deutlich in der
Schrift (dem Koran) gelehrt, werden von Gott verflucht.“ Mohamed
stellte demnach seine Berufung in so fern auf: „Die Menschen
hatten einst Einen Glauben, und Gott schickte ihnen Propheten,
Heil zu verkünden und Strafen anzudrohen; durch sie offenbarte er
die Schrift in Wahrheit, um die Streitpunkte unter den Menschen
zu entscheiden.“ Aber nun geriethen die Menschen in Streit über
die Schrift aus Leidenschaft, und es ward nothwendig, in Mohamed
den höchsten „Gesandten“ zu senden, um alles Frühere auf die rich=
tigste Weise zu bestätigen. „Hat daher Gott früher die Thora und
das Evangelium geoffenbart, so offenbarte er nun den Koran,“ und
„der Islam ist die wahre Religion vor Gott,“ (Sure III). Den
Juden wirft er vor, daß sie nicht an alle Propheten glauben,
namentlich nicht an den Stifter der christlichen Religion und an
ihn, den Christen wirft er vor, daß sie ihren Propheten Gott an
die Seite gesetzt. Sie Alle sollen sich nun vereinen im Glauben
an ihn, als den letzten wahrhaften Propheten Gottes. (Sure IV.)

Auf diese Weise hatte es sich Mohamed allerdings leicht gemacht,
er bedurfte keiner Polemik gegen die vorhandenen Lehren, sondern
nur gegen Juden und Christen, und dazu bedurfte es nur einer
guten Lunge, die Mohamed auch besaß. Er konnte auch den Juden
und Christen zurufen: Ihr braucht eure Religion nicht zu verlassen,
nehmt nur meine Ergänzungen und Bestätigungen an. Und das
thut er auch. Daß aber unter der Hand ein ganz Anderes hervor=
ging im Mohamedanismus, als die h. Schrift giebt, läßt sich ebenso
voraussehen, wie doch auch die Glaubenslehren des Christenthums
ganz andere wurden, obgleich die der h. Schrift durch das Christen=
thum nicht aufgehoben und geändert sein sollten. Aeußerlich nimmt
das neue Testament ungefähr dieselbe Stellung zu den Ungläubigen
ein, wie der Koran; denn es finden sich in beiden ebensowohl
Stellen, welche Milde und Versöhnlichkeit gegen die Ungläubigen
lehren, als Aussprüche, welche „das Schwert“ in die Welt und
zwischen Bruder und Bruder und Vater und Sohn gebracht wissen

wollen. Zumal aber in der geschichtlichen Entwickelung haben beide Religionen die Gewalt der Waffen und die Mittel der Unterdrückung zu ihrer Verbreitung nicht gescheut, und wenn auch der Islam den „Krieg wider die Ungläubigen" (Djehod) vollständig systematisirte, so weist doch die Geschichte der abendländischen Religion eine nicht minder große Reihe blutiger Facten auf. Andrerseits bringt das islamitische Recht auch Vorschriften zu Tage, die ihm zur Ehre gereichen. So befiehlt es: „Der Schutz (eman), wenn auch nur von einem Muselmann einem Ungläubigen oder einer ganzen Provinz zugesagt, erzeugt eine Verbindlichkeit, welche von der ganzen Gemeinschaft der Moslemen eingehalten werden muß" (vgl. das moslemische Recht von Tornauw S. 51) — ein Grund, der auf das nulla fides haereticis der katholischen Kirche ein besonderes Schlaglicht wirft [1]).

1) Ueber den Zusammenhang des Islams mit dem Judenthume führen wir hier noch die Ansichten des gründlichen Nöldeke (Geschichte des Quorans Göttingen 1860) an. Gewiß, sagt er, sind die besten Theile des Islams jüdischen Ursprungs, und die Hauptquellen seiner Offenbarungen bildeten für Muhammed die Juden. Doch hat er diese nur durch mündliche Nachrichten erhalten. In mehreren Gegenden Arabiens, vorzüglich im Gebiete von Yatrib, welches mit seiner Vaterstadt in vielfacher Verbindung stand, waren die Juden zahlreich; ja auch Mekka muß häufig von ihnen besucht worden sein. Die ganze Lehre Muhammeds trägt schon in den ältesten Suren die unverkennbaren Zeichen ihres Ursprungs an sich; es wäre überflüssig, hier erst auseinanderzusetzen, wie nicht nur die meisten Prophetengeschichten im Quoran, sondern auch viele Lehren und Gesetze jüdischer Herkunft sind. Viel geringer ist dagegen der Einfluß des Christenthums auf den Quoran. Eine genauere Untersuchung über das offenbar Jüdische und Christliche in demselben wird zu der Ueberzeugung führen, daß auch solche Hauptsätze, welche beiden alten Religionen gemeinschaftlich sind, wie die Grundlehre des Islams „es ist kein Gott außer Gott", dem Muhammed durch Juden mitgetheilt worden sind. Es kann aber keinem Zweifel unterworfen sein, daß er die heiligen Bücher der Juden und Christen nicht selbst gelesen hatte, sondern daß er blos durch mündliche Nachrichten mit ihrem Inhalt bekannt geworden war. Daher gleichen die alttestamentlichen Erzählungen im Quoran weit mehr den haggadischen Ausschmückungen als ihren Urbildern: die neutestamentlichen sind ganz legendenhaft und haben deshalb einige Aehnlichkeit mit den Berichten der apokryphischen Evangelien. Die einzige, ganz kurze Stelle, welche im Quoran wörtlich aus dem alten Testament citirt wird, Sur. 21: „Und wir haben in den Psalmen geschrieben, daß die Gerechten die Erde ererben sollen", vgl. Psalm 37, 29, muß Muhammed daher aus dem Munde eines Juden gehört haben. Aehnlich hörte er von einem ungelehrten Christen, daß Christus seinen Anhängern versprochen habe, nach ihm werde Einer kommen, der sie in

Die Hauptlehre des Islams ist: das Bekenntniß des einzigen einigen, ewigen, allwissenden, allmächtigen und unkörperlichen Gottes, der die Welt durch seinen Willen geschaffen. Diese aus dem Juden-thume geschöpfte Lehre stellt Mohameb ganz nach der Bibel dar und erzählt die Schöpfungsgeschichte wesentlich nach der Schrift. Der Islam erkennt diese Lehre eines einzigen überweltlichen Gottes, dessen Werk die Welt ist, als seinen Eckstein und hauptsächlichen Inhalt, und hält sie in voller Schärfe aufrecht. Von hier aus war er natürlich der Gegensatz des arabischen Heidenthums und verschaffte der religiösen Idee einen vollen Sieg über dasselbe; aber er trat deshalb auch als Gegensatz gegen die damals schon gänzlich entwickelten christlichen Dogmen auf, die jene Lehre durch die Trinität und die Menschwerdung Gottes modificirt hatten, weshalb Mohameb im Koran sehr häufig gegen diese Dogmen polemisirt.

Sein Glaubensbekenntniß in dieser Beziehung stellt sich daher mit folgenden seiner Worte dar: „Sprich, Er ist der Gott — Einer, Gott, der Ewige, er zeugt nicht und wird nicht gezeugt und Nie-mand ist ihm gleich." (Sur. 112.) „Wer dem Allah ein Wesen bei-gesellt, ist wie einer, der vom Himmel herabfällt und den die Vögel aufschnappen oder der Wind an einen wildfremden Ort hin verweht" (Sur. 2). „Er hat euch die Nacht und den Tag, die Sonne und die Sterne dienstbar gemacht, indem sie Seinen Befehlen gehorchen,"

---

alle Wahrheit leiten werde (Joh. 16, 7); er bezog dies auf sich selbst. Es ist überhaupt sehr zweifelhaft, ob die Araber damals irgend eine Bibel in ihrer Sprache besessen haben. Denn die arabischen Christen, die übrigens lange nicht so zahlreich waren, wie Sprenger meint, waren gewiß zum größten Theil höchst oberflächlich bekehrt, des Verkehrs mit den Christen wegen, so daß der Chalif Ali über einen der Stämme, unter denen das Christenthum noch die festesten Wurzeln geschlagen hatte, sagen konnte: „Die Taglib sind keine Christen und haben aus dem Christenthume nur das Weintrinken genommen." Was sich von Gelehrsamkeit und kirchlicher Einrichtung unter ihnen fand, war syrisch, wie wir denn noch jetzt syrische Schriften alter arabischer Kleriker haben. Wenn es überhaupt schon höchst zweifelhaft ist, daß es vor dem Quoran ein arabisches Buch gegeben habe, so gilt dies besonders von der Bibel. Daß nun aber gar die Juden von Jatrib dem Muhammed ihre heiligen Bücher, von denen sie ge-wiß selbst herzlich Wenig verstanden, gegeben hätten, wäre ganz gegen die aber-gläubische Aengstlichkeit der Juden. Auch wäre hier wieder nöthig gewesen, daß Muhammed Hebräisch oder Aramäisch verstanden hätte, da an eine jüdisch-arabische Bibelübersetzung in jener Zeit nicht zu denken ist.

(gegen den Sabäismus) (Sur. 16.). „Er weiß, was auf dem Lande und im Meere ist, kein Blatt fällt vom Baume ohne sein Wissen und es liegt kein Saamenkorn im dunkeln Schoß der Erde, und es giebt nichts Trocknes, noch Feuchtes, das nicht in einem unbezweifelten Buche aufgezeichnet stünde." (Sur. 6.) „Gott gehört der Orient und der Occident; wo ihr auch immer euch hinwendet, dort ist das Angesicht Gottes, denn Gott ist umfassend, allwissend" (Sur. 2.) „Allah — es giebt keinen Gott außer ihm, dem Lebendigen, dem Unveränderlichen" (Sur. 3.).

Bald aber entfernte sich Mohamed vom Mosaismus, und ging einen analogen Weg mit dem Christenthume. Er hatte, ebenso wie die christliche Lehre den Begriff der göttlichen Offenbarung durch den Menschenmund in die heidnische Welt zu übertragen und als einen Eckstein seines Gebäudes niederzulegen. Den Glauben an seine Prophetie und zwar als die letzte, abschließende hatte er zum Angelpunkte seiner Lehre zu machen, und er that dies in analoger Weise mit dem Christenthume.

„Es giebt nur einen Gott, und Mohamed ist sein Prophet," dies ist der entscheidende Grundsatz, wer diesen bekennt, ist ein Moslem, ein Gläubiger, wer nicht, und wenn er auch einen einzigen Gott bekennt, ein Ungläubiger. Von diesem Satze aus nahm der Islam eine entschiedene Wendung. Die Gerechtigkeit des Menschen kann nun durchaus nicht in seinen Handlungen liegen, sondern allein im Islam, d. i. im Glauben an Gott und Mohamed. Der Ungläubige ist auf ewig verdammt, der Gläubige aber, sobald er das Gesetz erfüllt, wird selig, und wenn er es nicht erfüllt, wird er vierhundert Jahre lang bestraft, und gelangt dann zu den unteren Graden der Seligkeit.[1] Von hier aus war es dem kühnen Beduinenhäuptling nur ein Schritt, den Krieg gegen die Ungläubigen zur Pflicht des Gläubigen zu machen.[2]

---

[1] Im Koran heißt es: „Gott spricht: auch den Ungläubigen will ich speisen, aber nur mit Wenigem, und ihn dann verstoßen in das Höllenfeuer." „Den Ungläubigen hat Gott eine schmachvolle Strafe bestimmt" „Sie sind Genossen des Höllenfeuers und werden ewig darin bleiben."

[2] „O, ihr Gläubigen," heißt es im Koran, „bekämpfet die Ungläubigen, die in eurer Nachbarschaft wohnen, lasset sie eure ganze Strenge fühlen." „Tödtet die Ungläubigen, wo ihr sie treffet; bekämpfet sie, bis die Versuchung aufgehört und die Gottesreligion gesiegt hat."

War durch diesen zweiten Lehrsatz im Islam derselbe Gegen=
satz zum Mosaismus hervorgerufen, der grundsätzlich auch im histori=
schen Christenthum vorhanden, nämlich die Rechtfertigung des Men=
schen allein durch den Glauben an die Stifter dieser Religionen,
wobei nur verschiedentlich das Christenthum diesen als ein göttliches
Wesen, der Islam als höchsten und letzten Propheten ansah: so
verfolgte diesen Weg der Islam in strenger Consequenz, während
im Christenthum nur einzelne Kirchen, z. B. die calvinische, den=
selben Pfad gingen. Wenn der Glaube allein über das Verdienst
des Menschen zur Seligkeit entscheidet, so haben auch seine Hand=
lungen nur relativen Werth, nämlich in so fern sie im Glauben ge=
schehen; dann ist aber auch der Mensch nicht frei und sich selbst
bestimmend, wie es die religiöse Idee im Mosaismus setzte, son=
dern er muß einer unabänderlichen Nothwendigkeit unterworfen sein,
da der Glaube selbst kein freies Product des Menschen ist. Der
Islam nun verfuhr hierin völlig consequent, sich stützend auf das
arabische Heidenthum, das (Sabäismus) die Naturnothwendigkeit,
die sich in den Gestirnen ausprägt, welche auch die Schicksale der
Menschen bestimmen, zum Princip hatte. Der Islam ließ daher
Gott die Schicksale des Menschen so unabänderlich bestimmen, daß,
mag dieser thun oder lassen was er wolle, ein bestimmtes Geschick
für ihn eintritt. Mag, sagt Mohamed, der Mensch in die Schlacht
gehen oder zu Hause bleiben, die ihm bestimmte Waffe trifft ihn
doch; die Krankheit wirkt, so weit es Gott bestimmt hat, mag der
Mensch Heilmittel anwenden oder nicht; die Feuersbrunst brennt,
so weit Gott es bestimmt hat, mag der Mensch zu löschen suchen
oder nicht.

In dieser Unfreiheit des Menschengeistes können auch Glauben
und Unglauben nicht freie Handlung des Menschen sein, sondern
der Glaube mußte von Gott in dem Menschen angeregt werden, wie
es häufig im Koran heißt: „Gott leitet, wen er will, und läßt im
Irrthum, wen er will"; und der Unglaube mußte von einem Wesen
herrühren, das Ursache des Bösen ist, nämlich von Satan, Eblis,
welcher den Unglauben überhaupt, so wie auch die Sünde des Gläu=
bigen gegen das Gesetz im Menschen anregt. Der Islam erhob die
ausgebildetste Lehre vom Teufel und den Engeln zum vollgültigen
Glaubensartikel, auch hiermit in das Heidenthum zurückgreifend.
„Ihr könnet, sagt Mohamed, nicht wollen, es sei denn, daß es

Allah will, denn Allah ift wiffend und weife. Er führt wen er will, in feine Gnade ein." (Sur. 76.) Auf diefem Grunde baute die islamitifche Orthodoxie den Begriff Gottes als der despotifchen, abfolutiftifchen Allmacht auf; Gerechtigkeit und Ungerechtigkeit — heißt es — find Ausdrücke, die auf Gott nicht anwendbar find; aus feinem- fouveränen Willen entfpringt das Gute und das Böfe; er ftraft und belohnt Gutes oder Böfes nach Belieben, nicht nach dem abfoluten moralifchen Werth der Handlungen; fein Verhältniß zum Menfchen ift das eines Gebieters zu feinem Sklaven, eines Despoten zu feinem Unterthanen. Schon Mohamed felbft liebte Schilderungen von Gott, denen der Schrecken einwohnt. Gott ift allgewaltig, lehrt er, fein Zorn furchtbar, feine Strafe gräßlich, fein Angriff unwiderftehlich; er beftraft, wen er will, er belohnt, wen er will; er verfiegelt die Herzen derer, die er irre führen will; er zündet das Höllenfeuer an für die Ungläubigen. Solche Vorftellungen zündeten in den Fanatikern und befiegten immer wieder mildere An= fichten, die fich geltend machen wollten.

Von der Unmittelbarkeit Gottes zum Menfchen konnte bei die= fer Lehre keine Rede mehr fein. Gott war dem Islam eine über= weltliche Nothwendigkeit, vor der der Menfch nichts ift als ein völlig gebundenes Wefen, das nur durch den Glauben an fie und Mohamed eine Bedeutung erhält. Es ift daher einleuchtend, daß fich der Islam in der Lehre von der göttlichen Barmherzigkeit vom Juden= thume unterfcheidet, und hierin dem Chriftenthume analog ift. Nur das Judenthum erkennt die Barmherzigkeit Gottes als unbedingt und unbegrenzt an, fo daß fie dem aufrichtig reuigen und fich beffern= den Menfchen zu Theil wird, während Chriftenthum und Islam fie vom Glauben abhängen laffen und den Ungläubigen gänzlich verfagen; doch ftellt das Chriftenthum hierzu noch eine befondere Vermittelung zwifchen der Barmherzigkeit Gottes und der Schuld= haftigkeit des Menfchen als nothwendig auf, während der Islam die mit dem Glauben an den einzigen Gott und Mohamed als deffen höchften Propheten verbundene Ausführung des Gefeßes Mohameds für genügend erachtet. Die Gottebenbildlichkeit und fomit die Heiligung des Menfchen nach Gott waren für den Islam nicht vorhanden. An einem oberften Sittengefeß fehlt es ihm daher gänzlich. Er faßte nur ganz äußerliche Momente aus dem Leben heraus, ohne ihnen eine einheitliche Durchbildung zu geben.

Auch der Islam lehrt die Fortdauer nach dem Tode, lehnt sich aber hierin gänzlich an die vorgefundenen Doktrinen im talmudischen Judenthume und Christenthume. In beiden bestand unverkennbar eine doppelte Richtung, von denen die eine die Existenz der Seele nach der Trennung vom Körper für sich und substantiell annahm, also spiritualistisch, die andere eine gewisse Verbindung der Seele mit dem Körper auch nach dem Tode glaubte und die Auferstehung der Todten als Dogma hinstellte. Ein Schwanken zwischen beiden Richtungen, so weit es die Verbindung der Seele mit dem Körper unmittelbar nach dem Tode betrifft, läßt sich weder im talmudischen Judenthum und Christenthum, noch in den Aussprüchen Mohameds selbst verkennen, während das Dogma von der Auferstehung der Todten in allen dreien auf's Entschiedenste festgesetzt wird. In seiner Fortentwickelung jedoch kam der Islam zu der Annahme der Verbindung der Seele mit dem Körper auch nach dem Tode auf's Entschiedenste, während sie im talmudischen Judenthume auf eine Zeit beschränkt wurde und sich im Christenthume mehr in den Vorstellungen vom Fegefeuer, der Hölle und dem Paradiese ausprägte. „Die islamitischen Orthodoxen, sagt Kremer, leugneten zwar nicht die Fortdauer der Seele nach dem Tode, aber sie leugneten, daß dieselbe körperlos für sich selbst fortbestehe. Sie wollten nicht glauben, daß die Freuden und Leiden im jenseitigen Leben blos geistige seien, sondern sie meinten, daß sie auch materieller Natur sein würden, so wie der Wortlaut des Korans es verkündet." Die Auferstehung der Todten wird von Mohamed im Koran oft vorgetragen und in ganz roh sinnlicher Weise aufgefaßt und dargestellt (z. B. Sur. 17. 22. ff.[1]).

Aber nach einer ganz anderen Seite hin schloß sich der Islam viel enger an den Mosaismus an, während das Christenthum eine weite Kluft zwischen sich und dem Mosaismus bewerkstelligte. Im Mosaismus sollen Lehre und Leben identisch sein und sich so durchdringen; die Gesellschaft ist der Boden, auf welchem das Individuum lebt, von der es ein integrirendes Glied ist, das Leben in der

---

1) Eine genauere Darstellung der bis ins kleinste Detail eingehenden Schilderungen der islamitischen Theologen über die Auferstehung wäre hier unnöthig. Wir verweisen auf die Schrift Kremers S. 283 ff. Es ist eine groteske Phantasmagorie, die an Wunderlichkeit Tausend und eine Nacht weit hinter sich läßt.

Gesellschaft kann vom Leben des Individuums nicht getrennt wer=
den, und so muß die Religion in der Consequenz der Gotteslehre
zunächst die Gesellschaft erfüllen und gestalten, und in dieser das
Individuum ergreifen und festhalten. Diesen Grundsatz nahm auch
der Islam an, während das Christenthum die Religion nur als
eine Qualität des Individuums auffaßte und die Gesellschaft sich
selbst und ihrer Entwickelung überließ. Das Christenthum löste das
Individuum von der Gesellschaft ab, stellte es in seiner intellectuel=
len und ethischen Sphäre auf sich selbst und dessen Schwerpunkt
auf das Jenseits, wies die Gesellschaft als ein besonderes und zwar
irdisches Reich von sich ab, und verpflichtete das Individuum nur
zum passiven Gehorsam gegen dasselbe. Um so mehr mußte aber
das Christenthum dahin geführt werden, eine besondere Gemeinsam=
keit der Individuen in seiner Glaubenslehre herzustellen, eine Ge=
meinsamkeit, die ihrer Natur nach keine nationalen und staatlichen
Grenzen kannte, sondern alle Individuen nach der Gleichartigkeit
ihres Bekenntnisses umfaßte. Dies war die Kirche, deren noth=
wendige Folge der große, bis heute noch nicht entschiedene Kampf
zwischen Staat und Kirche um die Obmacht war. Ja, das Wesen
dieser Kirche mußte selbst den allgemeinen Lehren der Religion von
der persönlichen Freiheit und Gleichheit aller Individuen entgegen=
treten, und wie sie von der einen Seite die Einrichtungen des
Staates, wie sie diese vorfand, mit allen Vorrechten, Ungleichheiten
der Stände, mit dem Sklaventhum und der Leibeigenschaft unange=
tastet ließ, noch besondere Beschränkungen nach den Kategorien des
Glaubens aufstellen und bewirken.

Anders der Islam. Er ging vielmehr von dem mosaischen
Prinzipe aus, daß die Religion das ganze Leben durchdringen müsse
und somit die Gesellschaft wie das Individuum in allen Verhält=
nissen zu beeinflussen habe. Allein der Islam versetzte diesen Grund=
satz auf einen ganz anderen thatsächlichen Boden als der Mosais=
mus, und schlug daher von jenem aus einen ganz anderen Weg
ein, wenn er auch in vielen einzelnen Punkten zum mosaischen Ge=
setze zurückging, es pure entlehnte oder modifizirte. Der Mosais=
mus hatte den Zweck vor Augen, ein Volk in ein bestimmtes, ab=
gegrenztes Binnenland zu verpflanzen, hier zu einem ackerbauenden
Volke zu machen, und in diesem die höchsten religiös=gesellschaft=
lichen Prinzipien zu verwirklichen. Das Volk sollte auf die Gren=

zen dieses Landes beschränkt bleiben, und nach dem einzigen Eroberungskriege betreffs dieses Landes die Waffen nur zur Vertheidigung seines Territoriums führen. Die Grundsätze der Selbstregierung und Selbstverwaltung, der Gleichheit Aller und der durch das Gesetz geregelten persönlichen Freiheit sollten deßhalb in diesem Volke zur Verwirklichung kommen. Das eroberte Land wurde in gleiche Loose getheilt, das Sklaventhum in eine siebenjährige Vermiethung verwandelt, der Verkauf des Grundstückes in eine Verpachtung, die Rücklösung stets frei gehalten und mit dem Jobeljahre der Freiheit und dem Besitz eine unverbrüchliche Sicherung gegeben. Pflichten und Rechte waren für Alle dieselben. Eine Priesterschaft wurde zwar instituirt, aber nur zu cultuellen und Lehrzwecken, und auch für letztere nur so weit es nöthig; die eigentliche Hierarchie dadurch vermieden, daß den Priestern nur ein sehr kleiner Grundbesitz gegeben, die Bekanntschaft mit dem Gesetze allen Israeliten zugänglich und zur Pflicht gemacht, und alle bürgerlichen Aemter der Wahl des Volkes überlassen wurden.

Von ganz entgegengesetzten Zwecken ging der Islam aus. Ein einzelner Mann steht als Prophet auf, sammelt in seiner nächsten Umgebung Anhänger, bezwingt mit den Waffen die nächsten freien Stämme seines Volkes, und die Ueberwundenen müssen sich zu seiner Lehre bekennen. Mit Hülfe dieser breitet er nun Glauben und Herrschaft über ganz Arabien aus. Seine Nachfolger überschreiten die Grenzen des Heimathlandes, und wollen nicht nur die Herrschaft über dieses und jenes Land, sondern womöglich über die ganze Erde ausdehnen. Je weiter man vorschreitet, aus um so verschiedenern Elementen wird die Masse der Gläubigen zusammengesetzt, desto weniger vermag man aber auch, alle Unterworfenen zum Islam zu zwingen. Bei dieser Beschaffenheit mußte sich von selbst die unbeschränkte Despotie zum Prinzip des islamitischen Staates machen: das Oberhaupt vereinigte von selbst in sich die weltliche und geistliche Macht, und war, wenn er nur die Vorschriften des Korans zu seiner Richtschnur nahm[1]), von unbeschränkter

[1] Das islamitische Staatsoberhaupt ist die Quelle aller Strafen und Belohnungen. Alle Befehle des Herrschers müssen ohne Widerspruch befolgt werden. Indeß fügt hier das moslemische Recht vorsichtig hinzu: sind diese Befehle ungerecht, so müssen sie die Moslemin befolgen, „wenn sie nicht im Stande sind, sich denselben zu widersetzen" (s. Tornauw a. O. S. 192), womit das Recht der

Machtvollkommenheit. Ihm gegenüber war die gesammte Masse in zwei Klassen getheilt, in Gläubige und Ungläubige. Die Ersteren gehörten zum eigentlichen islamitischen Staate, während die anderen nur innerhalb gewisser Rechtsschranken Geduldete waren. Jener Despotie der obersten Staatsgewalt gegenüber, die ihre Grenzen nur in den Rechtsvorschriften des Korans fand, war allerdings eine demokratische Gleichheit vorhanden, nicht aber die persönliche Freiheit. Diese fehlt so sehr, daß der Muselmann auch Sklave sein kann, wenn auch nur Sklave eines Muselmanns. Eine solche Gleichheit ohne die Freiheit hat aber geringen Werth und war auch in den früheren asiatischen Despotien vorhanden. Das Staatsoberhaupt kann heute aus einem Sklaven einen Großvezier, morgen aus einem Großvezier einen Sklaven machen. Diese Gleichheit gab in der ersten Zeit jedem Individuum ein Anrecht auf den allgemeinen Staatsschatz, und sämmtliche Moslemin sollten eine Jahresrente aus demselben ziehen; ebenso zog dieser Staatsschatz einen bestimmten Antheil, Chiims d. i. den Fünften, aus der Kriegsbeute und den Einkünften jedes Individuums. Das letztere blieb selbstverständlich bestehen, das erstere verlor sich bald. Ebenso sollte anfangs kein Muselmann Grundbesitzer sein, damit er unbehindert sei in der Erfüllung seiner Pflicht, den Krieg gegen die Ungläubigen zu führen. Bald aber wurden Militärstationen nothwendig und der Erwerb von Grundstücken gewährt. Ein gleicher Konflikt trat in Bezug auf die Wahl des Staatsoberhauptes ein. Einerseits ging die Nachfolge zuerst auf die Verwandten und ersten Anhänger Mohameds über; aber schon bei diesen mußte, da Mohamed keinen Sohn hinterlassen, eine Wahl stattfinden, und diese Wahl sollte eigentlich nach dem demokratischen Grundsatze und nach dem Usus der arabischen Stämme von der Masse der Gläubigen abhängen. Es kamen also drei Momente zum Vorschein: ein gewisses Erbrecht, das aber nicht für die Söhne, sondern für den ältesten Bruder des Monarchen bestand, die Vorausbestimmung des letzten

Revolution anerkannt ist. Gleichermaßen müssen alle vom Herrscher ausgegangenen Aufträge angenommen und ausgeführt werden; seinen Abgesandten und Beamten ist Jedermann Gehorsam zu leisten schuldig. Er stellt alle Beamten an, wozu jedoch die Rechtgläubigkeit unerläßliche Bedingung ist. Die Abgaben und Steuern sind ihm zu entrichten und hat er über den Staatsschatz die Verfügung.

Monarchen und die Wahl seitens des Volkes. Letztere beschränkte sich lediglich auf die Leistung des Huldigungseides, ohne welchen die Installation des Nachfolgers nicht vollendet war. Da unter solchen Umständen die Konflikte niemals ausbleiben konnten, entschied zuletzt die Gewalt. Unaufhörliche Bürgerkriege mit allen ihren schrecklichen Wirkungen waren die natürlichen Folgen. In allen diesen Entwickelungen fiel der Lehrsatz der unbedingten Prädestination mit dem Grundsatz der absoluten Despotie zusammen und beide identifizirten sich.

Insbesondere ist es die gesammte Rechtspflege, also diese Pflicht der Gesellschaft gegen die Individuen, welche nach dem Islam eben so wie nach dem Mosaismus auf religiöser Grundlage beruht und von der Religion durchdrungen sein muß. Sie wurde daher einerseits durch die Vorschriften des Korans begründet und im engsten Anschluß an diese bis ins Detail entwickelt, andererseits wird sie von allen Gläubigen als ein Ausfluß der Religion angesehen, die daher ihre Entscheidungen mit großer Ehrfurcht behandeln. Indem wir deshalb hier die uns gleichgültigeren Partien des moslemischen Rechts übergehen, heben wir einige charakteristische Züge hervor. Das moslemische Recht stellt als Rechtsgrundsatz auf: „Bei allen Handlungen der Moslemin wird stets die gute Absicht vorausgesetzt." Die Schuldlosigkeit wird also vorausgesetzt und der Gegenbeweis muß geführt werden. Die Beweismittel sind deshalb: Geständniß, Zeugen und der Eid. Die Zeugen werden nicht vereidet; sind solche nicht vorhanden oder werden recusirt, so wird der Beklagte zur Eidesleistung (Reinigungseid) zugelassen, und es ist daher eine zweite Rechtsregel: „Dem Kläger die Zeugen, dem Beklagten der Eid." Der Eid darf nur unter Anführung des göttlichen Namens, mit dem Finger auf einem Vers des Korans aus der 9. Sure geleistet werden. Im Strafrecht spielt die Prügelstrafe die Hauptrolle, und ist nicht, wie nach dem mosaischen Strafrecht, in der Zahl der Hiebe beschränkt; in den meisten Fällen erhalten die Verurtheilten hundert Schläge; wer dreimal die Prügelstrafe erhalten hat, erleidet zum vierten Male ohne Weiteres die Todesstrafe. Der Diebstahl, der im Mosaismus mit Wiederersatz und einem Fünftel Aufgeld bestraft wird, zieht entweder lebenslängliches Gefängniß oder das Abhauen von vier Fingern der rechten Hand, oder der Zehen nebst dem Fuße, daß nur der Ballen zurückbleibt, nach sich. Ein Un=

20*

gläubiger, der zum Islam übergetreten und von ihm wieder abfällt, wird mit dem Tode bestraft. Auf die Tödtung eines Freien tritt das Recht der Blutrache ein, d. h. das Leben des Mörders verfällt den Verwandten des Ermordeten, doch muß der Getödtete ein Muselmann sein; ein Rechtgläubiger ist für die Tödtung eines Ungläubigen nicht verantwortlich. Hat Jemand einen Mörder gedungen, so ist nur jener dafür verantwortlich. Die Blutrache wird nach absolvirtem Prozeß in Ausführung gebracht. Es steht der Person, welcher das Recht der Blutrache einwohnt, zu, statt des Todes ein Sühngeld zu fordern, was bei Verstümmelungen die Regel ist. Ist kein Verwandter vorhanden, so hat der Imam das Recht, die Strafe in ein Sühngeld zu verwandeln und letzteres einzuziehen. Wir brauchen nicht hinzuzufügen, wie sehr diese Bevorzugung der Besitzenden und diese Geldmäkelei dem mosaischen Rechte widersprechen. Der Koran empfiehlt sogar, das Sühnegeld anzunehmen. — Der Sklave ist, dem mosaischen Gesetze zuwider, nach dem moslemischen lediglich Sache, volles und unbeschränktes Eigenthum des Herrn und gehört in die Kategorie der beweglichen Sachen. Für die Verletzung eines Sklaven tritt kein Anrecht auf die Freilassung ein; für seine Tödtung erleidet der Herr keine Strafe, und ein flüchtiger Sklave muß zurückgeliefert werden. Hat ein Muselmann den Sklaven eines Andern getödtet, so muß er ein Sühngeld bezahlen. In allen diesen Bestimmungen lehnt sich das moslemische Recht an die altarabischen Sitten und steht mit dem Mosaismus im Widerspruch. — Näher steht es dem letzteren in den Familienverhältnissen. Die Verwandtschaftsgrade, welche ein Eheverbot begründen, sind jedoch weiter ausgedehnt, und eigenthümlich ist es, daß die Verwandten einer Amme in denselben Graden verboten sind. Die Trauung ist ganz der traditionell=jüdischen ähnlich; die Ehescheidung materiell leicht, formell erschwert. Im Erbrecht haben Erstgeborene und Söhne keinen Vorzug. Ein Ungläubiger kann einen Gläubigen nicht beerben. — Sehr nahe schließt sich der Islam in kultueller Beziehung dem Mosaismus, und zwar nach der jüdisch=traditionellen Entwickelung desselben, an. Das Prinzip der Reinigungen entspricht dem mosaischen gänzlich und seine Bestimmungen gleichen denen der traditionellen Casuistik in den meisten Punkten, z. B. bis auf das Waschen vor dem Genuß jeder Speise, wozu aber auch das Waschen nach dem Genusse hinzugefügt ist. In gleicher Weise ist das Schlachten der Thiere und mit sehr ähnlichen Vorschriften Gesetz. Desgleichen wird zwischen erlaubten und verbotenen Thieren unterschieden, wobei sich jedoch bestimmte Prinzipien weniger als bei den mosaischen Verboten erkennen lassen. Die ungeschuppten und schlangenartigen Fische, Austern, Schildkröten und Seehunde sind verboten, ebenso jeder Fisch, der todt aus dem Wasser kommt. Erlaubt sind Kameele, Ochsen und Schafe, Antilopen, Rehe und Hirsche. Als nichtverbotene, doch unangemessene Speise gelten das Pferd, der Esel und der Maulesel. Nicht gegessen werden dürfen: Hunde, Schweine, Katzen, Mäuse, Ratten und alle fleischfressenden Raubthiere. Alle Raubvögel, welche Fänge, so wie die, welche keine Kröpfe haben und die mit ihren Flügeln die Luft gleichmäßig durchschneiden, dürfen nicht gegessen werden. Alles, was krepirt ist, und von geschlachteten Thieren das Blut, die Leber, die Gedärme und die Adern dürfen nicht gegessen werden. Von Flüssigkeiten sind verboten: alle berauschenden Getränke, das Blut, die Milch aller verbotenen Thiere. Die Todesgefahr hebt die Speisegesetze auf. — Nicht minder ähnelten die Liturgie und alle Gebetvorschriften der Muselmänner denen der Juden. Das Wenden des Gesichtes beim Beten nach Jerusalem, wie es Mohameb anfangs befohlen, änderte er selbst dahin ab, daß das Gesicht nach Mekka gerichtet werden soll. Das jüdische Prinzip, daß das Gebet die früheren Opfer ersetzt, ein Prinzip, welches die christliche Kirche nicht annahm, sondern eine symbolische Handlung für die Opfer für nothwendig hielt, ist auch vom Islam acceptirt.

Wir haben oben bemerkt, daß der Mosaismus zwar eine Priesterschaft instituirte, ihr aber jede Hierarchie entzog, und so kam es, daß dieselbe sich immer mehr abschwächte, dem sich entwickelnden gelehrten Stande untergeordnet ward und mit dem Falle des Tempels so gut wie erlosch. Dieser Gelehrtenstand erlangte selbstverständlich die richterliche Gewalt, die ihm erst allmälig von den Staaten, in welchen die Juden lebten, entzogen ward. Wie er sich aber stets aus dem Volke rekrutirte, so verblieb diesem auch stets die freie Wahl der Rabbinen. Im Gegensatze bildete das Christenthum, ohne es an eine Abstammung zu knüpfen, ein hierarchisches Priesterthum aus, welches mit der weltlichen Macht in einen schweren und langen Kampf um die Obmacht eintrat. An die Stelle des mosaischen Prinzipes, daß die Religion das Leben der Gesellschaft und der Individuen durchbringen und mit sich identifiziren

müsse, brachte die Kirche den Grundsatz, daß sie das Leben der In=
dividuen und die Institutionen des Staates beherrschen müsse. Ob=
wohl im Islam die oberste weltliche und geistliche Macht in den=
selben Händen lag, war es bei der Umfänglichkeit des Religions=
gesetzes und seiner kasuistischen Ausarbeitung nothwendig, daß sich
ebenfalls ein Gelehrtenstand bildete, der aber bald eine hierarchische
Gestaltung annahm und eine priesterliche Gewalt übte, wenn er
dieselbe auch aus dem Staatsoberhaupte herleitete. Hieran knüpften
sich denn auch bald nach christlichem Muster zahlreiche Mönchsorden,
strenge Ascethik, ein vielverbreiteter Heiligenkultus, wobei jedes Dorf
fast seinen besonderen Heiligen hat, Wunder= und Aberglauben
aller Art.

Wir haben schon darauf hingewiesen, daß, was jetzt der Islam
ist, erst aus einer viele Jahrhunderte umfassenden Entwickelung sich
resultirt hat. Mohamed selbst im Koran giebt durchaus kein kon=
sequentes Religionssystem, und seine Aussprüche neigen sich bald
dieser, bald jener Richtung mehr zu. Der Koran, der ja selbst eine
weitläufige Geschichte hat, war somit ein fruchtbarer Boden für die
Sektenbildung. Der gewaltsam überwundene Parsismus und das
überall verbreitete Judenthum gaben, wie die mohamedanischen
Schriftsteller selbst anführen, vielfachen Anstoß dazu. Wie z. B. ein
Jude Abdallah Ibn Saba der Urheber der Schiiten war. Hierzu
kamen nun die nach den Gesetzen des Menschengeistes auf
religiösem und philosophischem Gebiete natürlichen Richtungen,
und so entwickelte sich auch im Islam ein reges Leben voll
Kämpfe und Bewegungen. Den Sunniten, d. i. den sog. Ortho=
doxen oder Anhängern der Ueberlieferungen (Sunnaa) gegenüber
bildeten sich vorzugsweise vier Sekten, zwei religiöser Natur, die
Morgiten (um 700 entstanden), die Motaziliten (um 730 entstanden),
welche beide die sog. Rationalisten vertreten, zwei mehr politischer
Natur, die Charigiten und Schiiten, deren Hauptfrage das Imamat
betraf, nämlich die absolute Gewalt des Oberhauptes. Aber ebenso
machte sich der Pantheismus in den Suffiten Bahn. Zuletzt siegte
die Orthodoxie, und mit ihr trat ein Stillstand des Islams ein,
der bis auf den heutigen Tag vorwaltet.[1]

1) Wir empfehlen hierüber den „Rückblick" Kremer's S. 111 nachzulesen.
Er geht darin die Hauptansichten der bedeutendsten Philosophen neuerer Zeit
durch und weist denselben Gang in den verschiedenen Sekten des Islams nach.

Das Resultat unserer Untersuchung stellt sich also folgender-maßen heraus. Wir erkennen im Islam das Heraustreten der religiösen Idee aus dem Judenthume in das morgenländische Heidenthum. Die Lehre eines einzigen, überweltlichen Gottes überwand das Heidenthum. Je fester aber der Islam diesen Grundgedanken hielt, desto weniger überwand er abwärts hiervon die heidnischen Elemente. Die Gottebenbildlichkeit des Menschengeistes und die in dieser gesetzte Freiheit des Menschen unterlagen vor dem heidnischen Begriff der Nothwendigkeit. Die Unmittelbarkeit Gottes zum Menschen, so wie die Heiligung des Menschen in der Sittlichkeit gingen in die alleinige Geltung des Glaubens auf. Die Gleichheit des Rechts und die persönliche Freiheit gingen unter in der per-sönlichen Herrschaft der Gläubigen und dem Sklaventhum, in der Bekämpfung der Ungläubigen, in der Einheit der Kirche und des Staates; die Barmherzigkeit ward Almosengeben; die Unsterblichkeit des Geistes ward erdrückt von den phantastischen Bildern einer zukünftigen, unbegrenzten Sinnlichkeit. Auf diese Weise ward der Islam, der im obersten Grundsatz sich ganz an die Seite des Mosaismus setzte, in seiner ganzen übrigen Entwickelung ein voller Gegensatz zu demselben. Gegen das Christenthum kam dadurch der Islam in ein ganz anderes Verhältniß. Weil im obersten Grund-satz der Islam mit dem Mosaismus identisch, ist das Christenthum durch die Trinitätslehre und Menschwerdung Gottes beider Gegen-satz. Von da ab laufen beide Religionen eine Zeit lang neben einander in, dem Mosaismus entgegengesetzter Weise; beiden Reli-gionen geschiehet die Rechtfertigung allein durch den Glauben, beiden erhalten die Handlungen des Menschen nur durch den Glauben einen Werth, beide schreiben die ewige Seligkeit nur den Gläubigen zu. Von da ab kehrt aber das Christenthum zur religiösen Idee zurück, während der Islam in starrer Consequenz fortläuft: das Christenthum nimmt aus der religiösen Idee die göttliche Vorsehung, die Freiheit des Menschen, die Principien der Sittlichkeit, während der Islam das Schicksal eine Nothwendigkeit sein läßt, die Sitt-lichkeit nur in der Ausübung bestimmter Vorschriften des Glaubens findet. Während also so der Islam in seiner Entfernung vom Mosaismus consequent ist, verstopfte er sich dadurch die Quellen der Entwickelung; der der Nothwendigkeit hingegebene Mensch kann

nichts weiter als glauben, und den Ungläubigen, wenn er es ver=
mag, aus dem Wege räumen. Das Christenthum aber hatte sich
den Weg der Bildung und in die ganze religiöse Idee offen
erhalten. Der Islam kann nur zusammenstürzen vor der ganzen
religiösen Idee und durch eine gänzliche Selbstvernichtung zu
ihr gelangen.

XVI.

Kämpfe im Christenthume und im Judenthume.

a. Die Kämpfe im Christenthum.

Richten wir unsern Blick auf die Zustände, die sich gegenwärtig im Christenthume entwickeln, um deren Ursachen, Verlauf und Wirkungen möglichst zu erkennen, so gewahren wir Kämpfe und Wirren vom bedeutendsten Umfange, von großer Mannigfaltigkeit und Tragweite. Es drängt sich uns jedoch hierbei schnell auf, daß der Boden dieser Kämpfe ein ganz anderer ist als in früherer Zeit. Daß es sich jetzt nicht mehr, wie bei der Gründung der christlichen Kirchen und Sekten, um eine verschiedenartige Auslegung der Schriftstellen und Dogmen handelt, erkennt man leicht. Aber während im vorigen Jahrhundert es eine philosophische und rationelle Geistesentwickelung war, welche gegen die ganze Dogmatik des Christenthums zu Felde zog und theils einen rationellen Deismus, theils einen Atheismus ihr gegenüber stellte, ist es jetzt die historische und wissenschaftliche Kritik, welche die Schriften des neuen Testamentes in Angriff genommen und von hier aus die ganze christliche Dogmatik zersetzt und bestreitet. Es ist einleuchtend, daß dies ein viel härterer und gefährlicherer Kampf ist. Philosophie und Rationalismus leiden immer an den Mängeln ihrer eigenen Beweisführung; sie sind genöthigt, dem Gegner, den sie verdrängen wollen, ein eigenes positives Bauwerk gegenüber zu stellen; dadurch geben sie selbst Blößen und Schwächen zum Angriff in Menge dar, so daß die Kirche sich nicht auf die Defensive zu beschränken braucht und selbst zur Offensive übergehen kann; sie sind in letzter Instanz genöthigt, sich auf denselben Boden zu stützen wie die Kirche, nämlich auf den Glauben im Fond des menschlichen Geistes, und diesen Boden okkupirt auch die Kirche, nur daß sie ihn in ungleich größerem Umfange bean-

sprucht. Jemehr daher Philosophie und Rationalismus der Zeit=
strömung angehören, desto leichter wird es der Kirche, die Produkte
jener zu überdauern und aus dem Wechsel jener Strömung neue
Kraft und Nahrung für sich zu ziehen, wenn auch freilich als Re=
sultat jener Kämpfe eine tiefe, innere Erschütterung in den Geistern
zurückbleibt, von der aus neue Angriffe hervorgehen. Die Kritik
nun hat eine leichtere Aufgabe; sie ist blos negativer Natur, und
die Forderung eigener positiver Schöpfungen wird nicht an sie ge=
stellt; sie überläßt dies der Folgezeit und der Entwickelung. Diese
Kritik richtet sich zunächst gegen die ganze Unterlage des Christen=
thums, gegen die Schriften der christlichen Bibel, ihre Authenticität,
Ursprungszeit, Verfasser und Autorität, legt die Widersprüche zwischen
den einzelnen Schriften dar, untersucht sie als die Wurzeln der
christlichen Dogmatik, zeigt dann weitergehend die unzulängliche Be=
gründung der Dogmen in diesen Schriften, deren Widerspruch gegen
jene und kommt so endlich dazu, die Unhaltbarkeit dieser Dogmen
nachzuweisen. Nun weiß Jedermann, daß die christliche Dogmatik
ein enges, genau ineinander gefugtes Bauwerk ist, das, sobald man
ein wesentliches Glied herausnimmt, Halt und Zusammenhang ver=
liert und das sich auf einen Grundstein aufbaut, ohne welchen
das Ganze nicht bestehen kann, nämlich das Dogma von der Gött=
lichkeit des Stifters der christlichen Religion. Dies ist es, was
diese Kritik so gefährlich macht. Sie richtet sich nicht gegen den
Glauben überhaupt; sie greift selbst die Dogmen nicht vom philo=
sophischen oder rationellen Standpunkte aus an, sondern sie fragt:
wie sind sie geworden? worauf gründen sie sich? und wie ist das
beschaffen, worauf sie sich gründen? Welcher ist der Ursprung dieser
Dogmen? woraus sind sie hergeleitet? und sind sie wirklich aus
dem Munde des Stifters des Christenthums gekommen? Gegen
diese Fragen, Untersuchungen und deren Resultate läßt sich mit
gleichen Waffen gar nicht kämpfen, sondern die Kirche kann hier=
gegen sich nur auf sich selbst zurückziehen und allein ihre eigene
Autorität alsdann gegenüberstellen. Es kommt also nur darauf an,
wie diese Autorität die Geister der Menschen noch beherrsche oder
nicht. Aber es ist nicht zu verkennen, daß jene Resultate der Kritik
um so gefährlicher sind, weil sie blos negativ sind, darum vom
Einzelnen nichts verlangen, als blos ihren Untersuchungen zu folgen,
und eben darum der wechselnden Zeitströmung nicht unterworfen,

sondern bleibend sind. Die Richtigkeit dieser Bemerkungen ersieht man aus der Geschichte dieser Kritik. Während die vielfachen philosophischen und rationalistischen Argumentationen gegen die Kirche nur noch in der Literatur und Kirchengeschichte aufbewahrt sind und niemand sich mehr z. B. auf die Angriffe Voltaire's und der französischen Encyklopädisten beruft, werden alle kritischen Versuche und Arbeiten, wie sie sich aufeinander auf bauten, noch heute berücksichtigt und in ihren Resultaten gewürdigt und z. B. der wolffenbüttler Fragmentist noch heute für wichtig erachtet, während hundert rationalistische Arbeiten des vorigen Jahrhunderts vergessen sind.

Gerade in der neuesten Zeit hat nun jene Kritik der christlichen Urkunden und Dogmen einen großen Aufschwung genommen und ist mit bedeutenden Erzeugnissen hervorgetreten. Strauß, Renan, Raim, Alm, Schenkel u. a. haben die schärfsten Untersuchungen angestellt und veröffentlicht und ihre Schriften haben die ausgedehnteste Wirkung nach sich gezogen. Es versteht sich, daß die Kirche sich nicht still dabei verhielt. In unzähligen Schriften, Flugblättern und Zeitungsartikeln und von allen Kanzeln herab ertönte das Wort der Verdammniß, und Demonstrationen und Proteste aller Art sollten die Laienwelt dagegen einnehmen und waffnen. In der katholischen wie evangelischen Welt erließen Vereine und Versammlungen Erklärungen gegen jene Schriften. Hier zeigt sich nun auch die Verschiedenheit der katholischen und evangelischen Kirche. Jene beruft sich lediglich auf sich selbst; sie hat mit der Wissenschaft keine Gemeinschaft, sie fordert, daß diese sich ihr in allen Stücken unterordne, und wo sie ihr widerspricht, ist sie ein Werk des Satans, das die Kirche mit ihrem bloßen Worte zurückweist. Anders die evangelische Kirche, die an sich aus der Kritik und wissenschaftlichen Entwickelung hervorgegangen und daher mit der bloßen kirchlichen Autorität nicht durchkommen kann. Als am 14. September 1864 der „evangelische Kirchentag", mehr als 900 Männer in seiner Versammlung zählend, in Altenburg tagte, nahm er einstimmig eine Reihe von Sätzen an, aus denen wir folgende hervorheben:

„1) Die neuesten Behandlungen des Lebens Jesu haben Zerrbilder dieses Lebens hervorgebracht, deren Entstehung nur durch eine falsche Kritik der Geschichte oder eine leichtfertige Behandlung der heiligen Urkunden möglich wurde, denen deshalb durch wahre geschichtliche Kritik und die allseitige Betrachtung der biblischen Dokumente siegreich begegnet werden kann und soll. 2) Die Arbeit der christlichen Kirche für die wissenschaftliche und allen Bedürfnissen des Glaubens genügende Erkenntniß des Lebens Jesu ist noch nicht vollendet und hat eben durch ihre unvollendete Gestalt die Angriffe der falschen Kritik, die zugleich von einem falschen Gottes- und Weltbegriffe und von einer völlig unwahren Anschauung der ethischen Natur des Menschen ausgehen, erleichtert. 3) Es ist ein Gewinn der Kirche, daß sie auf den angegriffenen Punkt zur Vertheidigung und zum Ausbau gerufen wird. Diesen Ausbau wird sie durch die kirchliche Wissenschaft, die ebenso ein Werk des heiligen Geistes ist wie der Glaube, zu vollziehen haben, und zwar mit Anwendung echt historischer und literarischer Kritik, deren Werk unverkümmert zu vollziehen ist. Der geschehene Ausbau wird, dessen sind wir gewiß, im Einklang mit der Abzielung der christlichen, der evangelischen Kirche stehen. 4) Es ist ein fernerer Gewinn der Gemeinde, daß ihr die Lebensgestalt ihres gottmenschlichen Herrn und Heilands ganz und voll, in ihrer echt historisch-menschlichen und in ihrer wahrhaft ewigen göttlichen Seite, daß ihr Jesus Christus als ewig göttliches Wesen in wirklich menschlicher Natur, als Sohn Gottes in Ewigkeit lebend und zeitlich in die Geschichte getreten, vor Augen gestellt und die Erkenntniß seiner allein selig machenden Person und Erscheinung zum Mittelpunkt ihres Erkennens und damit auch zum Schlüssel für die Lösung anderer Fragen christlicher Erkenntniß gemacht wird." —

Man sieht, daß der evangelische Kirchentag weder die Kritik noch die Wissenschaft an sich verwirft, ja diese vielmehr als eine nothwendige Ergänzung des Glaubens aufstellt. Aber hierin liegt gerade die außerordentliche Schwäche dieser Erklärungen. Man will, man erwartet, man hofft auf eine rechte christliche Kritik und Wissenschaft; man giebt zu, daß man sie noch nicht hat; man will sie ausbauen und vollenden; dann werden ihre Resultate mit der heutigen evangelischen Kirche übereinstimmen. Man verheißt also für die Zukunft und räumt somit für die Gegenwart das ganze Feld. Die katholische Kirche hat daher hierin eine ungemein größere Kraft und Intensivität. Sie erkennt keine Kritik, keine Wissenschaft an, sondern nur den Glauben an die Kirche. Sie ist fertig, ganz und weist alles andere als falsch und verdammungswürdig zurück. Die evangelische Kirche bekennt selbst, daß sie nicht fertig sei, und räumt so ihren Gegnern die größten Zugeständnisse ein; sie verweist auf die Zukunft; da sie aber bereits viertehalb Jahrhundert hinter sich hat, fragt die Gegenwart, was diese Vergangenheit geschafft habe?

Eine ähnliche Erscheinung zeigte sich in England. Von jeher waren hier die Naturwissenschaften in hohem Grade geehrt und gefördert. Die praktischen Resultate derselben kamen der Nation und der ganzen Menschheit für Schifffahrt, Fabrik und Handel allzusehr zugute, als daß sie nicht allseitig anerkannt und unterstützt werden sollten. Nun stimmen diese Erfolge der Naturwissenschaften nicht immer mit den herkömmlichen und kirchlich adoptirten Auslegungen des mißverstandenen Buchstabens der Bibel überein, woran die Buchstabengläubigkeit der Engländer von jeher großen Anstoß nahm. Um dies zu verdecken, versuchte man jüngst eine Erklärung bei den bedeutendsten Gelehrten zur Unterschrift zu bringen, worin es heißt: „Wir, die unterzeichneten Jünger der Naturwissenschaften, wünschen unser aufrichtiges Bedauern darüber auszusprechen, daß die Forschung nach wissenschaftlicher Wahrheit heutzutage von manchen dazu mißbraucht wird, die Wahrheit und Echtheit der heiligen Schrift anzuzweifeln. Wir denken, daß das im Buch der Natur geschriebene Wort Gottes, und Gottes Wort, wie es in der heiligen Schrift enthalten ist, wie sehr sie von einander abweichen mögen, doch unmöglich einander widersprechen können. —

„Wir glauben, es ist die Pflicht jedes Jüngers der Wissenschaft, die Natur einfach zur Aufhellung der Wahrheit zu erforschen; und wenn er findet, daß einige seiner Resultate dem geschriebenen Wort oder vielmehr seiner eigenen, möglicherweise irrigen Auslegung desselben widersprechen, sollte er nicht anmaßlich behaupten, daß seine eigenen Schlüsse richtig und die Angaben der Schrift unrichtig sein müssen; er sollte lieber die beiden nebeneinanderstehen lassen, bis es Gott gefällt, uns die Art, wie sie miteinander in Einklang gebracht werden können, einsehen zu lassen: und anstatt auf den anscheinenden Abweichungen zwischen Wissenschaft und Bibel zu bestehen, wäre es besser, sich im Glauben auf die Punkte zu stützen, in denen sie übereinstimmen." —

Viele unterschrieben; aber desto wirkungsvoller waren die Ablehnungsschreiben, welche einige der hervorragendsten Männer Eng-

lands gegen diese Erklärung erließen und dadurch die Kluft zwischen
der kirchlichen Buchstabengläubigkeit und der wissenschaftlichen Forschung erst recht bloßlegten. Sie erklärten sich durchaus nicht
gegen die Bibel, wohl aber gegen jede Beschränkung in der Auffassung der Bibel, gegen jede unveränderliche dogmatische Fesselung
des Verständnisses derselben sowie gegen jeden Zwang in den naturwissenschaftlichen Bestrebungen und Veröffentlichungen. Sir John
Herschel schreibt u. a.:

„Aber ich halte diese Bewegung für geradezu schädlich, weil sie
die direkte Tendenz hat (durch Aufstellung eines neuen Schibolet,
eines neuen Eides religiöser Parteigängerschaft), in die schon allzusehr gespaltenen Beziehungen der christlichen Welt ein neues Element
der Zwietracht zu bringen."

Sir John Bowring: „Aber es scheint mir, der Zeitpunkt ist
gekommen, wo wir bemüht sein müssen, uns von jedem dogmatisi-
renden Glauben — allen erzwungenen Bekenntnissen, allen vorge-
faßten Schlüssen, allen vertuschenden Erklärungen zu emancipiren;
unsere Forschungen und Ueberzeugungen mit Ausdauer bis zu ihrer
nothwendigen Consequenz zu verfolgen und andere zur Uebung desselben Rechtes und zur Erfüllung derselben Pflicht aufzumuntern.
Ich weiß nicht, wie man dem Gang der Wahrheit und den Interessen der Religion besser dienen kann, als indem man der Forschung
den größten Spielraum gestattet. Es ist nicht möglich, noch, wäre
es möglich, wünschenswerth, Vergleiche zwischen den geschichtlichen
Offenbarungen der Vergangenheit und den wissenschaftlichen Entdeckungen der Gegenwart zu verhindern. Die Bibel muß ins offene
Tageslicht gebracht — muß aus der Finsterniß, zu der die ehe-
malige Autorität sie verdammt hat, hervorgeholt, muß mit kundiger
Forschung geprüft und aus der Haft streitender Unwissenheit erlöst,
von ihren Spinngeweben gesäubert und ihren Verfälschungen (cor-
ruptions) gereinigt werden. Nichts Geringeres sollte vernünftiger
Weise denjenigen genügen, die da glauben; mehr können, die da
zweifeln, billiger Weise nicht verlangen; aber im Interesse aller darf
man so viel fordern. Es ist keine „Anmaßung", die Schlüsse, zu
denen man durch nüchternes, ernstes und ehrfürchtiges Studium
gelangt ist, der Welt mitzutheilen, mögen die Schlüsse sein wie sie
wollen. Die beste Hoffnung für „Glauben," Hoffnung oder Trost
wird am Ende gefunden werden, wenn man den geistigen Fähig-

keiten, mit denen Gott uns gesegnet hat, im ganzen Reich des Gedankens ihren größten Einfluß und ihre weiteste Wirksamkeit gönnt. Indem wir „alles prüfen", werden wir im Stande sein das Beste zu behalten, und wir können vollkommen sicher sein, daß die großen Wahrheiten, die den Stürmen und Stößen wildbewegter Jahrhunderte getrotzt haben, kommende Zeitalter hindurch ungebrochen fortbestehen werden."

Man erkennt also auch hier, daß die auf evangelischem Boden gemachten Versuche, die Wissenschaft an die bisherige christliche Dogmatik zu fesseln, gescheitert sind und das Band noch mehr gelockert haben. An die großen Erschütterungen, die durch den Bischof Colenso, der jetzt freilich retirirt hat, durch die Essays und Reviews in England hervorgebracht wurden, und wie daraus theilweise eine Hinneigung zum Katholicismus, ja selbst jüngst die Gründung neuer Klöster sich herleitet, daran brauchen wir nur zu erinnern.

Daß der Kampf zwischen der katholischen und evangelischen Kirche hierbei auch nicht ruht, ist bekannt. In der jüngsten Zeit (1864) hat in dieser Beziehung eine Schrift des Dr. Martin zu Paderborn eine außerordentliche Erregung und Erbitterung hervorgerufen. Der Bischof spricht darin einfach aus, daß er die Protestanten immer noch als seine, ihm von Gott zugetheilten Pfarrkinder ansehe, freilich als abgefallene, die er mit aller Macht zurückzuführen berechtigt und verpflichtet sei. Er stößt also die durch den westphälischen Frieden und insonders durch die preußische Verfassung erwirkte Parität der beiden Kirchen um. Daß er in dieser Schrift nebenbei auch den Raub des Mortara und Coen als völlig gerechtfertigt ansieht, kann uns nicht verwundern. Ob er hiermit den Gesetzen des Landes, in welchem er fungirt, Hohn spricht, wird sein Gewissen nicht sehr belasten. Es ist natürlich, daß es an Gegenschriften und Erklärungen von evangelischer Seite nicht fehlt. Als eine jüngste Folge kann betrachtet werden, daß gleich nach einem Besuche jenes Bischofs ein Herr von Düster, 80 Jahre alt und Haupt einer altkatholischen Familie, zur evangelischen Kirche übergetreten ist.

Aber auch innerhalb der katholischen Kirche, so fest gegliedert und streng organisirt sie ist, findet gegenwärtig ein großes Schisma statt. Es handelt sich hier um die weltliche Herrschaft des Papstes, die doch so tief in das katholische Dogma eingewachsen ist, daß deren Existenz keineswegs blos als ein äußeres Faktum anzusehen ist. Das evangelische Europa verhält sich dabei ganz passiv. Das katholische Italien ist es, welches diese weltliche Herrschaft beseitigen will, und Tausende von italienischen katholischen Geistlichen haben sich gegen diese weltliche Herrschaft ausgesprochen. Neu angefacht wurde dieser Streit durch die jüngste französisch-italienische Convention, und so verschiedenartige Auslegung diese auch erfährt, so gibt doch z. B. eine bald darauf erflossene Erklärung der französischen Kirchenfürsten zu erkennen, daß man diese Convention als einen weiteren Schritt gegen die päpstliche Herrschaft ansieht. —

Wir geben hiermit nur eine sehr skizzenartige Darstellung, gewissermaßen nur die Rubriken, in welche tausendfache kleinere Vorgänge zu bringen sind. Wir verfahren dabei ganz objektiv und geben kein Wort des Urtheils. Es ist nur ein Blick auf die Zerfahrenheit rings um uns her, in welcher ein großes Ringen des Menschengeistes mit sich selbst, mit den Ergebnissen der Vergangenheit und der Gegenwart, ein Ringen der mannigfaltigen Kräfte, die im Menschengeiste thätig sind, ein Ringen der Phantasie und der Vernunft, des Erkennens und des Glaubens zu Tage tritt, dessen Resultat und Ziel allerdings im Schooße der großen menschengeschlechtlichen Zukunft ruht.

b. Die Kämpfe im Judenthum.

Wir haben einen Blick auf die Kämpfe und Zerwürfnisse geworfen, welche gegenwärtig im Christenthume vorhanden sind und mit großer Erbitterung von allen gegnerischen Seiten fortgeführt werden. Wir sahen sie gegen das ganze Fundament des Christenthums gerichtet, sahen sie ebenso zwischen den einzelnen Kirchen mit neuer Leidenschaft entbrannt, sahen sie endlich innerhalb jeder einzelnen Kirche schroff gesonderte Parteien einander gegenüberstellen. Jeder Tag bringt hierüber neue Thatsachen, neue Kundgebungen. Wer, unbekannt mit der Entwickelungsgeschichte dieser Zerrüttungen, an den Anblick heranträte, den diese Zustände, wenn man sie mit einem Male überschaut, bieten, der würde kaum noch ein Band erkennen, das alle diese Parteien mit irgend einer Gemeinsamkeit umschlösse.

Uns Juden aber muß doch die Sicherheit auffällig sein, mit welcher die Missionäre der verschiedenen Kirchen zu uns kommen und uns auffordern, das Heil aus ihren Händen entgegenzunehmen, während über dieses bei ihnen selbst so viel Streit, so viele Verschiedenheit, so viele Gegensätzlichkeit obwaltet. Hier ist es nun, wo man uns entgegnet: finden nicht auch im Judenthume Parteien, Streitigkeiten und Kämpfe statt? Wird nicht auch dieses sehr verschieden aufgefaßt und in der Wirklichkeit dargestellt? Allerdings; wir verkennen dies nicht. Darum ist es billig, ja nothwendig, auch hierauf einen prüfenden Blick zu werfen.

Die erste Frage, die sich hier uns aufdrängt, ist: worin besteht das Object der Parteiung im Judenthume? und wie unterscheidet es sich von dem Streitobject im Christenthume? Der wesentliche Charakter des Christenthums, darüber werden wohl alle Parteien einig sein, beruht in seinen Dogmen, die sich als nothwendige Ergebnisse eines aus dem andern aufbauen, so daß kein Glied aus dieser Kette gerissen werden darf, ohne das Ganze zum Falle zu bringen, wenn auch in den verschiedenen Kirchen auf die Fundamentaldogmen immer neue und verschiedene aufgestellt werden. Daß diese Behauptung, der wesentliche Charakter des Christenthums sei in seinen Dogmen begriffen, wahr ist, erweist sich daraus, daß um den andern Theil, um die Principien seines Sittengesetzes, kein Streit stattfindet, wohingegen die christlichen Cultusfragen, namentlich was die Symbole betrifft, wiederum aus den Dogmen erfließen. Im Judenthume hingegen findet kein Streit, keine Parteiung um die Dogmen statt. Allerdings hat auch das Judenthum Dogmen, über welche aber alle Juden, soweit sie innerhalb des Judenthums stehen einig sind. Die unbedingte Einheit Gottes, die göttliche Vorsehung und die göttliche Vergeltung; die Gottebenbildlichkeit des menschlichen Geistes und dessen Bestimmung zu Erkenntniß, Recht und Liebe, so wie die Versöhnung durch die Reue und Umkehr des Menschen und die Barmherzigkeit Gottes sind die eigentlichen Dogmen des Judenthums, und über diese war und ist kein Streit vorhanden. Es gab keine Epoche im Judenthume, in welcher über diese Lehrsätze irgend eine Verschiedenheit ausgebrochen, und ebenso wenig sind sie ein Gegenstand der streitigen Discussion in der Gegenwart. Hierin liegt der wesentliche Unterschied zwischen den Kämpfen in den beiden Religionen und die Consequenzen aus dieser Verschiedenartigkeit sind von der höchsten

Bedeutung. Denn eben darum kann eine dauernde Spaltung und Sectenbildung im Judenthume nicht Platz greifen.

Um was handelt es sich aber dann in den im Judenthume stattfindenden Kämpfen? Diese gehen allerdings aus einer Grundanlage des Judenthums hervor. Das Judenthum hat sich niemals auf den Ausspruch abstracter Principien beschränkt. Von seinem Beginne an hat es stets dahin gestrebt, diese Prinzipien ganz concret im Leben sowohl der Gesellschaft wie der Einzelnen zu verwirklichen und zu verkörpern, darum jene Principien zu bestimmten Gesetzen zu gestalten, von welchen das Leben der Gesellschaft wie der Einzelnen beherrscht und erfüllt werde. Hieraus folgte naturgemäß im großen Entwickelungsgange durch die Jahrtausende die Frage, inwiefern die überlieferten Gesetze nach den großen Veränderungen der Lebensverhältnisse eine unveränderliche Geltung haben müssen oder eine Umgestaltung zulassen? Um diese Frage, also um die unbedingte Verpflichtung zu den einmal überkommenen Gesetzen drehten sich alle Streitfragen im Judenthume. Diese Frage trat an die Juden besonders dreimal heran. Zuerst zu Esra's Zeiten, als das Heidenthum innerhalb der israelitischen Nation gänzlich überwunden war und es nun galt, auch das mosaische Gesetz bei doch so veränderten Verhältnissen zur unumschränkten Herrschaft zu bringen. Alsdann vor und nach der zweiten Zerstörung Jerusalems, als zuerst ein großer Theil, dann alle Juden aus Palästina unter die Völker der Erde zerstreut worden, dadurch ein großer Theil der mosaischen Gesetze seine Anwendung verlor und der andere Theil unter den völlig verschiedenen Verhältnissen einer Verarbeitung bedurfte, welche innerhalb der theils beabsichtigten theils von außen aufgedrängten Isolirung der Juden ihre Geltung habe. Endlich in der Gegenwart, wo bei dem Eintritt in das allgemeine Culturleben, bei der Uebernahme aller staatsbürgerlichen und nationalen Rechte und Pflichten dieselbe Frage betreffs der talmudischen und rabbinischen Umgestaltung des Gesetzes hervortreten mußte. Die Frage über die Autorität, aus welcher die Gesetze geflossen, ist hierbei nur eine secundäre. Die Gesetze sind da, sie wurden viele Jahrhunderte geübt, und die wesentliche Frage ist daher nicht über den Ursprung derselben als vielmehr darüber, ob und wie weit sie auch unter diesen völlig geänderten Verhältnissen eine Verpflichtung haben könnten und müßten?

Machen wir uns dies noch etwas deutlicher. Zu und nach der Zeit Esra's mußte es sich darum handeln, wie die mosaischen Gesetze im Detail der entwickelten Zustände und in Uebereinstimmung mit den Volkssitten auszuführen seien. Die Beantwortung und der Erfolg liegen in den Urbestandtheilen der Mischna vor. Mit der Auswanderung und endlich mit der Austreibung nach allen Gegenden der Erde wurden der ganze Opfercultus und die meisten damit zusammenhängenden Reinigkeitsgesetze, die ganze Agrargesetzgebung und die auf diese gerichtete staatliche und bürgerliche Verfassung und ein großer Theil des Criminalrechts aufgehoben, weil in der Ausführung unmöglich, wozu dann im Laufe der Zeit die ganze Gerichtsbarkeit, das Erbrecht u. s. w. traten. Der übrige Theil des Gesetzes nahm daher einen lediglich cultuellen Charakter an und erfuhr durch die Talmudisten und Rabbinen eine wesentlich casuistische Verarbeitung. Jetzt nun, wo mit der bürgerlichen Emancipation, mit der factischen Aufhebung jener Isolirung, mit der Theilnahme an aller geistigen Bildung und mit der Umgestaltung und dem Aufschwung der modernen Industrie gänzlich veränderte Lebensbedingungen für die Juden eingetreten sind, mußte dieselbe Frage hinsichtlich der rabbinisch=cultuellen Gesetze im Judenthume abermals erstehen. Wir sagen, sie mußte, denn sie hatte nicht etwa einen blos theoretischen Ursprung. Vielmehr brachte das Leben täglich Conflicte, namentlich hinsichtlich des Sabbathgesetzes und der Speisegesetze herbei, die zu einer Lösung drängten; aus der veränderten Geistesrichtung aber entsprang noch die Frage um die Beschaffenheit des Gottesdienstes, da dieser in den letzten Jahrhunderten dem Verfall und der Veraltung anheimgefallen war. Dies sind die wesentlichen Fragen, welche die Gegenwart im Judenthume aufwarf und worüber Parteiung und Kämpfe nicht ausbleiben konnten. Während die ersteren mehr dem Individuum zur persönlichen Auffassung und Entscheidung gegeben waren, mußten die gottesdienstlichen Fragen die Gesammtheit berühren.

Daß dies eine richtige Auffassung und Darstellung der wesentlichen Streitpunkte im Judenthume ist, geht aus der ganzen Geschichte derselben sowie aus den Resultaten, in welche zu den verschiedenen Zeiten die Parteiungen ausliefen, unzweideutig hervor. Bei den Pharisäern und Sadducäern, bei den Hilleliten und Schammaiten, bei den Karäern und Rabbaniten handelt es sich immer um die Verpflichtung zu den überlieferten Gesetzen oder eine selbständige Auslegung des gesetzlichen Theiles der heil. Schrift. Darüber hinaus gingen sie alle nicht und weder die Lehre noch die allgemeinen Principien waren Objecte ihres Streites oder wurden von ihnen angetastet. Hier aber müssen wir eine Eigenthümlichkeit hervorheben, welche allerdings doch nur eine Consequenz dieses Verhältnisses ist. Wie diese ganze Streitfrage immer nur aus den wirklichen Lebensverhältnissen, aus deren Entwickelung und Conflicten hervorging, so kam es auch, daß das wirkliche Leben viel eher über sie entschied und sie allmählich zum Austrag brachte, als die Theorie. Die theologische Theorie ließ sich immer erst auf diese Frage ein, wenn ihr gar nicht mehr aus dem Wege zu gehen war, und so kamen die theologischen Parteien immer erst zu Stande, wenn in der Masse selbst von einem großen Theile schon Entscheidung getroffen war. Dies konnte den Parteien ihre Heftigkeit, dem Kampf sein Feuer für einen gewissen Zeitraum nicht nehmen — aber die Ausgleichung war dann immer schon so weit vorgerückt, daß auch die Theorie doch bald zur Entscheidung und Ausgleichung kommen mußte und hiermit die Parteien verschwanden. Wie heftig auch der Streit der Sadducäer gegen die Pharisäer war und welche traurigen Folgen er für den Bestand der ganzen Nation hatte, so war doch das Volk schon längst auf Seiten der letzteren und die Parteien verschwanden so gänzlich, daß die Kunde von ihrer Existenz nur eine sehr dürftige geblieben. Wenn der kleine Bruchtheil der Karäer bestehen geblieben, so fand dies nur in der gänzlichen Entfernung von allen Lebensmittelpunkten des Judenthums seine Ursache.

Wir unterschätzen nun die Bedeutung dieses Streitobjectes im Judenthume durchaus nicht. Wir sagen nicht, daß es sich hier blos um Formen handle und daß der Streit um die formale Seite des Judenthums sich drehe. Vielmehr haben wir ja hervorgehoben, daß es ein wesentliches Charakteristikum des Judenthums ist, sich auf die Lehre und Prinzipien nicht zu beschränken, sondern die concrete Verkörperung im Leben zu fordern. Der Streit hat daher in der Tiefe auch die Bedeutung, ob wiederum ein Theil dieser Principien seine Verkörperung verlieren und die Natur abstracter Principien annehmen dürfe. Demungeachtet liegt es in der Natur der Sache, wie wir sie oben geschildert, daß die Kämpfe im Judenthume, da sie die Lehrsätze und Principien an sich durchaus nicht berühren, da sie durch das Leben mehr als durch die Theorie zur Entscheidung gebracht werden, daher vielmehr den Individuen als der Gesammtheit zufallen, daß sie daher den eigentlichen Bestand des Judenthums nicht antasten und die Zerspaltung viel weniger hervorrufen und den Frieden in der Gesammtheit, der von der Freiheit des Individuums, von der Selbständigkeit der einzelnen Gemeinden und von der Lage und Entwickelung der Gesammtheit getragen wird, auf die Länge nicht erschüttern können. Mag daher in den einzelnen großen Länderstrichen die eine oder die andere Richtung im Judenthume die Oberhand haben, mögen in einzelnen Gegenden und Orten die Altorthodoxen, die Neuorthodoxen, die gemäßigten und die radicalen Reformer sich um den Einfluß in Gemeinde, Synagoge und Schule bekämpfen, mögen endlich in der Literatur diese verschiedenen Richtungen ihren lauteren oder stilleren, ihren gründlicheren oder oberflächlicheren Ausdruck finden; in der Consequenz der Geschichte und Entwickelung werden sie ihre Ausgleichung finden, ohne das Judenthum wesentlich zu erschüttern.

Dies betrifft die Kämpfe im Judenthume, wobei wir ebenso objectiv wie bei der Schilderung der Kämpfe im Christenthume zu bleiben suchten. Wir müssen aber, um unser Gemälde vollständig zu machen, nun noch einen Blick auf die Kämpfe um das Judenthum werfen.

c. Die Kämpfe um das Judenthum.

Es ist merkwürdig, daß das Judenthum, so lange es besteht, niemals angegriffen hat und doch zu aller Zeit angegriffen worden, daß es niemals zur Offensive überging und es doch zu aller Zeit offensiv behandelt worden.

Mit dem Augenblicke seines Entstehens begann der Kampf um seine Existenz. Aber in seiner ersten langen Periode von Moses bis Esra' ging dieser Kampf im Innern der israelitischen Nation vor, während es sich in den Kämpfen nach außen nur um die nationale und politische Existenz handelte. So wenig ging die Religion Israels selbst bei der Eroberung Kanaans offensiv zu Werke, daß, während das mosaische Gesetz den Individuen aller Nationen (mit wenigen Ausnahmen, 5. Mos. 23, 4—9.) den Eintritt in „die

Gemeinde des Ewigen" gestattete, nur durch Hinterlist die Gibeoniten als eine Gesammtheit (Jos. 9) in den Bund eintreten konnten. Aber das Heidenthum drang von außen immer wieder in Israel ein und so mußte die Religion des Einzigen mit ihm um ihre Existenz ringen. Das Beispiel, welches bezeichnend genug durch die Aufstellung des ägyptischen Kalbes am Fuße des Sinai gegeben worden, wurde bis zur Zerstörung des ersten Tempels immer wieder= holt. Aber es war stets ein von außen hereingebrachtes Heiden= thum, denn das israelitsche Volk hat kein solches aus sich selbst geschaffen: es waren immer ägyptische, syrische und phönizische Götzen, deren Altäre in Israel aufgerichtet wurden. Der Kampf um die Religion im Innern Israels nahm unter den Königen bis= weilen auch einen politischen Charakter an und die Volkspartei mit den Propheten an der Spitze stand der monarchischen und aristokratischen gegenüber. Das Königthum zerbrach, das Volk blieb und verbannte mit der Herstellung des zweiten Tempels das Heiden= thum aus seiner Mitte. Von da ab begann der Kampf um die Existenz des Judenthums gegen außen. Vorspiele zu diesem hatten sich schon während des babylonischen Exils ereignet und so viel oder so wenig Geschichtliches an der golbenen Bildsäule des Baal mit dem Marthyrium im feurigen Ofen und an der Löwengrube des Daniel sein mag, so viel geht sicherlich daraus hervor, daß hiermit gewaltsame Angriffe auf die Religion der Exulanten verbunden waren, welche aber glücklich zurückgewiesen wurden. Es erfolgten als erstes Beispiel eines echten Religionskrieges die makkabäischen Kämpfe, in denen es nichts anderes als die Existenz des Juden= thums galt, da der Syrerkönig die politische Herrschaft schon vorher besaß. Jedermann weiß, wie glücklich Juda damals die Waffen für seine Religion führte. Später geschah auch die einzige Ausnahme einer religiösen Offensive, nämlich gegen die Idumäer, welche unter Johann Hyrkan zum Judenthume gezwungen wurden. Sie schenkten ihm dafür die Herodianer, welche die hasmonäische Familie ent= thronten und den Untergang Judas vorbereiteten. In den Römer= kriegen bildete die nationale Existenz und Freiheit den Schwerpunkt, wenn auch religiöse Motive durch die römische Zwingherrschaft genugsam eingemischt wurden. Auch ließen die Römer die zerstreuten Juden in ihrer Religion und ihren Sitten gewähren, besonders nachdem die Aufstände der Juden aufgehört hatten. Sie verließen ihnen sogar das römische Bürgerrecht, und ohne Zuthun der Juden selbst schuf sich das jüdische Wesen unter diesen Verhältnissen bei den Römern vielfachen Eingang.

Der Kampf um das Judenthum begann erst wieder mit dem Zeitpunkt, wo das Christenthum das antike Heidenthum besiegt hatte, und hat seitdem nicht wieder aufgehört. Das Christenthum besiegte das Heidenthum gänzlich, das Judenthum nicht. Ebenso wenig gelang dies dem Islam. Die Geschichte hat eben hiermit erwiesen, daß das Heidenthum im Sterben lag und schnell abstarb, das Judenthum aber das kräftigste Leben in sich trug, das kräftigste sagen wir, denn einer so ungeheuren Majorität, wie sie den beiden herrschenden Religionen zu Gebote stand, und dem gewaltigen Fana= tismus gegenüber, der in beiden obwaltete, konnte nur eine poten= zirte Lebenskraft, die alle Glieder des Judenthums beseelte, und ein außerordentlicher Geist, der das ganze Judenthum erfüllte, sich bestehend erhalten.

Sehen wir nun, welches Mittel bei einem solchen Kampfe seitens der angreifenden Parteien verwendet werden konnten. Sie mußten sein: 1) die Gewalt, 2) der Druck und die Belohnung, 3) die Ueber= zeugung. An den beiden ersten ließen es beide gegnerische Religionen nicht fehlen, betreffs des dritten war der Islam lässig und indolent. Die Gewalt allein richtete gegen das Judenthum gar nichts aus und konnte es auch nach der Lage der Dinge nicht. So epidemisch die blutigen Judenverfolgungen auch zu Zeiten waren und in ge= wissen Epochen von Landschaft zu Landschaft sich verbreiteten, so machte doch die außerordentliche Zerstreuung der Juden eine völlige Ausrottung derselben unmöglich. Dazu hätte es einer vollständigen gemeinsamen Verabredung und einer so allgemeinen Barbarei und blutgierigen Unduldsamkeit bedurft, wie sie in den Verhältnissen der Völker und in der Natur der Menschen unmöglich sind. Schon daß die Juden nicht blos in den christlichen, sondern auch in den islamitischen Ländern verbreitet waren, mußte ihr Schutz sein, weil sie aus den einen immer wieder in die anderen flüchten konnten, wie dies auch faktisch geschah. Wenn auch eine Periode im allge= meinen den Geist des Fanatismus trägt, so wird es selbst in einer solchen immer maßgebende Personen geben, welche sich zu solchen Gräuelthaten nicht entschließen können und bei aller Aufrichtigkeit ihrer Glaubensmeinungen doch den Bekennern anderer Religionen

Leben und Wohnstätte nicht versagen mögen. So viele Tausende daher auch jenen gewaltthätigen Verfolgungen zum Opfer fielen, wie manche größere oder kleinere Zahl von Juden den Uebertritt sich abzwingen ließ, im großen Ganzen konnte hierdurch nichts ausgerichtet werden und das Judenthum bestand diese Feuerprobe in glänzendster Weise.

Ein anderes Mittel war der Druck, die Ausschließung, Hohn und Verachtung. Sie wurden im reichlichsten Maße angewendet. Sie begannen mit den Dekreten der römischen Kaiser von Constantin an und lagen in der Natur des Islams, der seinen Staat allein auf dem Boden des Korans aufrichtete. Mit diesem Druck war unmittelbar die Belohnung des Uebertritts verbunden, da der letztere sofort die Befreiung von allem Druck und aller Ausschließung zur Folge hatte. Aber auch nicht selten waren reelle Belohnungen auf den Abfall vom Judenthume gesetzt. Dieses zweite Mittel hatte aber die entgegengesetzte Wirkung, als in der Absicht und Erwartung lag. Denn gerade durch alle jene Beschränkungen und Ausschließungen wurden die Juden eine abgeschlossene, kompakte Masse, die ein intensives Sonderleben führte und für die Einflüsse und Eindrücke von außen unzugänglich war. Wenn es, wie es offenbar ist, die Absicht der göttlichen Vorsehung war, das Judenthum zu erhalten, damit es in seiner Hülle die reine Gotteslehre mit ihren Konsequenzen für zukünftige Zeiten bewahre, so konnten die Menschen ihr durch kein zweckmäßigeres Mittel zu Hülfe kommen, als durch die Bedrückungen und Ausschließungen, denen sie die Juden anderthalb Jahrtausende hindurch unterwarfen. Darum waren alle Verlockungen und Belohnungen durch den auf den Uebertritt gesetzten Preis völlig unwirksam und die Beispiele der Würden und Ehren, welche getaufte Juden erhielten, fanden nur Abweisung und höchst geringe Nachfolge. Erst dann hatten Beschränkungen einigen Erfolg bei einer Zahl Individuen, wenn die sonstige bürgerliche und geistige Ausschließung aufgehört hatte, wenn die Juden am geistigen und öffentlichen Leben einen freien und vollen Antheil hatten, ihnen aber alle öffentlichen und höheren Lebensberufe verschlossen blieben. Da konnte, um eine Wirksamkeit und gute bürgerliche Existenz zu erlangen, mancher Jude sich nicht enthalten, den Schlüssel zur verschlossenen Pforte in die Hand zu nehmen und sich so den Eingang zu öffnen. Es geschah dies in der arabischen und spanischen Periode wie in der Gegenwart. So schmerzlich dies auch war, konnte es auf das Judenthum im ganzen keinen wesentlichen Einfluß üben.

Wenn aber Gewalt und Druck immerhin mehr oder weniger eine Anzahl Individuen vom Judenthume losrissen, so war das dritte Mittel der Ueberredung und Ueberzeugung noch viel unwirksamer. Es liegt dies in dem Wesen der Religionen selbst. Wir polemisiren hier nicht, sondern geben die Thatsachen, wie sie sich unzweifelhaft herausgestellt. Das Judenthum ist eine positive Religion mit festgestalteter, geschichtlicher und konkreter Erscheinung. Ja, ihr geschichtlicher und konkreter Boden ist ein weit älterer und in freier Entwickelung gewordener aus dem eigensten Geiste heraus. Sie bietet also ihrem Bekenner alle die Vortheile und Vorzüge, welche in einer positiven Religion liegen, alle die Reize und Mittel, die den Menschen an eine solche fesseln. Auf diesem Boden aber erhebt sich im Judenthum eine Lehre, welche dem Verstande nicht widerspricht und mit der das Herz sich in Uebereinstimmung fühlt; weder die Folgerungen der Vernunft noch die Gefühle des Herzens treten mit ihr auf dem Grunde der Gottgläubigkeit in Widerstreit. Anders verhält es sich im Christenthume, wo die Lehre wesentlich in Mysterien besteht, welche dem Verstande widerstreben und daher das volle unbedingte Glauben in Anspruch nehmen müssen. Dem geborenen Christen, der in seiner Religion erzogen worden ist, mag dies keine Schwierigkeiten machen, für den Bekenner des Judenthums aber ist es ein Hinderniß, das zu überwinden oder zu beseitigen eine ganz eigenthümliche und gewiß seltene Geistesstimmung und Geistesrichtung erfordert. Wie soll sich der Jude von der älteren zu der jüngeren Religion wenden, wenn er dabei alle seine gewohnte Geistesthätigkeit ändern, aufgeben und gefangen geben soll? wenn er das, was ihm die Lehre seiner Religion in Uebereinstimmung mit seinem Verstande und Herzen eingeprägt hat, gegen ein anderes vertauschen soll, was damit in gänzlichem Widerspruch steht und wozu er eines Geistesmomentes bedürfte, das ihm bis jetzt fremd war? Missionäre, Predigten und Schriften hatten daher bei den Juden ein Minimum von Wirkung, noch dazu, wenn sich zu jenen keine anderen Motive gesellten. Es ist dies eine von der christlichen Welt selbst jetzt so anerkannte Thatsache, daß wir nicht weiter dabei zu verweilen brauchen und daß es jetzt wohl nur noch verblendete Fanatiker sind, welche den Juden die früher so beliebte „Hartnäckigkeit" vorwerfen, während es ganz in der Sache selbst lag, daß der Erfolg kein anderer sein konnte.

Dies waren die bisherigen Kämpfe um das Judenthum. Sie wurden mit einer Energie und Ausdauer seitens der Juden bestanden, denen der Erfolg nicht ausblieb. Nun ist zwar die Anwendung der Gewalt und des Druckes gegen das Judenthum noch nicht ganz geschwunden; aber die erstere ist selten, nur lokal und gegen einzelne Individuen gerichtet, und der zweite weicht den Forderungen der Gerechtigkeit und der Bildung der Zeit immer mehr. Wir haben daher nach diesen Richtungen hin noch immer zu kämpfen und eine sorgfältige Wacht zu üben, aber wir sehen doch den Fortschritt Tag für Tag und ihr allmähliches Verschwinden eröffnet uns die Aussicht auf ein gänzliches Aufhören. Darum aber hat der Kampf selbst noch nicht aufgehört, sondern der Schauplatz und die Mittel sind nur verändert. Der Kampf ist wieder weniger gegen direkte Angriffe von außen gewendet, als er sich vielmehr durch Elemente von außen im Schooße der Bekenner des Judenthums abspielt. Denn nicht mehr geht die Offensive von den anderen bestehenden Religionen und Kirchen aus, als vielmehr vom Leben und von der Wissenschaft. Die Juden sind mit der ihnen gewordenen Freiheit aus ihrem früher enggeschlossenen Kreise herausgetreten; sie sind in den allgemeinen Kreis des menschheitlichen Lebens eingegangen; sie nehmen nach ihrem Maße am großen, öffentlichen und allgemeinen Leben einen vollen Antheil. Der Einfluß in religiöser Beziehung hiervon ist für das Judenthum ein zwiefacher. Alle gegnerischen, ja feindseligen Wirkungen, welche das allgemeine Leben und die Wissenschaft auf die positiven Religionen überhaupt üben, treffen auch auf das Judenthum. Aber indem dieses zugleich die Religion einer Minorität ist, darum an und für sich schon einer besondern Kraft und Stärke bedarf, um dem allgemeinen Strome widerstehen zu können, wird es von jenen Einflüssen noch stärker betroffen. Machen wir uns dies noch deutlicher. Das Menschengeschlecht ist bei einer Zeitperiode und auf einer Entwickelungsstufe angelangt, wo es vorzugsweise auf eine Entwickelung zu einer Allgemeinheit hinstrebt. So wenig wie jemals die Individualität der Menschen aufhören wird, jemals diese ihre Geltung aufgeben kann: ebenso wenig wird auch die Besonderheit in allen einzelnen Erſcheinungen, welche zuſammen das menſchliche Leben ausmachen, aufhören und ihr beſonderes Leben entbehren wollen und können. Gerade darum findet ſich in den verſchiedenen Geſchichtsepochen nacheinander ein Schwanken der Menſchheit zwiſchen der vorzugsweiſen Entwickelung alles beſondern und des allgemeinen Lebens. Wenn ſich im Alterthume die friſchen Nationalitäten in den geſondertſten Anlagen, Richtungen und Sphären aufs kräftigſte entwickelten, ſo trat doch zuerſt mit der durch Alexander den Macedonier begründeten Herrſchaft der Griechen und dann mit der wachſenden Erweiterung der Römerherrſchaft ein Streben nach einer Allgemeinheit des menſchheitlichen Lebens ein, in welche alle beſonderen Erſcheinungen des Alterthums aufgingen. Dahingegen entfaltete ſich auf dem neuen Boden der durch die Völkerwanderung ausgebreiteten friſchen Völkerfamilien ein Leben der Beſonderheiten, wie es ſtärker noch nicht dageweſen, ſo daß nicht allein die Nationen, ſondern innerhalb derſelben die verſchiedenen Stände bis zu den einzelnſten Gewerben herab ein beſonderes corporatives Leben ſich herſtellten. Dieſen gegenüber erhielten nur die Kirche, die politiſchen Verhältniſſe und endlich mit dem Wiedererwachen der Wiſſenſchaften dieſe das allgemeine Leben noch aufrecht. Von hier aus aber eröffnete ſich mit dem 15. Jahrhundert eine neue Richtung, welche, dem ſtarken und überwuchernden Leben der Beſonderheiten gegenüber, die Menſchheit in noch nicht dageweſenem Maße in das allgemeine Leben hineinführte und drängte. Die großen Bewegungen der Geiſter, die wachſende Ausdehnung der politiſchen Verhältniſſe, gewaltige Erfindungen und Entdeckungen, eine neue Entfaltung des induſtriellen Lebens und der Druck, welchen die abſterbenden Inſtitutionen jenes Sonderlebens übten, vereinigten ſich, um den letzteren den Krieg zu erklären, ſie im Laufe der Zeiten immer mehr zu zerſetzen und aufzulöſen und ein überwiegend allgemeines Leben zu ſchaffen. Auf allen Gebieten hörte das geſonderte und durch geſchriebene oder ungeſchriebene Privilegien geſchützte corporative und abgeſchloſſene Daſein auf, und das politiſche, induſtrielle und wiſſenſchaftliche Leben nahm nach allen Seiten hin einen ſo ungeheuren Aufſchwung, daß alle diejenigen davor untergehen mußten, welche ihren beſondern Standpunkt feſthalten wollten. Das Streben, bewußtes und unbewußtes, geht vielmehr dahin, daß jede Beſonderheit nur diejenige Geltung und denjenigen Beſtand behalten solle, welche sie nach ihrem innern Werthe, nach dem Bedürfniß und der Nothwendigkeit besitzt. — Aus dieser vorherrschenden Richtung ergab es sich, daß sowohl jedes einzelne Gebiet so außerordentlich angebaut wird, daß es alle Geisteskräfte des Individuums für sich concentrirt und beansprucht, als auch die Strömung des Geistes immer nach dem Allgemeinen, Kosmopolitischen gewendet ist. Das politische, industrielle und wissenschaftliche Leben occupiren den Fachmann fast ganz und werfen wiederum große Elemente in das Leben aller. Hierdurch werden aber die Geister wie von der Einkehr in sich selbst überhaupt, so vom Religiösen überaus abgezogen; die Aufmerksamkeit ist vorzugsweise auf jene Felder der Thätigkeit gerichtet und läßt dem Innerlichen und dem religiösen Wesen wenig Raum; mit der großen extensiven Spannung hat die Seele an der intensiven Spannung verloren, und so vereinigt sich die Richtung ins Allgemeine, welche den besonderen Erscheinungen keinen Raum gönnen will und ihnen ihr Dasein bestreitet, mit der Mächtigkeit des Aufschwunges und der Entfaltung auf den einzelnen Gebieten, um dem religiösen Leben den vielfältigsten Eintrag zu thun. Dies sind die zerstreuenden und zersetzenden Wirkungen des Lebens, von denen so oft gesprochen wird, ohne daß man sich deutlich macht, worin sie eigentlich bestehen.

Dasselbe gilt also auch von der Wissenschaft. Auch sie fesselt, gleich z. B. der Industrie, und beschäftigt den Geist des Individuums so sehr, daß er für anderes wenig Raum mehr hat. Welchen einzelnen Zweig jener der Einzelne auch erwählt hat, er gehört ihm und muß ihm so sehr angehören, daß alle Thätigkeit und alles Interesse des Geistes darin absorbirt werden. In der Wissenschaft kommt aber noch ein anderes hinzu: daß sie nämlich in ihren Resultaten so viel Befriedigendes bietet, daß das Bedürfniß nach anderem wenig in der Seele des Individuums aufsteigt, ein Umstand, der bei anderen Beschäftigungen bei weitem weniger der Fall ist. Außer dieser abziehenden Eigenschaft hat aber die Wissenschaft auch Elemente in sich, welche der Religion geradezu feindlich sind. Die inductive Methode der jetzigen Wissenschaft leitet die Geister dazu an, nichts gelten zu lassen, was ihnen nicht durch die Induction faß- und erweisbar erscheint, und macht sie zugleich so stolz und gesteift auf diese Methode und ihre Resultate, daß ihnen alles andere nichtig vorkommt. Es läßt sich erwarten, daß dies nicht immer so bleiben wird, sondern einmal wieder die Grenzen und Schranken, die auch dieser Methode gesetzt sind, ja die sie für den Geist enger aufstellt, als solche überhaupt dem menschlichen Geiste gesetzt sind, erkannt werden. In der Gegenwart aber ist es so, und wir finden gerade darum die Mehrzahl der wissenschaftlichen Männer gleichgiltig, ja abgeneigt für die Religion, weil diese allerdings über die inductive Methode hinausreicht. Ferner liefern einige Wissenschaften Resultate, welche gewissen Angaben und Auffassungen der bisherigen Theologie widersprechen, ohne daß die letztere ihr bisheriges Verständniß irgendwie aufgeben will. Eine Vermittelung ist bis jetzt noch wenig angestrebt worden, wird vielmehr von beiden Seiten noch immer zurückgewiesen, und da die Verwechslung der Religion und der Theologie noch immer allgemein ist, so widerstreben einander die Männer der Wissenschaft und der Theologie aufs heftigste. Endlich ist es nicht zu verkennen, daß insbesondere die Naturwissenschaften eine vorwiegende Richtung zum Materialismus genommen haben. Diese Erscheinung ist nicht neu in der Menschenwelt und tritt nach der Erfahrung immer ein, wenn großartige Entdeckungen auf diesem Gebiete gemacht worden sind und die Forschung im Detail in die innersten Werkstätten der Natur eingeführt zu haben scheint. Demjenigen, welcher über den Details sich zu halten vermag, wird es immer klar sein, daß wir stets in den Außenkammern verbleiben und die Natur uns doch nur bis zu den eigentlichen Incidenzpunkten kommen läßt, wo die Forschung die Fragestellung immer deutlicher macht, ohne jedoch die Antwort finden zu können. Diese Erkenntniß ist aber nicht die Sache aller, und darum verfallen so viele glückliche und sonst so geistreiche Forscher dem Materialismus.

Wie nun das Leben und die Wissenschaft in der obengezeichneten Weise der Religion überhaupt und den positiven Religionen insbesondere großen Abbruch thun, so muß sich dies auch für das Judenthum fühlbar machen, und um so mehr, weil dieses seiner Natur und seinen Verhältnissen nach eine stärkere Bethätigung in Anspruch nehmen muß. Nach außen wie für die Erhaltung und Belebung seiner Institutionen bedarf es einer größeren Opferfähigkeit. Die Symptome dieser Umstände liegen in dem so oft beklagten Wachsthume des religiösen Indifferentismus, der einerseits das religiöse Leben schwächt, andererseits manchen Individuen den Abfall von der Religion leicht macht, weil für diese in ihrem Herzen nichts mehr pulſirt. Darin iſt daher der gegenwärtige Kampf um das Judenthum enthalten. Wenn wir hiermit ausſprachen, daß dieſer Kampf größere Schwierigkeiten für das Judenthum hat, ſo wollten wir doch nur ſagen, daß dieſe in den äußeren Momenten als für eine Religion der Minorität beſtehen. Andererſeits iſt dieſer Kampf dem Judenthume wieder leichter, weil die Vernunftmäßigkeit ſeiner Lehre und die ihm gegebene Freiheit, welche dem Individuum keinen Zwang auferlegt, der Richtung unſerer Zeit lange nicht ſo ſchroff entgegentreten, wie es für die anderen Kirchen der Fall iſt, und es ſich daher viel leichter mit der Zeitſtrömung und ihren Reſultaten ausgleichen kann, als dies den anderen wird. Darum eben iſt es ein glücklicher Umſtand, daß gerade vor und mit dem Eintritt ſeiner Bekenner in das allgemeine Culturleben auch in ſeinem Innern eine neue Geiſtesentwickelung begann, welche eine neue Belebung ſeines Lehr- und Gedankeninhalts, eine wiſſenſchaftliche Durcharbeitung ſeiner Geſchichte und ſeines Inhalts, eine Umgeſtaltung ſeines Ceremonialweſens und eine friſchere Auffaſſung ſeiner weltgeſchichtlichen Miſſion begonnen und ſomit für ſich ſelbſt den regſten Antheil an der Entwickelung und Richtung des modernen Geiſtes errungen hat. Fragen wir alſo ſchließlich, welche unſere Mittel in dem neueren Kampfe um das Judenthum ſind: ſo liegen ſie nicht in einem feindſeligen Auftreten gegen das Leben und die Wiſſenſchaft, nicht in der Forderung einer „Umkehr“ des Lebens und der Wiſſenſchaft, ſondern darin, daß wir den lebendigen und ſchöpferiſchen Geiſt des Judenthums zu einer neuen Entfaltung bringen und vermittelſt ſeiner die Ausgleichung und Verſöhnung mit dem Leben und der Wiſſenſchaft anſtreben. Je reicher wir den Inhalt des Judenthums entwickeln, die Schätze der Vergangenheit ans Tageslicht heben, die Fülle des modernen Geiſtes aus Leben und Wiſſenſchaft für das Judenthum verwenden, das Veraltete und Mißbräuchliche beſeitigen und das Judenthum in Weſen und Form klären: deſto leichter werden wir Lauigkeit und Gleichgiltigkeit beſeitigen, Anhänglichkeit, Treue und Beeiferung wieder erwecken und die Feindſeligkeit der Extremen überwinden. Wie viel hierin, obgleich wir erſt am Anfang ſtehen, ſchon geſchehen iſt, erkennt der, welcher nicht blos an einzelnen Perſonen und Kreiſen mit ſeinem Blicke hängt, ſondern das große Ganze zu überſchauen vermag. Gerade das Judenthum enthält trotz ſeiner ausgeprägten Beſonderheit viele Momente, welche mit

dem Geiste unserer Zeit zusammentreffen, und je kräftiger diese er-
faßt werden, desto erreichbarer ist die Ausgleichung.

Der Kampf ist also da. Ihn eingestehen ist besser als ihn
ignoriren. Krisen bleiben nicht aus. Aber auch die Mittel und
das Ziel sind vorhanden. Jene liegen in den ewigen Wahrheiten
und dem dauernden Bedürfniß, die keine Zeit und keine Richtung,
keine Entwickelung und kein Erfolg zu verdrängen vermögen; dieses,
das Ziel, ist dem Judenthume von seinem Beginne an auf sein Panier
und seine Standarte geschrieben. Daß aber dem Judenthume die
rechten Geister zur rechten Zeit niemals fehlen werden, dafür stehen
die Bürgschaften ein, welche uns die göttliche Vorsehung in unserer
langen Geschichte gegeben hat.

XVII.

Das Verhältniß des Judenthums zur katholischen Kirche.

Das Judenthum verlangt keine Abrechnung mit der katholischen Kirche, es fordert nicht, daß für die lange Reihe von Leiden, Verfolgungen, Martyrien, die seinen Bekennern im Namen der katholischen Kirche bereitet worden, eine Vergeltung, oder ihm, dem Judenthume, eine Entschädigung werde. Niemals hat das Judenthum, sei es durch Proselytenmacherei, sei es durch heftige polemische Angriffe der katholischen Kirche eine Schädigung verursachen wollen, oder zu verursachen versucht. Allerdings haben sämmtliche aus dem Judenthume hervorgegangenen Religionen und Kirchen gegen dasselbe sofort einen heftigen Krieg unternommen, indem sie in der Fortexistenz des Judenthums eine stillschweigende Opposition gegen sich erblickten; aber sie alle haben nach und nach ihren Frieden mit dem Judenthume geschlossen, selbst der Islam durch die bekannten Hattischerifs der letzten Sultane; ausgenommen die katholische Kirche. Sie alle haben ihre Ausschließlichkeit aufgegeben, den Grundsatz der Gewissensfreiheit anerkannt, und daher dem Judenthume die Berechtigung seiner Existenz zugestanden, ausgenommen die katholische Kirche. In der Wirklichkeit haben sogenannte katholische Staaten, d. h. Staaten, in denen die Mehrheit ihrer Bürger der katholischen Kirche angehört, den Juden die volle Gleichberechtigung und dem Judenthume die völlige Gleichstellung, zum Theil früher und in vollerem Maße als protestantische Staaten gewährt. Frankreich und Belgien sind hierin allen festländischen Staaten vorangegangen, und noch jetzt ist außer diesen keiner vorhanden, der so bedeutende Staatsmittel auf die Erhaltung des jüdischen Cultus verwendet, und der neue italienische Staat folgt diesem Beispiele. Aber ganz anders die katholische Kirche, welche, nachdem alle Schrecken der Inquisition und ihrer Scheiterhaufen, alle Arten der Ausschließung, alle Künste des Druckes erfolglos über die Juden gebracht worden, ihre feindlichen Gesetze noch heute aufrecht erhält, ihre feindliche Gesinnung noch heute bethätigt, ihre feindlichen Vorurtheile noch heute proclamirt. Keines ihrer Dekrete, keines ihrer Verbote, keine ihrer Ausschließungen, die sie in so entsetzlicher Fülle gegen die Juden und das Judenthum geschleudert, hat sie zurückgenommen, keine ihrer judenfeindlichen Institutionen aufgehoben. Was indessen geschehen ist, hat sie geduldet, weil sie es nicht hindern konnte; aber wie sie die weltliche Macht von dem Augenblicke an, wo und wie sie ihr zu Gebote stand, benutzte, um die Juden zu erdrücken, so hat sie dies nur seitdem und da nicht gethan, wo diese weltliche Macht sich ihrer Dienstbarkeit entzog. Würde sie heute dieselbe wieder in die Hand erhalten, es würde abermals gegen die Juden erfolgen, was so viele Jahrhunderte hindurch geschehen ist.

Wir schreiben dies mit tiefer Betrübniß nieder, da durchaus keine Gehässigkeit unsere Feder führt, da es der Friede, nicht der Kampf ist, der uns als Ziel unseres Strebens vorschwebt, da die katholische Kirche nächst dem Judenthume die älteste bestehende Confession ist, und da es nicht unsere Wahl ist, nur aus der Schwächung des Einflusses der katholischen Kirche unseren Schutz und unsere Sicherheit erwarten zu müssen. Aber die Thatsachen sprechen allzu laut. Wir brauchen nicht allein an den Kirchenstaat zu erinnern, an die 4500 Juden, die im Ghetto zu Rom am sumpfigen Ufer des Tibers schmachten, und den drückendsten und verhöhnendsten Ausschließungen und Lasten unterzogen sind; nicht allein an die zahlreichen Fälle, die gerade in der neuesten Zeit geschahen, wo durch Diener der katholischen Kirche jüdischen Eltern ihre Kinder geraubt, diese widersetzlich getauft, eine solche Taufe für unaufhebbar erklärt und unter dem Vorwande der katholischen Erziehung diese Kinder ihren Eltern dauernd vorenthalten wurden. Solches geschah nicht blos im Kirchenstaate, sondern auch in Frankreich und in Rußland. In dem ersteren wurde der Vorfall von der höchsten katholischen Stelle aus sanctionirt; in Frankreich, wo dergleichen vom staatlichen Gesetze bestraft wird, übt man tausendfältige Intrigue und Täuschungen aller Art, um zum Ziele zu kommen; in Rußland hofft man, daß das Staatsgesetz die Schuldigen nicht erreiche, weil es im Schooße des katholischen Polens nicht vollkräftige Werkzeuge finde. Noch heute also wird von der katholischen Kirche es als ein Recht constatirt, mit den Kindern der Juden nach Belieben, selbst der untergeordnetsten Menschen, wie Dienstmädchen, Ammen u. dgl. zu verfahren, und gegen die Eltern die schreiendste Gewaltthätigkeit zu verüben. Noch heute will man die heiligsten Ceremonien der Kirche von Ammen und Kindermädchen in gültiger Weise üben lassen, wenn sie gegen Juden geübt werden, wenn man Judenkinder dadurch in die Gewalt erhalten kann. Es ist dies eine Anklage, die nicht wir erheben, nicht wir formuliren, sondern die von den bedeutendsten Geistlichen der katholischen Kirche als wirkliches kanonisches Gesetz ausgesprochen und bethätigt worden. Wir brauchen ferner kaum zu erwähnen, wie von katholischen Kirchenfürsten erst in der letzten Zeit die Verbote, daß Juden christliche Dienstboten halten, erneuert und ihren Sprengeln eingeschärft wurden. Wir weisen darauf hin, daß der katholische Clerus, der Papst an der Spitze, durch Encyclica, Syllabus, Allocutionen, Bullen u. s. w. gegen die Glaubensfreiheit, die Gleichberechtigung, die Gleichstellung der Culte als Werk des Satans alle geistlichen Waffen führen, diese Prinzipien verdammen, verketzern, bekämpfen. Und würde man hierbei stehen bleiben? Wir müssen mehr sagen. Die katholische Kirche ist beflissen, alle die alten Vorurtheile, die Fanatismus und andere Leidenschaften gegen die Juden erfunden, scheußliche Mährchen, immer wieder aufzufrischen und sie ja nicht untergehen zu lassen. Hier ein Beweis. Die „Voss. Ztg." berichtet aus Brüssel vom 21. Juli 1861 Folgendes:

„Eine Feierlichkeit, welche heute in der Cathedrale St. Gudula unter dem Vorsitze des Cardinal-Erzbischofs von Mecheln gehalten worden, ist die Wiedereinsetzung der andächtigen Brüderschaft von den wunderbaren Hostien. Wie Sanderus in seinem Werke: Brabantia sacra und andere Autoren erzählen, hätten die Juden aus der hiesigen Katharinenkirche ein Ciborium mit Hostien stehlen lassen, wo sie dann am Pfingsttage des Jahres 1370 in der Synagoge zusammenkamen, diese Hostien schmähten und mit Dolchen durchstießen, worauf aber klares Blut aus den Hostien geflossen sei, worüber die Juden sich so entsetzten, daß sie eine Frau mietheten, um die blutigen Hostien nach Cöln zu tragen. Die Sache wurde jedoch ruchbar, und Herzog Wenzel von Brabant ließ die Juden ergreifen, auf die Folter bringen, und sie dann lebendig auf dem Scheiterhaufen verbrennen. Und die Erinnerung an diese abscheuliche Geschichte, wobei es sich nur um das Geld der unglücklichen Schlachtopfer handelte, wird im Jahre 1861 aufgefrischt und durch eine Bruderschaft verewigt, von welcher der Herzog von Aremberg der Prevot ist, während man sogar die Stelle der Prevotin der Herzogin von Brabant zugedacht hatte, nur daß sie anzunehmen der hohen Dame von dem Könige untersagt worden ist." —

So weit die „Voss. Ztg." Glaubt man wirklich, der jetzigen Zeit noch einreden zu können, daß die Juden jemals Hostien gestohlen, um sich an diesen für die Gräuelthaten zu rächen, die man an ihnen verübte? Wähnt man wirklich, der Welt noch heute glauben zu machen, daß aus zerstochenen Hostien Blut geflossen? und meint man in der That, daß die Welt jemals annehmen werde, der Herzog von Brabant habe aus purer Glaubensinnigkeit die wehrlosen, aber begüterten Juden gefoltert und verbrannt? Daß man noch immer einige blinde Werkzeuge für dergleichen Wahngebilde findet, möge nicht zu der Meinung verleiten, daß die Welt jemals wieder zu solchem Aberglauben zurückkehren, oder dieser sich nur durch einen großen Theil der Menschheit wieder verbreiten lassen werde!

Was in obigem Vorgange stets zu erneuern sich die katholische Kirche also noch heute bereit erwiesen hat, das läßt sie, wie man voraussetzen kann, überall bestehen, wo es noch bestehen bleiben will, und an vielen Orten, z. B. in Bayern, werden noch Wallfahrten und kirchliche Feste gefeiert, die zum Andenken an wunderbare Erscheinungen eingesetzt worden, welche, man kann sich denken von was für Zeugen oft, gesehen wurden, als Juden mit Hostien ihr Spiel getrieben haben, d. h. als man Juden plündern und morden wollte. Die katholische Kirche nimmt nichts von alledem zurück, und wenn dieser Schatz sich jetzt nur langsam vermehrt, und zum größeren Theile unbenutzt liegen bleibt, so ist dies nicht ihre Schuld, sondern die der schlechten, den Werken des Satans hingegebenen Welt, welche sich unterfängt, Recht und Barmherzigkeit, Vernunft und Thatsache gelten zu lassen. Die Stellung des Juden-

22 *

thums und der katholischen Kirche ist hierdurch bestimmt. Das Judenthum existirt unter dem Schutze der menschheitlichen Civilisation; die katholische Kirche steht im Gegensatz zu dieser. Die Resultate der menschheitlichen Entwickelung kommen dem Judenthume zugute und es ist auf sie angewiesen; die katholische Kirche bekämpft dieselben mit aller ihr noch einwohnenden Kraft. Den weiteren Verlauf wird die Weltgeschichte verzeichnen.

XVIII.

Das Verhältniß des Judenthums zur protestantischen Kirche.

Die protestantische Kirche ist gegen die Juden niemals 'mit dem Feuer und dem Schwerte der Inquisition aufgetreten, und wenn auch von Zeit zu Zeit in protestantischen Ländern Volks= aufläufe gegen die Juden vorkamen, auch hier und da an solchen ein protestantischer Geistlicher nicht ganz unbetheiligt war, so kann dies doch der Kirche selbst nicht zugeschrieben werden, welche niemals eine Vertilgung der Juden mit Stumpf und Stiel gefordert, nie= mals eine allgemeine Zwangstaufe verlangt, ja selbst eine Ver= treibung nicht ernstlich geprebigt hat. Liegt es doch auch nicht in dem Wesen der genannten Kirche, die Taufe als niemals zurück= zunehmen anzusehen, so daß auch eine protestantische Gesetzgebung die Rückkehr eines getauften Juden zu seiner väterlichen Religion nicht untersagen kann. Der von der katholischen Kirche ausgesprochene, und so weit ihr die weltliche Gewalt zu Gebote stand, konsequent festgehaltene Grundsatz der Unduldsamkeit ist in solchem Maße der protestantischen Kirche nicht zu vindiziren, wie dies auch in ihrem Ursprung und ihrer geschichtlichen Entwickelung begründet liegt.

Was hingegen die bürgerliche Gleichberechtigung der Juden, oder gar die Gleichstellung des jüdischen Kultus betrifft, so steht die protestantische Kirche mit der katholischen auf gleicher Linie. Allerdings ist bekanntlich die protestantische Kirche in ihrer Doktrin durchaus keine abgeschlossene, vollständig tradirte, festgegliederte; die Geltung der Autorität ist in ihr eine sehr schwankende, und es könnte daher sehr wohl die unbedingte Toleranz von einer Partei dieser Kirche als mit ihr völlig übereinstimmend deduzirt werden; auch gab es schon protestantische Geistliche genug — nennen wir vor Allen Herder — welche der Gleichberechtigung der Juden das Wort gesprochen, wie es deren ja auch einige unter den katholischen gegeben. Vielmehr kommt es bei der protestantischen Kirche auf den allgemeinen Geist der Kirche und die Ansichten der Majorität ihrer Diener, die von jenem unmittelbar inspirirt werden, an. Und da kann Zwiefaches nicht fraglich sein, erstens, daß die Kirche die Ausschließung der Juden vom Staats= und städtischen Dienste, von aller Betheiligung am öffentlichen Leben, insbesondere von passivem und aktivem Wahlrecht befürwortet, und nur bedingungs= weise die Zulassung in die Innungen gestattet; zweitens, daß sie die Proselytenmacherei als ihr Recht und ihre Pflicht ansieht. Wir brauchen hierfür keine Beweise zu bringen, es sind lediglich That= sachen. Die Erfindung gerade der protestantischen Kirche ist der „christliche Staat", der in der ganzen Unbestimmtheit seines Be= griffs nichts Positives als die Ausschließung der Juden hat. Die katholische Kirche will den Staat sich untergeordnet, seine Gesetz= gebung dem kanonischen Rechte accommodirt wissen — dies ist kon= kret und faßbar. Die protestantische Kirche will die Identität des Staates und der Kirche, die sie „christlichen Staat" nennt — und dies ist eine Fiktion, da die protestantische Kirche ihrer Natur nach gar nichts Weltliches enthält. Daher die Erscheinung, daß die Staaten, deren Bevölkerung vorzugsweise protestantisch ist, auf dem Wege der Emanzipation der Juden von den protestantischen Geist= lichen und deren Partei stets viele Hindernisse erfuhren, während am Ende die Kirche selbst gar nicht davon berührt wird, was hin= sichtlich der katholischen Kirche allerdings ganz bestimmt der Fall ist. Was aber so der protestantischen Kirche auf der einen Seite fehlt, das ersetzte sie auf der andern, und während die katholische ihre Propaganda zumeist nach den Ländern der Heiden und Moha= medaner, oder gegen den Protestantismus selbst wandte, hat es die protestantische vorzugsweise mit der Proselytenmacherei unter den Juden zu thun. Sie hat diese auf alle mögliche Weise versucht: auf dem Wege der Bekehrung, auf dem sie einen höchst geringen Erfolg gehabt; auf dem der Bestechung durch Belohnung an Geld, Förderungen und Unterstützungen, wo sie allerdings einen größeren, vielfach jedoch nur zweideutigen Erfolg erlangte; endlich durch mora= lischen Zwang, indem der Staat eine Reihe von Carrièren den Juden auf dem Wege des Gesetzes oder der Verwaltung verschloß, wohl auch auf ächt macchiavellistische Weise gewisse Laufbahnen den Juden öffnete, nach einigen Jahren aber wieder absprach, so daß die Jünglinge, die sich unterdeß solchen gewidmet hatten, in die grausamste Versuchung gebracht wurden. Beispiele hiervon liegen uns noch ganz nahe, ja reichen noch in die Gegenwart hinein. Die letztere Art von Praktiken ist uns Seitens der katholischen Kirche nicht bekannt. Nachdem dies Alles aber im Großen und Ganzen nichts gefruchtet und zuletzt immer nur eine Anzahl trockener Blätter von dem lebensfrischen und kräftigen Stamme abgeschüttelt hat, fängt man es jetzt auf eine neue Weise an. Die ungeheuren Geldopfer der Missionsgesellschaften, insonders der englischen, die List und der staatliche Zwang richteten der Energie des Judenthums gegenüber nichts aus; selbst auch, worauf viele Staatsmänner hofften, daß die bürgerliche Gleichstellung und eine gewisse soziale Verschmelzung die Juden so gleichgültig gegen ihre Religion machen würde, daß ihnen der Religionswechsel eine Kleinigkeit wäre, erwies sich als falsch. Wohlan, so versuche man es einmal mit Freundschaft und Schmeichelei! Man tritt zu den Juden mit der süßesten Liebenswürdigkeit, erklärt sie für das auserwählte Volk Gottes, für die Nation, welche dereinst an der Spitze aller Nationen stehen und von Jerusalem aus alle leiten und beherrschen solle — um ihnen als nothwendige Bedingung allmählig den Glauben an die Göttlichkeit des Stifters des Christenthums, an die Dreieinigkeit, die Erbsünde, die Erlösung u. s. w. zu insinuiren, mit einem Worte, man taucht den Abfall vom einigen Gotte in den Honig der pietistischen Salbaderei, und glaubt damit die Juden zu fangen. Wie viele Phrasen, wie viele Liebkosungen, Versicherungen von Bruderliebe, von Bewunderung des jüdischen Martyriums läßt man auf die Juden los, die solchen ihnen noch nie gespendeten Worten gespannt lauschen; man will sich mit ihnen vereinigen zur Bekämpfung der Unduldsamkeit, sie sind außer sich über die Mortarageschichte — aber dieselben werden ihnen doch dafür die Kleinigkeit zu Gefallen thun, sich taufen zu lassen!... Nun, das müssen recht dumme Fliegen sein, die sich von solchem Leim fangen lassen; dieser Weihrauch riecht doch so abständig, daß keine feinen Nasen dazu gehören, um sich davon abzuwenden.

Bei genauerer Beobachtung zeigt es sich uns, daß in der protestantischen Kirche drei Hauptschattirungen hervortreten. Die beiden erften gehören vorzugsweife Norddeutfchland, diefer eigentlichen Heimath des Proteftantismus, an, während die dritte mehr in den Ländern zu finden, in welchen jener die Minorität bildet. Die erfte ift die pietiftifche, mit ihren beftimmt formulirten, mhftifchen und dennoch in ftreng firirten Formeln feftgehaltenen Dogmen, die zweite die rationaliftifche, und die dritte eine gewiffe Mifchart, welche die Gläubigkeit mit einem gewiffen Grade von.Vernunft und Gefchichte in einem Halbdunkel zu verfchmelzen ftrebt und hiermit dem ftrengen Formwefen der katholifchen Kirche und der Zerfetzungs= kraft der Philofophie entgegentreten zu können vermeint. Die erfte und zweite Richtung find entfchiedene Feinde des Judenthums und feiner Bekenner, der Pietismus, weil er im Judenthume die ener- gifchefte Verneinung feiner Dogmen erkennt, der Rationalismus weil er im Judenthume den Urfprung des Supranaturalismus zu finden glaubt. Dem Pietiften erfcheint jeder Jude nicht bloß als ein Zeuge wider feine Glaubensfatzungen, die doch feine, des Pieti- ften, ganze Religion ausmachen, fondern auch als eine befondere Verhöhnung und Mißachtung derfelben; dem Rationaliften erfcheint jeder Jude als ein lebendiger Zeuge für den fupranaturaliftifchen Urfprung der Religion. Hierzu kommen noch folgende Neben= momente. Bekanntlich ift nichts leichter und bequemer, als ein proteftantifcher Pietift zu fein. Welch eine Menge von Entbehrun= gen, Kafteiungen und frommen Uebungen gehört dazu, anf den Namen eines frommen Juden Anfpruch machen zu können, welche forgfältige Beobachtung der Speife=, Sabbath=, Feft= und Faft=, der Reinigkeits= und anderer Gefetze, der Gebetsvorfchriften u. f. w. u. f. w.! Auch der fromme Katholik, der täglich feine Meffe zu hören, viele Gebete zu fprechen, die Faften zu halten, Wallfahrten zu machen hat u. f. w., nicht minder der fromme Mohamedaner mit feinen Gebeten, Wafchungen, Almofen, der Enthaltung von Wein und Schweinefleifch u. f. w. hat, um der ihm vorgefchriebenen Werkheiligkeit zu genügen, eine fchwere Bürde zu tragen. Was aber hat der proteftantifche Pietift zu thun? Wenn er jeden Sönn= tag eine Stunde in der Kirche war, jeden Tag etwas in der Bibel lieft und ein Paar alte Gefangverfe fingt, füßliche Phrafen im Munde führt und die Augen verdreht, fo ift er fertig und kann fich feines Lebens freuen in dem ftolzen Bewußtfein, nunmehr den ganzen Himmel allein und ausfchließlich zu befitzen. Dies fühlt der protestantische Pietist, und kann sich der Empfindung nicht erwehren, daß der fromme Jude doch viel größere religiöse Verdienste besitzt, und daß selbst der laxeste Jude viel mehr um seiner Religion willen trägt und thut, als er, der Pietist, wenn er noch so fromm ist. — Ein anderes heimliches Gefühl des Neides hat auch der protestantische Rationalist auf den Juden. Der Jude hat in positivster Weise den Glaubensschatz als Inhalt seiner Religion, welchen der Rationalist durch die Zersetzung der kirchlichen Dogmen anstrebt und willkürlich dem Christenthume insinuirt. Er sieht den Juden in völliger Uebereinstimmung mit seiner Religion ben Gott verehren, welchen er, der Rationalist, erst künstlich aus seiner Kirchenlehre deducirt und der mit dieser immerfort in Zwiespalt steht. Dies ist es, was ihn mit geheimen Unwillen auf das Judenthum und seine Bekenner erfüllt; woher die bekannte Erscheinung, daß gerade die protestantischen Rationalisten das Judenthum am hartnäckigsten verleumden und ihm jene schroffen Lehren vindiciren, welche sie dem Judenthume als charakteristisch vorwerfen.

Jene dritte Richtung, die wir oben charakterisirt haben, hingegen ist es, welche sich auch dem Judenthume freundlich nähert, und es auf jede Weise zu gewinnen sucht. Sie findet ihren Ausdruck in der Alliance universelle évangélique, die mit dem Streben, alle Secten der protestantischen Kirche zu vereinigen, bereits in Paris, London, Berlin und Genf ihre Versammlungen gehalten. Insonders sind es die englischen und französischen Elemente dieses Vereins, welche dem Judenthume mit dem Gruße der Brüderlichkeit entgegentreten. —

Vor einiger Zeit erschien und wurde vielfach verschickt eine Rede des Predigers Dr. A. F. Pétavel, die er am 30. August 1855 vor der „evangelischen Alliance" in ihrer Versammlung zu Paris gehalten und jetzt erst erscheinen ließ. Sie führt den Titel: „Israel, Peuple de l'Avenir" (Israel, das Volk der Zukunft"). Der Verfasser ist in der That Keiner von Denen, welche Israel als ein von Gott verfluchtes Geschlecht ansehen, an welchem das Verdammungsurtheil Gottes mit allen möglichen Qualen und Bedrückungen auszuführen, das Recht, ja sogar die Pflicht der Christen sei — man weiß, wie oft und lange unsere Gegner, nachdem sie uns positiv nicht mehr verfolgen konnten, das gedachte Motiv als Argument gegen die Gleichberechtigung der Juden gebraucht haben. Im Gegen=

theil, kaum daß der Feder eines Juden selbst das Lob und die An=
erkennung seines Stammes in beredterer Weise entfließen könnte.
Führen wir aus vielen Stellen nur einige an. „Israel ist ein Volk,
welches Gott sich vorbehalten hat, um ihm eigens anzugehören. Israel,
das Volk für sich, das unsterbliche Volk, hat zum Könige den Ewigen,
den Ewigen der Heerscharen. — „Höre, Israel, der Ewige unser
Gott, der Ewige ist einzig." Dieses Losungswort, diese Signatur
der israelitischen Treue haben die grausamsten Mißgeschicke, die
schrecklichsten Verfolgungen, die tödtlichsten Beleidigungen, ein Exil
von zwanzig Jahrhunderten nicht aus seinem Munde zu entfernen,
nicht aus seinem Gedächtniß zu verwischen vermocht. Es giebt keine
Prüfung, welcher seine Beständigkeit, sei es von Seiten Gottes, sei
es von Seiten der Menschen, nicht ausgesetzt worden, aus jeder ist
es siegreich hervorgegangen." — Auch der Ansicht vieler christlichen
Theologen, daß das Judenthum seit achtzehn Jahrhunderten eigent=
lich todt und das Volk Israel eine konservirte Mumie sei, die bei
nächster Berührung in Staub zerfallen werde, ist Herr Pétavel nicht,
sondern im Gegentheil hält er Israel einer großen Zukunft aufbe=
wahrt, in welcher dessen rechtes Leben erst beginnen werde. Er ver=
langt, daß man den Juden überall gleiche Rechte einräume, daß
man ihnen die unbedingteste Bruderliebe bethätige, ihnen aller Orten
aufs Wärmste entgegenkomme, sie für die vergangenen Leiden ent=
schädige, und so in ihren Gemüthern wohlwollende Erinnerung und
dankbares Andenken wecke. Und welche ist nun die Zukunft Israels
nach Herrn Pétavel? Daß es vom Messias nach dem Lande seiner
Väter zurückgeführt, dieses wieder in Besitz nehmen, Jerusalem wieder=
erbauen und in Frieden und Glückseligkeit daselbst wohnen werde.
Dies ist freilich nichts Neues. Aber noch mehr; Israel wird daselbst
der Mittelpunkt des ganzen Menschengeschlechtes sein; er sagt: „Die
Israeliten werden nur Das sein, was sie sein können und sollen,
sie werden nicht eher die Fülle der Wohlthaten, zu deren Organ sie
berufen sind, auf der Erde verbreiten, als wenn sie unter der An=
führung ihres Königs = Messias versammelt und in ihrem Lande
wiederhergestellt sind; dann werden sie der Welt das Beispiel eines
Volkes geben, dessen ganzer Ehrgeiz darin besteht, dem Ewigen zu
dienen und auf seine Stimme zu hören." Auch dies ist nicht ganz
neu. Welche Bedingung stellt aber nun Herr Pétavel für diese
Zukunft Israels? Daß sich das ganze Volk taufen lasse. Und wer

ist ihm der König-Messias von Israel? Kein Anderer, als der Stifter der christlichen Kirche, wie ihn die Kirche als Gott anerkennt und anbetet. Das System Pétavel's ist also: sämmtliche Juden sollen sich taufen lassen, demungeachtet aber ein Volk bleiben, nach Palästina geführt werden, und da das Mustervolk für die ganze Menschheit bilden, womit dann das Gottesreich auf Erden ange-brochen sein wird. Um aber sich taufen zu lassen, muß man zuvor die christlichen Dogmen annehmen, vor Allem die Dreieinigkeit, die Gottheit Christi, die Welterlösung durch den Tod Jesu. Es ist nicht unsere Sache, zu untersuchen, wie weit die Ansichten des Herrn Pétavel mit der bisherigen protestantischen, katholischen u. s. w. Dogmatik im Widerspruch steht, wie weit in jener einerseits der Geschichte und der Vernunft, andererseits der christlichen Gläubig-keit vor den Kopf gestoßen wird. Für uns ist nur von Wichtigkeit zu sehen, daß auch hier Alles nur auf die Taufe hinausläuft; daß selbst hier, wo man unsere Moral nicht ansicht, unser Recht im Staate anerkennt, unsere Treue im Glauben an einen einzigen Gott über alle Maßen lobpreist, doch nichts Anderes will, als die uns schnurstracks widersprechenden christlichen Glaubenssätze insinuiren und uns taufen! Es ist immer dasselbe Spiel. Während man früher uns durch Schwert und Scheiterhaufen unserem Gotte abtrünnig machen wollte, will man es jetzt durch Emancipation und Bruder-liebe. Nachdem insonders der Protestantismus lange versucht hat, uns durch die christliche Exegese von Bibelstellen zu bekehren, läßt er jetzt dies fallen, und will uns durch die Verheißung einer großen Zukunft kirren. Aber wisset Ihr denn nicht, daß Ihr nicht im Stande seid, in Euren Schilderungen die Größe der Verheißungen zu er-reichen, welche schon die Propheten vor unseren Blicken ausgebreitet haben? Aber diese Propheten stellen uns die unabweisbare Be-dingung, daß wir dem einzigen Gotte treu bleiben, und, wohin wir auch zerstreut wären, ihn allein anbeten; diese Propheten verkünden daß die Völker sich zu unserm Glauben, nicht aber wir zum Glau-ben der Völker uns bekehren werden, bis „wie der Ewige einzig, so seine Anbetung einzig sein wird auf der ganzen Erde!" Gehet also: wie Ihr Euch auch geriret, Ihr seid im Widerspruch mit unserer heiligen Schrift, Eure Versuche scheitern. . .

Die Ansichten Pétavel's sind nicht neu; auch in einer andern Region haben sich dergleichen seit längerer Zeit schon aufgethan.

Wir erhielten vor einiger Zeit ein Verzeichniß der Bibliothek eines gewissen Da Costa [1]) in Amsterdam, zu welchem ein Herr Schwarz eine Vorrede geschrieben. Da findet sich der neueste Ausdruck dieser Absurditäten, nämlich daß die getauften Juden die eigentlichen Christen und das wahrhaft auserwählte Volk Gottes seien. Jene Classe von getauften Judenmissionären muß sich doch ein Feld suchen, wo sich ihr geistlicher Hochmuth, um sich für die Verachtung, die sie von Jude und Christ erfahren, zu entschädigen, eigene Hütten baut. Sie sondern sich von den Christen ab, als ihrer neuen Glaubensgenossenschaft, wie sie ihrer alten untreu geworden. Wie sehr sie der ganzen Geschichte und allzeitigen Tendenz des Christenthums widersprechen, und aus letzterem ein willkürliches, zu ihrer persönlichen Glorification zurecht geknetetes Phantasiewerk machen, dies zu erweisen, überlassen wir Andern. Wir Juden wollen von dieser Doppelzüngigkeit noch weniger wissen. Unsern Glauben zu verläugnen und unsern nationalen Bestand sich zu Nutze zu machen, ist eine Escamotage, die nur von solchen zweideutigen Naturen ausgehen mag.

Begnügen wir uns mit diesen kurzen Andeutungen, welche jedoch, wie wir glauben, den Standpunkt der protestantischen Kirche zu uns klar machen, der protestantischen Kirche, die, so zahllose Nüancirungen sie auch umschließt, uns gegenüber nur das eine Ziel verfolgt — uns zu bekehren. Sieht man dies ja sogar an den letzten Abfällen derselben, der freien Gemeinde, welche nicht minder gern Propaganda unter uns treiben möchte. Kommt es der protestant. Kirche doch nicht einmal darauf an, was für Christen sie an den abtrünnigen Juden gewinnt, begnügt sie sich doch oft mit den ganz äußerlichen Formalitäten, wenn nur bekehrt wird. Daß sie freilich an solchen glaubenslosen Individuen viel ärgere Feinde in ihren Schoß einnimmt, als sie an den Juden, die nach Außen allzu harmlos sind, hat, haben wir schon bemerkt.

1) Catalogue de la collection importante de livres, manuscrits etc. hébreux, espagnols et portugais du feu Mr. Isaac da Costa d'Amsterdam. Amsterdam, 1861.

XIX.

Zur Charakteristik des Talmuds.

1.

Es giebt große Erscheinungen in der Geschichte, welche Allen bekannt, von Vielen gekannt, von Wenigen erkannt sind. Allen bekannt und von Wenigen erkannt, wird nicht auffallen. Denn die große Mehrzahl der Menschen begnügt sich mit dem Namen und mit dem, was ihnen von jeher vorgesprochen und immer wiederholt worden. Aber auch von Vielen gekannt und von Wenigen erkannt, ist erklärlich. Denn bei einer großen Erscheinung sind theils die Meisten nur im Stande, die Menge der Details und Einzelheiten ins Auge zu fassen, während ihr Blick nicht hinreicht, vor jenen das Ganze und das Wesen des Ganzen zu überschauen und zu verstehen; sie sehen eben vor den Bäumen den Wald nicht; theils betrachtet Jedermann jede gewaltige Erscheinung nur in einem bestimmten angebildeten Vorausurtheil, die Einen im Strahlenglanz der Heiligkeit, der Pietät, der anerzogenen Bewunderung, die Anderen im Schatten eingewohnten Hasses, blinder Verachtung. So erscheint jenen Alles daran groß, tiefsinnig, erschöpfend, bedeutungsvoll, ohne Schwäche, ohne Makel, ohne Fehl; diesen kleinlich, übelwollend, schädlich, lächerlich. Wer aber in der Erforschung der Dinge von solchen Gesichtspunkten ausgeht und sie auf derartigen Piedestalen anzuschauen fortfährt, wird niemals zu einem richtigen Verständniß, zu einer wahrhaften Würdigung kommen können.

Dies vor Allem war das Schicksal des Talmuds und darum bildet er noch heute in der Großartigkeit seiner Existenz, in der ungeheueren Geistesarbeit, deren Erzeugniß er ist, in der langen Reihe der Zeiten und der Männer, denen er entstammt und denen er zum Gegenstande der emsigsten Thätigkeit diente — eine Räthsel=

frage. Wir wissen, wie viel Fleiß seit seinem Abschluß auf den
Talmud verwendet worden; wie geistesstarke Männer ihn excerpir=
ten und seinen Inhalt zu ordnen sich bemühten; wie Jahrhunderte
lang seine Halacha immer und immer wieder bearbeitet worden, wie
man seine Midraschim zusammengestellt und interpretirt hat; wie in
der neueren Zeit die zahllosen in ihm zerstreuten geschichtlichen
Notizen aufgesucht und benutzt worden, wie sein Entstehen, seine
Fortführung, seine Sprache vielfach behandelt wurde. Aber so viel
auch geschehen, so mangelhaft sind noch die Resultate. Besitzen wir
doch noch nicht einmal eine gründliche Geschichte des Talmuds,
welche die Annalen des Jahrtausends, dem er von seinen ersten
Ursprüngen bis zu seiner Vollendung angehört, genau aufstellt, seine
Entwickelung sorgfältig verfolgt, seine äußerlichen Schicksale schildert,
eine Kritik seiner Textesbeschaffenheit giebt und seine bibliographische
und literarische Geschichte zeichnet. Man wird zugeben, daß, wo
für eine wissenschaftliche Bearbeitung noch so große Lücken vorhan=
den sind, eine lange Zukunft noch vorauszusetzen ist, bevor man an=
nähernd zu einem befriedigenden Ziele gelangt sein wird.

Aber abgesehen von dieser noch ungelösten großartigen Auf=
gabe, gestehen wir, daß für das allgemeine Verständniß des Tal=
muds nicht minder bis jetzt wenig geschehen. Wenn auch einige
Versuche gemacht worden, die talmudische Exegese, die allgemeine
talmudische Methode wissenschaftlich zu erörtern, so geschah dies
leider von einem speciell philosophischen Standpunkte aus, dessen
Anwendung auf diesen Gegenstand aller Klarheit entbehren mußte,
so daß die Frucht ungenießbar war. Aber der eigentliche Charakter
des Talmuds und seine Stellung im großen Ganzen der menschen=
geschlechtlichen Entwickelung, insonders in religiöser Beziehung ist
nur erst schwach und mehr äußerlich beleuchtet worden. In einer
früheren Arbeit suchten wir seine Bedeutung für das specifische
Judenthum zu erfassen. Wir wiesen den, auch neuerdings mit vie=
lem Scharfsinn, aber auch nicht weniger Sophistik vorgetragenen
Gedanken, daß der Talmud wie eine Reform des Judenthums zu
betrachten sei, zurück, und erkannten seinen Zweck vielmehr darin,
für die wahre und ganze religiöse Idee eine schützende Hülle zu
schaffen, mittels welcher er jene durch die ungeheuren Völkerstürme,
den Zusammensturz des Alterthums, die Erschütterungen einer aus
Barbarei und Unwissenheit sich entwickelnden neuen Welt trotz der

Zersplitterung des jüdischen Stammes mitten in die Völker und deren Leben hinein für die Zukunft Israels und der ganzen Menschheit erhalten konnte[1]). So sehr wir nun auch jetzt noch hieran festhalten und den höheren Beruf des Talmudismus darin erblicken, so ist doch damit nur eine Tendenz desselben und zwar mehr von einem außerhalb seiner selbst befindlichen Standpunkte bezeichnet. Wir halten es daher für geeignet, in Folgendem einige Gedanken über den Charakter des Talmuds, namentlich als einer specifischen religiösen Richtung auszusprechen, die wohl Winke für die richtige Auffassung desselben enthalten mögen, beantworten uns aber zuvor einige Vorfragen, die zu seiner Charakteristik dienen.

Nicht selten hört man den Ausspruch, daß die gegenwärtigen jüdischen Theologen ihren Vorfahren in der Kenntniß der talmudischen und rabbinischen Literatur, in Talmud, Poskim und „מ״ש bei Weitem nachstehen, und die umfassende und spezielle Kenntniß dieser Wissenszweige immer seltener werde. Diese Klage ist nicht unbegründet. Die Sache ist vielmehr eine nothwendige Folge. Die früheren Rabbinen waren Riesen auf dem talmudischen Gebiete, aber weniger als Kinder in allem Uebrigen. Alles profanen Wissens bar, jede wissenschaftliche Bildung als antireligiös und darum verpönt ansehend, verwandten sie alle ihre Geisteskräfte und alle Zeit ihres Lebens, verbunden mit eisernem Fleiße und von nichts in der Welt zerstreut und abgeleitet, auf das Studium der talmudisch-rabbinischen Werke, und es hätte daher mit einem Wunder zugehen müssen, wenn sie nicht eine völlige Vertrautheit mit diesen hätten erwerben sollen. Ganz anders steht es um den jüdischen Theologen unserer Zeit. Wissenschaftliche Bildung, Gymnasial- und Universitäts-Carrière, Bekanntschaft mit modernen Sprachen und Literaturen, kurz Alles, was nur von einem christlichen Gelehrten gefordert wird, wird bei ihnen beansprucht, und nun müssen sie außerdem sich die Kenntniß der talmudisch-rabbinischen Literatur erwerben, wobei es auch ohne einige Kenntniß der anderen semitischen Dialekte nicht füglich abgehen kann. Daß bei diesem ungeheuren Material der Jünger der jüdischen Theologie unserer Zeit

---

1) S. unsere Vorlesungen über die Entwickelung der religiösen Idee im Judenthum, Christenthum und Islam S. 89 ff., 142 ff.; unsere Israelitische Religionslehre B. I. S. 213 ff.

nicht eine so detaillirte Vertrautheit mit dem talmudisch-rabbinischen
Schriftthum erreichen kann, wie der frühere Bachur und Rabbi, ist
selbstverständlich. Tritt der Theologe dann ins Amt, so hat er zu
predigen, Religionsunterricht zu geben, in manchen Ländern die
Eide abzunehmen, eine vielfache Seelsorge zu üben und eine Menge
kleinerer Anforderungen zu befriedigen, von dem Allem der frühere
Rabbi nichts wußte, was aber einen großen Theil der Zeit in
Anspruch nimmt, so daß für das fortgesetzte Studium des Talmuds
und der Rabbinen nur ein Theil seiner Muße übrig bleibt, während der frühere Rabbi sich ihnen ununterbrochen widmen konnte. —
Hat aber dafür der Theologe unserer Zeit kein Aequivalent und
findet er, abgesehen von seiner eigentlichen Berufsthätigkeit, auch
auf dem talmudischen Gebiete keinen Ersatz? Wir sollten es meinen.
Denn gerade in dem, was ihm das ausschließliche Studium des
Talmuds unmöglich macht, findet er die Mittel, um jenes Studium
fruchtbarer und erfolgreicher zu machen. Die wissenschaftliche Bildung und Behandlung führt unmittelbar zu einem geschichtlichen
und systematischen Studium, das viel schneller zum Ziele führt und
erfolgreiche Resultate schafft, die der enormsten Detailkenntniß nicht
gelingen. Unsere Väter hatten von der Geschichte des Judenthums, von der Geschichte des Talmuds und der rabbinischen Literatur keine Ahnung, und der große Gang der Entwickelung, der
auch auf diesem Boden stattfand, war ihnen verschlossen. Ihnen
erschien Talmud und Rabbinismus wie ein großes Meer, in welchem Welle bei Welle, Tropfen bei Tropfen, und auf dem sie ohne
Compaß und Steuer umherfuhren, während jene in der That eine
große Landschaft mit Höhen und Tiefen, mit Gebirgszügen, Wasser-
gebieten und Ebenen bilden, über welche eine genaue Uebersicht zu
gewinnen ist, durch die das Ganze erst wirklich nutzbar gemacht
wird. In der That hat denn auch das wissenschaftliche Studium
der talmudisch-rabbinischen Literatur Früchte getragen, welche sich vom
objektiven Standpunkte aus mit den halachischen Arbeiten unserer
alten rabbinischen Heroen durchaus messen können. Die Werke
von Zunz, Jost, Frankel, Grätz, Munk, Herzfeld, Geiger, Derenburg,
Fürst, Dukes, Steinschneider, Fassel, Neubauer u. A., mögen
sie auch aus einer weniger vollständigen Detailkenntniß hervorgegangen sein, haben durch die wissenschaftliche, systematische und
historische Behandlung ihres Stoffes die bedeutendsten Erfolge er-

zielt, und denken wir uns diese Bestrebungen so lange fortgesetzt, wie unsere Väter die talmudisch-rabbinische Literatur anbauten, so wird eine wissenschaftliche Durcharbeitung des großen Materials bis ins äußerste Detail nicht ausbleiben können, und sowohl die geschichtliche als die theoretische Erkenntniß den ganzen Stoff sammt der Form überwältigt haben.

Wie aber im großen Ganzen, so verhält es sich auch mit dem Jünger der jüdischen Theologie unserer Zeit. Die anwachsenden wissenschaftlichen Bearbeitungen machen es ihm leichter, sich ohne das umfassende Detailstudium eine schöne Kenntniß der einschlagenden Disciplinen zu verschaffen, und die wissenschaftliche Methode, die ihm durch seinen Studiengang zur Natur geworden, macht es ihm möglich, nach jeder Richtung hin und leicht seinen Weg zu verfolgen, die Sprache zu erlernen, überall zu wissen, wo er Etwas zu suchen habe, und so vorkommenden Falls sich zu ergänzen, was ihm fehlt. Es liegt in der Natur unserer Bildung, sich viel mehr ein encyclopädisches Wissen anzueignen und von hier aus jeden Detailzweig zu verfolgen, diesen aber so in seinem Zusammenhange und geistigen Inhalte aufzufassen und zum Verständniß zu bringen, als sich auf ein kleines begrenztes Gebiet zu beschränken. Nur das Vorurtheil kann den Vorzug jenes Standpunktes vor diesem verkennen; und wenn wir auch nicht leugnen wollen, daß hier oft und bei Vielen die Gefahr der Oberflächlichkeit droht, so bringt doch wiederum hiergegen der wissenschaftliche Geist der Gesammtheit das Korrektiv herbei, indem keine Leistung Anerkennung findet und behält, die der Gründlichkeit entbehrt. — Sehen wir nun gar auf die praktische Seite der Sache, so ergiebt sich einerseits, daß ein großer Theil des talmudischen und rabbinischen Wissens gar keine praktische Bedeutung mehr hat, da selbst in orthodoxen Gemeinden nichts weiter für den Rabbinen erforderlich ist, als eine genaue Kenntniß des Gebets- und Speiserituals und des Reinigkeits- und Ehegesetzes und was damit zusammenhängt. Das weitere große Material hat nur historisch-wissenschaftlichen Werth, ist somit für die Geschichte und Wissenschaft nicht entbehrlich, wohl aber für die Praxis. Andererseits vermag der jetzige Theologe auch bei geringerem talmudisch-rabbinischen Wissen, als seine Vorfahren besaßen, dieses für das praktische Leben mehr nützlich zu machen und zu verwerthen, als es jenen mit ihrer umfassenden Detailkenntniß möglich war, weil ihn hierzu seine wissenschaftliche Bildung fähiger macht, und weil seine praktische Thätigkeit in unserer Zeit ein größeres Feld hat, und viel mehr gefordert wird.

Es erscheint uns daher völlig unbegründet und ungerechtfertigt, wenn jenes an sich richtige Urtheil als eine Klage und Anklage auftreten will. Alles ist gut zu seiner Zeit, sagt der weise Prediger. Ebenso wie in der Vergangenheit eine wissenschaftliche Bildung den Rabbinen nur unglücklich und untauglich gemacht hätte, so würde dies in unserer Zeit mit dem Rabbinen der Fall sein, der sich ein großes talmudisches Wissen beim Mangel aller profanen und wissenschaftlichen Bildung angeeignet hätte. Seien wir billig und würdigend nach allen Seiten hin, und wie gerade die wissenschaftlichen Theologen unserer Zeit jene Verachtung des Talmuds und Rabbinismus, die auch bei den Juden nur allzusehr Platz gegriffen hatte, beseitigt haben, so können wir mit Recht auch Würdigung und Schätzung für sie verlangen.

2.

Vor einiger Zeit wurde in einem Preßprozesse von einem Gerichtshofe Sachverständigen die Frage vorgelegt: ob der Talmud für die Juden ein kanonisches Buch sei?

Für die Juden bedarf es einer Beantwortung der obigen Frage nicht, auch nicht für diejenigen Christen, welche selbst nur eine oberflächliche Kenntniß des Talmud besitzen. Auch handelt es sich nicht hierbei um eine Beantwortung vom orthodoxen oder von sonst einem Standpunkte, denn auf jedem Standpunkt wird die Antwort gleicher Weise verneinend ausfallen müssen.

Die Frage ist zunächst: was heißt Kanon, kanonisch, kanonisches Buch? Wir wollen uns dem Vorwurf, diese Frage so zu beantworten, wie es uns passe, nicht aussetzen, sondern schlagen ein gutes Wörterbuch der deutschen Sprache auf (Sanders, B. I. S. 368). Da heißt es — wir lassen die Bedeutung des Wortes im Altclassischen, in der Musik u. s. w. fort, da wir uns hier nur auf theologischem Gebiete befinden —: 1) „Das Verzeichniß der von der Kirche anerkannten biblischen, der sog. kanonischen Bücher, im Gegensatz der Apokryphen." Einen solchen Kanon und solche kanonische Bücher haben auch wir; die Bücher unserer heiligen

Schrift bilden den Kanon für uns; die chriſtliche Kirche hat im 4ten Jahrhundert hierzu noch den Kanon der neuteſtamentlichen Bücher hinzugefügt. Der Talmud ſelbſt (Baba bathra 14, 2 f.) ſchließt den Kanon mit den Büchern der Chronik. Der Talmud iſt in dieſem Sinne des Wortes durchaus kein kanoniſches Buch und konnte es auch nicht ſein, da er nur eine Sammlung der Tradi= tionen und weiteren Auslegungen ſpäterer Lehrer iſt. Der Talmud unterſcheidet ſich ſelbſt genau von den kanoniſchen Schriften, indem er ſich als mündlich überliefert (תורת שבעל פה), vom geſchriebenen Geſetz (ת׳ שבכתב) d. i. dem Kanon trennt und unterſcheidet. Der Talmud nimmt für ſich niemals die Inſpiration, die Prophetie, den göttlichen Geiſt in Anſpruch, und es ſind nur ſehr wenige Ausſprüche in ihm, die er für Traditionen vom Sinai her erklärt oder für Ausſprüche einer höheren Stimme (בת קול) ausgibt. Mit dem Wegfall der Inſpiration kann der Anſpruch an Kanonicität auch nicht mehr eintreten. — Genau genommen wäre hiermit die obſchwebende Frage eigentlich ſchon und zwar in beſtimmteſter Weiſe beantwortet. Wir wollen aber unſeren Gegnern auch nicht im Ent= fernteſten den Einwand laſſen, als ob wir die Frage abſichtlich nur in einem beſchränkten Sinne genommen hätten, um weiterer Aus= einanderſetzung aus dem Wege zu gehen. Fahren wir daher in unſerm Wörterbuche fort. Es heißt dort: 2) „Der Kanon, das Verzeichniß der von der Kirche anerkannten Heiligen, daher kanoni= ſiren." Nun, ein ſolcher Kanon iſt der Talmud gewiß nicht. Das Judenthum kennt keine Heiligen, die von irgend einer kirchlichen Inſtanz für ſolche erklärt werden und denen eine beſondere Stellung zu den Menſchen und gewiſſe Vorrechte im Himmel zuſtehen. Wenn auch der Vater der Miſchna, alſo des Talmuds, Juda Hanaſſi (der Fürſt) bisweilen wegen ſeiner frommen Geſinnung und ſeines hoch= ſittlichen und religiöſen Lebenswandels den Beinamen Hakadoſch, d. i. der Heilige, erhalten hat, ſo kam ihm dieſer Beiname vom Volke her und trägt nicht das Geringſte bei, ihm einen anderen Charakter zu geben als anderen Menſchen, ſondern drückt nur die hohe Achtung aus, in welcher er ſtand. Alſo auch in dieſem Sinne iſt der Talmud kein kanoniſches Buch. — 3) „Die Gebetformel bei der Meſſe in der katholiſchen Kirche." Auch hiermit hat der Tal= mud nichts zu thun. Enthält der Talmud auch vieles über die Gebete, ſo iſt er doch weder ein Gebetbuch, noch eine Gebetformel.

23*

— Endlich: 4) „Eine kirchliche Vorschrift, im Gegensatz der bürger=
lichen Gesetze, namentlich die Verordnungen der Päpste und der all=
gemeinen Kirchenversammlungen, in ihrer Gesammtheit die Grund=
lage des Kirchen= oder kanonischen Rechts bildend." Obgleich man
nun die Sammlung aller dieser kirchlichen Regeln, Zeugnisse und
Rechtsbestimmungen der Concilien und päpstlichen Verordnungen
das „jus canonicum" nennt (seit dem 12. Jahrhundert, s. Lehrbuch
des Kirchenrechts von Prof. Dr. Richter, 3. Aufl., S. 5), so könnte
man dies doch auch als ein kanonisches Buch bezeichnen und ihm
für die Juden den Talmud gleichstellen. Darum wollen wir auch
hierauf eingehen. Wer nun einen Blick nur in den Talmud
gethan, weiß 1) daß der Talmud inhaltlich sowohl Gesetzesaus=
legungen, Halachoth, als auch Agadoth, d. h. Erklärungen und Deu=
tungen von Schriftstellen von nicht gesetzlichem Inhalt, historische
Notizen, Legenden, allegorische, symbolische und selbst mythologische
Deutungen, Sittensprüche, Gleichnisse, Fabeln u. s. w. enthält, und
2) daß der Talmud über gesetzliche Fragen die mannigfaltigsten
Aussprüche einer großen Menge von Lehrern nebeneinander stellt und
sammelt, ohne eine Entscheidung, welcher Ausspruch als gültig zu
befolgen sei, hinzuzufügen. Fassen wir den letzten Punkt zuerst ins
Auge, so beruhen allerdings die im rabbinischen Gesetze geltend
gewordenen Vorschriften immer auf Stellen im Talmud, so daß
dieser als eine Rechtsquelle für das rabbinische Judenthum an=
gesehen werden muß, aber der Talmud ist darum auch nicht im
entferntesten das Rechtsbuch, das jus canonicum der Juden, weil
er die verschiedensten, ja entgegengesetztesten Aussprüche in den mei=
sten Fällen ohne eine bestimmte Entscheidung hintereinander an=
führt. So schon in der Mischna, um wie viel mehr in der Gemara.
Um nur ein Beispiel anzuführen. Wir schlagen zufällig auf und
treffen gerade auf die Abhandlung Succah. Sie beginnt: „Eine
Laubhütte, deren innerer Raum mehr als 20 Ellen hoch ist, ist
ungiltig, Rabbi Jehuda, sie ist giltig." Kein Wort darüber, wer
Recht hat. Wir schlagen weiter und treffen auf die Abhandlung
Beza. Gleich der erste Abschnitt gibt eine lange Aufführung der
verschiedenartigsten Gesetzesauslegungen, in welchen sich das Beth
Schammai und das Beth Hillel gänzlich widersprechen, und es wird
nicht hinzugefügt, nach welcher der beiden Parteien man sich richten
solle. Also selbst in gesetzlicher Beziehung fehlt dem Talmud die

Eigenschaft, welche ihm als einem kanonischen Rechtsbuche nicht mangeln durfte, in bestimmtester, entscheidender Weise die Vorschriften des kirchlichen Lebens aufzustellen. Denn der Talmud ist weit mehr, sein Geist ein höherer und viel weiter reichender. Er will das geistige Leben und die geistige Entwickelung der Jahrtausende vom Beginn der Tradition an bis zur Abschlußzeit des Talmuds, die ja auch nur nach und nach eintrat, sammeln und aufbewahren. Er will diese nicht fixiren, nicht versteinern, sondern nur der Nachwelt nicht verloren gehen lassen. Aus diesem Geiste und aus dieser Absicht ist der Talmud entstanden, für uns Juden unschätzbar, aber nicht im entferntesten ein kanonisches Buch.

Um dies noch präciser zu erhärten, ziehen wir hier aus einer wenig verbreiteten Abhandlung [1]) die Charakterisirung des ganzen halachischen Inhalts des Talmuds aus. Der Verfasser sagt:

„Der ganze halachische Inhalt des Talmuds stellt sich uns in folgenden drei Formen dar:

A) Zeugnisse (Adujoth), das sind Aussagen, von denen ausdrücklich behauptet, oder doch stillschweigend angenommen wird, daß der Zeuge sie von seinem Lehrer, oder von einer anderen Autorität gehört habe."

Wie schwankend bei diesen sowohl Form als Inhalt ist, dafür führt der Verfasser an, daß auf Moses selbst zurückgeführte Ueberlieferungen in nicht hebräischer Sprache und mit den verschiedenartigsten Auslegungen angeführt werden, und bringt als Beispiel hierfür die letzte Mischna in Adujoth heran; er schließt:

„Es geht also hieraus deutlich hervor, daß Alles, was im Talmud als Gehörtes (שמועה) und Ueberliefertes (קבלה) vorgetragen wird, nicht dem Wortlaute, sondern nur dem, erst noch festzustellenden Inhalte nach gehört und überliefert sein will."

„B) Bei weitem der größte Theil des gesetzlichen Inhalts des Talmuds stellt sich von vorn herein nur als die persönliche Ansicht eines, oder mehrerer, bald genannten, bald ungenannten Gesetzesforscher dar, die selber ihren Gegenstand noch der Untersuchung anheimgeben, Zustimmung oder auch Widerspruch erwarten, ihn bedingungsweise gelten lassen, auf Erweiterung oder Beschränkung

---

1) Dr. A. Stein, Bericht über Entstehen und Bestehen der Prager Talmud-Thoraschule. Prag, 1866.

besselben einzugehen geneigt sind, auf die Interpellation eines Geg=
ners hin (סלקא דעתך) zuweilen den gebrauchten Ausdruck ändern,
zuweilen einen andern Sinn hineinlegen (אלא אימא), kurz als ein
Problema, für welches die Entscheidung offen gehalten wird.

Diese Entscheidung trat aber so lange nicht ein, als der Tal=
mud noch die Geistesarbeit des gesammten jüdischen Nationallebens
war, und eine oberste Religionsbehörde bestand, die mit einer Auto=
rität in Religionsfachen gleich der des Moscheh bekleidet war
(Rosch Haschanah 2, 9.) (כל ג' וג' שעמדו בית דין על ישראל הרי הוא
כבית דינו של משה) Erst mit dem Gefühle des Verschwindens dieser
Autorität fühlte man auch das Bedürfniß, das Material, das bisher
zu solcher Entscheidung benutzt worden war, schriftlich aufzubewahren.
Man sammelte, was man schriftlich vorfand, man ergänzte aus
dem Gedächtniß, was hervorragenden Geistern noch gegenwärtig
war, man ordnete, soweit dies im Drange der Ereignisse möglich
war, und es entstand unser Talmud. Wie sehr aber in dieser
Sammlung selbst das Bewußtsein lebt, die Entscheidung liege nicht
in ihr, sondern anderswo, geht aus der ganzen Art und Weise der
Abfassung hervor und wird an vielen Stellen deutlich ausgesprochen.
Wir führen einige davon an: Baba bathra C. XXX, a. אן למדין
הלכה לא טפי למוד ולא מפי מעשה עד שיאמר לו הלכה למעשה וכו.''

Diese Stelle erörtert der Verfasser näher, führt aus, daß noch
lange nach dem Schlusse der Gemara, während der ganzen Geonim=
Periode, man zauderte, Halachoth aufzustellen, welche das mündliche
Gesetz fixiren sollten, und daß erst Moses ben Maimon den kühnen
Schritt wagte, aus diesem Material den rein gesetzlichen Inhalt
von der Debatte über denselben zu trennen und ihm so das Er=
kennungszeichen seines Ursprungs und seiner Entwicklung zu be=
nehmen, ja sogar verschmähte, die Quellen für seine Resolutionen
anzugeben. Der Verf. führt dies an dem Beispiel Maim. Hilch.
Keriath Schema I, 1 aus.

Einen anderen Bestandtheil des Talmuds bilden „C) diejenigen
gesetzlichen Aussprüche in der Mischna, welche ohne Angabe eines
Autors oder abweichender Meinungen geblieben sind סתם משנה;
doch zeigt jeder Blick in die Gemara, daß dies nicht der Fall ist,
Es ist schon oben der Grundsatz angeführt (אין למדין מן המשנה)
daß diese Aussprüche nicht ohne Weiteres als Gesetz aufgestellt
werden dürfen. Bei vielen derselben wird Widerspruch nachgewiesen

mit sich selber, mit andern Aussprüchen in der Baraitha (ורמינהי),
sie werden als später aufgehoben oder überflüssig bezeichnet (לא וזה
ממקומה — משנה ראשונה), manche sollen nur zur Vervollständigung
einer Redefigur dienen (הואיל ונקט ברישא נקט בסיפא), manche werden
ergänzt (חסורי מחסרא והכי קתני), manche ganz abgeändert (אלא תני
הכי), die Aufzählung von Fällen, die zu einer Kategorie gehören
sollen, oft mit, oft auch ohne Angabe einer Zahl sind unvollständig
(תני ושייר), den aufgestellten Gemeinsätzen wird die Giltigkeit abgesprochen (אין למדין מן הכללים). Ueberhaupt werden logische und
ethische, gemeingiltige Grundsätze theils absichtlich gemieden, theils
wird ihnen, wo sie ausgesprochen werden, keine entscheidende Geltung zuerkannt." — Beispiele erläutern dies. — „Wir sehen also,
daß die Hauptbestandtheile der Halachah, so wie sie der Talmud
uns aufbewahrt hat, als Zeugnisse, als Aussprüche Einzelner, unbestritten oder bestritten, und als namenlose Sätze gar nicht darauf
Anspruch machten, so wie sie uns vorliegen, für die gesetzliche Praxis
verbindlich zu sein, sondern nur als zu berücksichtigendes Material
für die Oberbehörde gelten sollten. Wir sehen dies aber noch deutlicher, wenn wir einen Blick werfen auf die Art und Weise, wie
diese Sätze von den alten Gelehrten zur Zeit des Talmuds behandelt werden, und welche Konsequenzen sie selber daraus zogen.
Da streiten ganze Schulen und Einzelne mit einander, nicht um
sich zu verständigen, sondern nur um zu streiten. Das Streiten
selbst wird im Talmud ironisirt (vgl. Erubin 13, 2.). Wir haben
uns also dies so zu denken. Die religiöse Praxis stand seit vor-
denklichen Zeiten, wenn auch nicht codifizirt, fest; im Leben wurzelte
sie, die oberste Religionsbehörde bewachte, pflegte und regelte sie.
Daneben stand die Schule, deren Meister und Jünger eine vor
Gott wohlgefällige, vor Menschen ehrenvolle Beschäftigung darin
sahen, das eingelebte, überlieferte, durch Moscheh auf Gott selbst
zurück gehende Gesetz nochmals, mittels des eigenen Verstandes,
aus der heiligen Schrift zu reprobuziren. Dies konnte, wie bei
jeder Verstandesthätigkeit, nur geschehen, wenn widersprechende und
bestätigende Ansichten einander gegenüber gestellt wurden, während
man sich wohl bewußt war, daß der Widerspruch nur für die Schule,
nicht für das Leben gelten sollte. Bedenkt man nun noch, daß die
talmudischen Diskussionen nur mündlich geführt wurden, daß die
Thesen weder vorher schriftlich abgefaßt, noch die Verhandlung

darüber protokollirt, noch das Schlußergebniß amtlich verzeichnet wurde, so begreift man, wie neben einer unerschütterlichen, gesetzlichen Praxis, doch ein Talmud voller Fragen und Zweifel und Streit ohne Ende entstehen konnte. Ja es war unvermeidlich, daß diese Schulstreitigkeiten, bei der später erfolgten, schriftlichen Abfassung und Aufzeichnung eine weit mildere Form annehmen mußten, als sie ursprünglich hatten. Bei manchen, in doppelten Recensionen erhaltenen ist das noch deutlich zu erkennen."

Der Verf. zeigt, daß die Mischna selbst es so auffaßt. Abujoth, 4, 8. Der Talmud ignorirt absichtlich das religiöse Leben, um es aus dem Schriftworte wiederherzustellen. Vgl. Pes. 66, 1.

„Da es nun also bei den Verhandlungen des Talmuds, mit seltenen Ausnahmen, nicht darauf abgesehen ist, zu erfahren, was geboten und verboten ist, sondern stets nur wann? wo? und wie? etwas ge- und verboten sei, so wird alle Geistesthätigkeit darauf verwendet, möglichst viele Collisionsfälle vorzuführen, Situationen zu ersinnen, die nur in den allerseltensten Fällen eintreten können, Operationen auszudenken, die nahezu zu den Unmöglichkeiten gehören, und dann zu erörtern, wie es dann mit der Anwendung des Gesetzes zu halten sei. Die talmudische Diskussion bietet kein Mittel zur endgiltigen Entscheidung darüber, was unter allen Umständen gesetzlich erlaubt und verboten sei. Diese muß schließlich überlassen bleiben der סברה Anschauung in Verbindung mit שמועה dem, was als überliefert fest steht, was durch die Thätigkeit des שכל נכון rechten Verstandes, harmonirend mit חכמה Weisheit und יראת ה' Gottesfurcht ausführbar erscheint."

So weit Dr. Stein in Prag. Kann und will aber somit der halachische Theil des Talmuds auf Kanonicität gar keinen Anspruch machen, so geschieht dies noch weniger von Seiten des agabischen Theils. Hier waltet der freieste Geist der Auslegung und Deutung vor. Es kommt ihm nur darauf an, sinnige Aussprüche, Gedanken und Notizen aller Art über alle Zweige des menschlichen Wissens und Thuns, so wie sie aus dem Munde talmudischer Lehrer geflossen, zu sammeln und weiter zu überliefern. Es ist dies so sehr der Fall, daß er sich selbst Veränderungen in dem Texte der heiligen Schrift gestattet, „lies nicht so, sondern so", um irgend einen andern Gedanken daran zu knüpfen. Selbstverständlich wollte er hiermit nicht den Text verändern, der ihm das heiligste Kleinod war, sondern nur Spiele des Witzes und Scharffinnes heranbringen. Hier ist es nun, wo der naive, aber auch in mancher Beziehung verdunkelte Geist jener Zeiten und die orientalische Ausdrucksweise öfters die sonderbarsten und groteskesten Sentenzen zu Tage bringt, die natürlich durchaus nicht wörtlich zu nehmen sind, sondern in ihrer eigenthümlichen und sonderbaren Form einen tieferen oder flacheren Sinn umkleiben; am wenigsten wollte der Talmud hiermit Glaubenslehren aussprechen, an welche der Jude gebunden sei. Das große Conglomerat von Legenden, Allegorien, Gleichnissen u. s. w. hat, wie der erste Blick schon lehren muß, weder die Gestalt noch den Charakter von Glaubenslehren, und es zeugt von ebenso vieler Unwissenheit wie Lügenhaftigkeit, ebenso von geschmacklosem wie gehässigem Geiste, dem Talmud aufzubürden, daß er diese ungeheure und ungeheuerliche Masse von Material für Predigten und Auslegungsspiel als Glaubenslehren des Judenthums ausgebe. Wenn der Talmud einen oder den andern alten Lehrer Geschichtchen von Geistern und Gespenstern, von sympathischen Heilmitteln und Wunderstückchen erzählen läßt, so wollen wir einmal sehen, wer behaupten will, daß er damit Glaubenssätze des Judenthums habe aussprechen und feststellen wollen. Eine solche umfängliche Sammlung des Verschiedenartigsten, Bedeutendsten und Unbedeutendsten für ein „kanonisches Buch", das kanonische Recht und eine kanonische Glaubenslehre ausgeben zu wollen, ist geradezu widersinnig.

3.

Die Unkenntniß des Talmuds außerhalb der jüdischen Kreise hat auch in der neueren Zeit nicht abgenommen, wenn auch hier und da ein christlicher Gelehrter einen Blick hineingethan. Die Literatur und Sprachforschung, die in der jüngsten Zeit an Ausdehnung und Vertiefung so sehr zugenommen, ist vor dem Talmud stehen geblieben; und so viel auch jüdische Gelehrte an historischer Behandlung, Gesetzeskunde, Auszügen von Sentenzen und Gleichnissen u. s. w. geliefert haben, drang dieses doch nur wenig über die jüdischen Kreise hinaus, so daß eine nähere Kenntniß selbst nicht den Männern der Wissenschaft, noch weniger der allgemeinen gebildeten Welt gewonnen worden. Sehen wir dagegen die dem Talmud feindliche Literatur noch immer ihren wiederkäuenden Proceß vornehmen und alle die

alten gehäſſigen und verdrehenden Behauptungen mit den vor Jahrhunderten herausgeſuchten Citaten wiederholen, ohne auf irgend eine
Berichtigung oder Widerlegung Rückſicht zu nehmen, ſo iſt man ſelbſt
wider Willen gezwungen, den Grund jener abſichtlichen Unkenntniß
doch nicht allein in den Schwierigkeiten zu ſuchen, welche ein gründ-
liches Studium des umfangreichen Werkes zu überwinden hat. Alles,
was jüdiſche Autoren über den Talmud heranbringen, wird nicht beachtet oder als parteiiſch zurückgewieſen: das Eiſenmengerſche Produkt
aber wird noch heute immer wieder allen Expektorationen über den
Talmud zu Grunde gelegt. Welche Mühe, welcher Scharfſinn, welche
Ausdauer werden auf Hieroglyphen und Keilſchrift, auf die Veda's
und Zendavesta's, auf die Sprachen der innerasiatiſchen und inner-
afrikaniſchen Völkerſchaften verwendet, und wie würde man jubeln,
wenn man ein bedeutendes literariſches Produkt dieſer Stämme
aus früheren Zeiten aufgefunden hätte! Aber hier, wo die tauſend-
jährige Geiſtesarbeit eines in der Mitte der civiliſirten Völker lebenden Stammes, der in religiöſer und culturhiſtoriſcher Hinſicht ſo
große Bedeutung hat, und deſſen geiſtige Begabung man oft ſelbſt
mit Ueberſchätzung rühmt, vorliegt, geht man gleichgültig vorüber,
oder begnügt ſich mit oberflächlichen und gehäſſigen Notizen, welche
eine vergangene Zeit darüber geliefert hat. So iſt man denn gezwungen, als das hier wirkende Motiv die Gehäſſigkeit gegen die Juden
und das Judenthum anzunehmen. Es ſchmerzt uns ſehr, dies auszu-
ſprechen; wie gern würden wir ſelbſt eine tadelnde Kritik entgegen-
nehmen, wenn wir ſie aus der Hand gründlichen Wiſſens und ob-
jektiver Abſicht zu empfangen hätten! Irrthümer würden wir ungleich
lieber ſehen, ſelbſt wenn ſie mit der Autorität wiſſenſchaftlicher
Forſchung bekleidet wären, als dieſe beſtändigen Erzeugniſſe kraſſer
Ignoranz, die ſich nicht genug des Giftes vollſaugen kann, ſo leicht
uns auch gerade dieſe zurückzuweiſen wird. So erſchien noch
jüngſt ein ziemlich dickes Buch: „Der Talmud in der Theorie
und in der Praxis. Eine literar-hiſtoriſche Zuſammenſtellung von
Conſtantin Ritter de Cholewa Pawlikowſki. Regensburg, Manz
1866.“ Man braucht nur auf den Namen der Verlagsbuchhand-
lung zu ſehen, um zu wiſſen, in welches Magazin des katholiſchen
Judenhaſſes dieſes Machwerk gehört. Der Verfaſſer ſcheut ſich auch
nicht, auf jeder Seite als des grimmigſten Judenhaſſes voll ſich zu
bekennen. Nicht blos, weil die Juden Juden ſind, d. h. ihrer vier-

tausendjährigen Religion getreu, sondern weil die Zeit des Rechtes und der Freiheit auch für sie gekommen, weil sie sich nicht mehr stillschweigend den Beschränkungen unterwerfen, welche die Ultramontanen ihnen wieder aufstellen wollen, und weil Alles, was an wahrer Religiosität, Sittlichkeit und Bildung in unserer Zeit vorhanden ist, hierbei auf unsrer Seite steht, schäumt der Verfasser mit seinen bekannten Genossen vor Wuth gegen die Juden und spricht dies auch unverhohlen aus. Seine Schrift ist zusammengeschrieben aus allen judenfeindlichen Pamphleten, aber ohne jede Quellenkenntniß, also nichts weiter als eine geschmacklose Wiederholung schon hundert Mal gesagter Behauptungen. Sehr naiv fordert der Verf. auf, ihm ein falsches Citat nachzuweisen. Dies konnte er auch, denn seine Citate sind nicht die angeführten Stellen aus Talmud und rabbinischen Schriften, sondern nur aus Eisenmenger und Consorten. Dagegen könnte man ihn auffordern, nachzuweisen, daß er nur eine einzige Stelle in der Ursprache gelesen, und er würde nicht in Verlegenheit gerathen, denn das behauptet er ja auch nicht. Sich mit dergleichen weiter zu beschäftigen, verlangt wohl Niemand. Würde an solchen Leuten eine Curiosität noch irgend auffallen, so könnte man sie darin finden, daß sie zwar ein wüthendes Gebell gegen den Talmud loslassen, aber noch viel wüthender werden wenn sie auf die Juden der neueren Zeit zu sprechen kommen, welche mehr oder weniger eine unbedingte Autorität dem Talmud nicht mehr beilegen. Nach ihren Aeußerungen gegen den Talmud und die Rabbinen sollte man doch voraussetzen, daß sie eine Verminderung der Autorität desselben freudig begrüßen sollten — aber gerade das Gegentheil: sie schlagen mit noch größeren Keulen auf die „Reformjuden" los. Solcher Widerspruch ist kurios, aber fällt diesen Männern bei ihrem Mangel an aller Logik durchaus nicht auf. Indeß liegt hierin doch Etwas, was wir nicht übersehen dürfen: nämlich der Beweis, daß ihre Feindseligkeit gegen den Talmud nur secundär, und nichts als ein Ausfluß ihres Hasses gegen das ganze Judenthum, dessen Existenz und Träger, die Juden, ist. Die vermeintlichen Vorwürfe und Verdächtigungen, die sie aus dem Talmud ziehen wollen, sind ihnen nur willkommene Waffen gegen das Judenthum, und sie kreischen nur darum um so ärger, wenn ihnen diese genommen würden. Hieraus geht um so mehr hervor, wie so gar nichts aus dieser antitalmudischen Literatur für die objective Auffassung des Talmuds zu gewinnen ist, weil sie die Unkenntniß zu ihrer Quelle und den Haß zu ihrer Absicht hat.

Aber ebenso wenig ist zu verkennen, daß auch die rein apologetische Behandlung und Darstellung des Talmuds das objective Verständniß desselben verhindert. Freilich ist diese Apologie gerade darum zu entschuldigen, weil sie jener unsittlichen und bodenlosen Polemik entgegenzutreten hat, und jede objective Behandlung den Gegnern nur dazu dienen würde, mit absichtlicher Verdrehung neues Gift daraus zu holen; aber zuletzt darf man sich hiervon nicht befangen lassen; denn schließlich siegt eine wahrheitsliebende Forschung und überzeugungstreue Darstellung über alle Parteiansichten, und überwindet die Gegner gerade dadurch, weil sie nicht auf Seiten Einer Partei steht. Hier aber ist für den jüdischen Forscher allerdings noch ein anderes Moment zu überwältigen. Es ist das der eingewohnten Pietät in ihm selbst und die Rücksichtnahme auf diese Empfindung in vielen seiner Glaubensgenossen. Es ist nur zu leicht, daß der jüdische Autor sich von der Bewunderung und Verehrung der großen Monumente seines Stammes und Glaubens allzusehr hinzureißen und sich dadurch den richtigen Standpunkt verrücken läßt. Es ist auch zu leicht, daß er, um nicht abzustoßen, nur die Eine Seite, nur die licht- und glanzvolle hervorhebt, und zwar aus dem Gesichtskreise der Neuzeit heraus, während doch vom geschichtlichen Standpunkte Vieles noch hell und licht erscheinen muß, was unsere Jetztzeit nicht mehr goutiren kann. Wir meinen hierbei selbstverständlich nicht, wenn Stellen- oder Spruchsammlungen aus dem Talmud für die Religionslehre und Homiletik benutzt werden. Denn es versteht sich von selbst, daß für diesen Zweck nur gewählt wird, was für unsere Zeit brauchbar ist. Wir meinen vielmehr, wo eine geschichtliche und objective Behandlung eigentlich beabsichtigt ist oder doch gefordert werden könnte. Hier ist es ein großer Fehler, sich in Ueberschwänglichkeiten zu ergehen, Vergleichungen anzustellen, die gar nicht dahin gehören, und so daß Verständniß eher zu verwirren, als aufzuhellen. Wenn unsere Altvordern aus ihrem Gesichtskreise heraus sagten, daß der Talmud Alles enthalte, daß es keine Wissenschaft, nichts Wissenswürdiges, keine Erfindung und Entdeckung gebe, die nicht im Talmud vorhanden seien, so konnte man ihnen daraus keinen Vorwurf machen. Es heißt aber nichts Anderes, als Dasselbe nach anderer Seite hin thun, wenn man das Lob des Talmuds vom Standpunkte der klassischen Literatur anstimmt, und die griechischen Philosophen und Poeten zu lobrednerischen Vergleichen heranzieht. Der Talmud ist so eigenartig und hat seine Größe und Bedeutung so in seinem eigenen Wesen, daß alle derartige Vergleichungen nur schief ausfallen. Der Talmud ist keine Philosophie, keine Poesie, keine Wissenschaft, ja nicht einmal eine Dogmatik, eine Morallehre oder dergleichen. In alle solche Rubriken ist er nicht hineinzubringen. Er enthält hier und da einen philosophischen Gedanken, bringt hier und da in Gleichnissen, Legenden und Sentenzen einen sehr poetischen Ausdruck an; selten sind die dogmatischen Aussprüche, häufiger die moralischen, aus dem Bereiche der damaligen Wissenschaften streut er vieles Wissenswürdige ein. Aber dies Alles ist kein System bei ihm, und kann es aus seiner Entstehungs= und Entwickelungsart, aus seinen Tendenzen und Aufgaben heraus nicht sein. Ja, er bringt auch ganz entgegengesetzte Aussprüche, sich völlig widersprechende Meinungen heran, denn sie sind ja allesammt nur die Aussprüche Einzelner, oft aus sehr verschiedenen Zeitaltern. — Welches ist daher des Talmuds wahrhafter Charakter? Dies wollen wir jetzt näher untersuchen.

Wir haben durchaus keine Vorliebe für die bei Denkern und Gelehrten allzu häufige Sucht zu schematisiren, sowie für den Glauben, genug gethan zu haben, wenn man die großen geschichtlichen Erscheinungen in gewisse rubrizirte Definitionen gebracht hat. Die Fülle des Lebens und der lebendigen Entfaltung spottet zumeist dieser Einschränkungen und Einseitigkeiten, so wie es auch in der Natur keine festen und sicheren Grenzen für die Wesengattungen giebt. Allein es würde doch zu weit gehen, wenn man darum nicht jeder an Umfang und Tiefe bedeutenden Existenz einen hauptsächlichen Charakter, eine scharf hervortretende Eigenart zusprechen und darum das Streben, diese zu erkennen und durch möglichst präzisen Ausdruck zu erkennen zu geben, aufgeben wollte. Namentlich da, wo es gilt, die Erscheinungen in ihrem Zusammenhange zu begreifen, die einander nahestehenden in ihren Aehnlichkeiten und Verschiedenheiten aufzufassen und die einzelne zwar als ein Glied einer langen Kette anzusehen, aber einer Kette, die aus sehr verschiedenen Gliedern besteht. Darum müssen wir bei unserem Gegenstande auch in dieser Weise verfahren, indem wir jedoch von vornherein voraussetzen, daß wir mit unseren Definitionen die Objekte nicht abgren= zen, sondern nur in ihren Hauptzügen charakterisiren wollen.

Der Inhalt, die Tendenz und der Charakter des Mosaismus sind: das Religiös=Ethisch=Sociale in seiner Einheit und Consequenz. Die Lehre vom einzigen Gotte, von der Welt und ihrer Einheit als Schöpfung Gottes, vom Menschen, seinem Geiste und seiner Beziehung zu Gott, von der Liebe und dem Rechte in der Allgemeinheit und deren Verkörperung in der Volkseinheit, von den allgemeinen Prinzipien der Gesellschaft und wie sie sich im be= stimmten Volke unter gegebenen Verhältnissen konkret machen, dies ist der Mosaismus in der folgerichtigsten Entwickelung. Das In= dividuum ist hier vorzugsweise nur in seiner Beziehung zur Volks= einheit und selbst in kultueller Hinsicht nur in seinem Verhältniß zum Nationalheiligthum aufgefaßt.

Der Inhalt, die Tendenz und der Charakter des Prophetis= mus sind: das Religiös=Ethische. Aus dem geschichtlichen Entwickelungsgange heraus kommt es dem Prophetismus vorzugs= weise darauf an, die Lehre vom einzigen unkörperlichen Gotte sieg= haft über das Heidenthum zu machen, und als die Consequenz jener die wahrhafte Sittlichkeit in Gedanke, Wort und That zu all= gemeiner Geltung zu bringen. (Man vergleiche z. B. das Kapitel 18 eines der letzteren Propheten, des Jecheskel.) Das Sociale und dessen wie des Religiösen Verkörperung im Gesetz und Kultus wird von ihm vorausgesetzt, darum nur selten berührt, ja selbst dann bekämpft, wenn sich der religiös=ethische Geist daraus zurückgezogen, Formalismus und Heuchelei an die Stelle aufrichtiger, sittlicher Frömmigkeit getreten. Der Prophetismus hat überall die National= einheit vor Augen, ja, setzt bei dem vorausgesehenen Sturze derselben ihre glänzende Wiederherstellung nach vollbrachter Läuterung voraus, dehnt aber das Religiös=Ethische auf die gesammte Menschheit aus, die sich hierin im Laufe der Zeiten, d. h. der Entwickelung unter der beständigen Einwirkung der göttlichen Vorsehung vereinigen werde. —

Vom Abschlusse des Prophetismus an nahm die Entwickelung einen gänzlich verschiedenen Weg. Die Nationaleinheit war mit der Rückkehr aus Babel nicht wiederhergestellt; die großen Glieder des israelitischen Volksstammes blieben zersplittert, und war auch in Judäa wieder ein Mittelpunkt gewonnen, so streckten sich doch jene über ganz Innerasien, Vorderasien, Egypten und bald noch weiter aus, so sehr, daß sogar ein zweiter Tempel mit Cultus und Prieſterschaft in Egypten entstehen konnte; die Selbſtändigkeit wurde erſt ſpät, nur für eine kurze Zeit, und lediglich für den paläſtinenſiſchen Theil des Volkes errungen. Ebenſo wenig war bis jetzt die Ausbreitung des Religiös ‑ Ethiſchen über die Menſchheit ſchon eingetreten, und nicht minder zeigte es ſich, daß die bloße Anerkennung des Religiös=Ethiſchen, wie ſie jetzt in Iſrael feſtgewurzelt war, noch nicht genügte, es in dem Leben der Bekenner ganz zu verwirklichen. Von dieſer Zeit ab wandte ſich daher die religiöſe Strömung auf das Individuum, die Religion hörte auf, eine Religion der Geſammtheit und Geſellſchaft, deren Glieder nur die Individuen ſeien, zu ſein, und wurde zur Religion der Individuen. Es handelte ſich nur noch darum, daß das Individuum als ſolches von der Religion durchdrungen, religiös geſinnt und religiös handelnd werde, während die Geſammtheit und die Geſellſchaft ſich ſelbſt überlaſſen wurde. Dies geſchah im Talmudismus und im Chriſtenthume; wir ſetzen den erſteren voran, weil er bereits eine bedeutende Entfaltung ſeines Weſens erreicht hatte, als das letztere entſtand. Der Unterſchied lag aber ſchon darin, daß jener den f r ü h e ‑ r e n Charakter der Religion immer noch als vorhanden vorausſetzt, während das Chriſtenthum dieſen der Religion geradezu abſpricht. In wie fern nun das Chriſtenthum zugleich ſowohl das Religiöſe durch die Vermiſchung der moſaiſch=prophetiſchen Lehre mit ganz anderen Elementen, wie mit der Exiſtenz des böſen Prinzips, mit der Trinität, mit der Erbſünde und der Erlöſung völlig modifizirte und auch das Ethiſche durch ſentimentale Ueberſpannung und die Trennung deſſelben von den ſozialen Prinzipien und aller konkreten Geſtaltung veränderte, dies zu verfolgen, iſt hier nicht der Ort. Wir wollten nur den einen Charakterzug des Individualismus hervorheben, da es bei ihm ganz allein ſich um das Seelenheil des Einzelnen handelt, und ſelbſt „die Gemeinſchaft der Gläubigen in der Kirche“ erſt ein ſpäteres Produkt in ihm war. Den Charakter des Individualismus trägt aber auch der Talmudismus. Wie der Prophetismus das Soziale, ſo ſetzt er das Religiös=Ethiſche voraus, und ſeine Aufgabe iſt es, dieſes immer mehr und mehr zu individualiſiren, im Leben der Individuen, in allen individuellen Lagen und Verhältniſſen zu verwenden und zu verkörpern, für alle

Thätigkeit des Einzelmenschen, für alle erdenklichen Spezialfälle zu bestimmen. Der wesentliche Charakter des Talmudismus, wie er aus dieser Tendenz hervorgehen mußte, ist daher: **die juridische Behandlung der Religion.** Die Jurisprudenz besteht in nichts Anderem, als in der Anwendung und Verwirklichung bestimmter Rechtsprinzipien auf alle vorkommenden individuellen, örtlichen und zeitlichen Fälle, und nichts Anderes sind auch der Inhalt, die Tendenz und der Charakter des Talmudismus, nur daß dieser nicht nur die Rechtsprinzipien, sondern auch das ganze Rechtsgebiet, dessen Fundament und Abgrenzungen in dem geoffenbarten Worte der heiligen Schrift vorgezeichnet findet, und daher die Prinzipien selbst einer Erörterung nicht unterzieht, sondern alles Einzelne aus dem gegebenen Einzelnen folgert; ferner, **daß ihm das Recht mit dem Religiös-Ethischen identisch ist, und umgekehrt ihm das Religiös-Ethische zum Recht ward.** Es versteht sich von selbst, daß diese Anschauung eben nicht bloß in der Methode und in der kasuistischen Thätigkeit besteht, sondern in dem Prinzipe selbst wurzelt, von diesem daher der ganze Talmudismus ausgeht und in bewunderungswürdiger Weise bis in seinen letzten Ausläufen beherrscht ist, das Prinzip nämlich, **daß alles Religiöse, Ethische und Sociale ein** (aus der göttlichen Offenbarung geflossenes) **Recht, ein Jus ist, also auch Alles, was man im Profanen ein Jus nennt, ebenfalls Religion ist.** Muß man nun anerkennen, **daß von der einen Seite die Anschauung, daß alles Jus Religion ist,** daß überhaupt alles menschliche Denken, Sprechen und Thun religiös sein, d. h. in seiner Beziehung zu Gott und der aus dieser fließenden Bestimmung des Menschen gedacht, festgehalten und geübt werden müsse, eine großartige und vom Standpunkte der Religion auch die allein richtige ist: so ergiebt doch die andere Seite derselben Anschauung, **daß alles Religiöse Jus ist,** daß also alles Denken, Sprechen und Thun des Menschen als religiös auch Jus ist, die Folge, **daß jede freie Bewegung des Menschen aufgehoben, daß, weil Alles Jus ist, es nicht von der freien Erwägung des Menschen abhängen kann, sondern von der religiösen Autorität, als dem Organe der Rechtsinterpretation bestimmt sein muß.** So freien Spielraum der Talmudismus der Gesetzeserörterung ließ und seinen Jüngern bis heute läßt, wie dies die ganze pilpulistische Schule erweist: so streng bindet er sie an die getroffene Entscheidung,

und läßt diese durchaus nicht von der Diskuſſion abhängen. Es
würde auch nur Unkenntniß bezeugen, wenn man annähme, daß
dieſe Rechtsanſchauung und dieſe juridiſche Beſtimmungsweiſe ledig=
lich auf dem kultuellen, oder wie man gewöhnlich ſagt, ceremoniel=
len und auf dem ſpeziell juridiſchen Gebiete ſeitens des Talmudis=
mus ſtattfinde; ſie hat ſich in allen Zweigen und Arten des Lebens
durchgeführt und geltend gemacht. Sie hat wie die Gottesverehrung
in Form und Wort bis zu der kleinſten Thätigkeit, ſo auch alle
ſittlichen Verhältniſſe des Menſchen durchdrungen; ſie ſtellt ebenſo
beſtimmt die Handlungen der Barmherzigkeit, das Verhalten der
Eltern zu den Kindern, der Kinder zu den Eltern, der Schüler zu
den Lehrern, der Ehegatten ꝛc. in beſtimmteſter Weiſe feſt; ſie denkt
hier an die mannigfaltigſten Fälle, an Colliſionen aller Art, und
beſtimmt im Voraus das dabei zu übende Verfahren; ja ſie ruft
eben dadurch immer neue Colliſionsfälle hervor, in welchen die Ent=
ſcheidung ſchon im Voraus vorgeſchrieben, oder doch aus vorhan=
denen Vorſchriften herzuleiten ſein wird.

Um das Geſagte zu erweiſen, brauchen wir zwar den Kundigen
keine Beiſpiele zu geben, denn ſie fallen ihm in Menge zu, ſobald
er den Talmud öffnet. Aber zur Charakteriſtik erinnern wir daran,
welche Ausdrücke im Talmud an die Stelle der bibliſchen תורה (oder
ותורות, מצוה (oder מצות), חקים und משפטים getreten ſind. Es iſt
dies zuvörderſt, und beſonders bedeutungsvoll חוב, חובה oder חובא.
Dieſes Wort, das in der h. Schrift nur zweimal vorkommt, Jech.
18, 7. als Schuld oder Schuldner an Geld, und im Piel Dan. 1, 10
in Verſchuldung bringen, in den Targumim aber zumeiſt als ſchul=
dig, d. h. ſündhaftig ſein, ſündigen, ſo wie חובה Schuld gegen Gott,
Sünde und Geldſchuld, tritt nun im Talmud als verpflichtet ſein
auf. Es gleicht hierin demnächſt dem deutſchen Ausdruck „ſchuldig‟,
welches theils zu Etwas verpflichtet, theils einer Sünde theilhaftig
bedeutet. Es unterſcheidet ſich aber eben hierdurch von „verpflichtet
ſein‟, daß es nicht ſowohl den Sinn einer aus frei gewähltem
Verhältniß entſprungenen Pflicht, ſondern einer Verſchuldung hat,
einer Schuldigkeit, der gegenüber alle Freiheit aufgehört hat, die
ſobald ſie nicht vollſtändig erfüllt wird, eine Schuldhaftigkeit, eine
Verſündigung in ſich ſchließt. חוב iſt demnach ein völlig juridiſches
Wort und trägt den Zwang einer Wiedererſtattung für Etwas,
was man empfangen hat, in ſich. Ihre Befriedigung iſt nicht mehr

eine Handlung freier Sittlichkeit, die ein Verdienst in sich trägt, sondern nur ihre Nichtbefriedigung ist eine Unsittlichkeit. Gerade darum ist das Wort nicht im Gebrauche, wo es die Erfüllung eines allgemeinen Prinzips oder Gesetzes gilt, sondern wo es sich bis ins Einzelnste hinein um die Ausführung eines Gesetzes in ganz speziellen Theilen handelt. Daher tritt ihm als Gegensatz רשות Erlaubniß, Freiwilligkeit gegenüber, und es wird z. B. Berach. 27, 2 die Frage verhandelt, ob das Abendgebet (תפלת ערבית) eine חובה oder eine רשות sei? Daher auch nichts gewöhnlicher, als die Formel יוצא ידי חבתו und לא יצא ידי חבתו; z. B. es ist Gesetz, am Peßach Ungesäuertes zu essen; aus dem desfallsigen Schriftwort wird die Vorschrift gefolgert, daß Jeder am ersten Abend des Peßach Ungesäuertes essen müsse, und nun wird gefragt, von welchen Fruchtarten dies geschehen könne, שאדם יוצא ידי חובתו בפסח Pessach. Mischna II, 5. Oder: es ist Gesetz, am Laubhüttenfeste in Hütten zu wohnen; unter ‚wohnen‘ kann man nicht blos das Verweilen am Tage verstehen, sondern auch das Schlafen in denselben; es frägt sich nun, ob man dieser Vorschrift genüge, wenn man nicht a u f dem Bette, sondern (Veranlassung ist gleichgültig) u n t e r dem Bette schläft, und es wird gefolgert, daß, wer in der Laubhütte unter dem Bette schläft, seine Schuldigkeit nicht gethan hat הישן תחת המטה בסכה לא יצא ידי חובתו (Succa Mischn. II, 1). So wird denn auch חוב von Dingen gebraucht, an denen eine Schuldigkeit haftet, wie z. B. daß sie verzehntet werden müssen (חיב במעשרות) so daß gefragt wird, von wann an werden Baumfrüchte zehntpflichtig? (מאימתי הפרות חיבין במעשרות) und nun die einzelnen Fruchtarten durchgegangen, und die Zeichen angegeben werden, mit deren Eintritt die Zehntpflicht eintrete (Maaser. I, 2). — In diese Kategorie gehören auch die Ausdrücke חסור (von חסר fesseln, bannen, gefangen setzen) פסול (von פסל behauen, bilden; פסל verderben), mit den Gegensätzen מותר (von נתר lösen, befreien), כשר u. s. w. mit ihren anderen Formen, die alle von **juridischer** Bedeutung sind, und das Moment des Gebundenseins und Freimachens enthalten, also Zustände, die nicht von dem Einzelnen und dessen Ansicht abhängen, sondern eine gesetzliche Bestimmung voraussetzen, demnach ein **Rechtsverhältniß.** —

4.

Um jedoch die von uns gegebene Definition des wesentlichen Charakters des Talmuds noch sorgfältiger zu erweisen und zur klaren Anschauung zu bringen, wollen wir einen Blick auf die Haupt=gegenstände, die der Talmud behandelt, und die Art, wie er sie be=handelt, werfen. Es versteht sich von selbst, daß wir hierbei weniger die Objekte als die Methode im Auge, also nicht die Stoffe selbst irgendwie erschöpfend zu besprechen haben, als vielmehr an ihnen den von uns gezeichneten Standpunkt des Talmuds zu erweisen. Darum begnügen wir uns hier, vorzugsweise die Mischna in Betracht zu ziehen, die doch nur eine im Wesen konsequente, aber weit weniger systematische Fortsetzung in der Gemara gefunden, und von der auch die rabbinische Literatur mit dem ganzen Heere der שׁו"ת folgerichtige Ausläufe giebt. Ebensowenig brauchen wir deshalb alles das herbeizuholen, was über einen Gegenstand außer=halb des Hauptabschnittes, der ihm gewidmet ist, in der Mischna selbst noch zerstreut ausgeführt ist, sondern begnügen uns mit der Betrachtung solcher Hauptabschnitte.

Wir beginnen hier mit dem Gebiete, auf welchem sich der eigentliche Charakter des Talmudismus des Gegenstandes wegen am erkennbarsten macht, mit Berachoth. Das Gebet ist es, welches an und für sich als der unmittelbarste Ausfluß der religiösen Em=pfindung und des religiösen Gedankens zu betrachten ist, welches daher aus der eigensten und freiesten Bewegung und Regung des menschlichen Geistes hervorgehen muß. Ja, man kann sagen, daß das Gebet seinen eigentlichen Werth ganz allein in diesem seinem Ursprunge, in dem durch das Herz gegebenen Inhalt seinen Werth besitzt, und, zu bloßer, gedankenloser Lippenbewegung geworden, seines ganzen Werthes verlustig geht. Es ist dies in der h. Schrift und im Talmud selbst oft genug ausgesprochen. Andererseits kann man nicht verkennen, daß das Gebet auch eine vorzügliche Pflege des religiösen Denkens und Fühlens abgiebt, und durch dasselbe die Andacht und Weihe des Geistes hervorgerufen wird, so daß, wer sich des Betens entschlägt, auch viel vom religiösen Leben verliert und seine innersten Seelenbeziehungen zu Gott abschwächt. Aber auch dies hängt von der Art des Betens ab, und jemehr es zum bloßen Mechanismus wird und der freien und innigen Thätigkeit

24*

des Geistes entbehrt, desto mehr verliert es auch seine Pflegekraft des religiösen Sinnes. Aus diesem Grunde haben die meisten Religionen, namentlich in ihrer späteren Entwickelung, immer mit der Forderung inbrünstiger Andacht, nicht blos Gebetszeiten bestimmt, sondern auch Gebete formulirt, wodurch auch namentlich ein gemeinsamer Gottesdienst ermöglicht wird. Die mancherlei Fragen und Motive, welche hieraus für die Beschaffenheit des Gebetes entspringen, können uns jedoch hier nicht beschäftigen, und erlauben wir uns, hierüber auf unsere Religionslehre Band I, S. 144 ff. zu verweisen. Das mosaische Gesetz, welches den Ursprung des Gebetes in die tiefste Urzeit des Menschen hinabsetzt (1. Mos. 4, 26), läßt dennoch das Gebet gänzlich frei und enthält nur eine einzige allgemeine Vorschrift, nämlich, wenn wir uns gesättigt, Gott zu preisen (5. Mos. 8, 10), und ein vorgeschriebenes Gebet bei der Abgabe der Erstlinge und der Zehnten im dritten Jahre (5. Mos. 26, 3 ff.), sowie die Segensformel der Priester. Der Opferkultus selbst war nach dem mosaischen Gesetze nur das Werk der gesammten Nation, und dem Individuum waren bestimmte Opfergaben nur für Beziehungen vorgeschrieben, die unmittelbar zum Nationalheiligthum für ihn bestanden, in seinem Verhältniß zu diesem beruhten. Was er sonst an Dank-, Friedens-, Freudenopfern und Gelübden darbringen wollte, stand ihm völlig frei.

Einen ganz entgegengesetzten Standpunkt nimmt hier nun der Talmudismus ein. Von der einen Seite führt er eine vollständige Individualisirung herbei. Erklärt er auch nach dem Untergange des Tempels und dem Aufhören des Opferkultus das Gebet an die Stelle des Opfers getreten, so bleiben doch hiervon nur die bestimmten Gebetszeiten übrig, die den Opferzeiten entsprechen [1]). Er macht aber diese Gebete vollständig individuell, indem sie jedem Individuum obliegen, und selbst das gemeinsame Gebet, oder was man öffentlichen Gottesdienst nennt, erst aus den Individuen herauswachsen und von einer bestimmten Zahl anwesender, männlicher, mündiger Individuen abhängen läßt. Das Opfer geschah also im Namen des ganzen Israels und für dasselbe. Das tägliche wie

---

1) Wenn damit auch gemeint ist, daß das Absagen der die Opfer bestimmenden Schriftworte die Opfer selbst vertritt, so erscheint das Individualisiren um so mehr, da jedes Individuum jene Worte absagen muß.

die Zusaß=Opfer waren die Darbringung des ganzen Israels. Die bestimmten Gebete dagegen, wie sie der Talmudismus aufstellte und statt der Opfer für gültig erklärte, waren nur Sache der Individuen, und erst ein sekundäres Bedürfniß giebt ihnen einen allgemeinen Charakter, aber auch hier nur nach der Oertlichkeit. Denn es wurde nicht etwa ein öffentlicher Gottesdienst für das gesammte Israel instituirt, etwa wie der Kultus im Tempel auch für Israeliten in den entferntesten Ländern galt, sondern es thun sich nur an jedem beliebigen Orte Individuen zu gemeinsamer Gebetverrichtung zu= sammen ¹). — Von der andern Seite stellt der T. das Gebet ganz auf den juridischen Standpunkt. Es ist ihm kein Akt freier Be= wegung und Thätigkeit, sondern eine Schuldigkeit (חובה), die das Individuum gegen Gott hat, und deren Nichtbefriedigung eine עברה Uebertretung ist, die eine strafbare Schuldhaftigkeit zur Folge hat. Aber nicht blos das Gebet überhaupt, sondern bestimmte, formulirte Gebete (תפלת חובה) zu bestimmter Zeit, in bestimmter Weise und bei bestimmten Veranlassungen. Dieses Rechtsverhältniß, daß das Individuum bestimmte Gebete in bestimmter Weise und Zeit und bei bestimmter Veranlassung Gott vorzutragen die Schuldigkeit hat, wird von der Mischna sowohl prinzipiell als faktisch vorausgesetzt, indem sie bereits diese bestimmten Gebete vor sich hat, nämlich die תפלה, d. i. die s. g. שמ עשׂי und das ק״שׁ und die Segenssprüche. nämlich theils solche, die vor und nach dem ק״שׁ zu beten, theils die zum Tischgebete gehören, theils die bei den mannigfaltigsten Veranlassungen, wie Genüssen aller Art, Anblick gewisser Dinge in der Natur, glücklichen oder unglücklichen Nachrichten u. dgl. m. Dieses Rechtsverhältniß bietet nun Gelegenheit zu der mannigfachsten Kasuistik, die im Talmud begonnen, von den Rabbinen weithin fortgeführt worden. Betrachten wir sie, soweit sie in der Mass. Berachoth der Mischna gegeben ist.

Vorausgesetzt ist, daß jeder Israelit das שמע sowohl am Abend als am Morgen einmal lese. Die erste kasuistische Frage ist nun, zwischen welchen Grenzen der Zeit dieses Lesen stattfinden müsse? (I, 1. 2). Die zweite: in welcher Stellung das שמע zu lesen, ob

---

4) Ist es doch nur für eine sekundäre Schuldigkeit erklärt, dem öffentlichen Gottesdienste beizuwohnen, gegenüber der primären Schuldigkeit, daß das Indi= viduum die Gebete verrichte. Orach Chajim 90, 11.

und wann liegend oder stehend. (3.) Die dritte: wie viel Segenssprüche am Abend und Morgen vor und nach dem ק״ש zu sprechen
(4.). Wie sehr ernst diese rechtliche Schuldigkeit, das שמע nach
allen diesen Bestimmungen zu lesen, gemeint ist, ersieht man daraus,
daß eine Lebensgefahr aus einer Uebertretung einer dieser Vorschriften erklärt ward (3), und daß als ein allgemeines Gesetz aufgestellt wird: „Wo man eine längere Segensformel festgestellt hat,
steht es Niemandem frei, sie abzukürzen, wo eine kürzere, Niemand-
dem, sie zu verlängern, ebensowenig eine Schlußformel auszulassen
oder hinzuzufügen" (4.). Die vierte kasuistische Frage ist, ob und
wann es erlaubt ist, während des ק״ש Jemanden zu grüßen, oder
einen Gruß zu erwiedern, und es werden die Stellen, wo dies
geschehen dürfe, und die Motive aus welchen, sorgfältig bestimmt.
(II, 1. 2.) Die fünfte: unter welchen Bedingungen das Lesen
wiederholt werden müsse oder genügend sei (3). Die sechste: wo
Arbeitende das Lesen vollziehen können (4). Die siebente: wer vom
Lesen des שמע frei ist, nämlich ein Bräutigam in der ersten Nacht,
ein Trauernder, dessen Todter noch nicht begraben u. s. w., wobei
noch einzelne Fälle erörtert, und auch andere Gebete in Betracht
gezogen werden (5. III, 1—6). Die achte ist: wohin das Gesicht
beim Beten (besonders bei der ק״ש) zu richten sei, nämlich nach
der Gegend des ehemaligen Tempels, wobei die Collisionsfälle beim
Reiten, Fahren und auf dem Schiffe in Betracht gezogen werden
(IV, 5. 6). Im Folgenden werden ähnliche Fragen hinsichtlich der
שמ״ע erörtert (V), was das Grüßen und die Irrungen, namentlich
des Vorbeters betrifft, und wie man sich dabei zu verhalten. Auch
hier tritt der Ernst so lebendig hervor, daß (1) gesagt wird, daß,
wenn während des Gebetes selbst der König Einen grüßt, man ihm
nicht antworten, und wenn eine Schlange um seine Ferse sich ge-
wunden hat, man nicht inne halten solle — was freilich von den
Erklärern dahin beschränkt wurde, daß jede Lebensgefahr dies aufhebt. Auch wird gelehrt, daß jeder Irrthum bei diesem Gebete eine
schlimme Vorbedeutung sei (5). Hierauf folgen die Segenssprüche
bei einzelnen Vorkommnissen, sowie das Tischgebet, und unter welchen Bedingungen dies von Zusammenspeisenden gemeinsam und
mit besonderen Formeln gesprochen werden muß. Hier hat die
Kasuistik ein weites Feld, und Zahl, Gelegenheit und Personen
werden von allen Seiten beachtet (VI. VII.). Der Abschnitt VIII

führt die entgegengeſetzten Beſtimmungen, welche hinſichtlich der
Gebete von den Schulen Hillel's und Schammai's getroffen worden,
auf. Sie betreffen die kleinſten kaſuiſtiſchen Bedingungen, wie z. B.
ob man den Segensſpruch am Feiertage zuerſt über den Tag, dann
über den Wein ſprechen, ob man zuerſt die Hände waſchen und
dann den Becher füllen ſoll, oder umgekehrt u. dgl. m., und erweiſen
ſo, wie weit die kaſuiſtiſche Veräſtelung innerhalb der juridiſchen
Anſchauung religiöſer Dinge bereits längere Zeit vor der Zerſtörung
Jeruſalems gediehen war. Denn man darf hierbei niemals ver-
geſſen, daß dieſe Streitfragen nicht aus bloßer Streitſucht, nicht
aus der Begierde, Geſetze zu ſchmieden, hervorgegangen, ſondern
einfach als Conſequenz aus dem Prinzip, auf welchem man feſtſtand,
aus dem Rechtsprinzip, aus welchem heraus eine Frage die andere,
eine Entſcheidung die andere unvermeidlich nach ſich zog, daß aus
dieſem Prinzipe die nebenſächlichſte Form dieſelbe Wichtigkeit als
Erfüllung der Rechtsforderung gewann, wie die erſte und haupt-
ſächlichſte, und darum mit demſelben Ernſte, mit demſelben heiligen
Willen behandelt wurde. Hieran ſchließen ſich nun noch Beſtimmungen über Segensſprüche in mannigfaltigen Fällen, z. B. bei
Sternſchnuppen, Erdbeben, Gewitter, Sturm, beim Anblick des
Meeres, Regen u. ſ. w. (IX.) Es gilt hier der ſchöne Grundſatz
(5): „Der Menſch iſt ſchuldig, für das Böſe Gott ebenſo zu danken,
wie für das Gute.“

Dieſe kurze Ueberſicht wird, ohne Einzelnheiten ſtofflich zu
erörtern, genügen, den juridiſchen Standpunkt des Talmuds hinſichtlich des Gebetes anſchaulich zu machen. Die Quellen ſind auch
deutlich zu verfolgen. In der Thorah heißt es: „Es ſollen dieſe
Worte, die ich Dir heute gebiete, in Deinem Herzen ſein, und Du
ſollſt ſie einſchärfen Deinen Kindern, und davon reden, ſo Du ſitzeſt
in Deinem Hauſe, und ſo Du geheſt auf dem Wege, und ſo Du
Dich niederlegſt, und ſo Du aufſtehſt“ (5. Moſ. 6, 6. 7.). Es iſt
dies eine allgemeine religiöſe Vorſchrift, ſich von der Gotteslehre
ganz erfüllen zu laſſen, ſeine Kinder darin zu unterweiſen, und ſich
mit ihr zu allen Zeiten und in allen Lagen, ganz unabhängig von
äußeren Bedingungen zu beſchäftigen. Sobald man ſich aber auf
den Rechtsſtandpunkt ſtellte, dieſe Schriftworte als eine Rechtsforderung begründend erachtete, mußte auch ein beſtimmtes, concretes
Rechtsobject gefordert werden. „Dieſe Worte“, die z. B. auch

Aben-Esra von allen Geboten verstand, und das בם mußten für bestimmte Abschnitte erklärt werden, und zwar dieses Stück selbst (5. Mos. 6, 4—9.), das mit fast gleichen Worten endende 5. Mos. 11, 13—21 und das Gesetz 4. Mos. 15, 37—41. Hieraus folgerte nun, daß diese Stücke jeden Tag gelesen werden mußten, und zwar Morgens und Abends (ובשכבך ובקומך) und so kasuistisch weiter. Es fragt sich z. B. warum das Stück über Zizith (4. Mos. 15, 37 ff.) auch zur Nacht gesagt werden solle, da es zwar des Auszuges aus Egypten erwähnt, aber doch die Zizith zu dieser Zeit nicht gesehen werden können (וראיתם אתו) und nicht angesehen werden? Die Antwort lautet: weil es 5. Mos. 16, 3 heißt: „Damit Du gedenkest des Tages Deines Auszuges aus dem Lande Mizrajim כל ימי חייך", was nun nicht „alle Tage deines Lebens", sondern „die ganzen Tage deines Lebens" erklärt wird, so daß ימי חייך die Tage, כל ימי חייך Tag und Nacht bedeuten (I, 5). Allein gerade aus dieser Stelle erkennt man, daß der Gebrauch nach der allgemeinen Rechtsfolgerung bisweilen schon längst bestand, bevor es gelang, einen Anhalt in einem Schriftworte und dessen nicht selten gezwungener Auslegung zu finden. Denn Rabbi Eliesar ben Asarjah sagt, daß er beinahe (oder wie) 70 Jahre alt gewesen, ohne so glücklich zu sein, einen Beweis hierfür zu wissen, bis Ben Soma diese Erklärung vorgetragen — während allerdings die Weisen die Stelle ganz anders erklärten, nämlich ימי חייך bedeute diese Welt, כל ימי חייך die Zeiten des Messias.

Es resultirt hieraus Folgendes. Allerdings wurde auch vom Talmud festgehalten, daß das Gebet seiner Natur entsprechen und mit Andacht und Weihe vollzogen werden müsse. In unserer Mischna selbst (IV, 3) heißt es: „Wer sein Gebet zu einem fest bestimmten Geschäfte (קבע von קבע, chald. festsetzen [1]) macht, dessen Gebet ist

---

1) Derselbe Grundsatz aus dem Munde eines andern Talmudlehrers findet sich bekanntlich auch P. Aboth II, 18, und das קבע, welches auch an dieser Stelle gebraucht wird, erhält sein rechtes Licht durch den Satz ibid. I, 15 wo das Studium des Gesetzes zum קבע zu machen vorgeschrieben wird. Dieses Studium als Beschäftigung des Verstandes kann zur festgesetzten Zeit vorgenommen und wie eine Arbeit behandelt werden, da die Thätigkeit des Verstandes zu aller Zeit zu Gebote steht, während die Anregung der Gefühle, der Aufschwung der Seele nicht zu aller Zeit nach dem Willen der Menschen vor sich geht, sondern theils besondere Veranlassung, theils einen größeren Kraftaufwand des Geistes erfordert.

kein wahrhaft anbächtiges." Man könnte fragen, wie diese Vor=
schrift sich mit der Festsetzung bestimmter Gebetzeiten und der un=
bedingten Schuldigkeit, dieselben einzuhalten, vertrüge? Aber man
erinnere sich, daß dem Abhalten des Gebetes hinsichtlich der Zeit=
grenzen doch ein längerer Spielraum gelassen worden, innerhalb
dessen man sich sammeln könne. Daher heißt es (V, 1): „Man
stehe zum Gebete nur mit anbächtig=bemüthigem Geiste auf[1]); die
früheren Frommen sannen eine Stunde nach und beteten dann, um
zuvor ihr Herz zu Gott aufzurichten." Gilt dies insonders von
der שׁע, so wird doch Aehnliches auch von ק"שׁ vorausgesetzt, wie
z. B. der Satz (II, 1) anbeutet: Wer in der Thora gerade (das ק"שׁ)
liest, wenn die Zeit zum Ablesen desselben eintritt, hat er zugleich
seine Anbacht barauf gerichtet, so hat er seine Schuldigkeit gethan,
hat er dies nicht, so muß er es noch einmal lesen. — Dies aber
vermindert in keiner Beziehung die Rechtsforderung, die vorge=
schriebenen Gebete mit Beobachtung aller, wie wir sahen, bis ins
Kleinste eingehenden Bestimmungen abzuhalten. Wir haben die als
allgemeines Gesetz aufgestellte Mischna citirt (I, 4), nach welcher es
Niemanbem gestattet sei, selbst nicht einmal die an einem Ort
gebräuchlichen Formeln zu verlängern, zu verkürzen oder zu mobi=
ficiren. Es war der Folgezeit daher nur gestattet, neue Gebetstücke
hinzuzufügen, nicht aber mit den gegebenen Veränberungen zu treffen.
Es lag dies auch vollstänbig im Prinzipe. Da, wo im Gesetze einem
Richter die Entscheidung nach ganz kasuistischen Verhältnissen vor=
liegt, barf er sich von den Debuctionen weder des Anklägers, noch
des Bertheidigers leiten lassen, sondern muß sich sorgfältig an die
Bestimmungen des Gesetzes halten. War also das Gesetz entweder
aus der göttlichen Quelle der Offenbarung, oder aus den Bestim=
mungen der Autoritäten, oder aus den übereinstimmenden Folge=
rungen der Gelehrten, oder aus bem später begrünbeten Gebrauch
geflossen, so war dies Alles Rechtsgesetz und bem Inbivibuum gegen=
über Rechtsforderung, die nur burch bie genaue Befolgung befriebigt
werden kann. Daß man baher im Talmub eine Reform des Juden=
thums, oder nur in biesem oder jenem Talmubisten einen Reformer
hat finden oder eine Reform burch ben Talmub hat begrünben

---

wollen, kann nur auf einer Verkennung des Talmuds in seinem Geiste, in seinen Prinzipien und in seinen konkreten Bestimmungen beruhen. Reform heißt Umgestaltung nach geistigen, zeitlichen und örtlichen Bedürfnissen, und ist so das Gegentheil von Rechtsprinzip, Rechtsforderung und rechtlicher Schuldigkeit.

5.

Das Gebiet, welches dem Gebete am nächsten liegt, ist das der Barmherzigkeit, der Wohlthätigkeit. Wir können es gewissermaßen als ein mittleres ansehen. Denn allerdings findet hier ein striktes Rechtsverhältniß noch nicht statt, weil in den Akten der Wohlthätigkeit für eine Leistung noch keine Gegenleistung geschieht. Eine wohlthätige Handlung ist daher immer noch ein Akt der freien Geistes= bewegung, der eigenen Selbstbestimmung, und erhält durch diese ihren eigentlichen Werth. Von der andern Seite tritt dennoch ein gewisses Rechtsverhältniß im höheren Sinne ein, wie überall, wo es sich um eine Beziehung zwischen Mensch und Mensch handelt. Denn aus einem höheren Gesichtspunkte hat der Dürftige einen Rechts= anspruch an den, der Ueberfluß hat, und betrachten wir die Mensch= heit als eine Gesammtheit und ihr Besitzthum als ein Ganzes, so wird innerhalb gewisser Grenzen eine Rechtsforderung dem Gliede, welches Mangel leidet, an ein anderes, welches über das Bedürfniß hinaus besitzt, zuzugestehen sein.

Das mosaische Gesetz hat dieses eigenthümliche Verhältniß an= erkannt. Es hebt einerseits die Wohlthätigkeit als Handlung des völlig freien Willens hervor. Es subsumirt die Wohlthätigkeit als Heiligung unter die Bethätigung der Liebe (3. Mof. 19); es sagt (5. Mof. 15, 7 ff.): „So aber unter Dir sein wird ein Dürftiger, einer Deiner Brüder in einem Deiner Thore in Deinem Lande, das der Ewige, Dein Gott, Dir giebt, so verhärte nicht Dein Herz und verschließe nicht Deine Hand vor Deinem dürftigen Bruder; sondern öffnen sollst Du ihm Deine Hand und leihen sollst Du ihm zur Genüge seines Mangels, was ihm mangelt. Geben sollst Du ihm und in Deinem Herzen nicht leid sein lassen, daß Du ihm gebest: denn um dessentwillen wird der Ewige, Dein Gott, Dich segnen in all Deinem Werk und in allem Schaffen Deiner Hand." Es wird hier also auch ganz besonders auf die Gefühle Rücksicht genommen,

welche mit der That verbunden sind, und nur der Herzensfreudigkeit,
mit welcher sie geschieht, das wahre Verdienst zuertheilt. Anderer=
seits aber erkennt das mosaische Gesetz einen Rechtsanspruch der
Hülfsbedürftigen an, und formulirt diesen zu konkreten Bestimmungen,
indem es dem Fremdling, der Wittwe und Waise und dem Armen
den Ertrag des siebenten Jahres, was in demselben ohne Bear=
beitung auf Feld, Weinberg oder Oelbaum wächst, ferner die Frucht
auf den Rändern des Feldes (פאה), die einzelnen Abfälle (לקט),
vergessene Aehren und Garben (שכחה), die Nachlese des Weinberges
(עללת), die abgefallenen Trauben (פרט), sowie die zweiten Zehnten
des dritten Jahres zuertheilt. Bei einem ackerbauenden Volke war
dies von großer Bedeutung: es war hiermit für den Unterhalt der
Armen gesorgt, und doch nur so, daß es vom Ueberflusse des Er=
trages geschah, und nach dem Ertragniß des Jahres, nach Frucht=
barkeit oder Dürre, sich richtete. Auch ist nicht zu übersehen, daß
in diesen Dingen der Freiwilligkeit noch ein großer Spielraum ge=
lassen wurde, da es auf den guten Willen des Eigenthümers ankam,
welche Achtsamkeit er anwenden wollte, um das Ergebniß für die
Armen größer oder geringer zu machen. Vor Allem tritt dies hin=
sichtlich der Ränder des Feldes hervor, und da sich der Abschnitt
Peah unmittelbar an Berachoth reiht, so wenden wir uns hier der
Mischna wieder zu.

In dem Princip des Talmudismus, wie wir es bis jetzt nach=
gewiesen haben, lag es, sobald auch nur eine bedingte Art von Rechts=
verhältniß vorhanden war, es möglichst in ein unbedingtes zu ver=
wandeln, und darum bietet uns die Peah einen recht schlagenden
Beweis hierfür. Anerkannt mußte es werden, daß das Gesetz keinen
vollständigen Rechtsanspruch hinsichtlich der Peah constatirt, daß es
kein bestimmtes Maß für die stehen zu lassenden Ränder des Fel=
des festgesetzt hatte, und die Mischna beginnt daher: „Folgende
Dinge haben kein gesetzliches Maß: die Peah, die Erstlinge, die
Opfergaben bei der Wallfahrt zum Tempel, die wohlthätigen Hand=
lungen und das Gesetzesstudium" (אלו הדברים שאין להם שיעור Peah
I, 1). Aber schon der folgende Paragraph bestimmt, daß die Peah
nicht unter dem Sechzigstel sein dürfe, und man war sich dieser Um=
wandlung eines bedingten in einen unbedingten Rechtsanspruch so
bewußt, daß die Mischna hinzugefügt: „Trotzdem gelehrt worden,
daß die Peah kein Maß habe." אין פוחתין לפאה משׁשׁים ואף על פי

תראורייתא שאמרו אין לפאה שיעור, weshalb die Comment. erklären: אבל מדרבנן יש לקצתן שיעור דהא קתני אין פוחתין לפאה מששים
Das juridische Gewissen ist nicht eher zufriedengestellt, als bis wenigstens ein Minimalsatz festgesetzt war, wozu denn sogleich die Gesichtspunkte hinzugefügt werden, nach welchen das Mehr zu beurtheilen. Es war daher nur ein consequenter Schritt, wenn R. Akiba die Peah für ein ganz concretes Rechtsobjekt erachtete, und sie den anderen Rechtsverhältnissen, die an unbeweglichen Gütern hafteten, völlig gleichstellte (III, 6.),

Von hier aus hat nun die Casuistik einen weiten Spielraum und mußte sich, je weiter sie gedieh, immer üppiger entfalten. Es that hierbei nichts, daß durch die Zerstreuung der Juden aus ihrem Lande auch das Gesetz der Peah nicht mehr anwendbar ward, die casuistische Arbeit ging aus dem bereits Gegebenen immer weiter vor sich, anfänglich weil man keine Tradition verloren gehen lassen wollte, später weil die Geistesthätigkeit an jedem der gegebenen Stoffe sich fortsetzen mußte. Zuerst galt es zu bestimmen, von wo auf den Feldern und von welchen Früchten die Peah zu geben, wobei das Verhältniß zwischen der Peah und dem Zehnten zur Sprache kommt (I.). Alsdann mußte genau festgestellt werden, was eigentlich ein gesondertes Feld, an welchem die Peah zu beobachten sei, und welche Arten der Trennung Absätze bilden, um von dem gesonderten Theil die Peah verlangen zu können. Hierbei stellten die verschiedenen Arten der Pflanzung, sowie die verschiedenen Baumarten und die Weise, wie sie zu Reihen formirt wurden, der Casuistik mannigfaltige Bedingungen (II, 1—6), wozu nun noch Fragen kamen über die Verpflichtung der Peah im Falle der ganzen oder theilweisen Beraubung, des Verkaufs und des Verdingens (II, 7 bis III, 6.). Wie aber seitens der Besitzer somit Rechtsschuldigkeiten statuirt waren, mußten nunmehr auch ebensolche seitens der Empfänger d. i. der Armen eintreten. In wiefern diese sich die Peah selbst zu nehmen, oder von dem Besitzer zu empfangen haben, mit was für Werkzeugen, zu welchen Tageszeiten die Peah einzuholen u. s. w., wird näher bestimmt (IV, 1—5). Knüpft die Mischna hieran zunächst die Bestimmungen über Nachlese und Vergessenes, wobei bis auf die einzelne Aehre gerücksichtigt wird, die beim Schneiden vergessen worden, bevor noch das ganze Feld geschnitten ist (so nämlich, daß, wenn die Spitze dieser Aehre noch in das Stehengebliebene hinreicht, sie nicht zum Vergessenen gehört), auch wer die Ursache des Vergessens ist, welche Stellung die Garben haben und von welcher Zahl sie sein müssen, um als Vergessenes zu gelten oder nicht u. s. w., was dann wieder seine Weiterungen betreffs der Bäume und Weinberge findet — so kommt die Mischna zuletzt zu den Bestimmungen über diejenigen, welche zur Peah, Nachlese u. s. w. berechtigt sind, wobei sie feststellt, unterhalb welcher Grenze an Besitzthum das Recht der Peah beginnt, nämlich sobald Jemand auch nur das Geringste unter 200 Sus besitzt, oder mit weniger als 50 Sus Geschäfte treibt. Es ist hier zu bemerken, daß in der Consequenz seines Princips der Talmudismus den juridischen Grundsatz des Strafmaßes auch auf das Gebiet versetzen mußte, wo eine menschliche Strafe nicht möglich oder zulässig ist, nämlich den Grundsatz מדה כנגד מדה Maß für Maß, und so finden wir den Grundsatz aufgestellt: Wer nimmt, ohne daß er zu nehmen braucht, wird im höheren Alter anderer Menschen bedürfen; wer aber bedürftig ist und doch nicht nimmt, wird im höheren Alter Andere verpflegen; wer sich ein Gebrechen andichtet um Armenspenden zu erhalten, wird diese Gebrechen wirklich bekommen (VIII, 9 f.).

In ganz analoger Weise werden die anderen Theile dieses Gebietes behandelt; doch da es unser Zweck hier nicht ist, die Gegenstände stofflich erschöpfend zu behandeln, können wir uns mit dem Obigen begnügen.

6.

Von dem Gebete und der Wohlthätigkeit wenden wir uns zunächst zu dem Momente, welches zu den wesentlichsten Aufgaben des Judenthums und des dasselbe bekennenden Volksstammes gehörte, zu der Verhütung und Beseitigung der Abgötterei und des Götzendienstes.

Die heilige Schrift verkündet von ihrem ersten bis zu ihrem letzten Worte die Lehre von einem einzigen, unkörperlichen Gotte, der durch seine Macht, seine Weisheit und seinen Willen das Weltall und alle Wesen hervorgebracht; sie macht die Erkenntniß und die Anbetung dieses Gottes zur heiligsten Pflicht des Israeliten und dereinst aller Menschen, wogegen Abgötterei und Götzendienst für den Israeliten ein todeswürdiges Verbrechen ist. Diese Gotteslehre war für den Mosaismus die Wurzel, aus welcher alle sitt= lichen und socialen Gesetze, also alles wahrhafte Menschenthum, als Consequenz herauswuchsen, so daß diese mit jener standen und fielen. Für diese Gotteslehre mußte im Volke Israel die erste feste Grundlage mitten in der ganzen heidnischen Welt gelegt werden. Alle Nationen der Erde waren zu jener Zeit der Abgötterei und dem Götzendienste anheimgefallen. Was auch in jüngster Zeit die Gelehrten über eine reinere Gottesidee, die ursprünglich den My= thologieen der Völker vorangegangen, verhandelt haben, Niemand kann und wird leugnen, daß in Wirklichkeit sämmtliche Völkerschaf= ten der Erde dem gröbsten Götzenthum in Wort und Werk huldig= ten. In dem kleinen Volke Israel also sollte zuerst für das gesammte Menschengeschlecht der Gotteslehre ein Boden gewonnen werden. In diesem Stamme selbst aber lebte nur eine schwache Tradition, die in Egypten mythologische Färbung hinreichend an= genommen (vgl. 2 Mos. 32, 4—6), und es war daher voraus= zusehen, daß, mitten unter heidnische Nationen versetzt, im Schooße Israels selbst ein harter Kampf zwischen der Gotteslehre und dem immer wieder hereinbrechenden Heidenthum stattfinden werde (vgl. 5 M. 21, 16. 20. 29.). Es galt also einen Kampf um die Existenz= frage, und es mußten daher die nachdrücklichsten Maßregeln ergriffen werden, um den Bestand der Gotteslehre in Israel selbst zu sichern und vor dem Einbruch des Heidenthums zu schützen. Die desfall= sigen Vorschriften in den fünf Büchern Mos. beziehen sich also wesentlich auf das Verhältniß Israels zum Heidenthume innerhalb des ersteren selbst. Die unerläßlichen Bedingungen waren hier, daß Israel ein eigenes Land zu seinem Sitze erlange, daß die bis jetzt darin wohnhaften heidnischen Stämme daraus vollständig verdrängt, und alle dem Götzenkultus dienenden Gegenstände, seien es Tem= pel, Haine, Altäre, Bilder, Säulen oder dergleichen, zertrümmert und ihre Reste vertilgt werden, daß eine Vermischung der Israeliten mit ihnen durch Verheirathung vermieden werde. Noch weniger durften die Israeliten Götzenbilder verfertigen, ja nicht einmal die Namen von Götzen im Munde führen (2 Mos. 23, 13.), keinerlei heidnischem Opfer beiwohnen (2. Mos. 22, 19 u. a. O.), insbeson= dere nicht an dem Menschenopfer des Moloch Theil nehmen (3 Mos. 18, 21 u. a. O.). Die ganze Schärfe des Gesetzes mußte sich aber gegen die Israeliten wenden, welche sich zum Götzendienst verleiten ließen oder gar ihre eigenen Brüder dazu verleiteten (3 Mos. 20, 2 ff. 5 Mos. 13, 2 ff. u. a. O.). Es ist bekannt, daß diese gesetz= lichen Bestimmungen das immer wiederholte Auftreten des Heiden= thums im israelitischen Volke zu verhindern dennoch nicht vermoch= ten, daß vielmehr ein tausendjähriger Kampf im Inneren des Volkes darüber entstand. Die mangelhafte Austreibung der heid= nischen Völker, das Beispiel der umwohnenden Nationen, der Hang der Israeliten selbst und endlich die Herrschsucht der Könige, welche die Beschränkungen ihrer politischen Macht durch das mosaische Ge= setz zu beseitigen trachteten, gaben dem Heidenthume immer neue Nahrung, und brachten so den religiösen und sittlichen Verfall immer näher. Hiergegen traten nun die Propheten auf und es ist der eigentliche Inhalt und Beruf des Prophetenthums, gegen das Heidenthum in Israel und seine unsittlichen Folgen zu kämpfen, was es allerdings nur vermochte, indem es dennoch einen starken Anhalt für die Gotteslehre in einem Theile des Volkes vorfand. Freilich konnte es dem Prophetenthum hierbei nicht beikommen, die speciellen Vorschriften des mosaischen Gesetzes gegen den Götzen= dienst einzuschärfen und etwa durch neue zu ergänzen — dazu fehlte alle Opportunität — sondern es konnte nur jene schon in den fünf Büchern Mosis angedrohte Bestrafung des ganzen Israels durch Vertreibung aus dem Lande, Zerstreuung und Knechtschaft unter den Völkern immer und immer wiederholen und in erschütternden Ge= mälden ausführen, jede Verbindung mit den heidnischen Völkern verdammen, und gegen diese selbst, so weit sie auf die Richtung und das Schicksal Israels einwirkten, ihre Strafverkündigungen richten. Was so lange und so oft vorausgesagt worden, traf ein: der Fall des israelitischen und judäischen Staates, die Zerstörung Jerusa= lems, die Wegführung des Volkes nach den assyrischen und babylo= nischen Ländern. Es ist aber ebenso bekannt, daß der Theil des Volkes, welcher aus dem Exil nach Jerusalem zurückkehrte, alles Heidenthumes von dieser Zeit ab durchaus baar war. Während an der letzten Schwelle des Exils noch der gewaltige Prophet, dem wir den zweiten Theil des Jesaias verdanken, gegen den Götzen= dienst in Israel eifert, zeigen die noch dem Exil lebenden Propheten keine Spur davon. Sie eifern gegen schlechte Opfergaben, Vor= enthaltung der Zehnten und Hebe, gegen eheliche Vergehungen, Esra gegen die Verheirathung mit fremden Weibern, Nehemia gegen ben Wucher, die Entweihung des Sabbaths, aber nirgends gegen den Götzendienst. Fortan blieb Israel frei hiervon. Aber nicht bloß im eigenen Lande, auch unter den in Innerasien Zurückgebliebenen ersteht bald eine treue Anhänglichkeit an die Gotteslehre, das väterliche Gesetz, die väterliche Sitte. Wie dieser Wandel in so kurzer Zeit geschah, ist in geschichtliches Dunkel gehüllt. Wir können nur voraussetzen, daß eben im Exil eine Sonderung zwischen den Theilen des jüdischen Volkes, welche die Gotteslehre festhielten, und denjenigen, die von ihr abgefallen, leichter vor sich ging, die letzteren in die heidnischen Völker aufgingen, die ersteren abgesondert bestehen blieben, sich zur Rückkehr nach Jerusalem entschlossen, oder doch in der Fremde sich um die Standarte ihres Glaubens enger schaarten. Ein Kampf gegen das Heidenthum erstand für Israel erst dann wieder, als das letztere mit Gewalt Eingang und Herrschaft auch bei Israel erlangen wollte. Jetzt aber konnte es nur bei denen ihm gelingen, welche der grausamen Behandlung oder der Verlockung durch reiche Belohnungen nicht genug widerstehen konnten, und eben nur so lange, als diese Gewaltthaten dauerten. Jedes Mal erhob sich das Volk zum Kampfe, focht diesen gegen die Syrer siegreich, gegen die Römer unglücklich aus. Daß während dieses Kampfes der Fanatismus nicht ausblieb und die mosaischen Verbote viel strenger genommen wurden, lag in der Natur der Sache, und haben wir bei einer anderen Gelegenheit ausgeführt.

In eine völlig andere Stellung gerieth aber nun der Talmudismus dem Heidenthume gegenüber. Es galt nicht mehr, wie für den Mosaismus und das Prophetenthum, Abgötterei und Götzendienst in Israel zu unterdrücken und aus den Grenzen des eigenen Landes hinauszuschaffen; es galt nicht mehr, wie zur Zeit des zweiten Tempels, das Nationalheiligthum, und die Bewohner des eigenen Landes gegen die gewaltthätigen Uebergriffe des Heidenthums zu schützen. Das Nationalheiligthum lag in Trümmern, Israel war aus dem eigenen Lande vertrieben und zu Zeiten durch Gesetze aufs Strengste von dessen Grenze fern gehalten. Dagegen waren die Juden mitten unter die Heiden zerstreut, theils in größeren, theils in kleineren Gemeinden, theils als Individuen in den verschiedensten Ländern zersplittert, und, so sehr man auch ihrer Treue für den väterlichen Glauben gewiß sein konnte, und wußte, daß der Gegensatz des ganzen jüdischen religiösen, sittlichen und sozialen Lebens gegen das heidnische so groß war, daß an einen Uebergang oder eine Vermittelung nicht zu denken war, so lag es doch ob, eine Verminderung des Abscheus gegen Alles, was zum heidnischen Kultus und Leben gehörte, die durch den täglichen Verkehr herbeigeführt werden konnte, zu verhindern. Es lag in dem Wesen des Talmudismus, dies lebhaft aufzugreifen, und in seinem Prinzipe, es, nicht von Haß und Strenge geleitet, sondern in der juridischen Consequenz, in der individualisirenden und casuistischen Weise, durchzuführen. Denn so streng dies Letztere auch ausfallen mußte, so haben wir doch früher ein Mal nachzuweisen Gelegenheit gehabt, daß der Talmud z. B. Betreffs der plastischen Kunst lange nicht so streng verfuhr, wie die Juden in Palästina während des letzten Jahrhunderts ihres selbständigen Wohnens allbort. Betrachten wir dies näher, indem wir uns jedoch auch hier lediglich auf die Besprechung der Mischna Abodah sarah beschränken.

Wir bemerken voraus, daß die Mischna lediglich von עכו"ם d. i. עובדי כוכבים ומזלות d. i. Götzendienern und עבודה זרה d. i. Götzendienst und Götzen handelt. Wer dies bezweifeln wollte, braucht nur I, 3. auf die dort angeführten Feste, Kalenden, Saturnalien u. dgl. zu sehen, die lediglich heidnische, besonders römische Feste waren. Genau genommen sind daher alle diese Bestimmungen lediglich gegen das Heidenthum gerichtet, wie denn auch das Christenthum der Zeit nach erst eine spätere Berücksichtigung hätte finden können und der Islam erst fast vier Jahrhunderte nach der Abfassung der Mischna entstund. Allerdings blieben jedoch mancherlei Bestimmungen auch den Bekennern dieser beiden Religionen gegenüber in Vorschrift und Brauch. Zunächst zieht die Mischna die Betheiligung am heidnischen Kultus in irgend welcher Art in Betracht und beginnt mit dem Verbote, drei Tage vor den Festen der Heiden mit diesen irgend Geschäfte zu machen, von ihnen oder ihnen zu leihen, ihnen zu zahlen oder von ihnen Zahlung zu empfangen. Weder eine Erleichterung, die R. Jehuda, sich von ihnen bezahlen zu lassen, noch eine Erschwerung, die R. Ismael beabsichtigte, das Verbot auf drei Tage nach dem Feste auszudehnen, drang durch. Da die heidnischen Feste theils als öffentliche (feriae publicae), theils von einzelnen Personen oder Familien (feriae privatae) gefeiert wurden, so bestimmt die Mischna, daß dieses Verbot für allgemeine Feste allgemein, für Privatfeste auf die betreffenden Personen sich bezieht. Wenn ein Fest in einer Stadt gefeiert wird, so darf der Israelit nicht dahin gehen, es sei denn, daß der Weg durch dieselbe anderswo hinführt (I, 1—4.). — Den zweiten Gegenstand bildet der Verkauf von Dingen, die zum heidnischen Kultus gebraucht werden könnten. Alle Dinge, die gar nicht anders als zum Götzendienste gebraucht werden, und solche Dinge, die zwar auch anderweitig gebraucht werden, aber ausdrücklich als für den Götzendienst bestimmt bezeichnet worden sind, dürfen an Götzendiener nicht verkauft werden. Es schließt dieses Verbot alles großes Vieh, Kälber und Eselsfüllen ein, und überläßt nur kleines Vieh dem Ortsgebrauche, ob es verkauft werden dürfe oder nicht. So wird denn auch festgestellt, an welchen Bauten' den Heiden zu helfen erlaubt sei? Wo dies der Fall ist, so muß doch der Jude an den Stellen aufhören, wo man die Götzenbilder aufzustellen pflegt. Geschmeide für die Götzen zu machen ist verboten. In welchen Ländern es gestattet ist, den Götzendienern Häuser und Aecker zu verkaufen und zu vermiethen, wobei eben ein Unterschied zwischen dem h. Lande, Syrien und den übrigen Ländern gemacht wird. Vermiethet darf unter keiner Bedingung ein Wohnhaus werden, weil jeder Heide in ein solches ein Götzenbild hineinstellt (5—9). — Hierauf folgen Vorschriften über den persönlichen Verkehr mit Götzendienern (II, 1. 2.), wobei eine enorme Strenge sich geltend macht, die mit den Verboten der Ultramontanen in der katholischen Kirche gegen die Juden vollständig wetteifert, und in der Praxis nicht durchdrang, sondern gar bald geradezu aufgehoben ward, weil die daraus nothwendig erfolgende Feindseligkeit (איבה) davon zurückhalten mußte. Hieran reihen sich die Bestimmungen über die Dinge, welche von Heiden zu kaufen gänzlich verboten, welche zur Nutzung erlaubt und welche selbst zu verzehren erlaubt seien. Der hierbei vorherrschende Grundsatz ist selbstverständlich wiederum, daß die Strenge des Verbots sich nach dem Maße richtet, wie diese Dinge mit dem Götzendienste in Verbindung stehen. Die Hauptrolle spielt hier der Wein von Götzendienern (יין נסך), und da hier die Kasuistik auf das Weiteste sich ausbreitet, wollen wir als auf ein eklatantes Beispiel hier etwas näher darauf eingehen. Zum Verständniß müssen wir jedoch eine Bemerkung vorausschicken. Trankopfer oder Spenden von Wein oder einigen andern Flüssig=

keiten kamen bei Griechen und Römern nicht blos in Verbindung mit Brandopfern und als selbständige Opfer, wie bei Gebeten um Gelingen eines Unternehmens, bei feierlichen Verträgen und Todten=opfern vor, sondern jeder Heide goß bei dem eigenen Trunke die ersten Tropfen der zu genießenden Flüssigkeit der Gottheit aus, um dadurch den eigenen Trank zu heiligen. (Hom. Il. 7, 480. Virg. Aen. 1, 740. 5, 77.) So geschah es auch besonders bei Toasten und dergleichen. Der Wein eines Heiden war daher zu jedem Genusse verboten, und nicht weniger Essig, der noch bei den Heiden Wein gewesen. Wein eines Heiden, der in Schläuche und Krüge eingefüllt worden, wird nur noch zur Nutzung nicht unerlaubt. Traubenkerne und Hülsen eines Heiden sind nur, wenn sie trocken sind, zur Nutzung erlaubt (3. 4.). Die genauesten Vor=schriften werden gegeben, bis wann eine von Heiden getretene Weinkelter gekauft werden dürfe, daß man mit dem Heiden pressen, aber nicht Trauben lesen darf; eine Weinkufe, auf welche der Heide eine Schuldforderung hat, macht, wenn der Heide sich neben ihr befindet, den Wein unerlaubt und dgl. m. Hat ein Jude den Wein eines Heiden rein behandelt und ihn im Bereiche des Heiden gelassen, er befindet sich in einem Hause, das einem öffentlichen Platze zu offen ist und zwar in einer Stadt, worin Heiden und Juden wohnen, so ist der Wein erlaubt, wohnen nur Heiden darin, ist er unerlaubt, hält er einen Hüter dabei, selbst wenn dieser nur ab= und zugeht (IV. 8—12.), so ist er erlaubt. Wenn ein jüdischer Arbeiter von einem Heiden mit der Bestimmung, für ihn am Opfer=wein zu arbeiten, gemiethet ist, so ist der Lohn unerlaubt; hat er ihn aber zu allerlei Arbeit gemiethet, so ist der Lohn erlaubt. Trauben, auf welche heidnischer Wein gegossen worden, sind erlaubt, sobald man sie abgewaschen; waren sie aufgesprungen, sind sie ver=boten. Sobald die verbotene Sache der andern einen guten Ge=schmack giebt, so ist auch diese verboten, sonst erlaubt. Von den vielen einzelnen Fällen, die aufgeführt werden, heben wir nur noch den einen hervor. Wenn ein Jude mit einem Heiden an einem Tische ißt, eine Flasche Wein auf den Tisch und eine auf den Krebenztisch setzt und hinausgeht, so ist die Flasche, die auf dem Speisetische steht, verboten, die auf dem Krebenztische erlaubt; sagte er aber zum Heiden: schenke dir nur ein und trinke! so ist auch die Flasche auf dem Krebenztische verboten (V.). Der Grund hier-

25 *

für ift, daß der Heide von dem Weine während der Abwesenheit
des Juden sich einschenken und eine Libation machen (für die Götter
etwas ausgießen) konnte. Daß übrigens bei derartigen Verboten
die Motive nicht immer fest standen, erfieht man aus einer Dis-
kuffion zwischen R. Ismael und R. Josua über den Grund des
Verbotes von Käse der Heiden (II, 5.), so daß man mit Recht auf
den Wegfall eines Verbotes schließen dürfte, sobald Grund und
Motiv etwa durch Veränderungen in der technischen Bereitung weg-
fielen. — Einer genauen Behandlung werden endlich noch die
Götzenbilder unterzogen. Man weiß, welche unbegrenzte Ausdehnung
die Bilder der Götter und Heroen durch die Entfaltung der klaffi-
schen Kunst in der heidnischen Welt erfuhren, so daß nicht allein
die Tempel, sondern auch die öffentlichen Plätze, Straßen und Wege
mit ihnen angefüllt und felbft die unbedeutendften Geräthe mit ihnen
geschmückt waren. In die Mitte dieser Welt hinausgestreut, mußten
die Bekenner des Judenthums in die mannigfaltigsten Berührungen
mit dieser Bildnerei kommen. Merkwürdig ist es hier nun, daß
die Mischna die unbedingten mosaischen Verbote außerordentlich
milderte, wenn sie schon in der Verfertigung von Menschengeftalten
die in erhabener Arbeit (בולטת 'הצ) verbot, dagegen die in einge-
grabener Arbeit (שוקעת): so auch hinsichtlich der Nutzung
von Götzenbildern. Während das mosaische Gesetz die völlige Vernichtung der Bilder, die Verbrennung der Materialien derselben
in Feuer verlangt und namentlich warnt, des Silbers und Goldes
an ihnen nicht zu begehren und es nicht an sich zu nehmen (5. Mos.
7, 25.), verbietet zur Nutzung die vorliegende Mischna III, 1. nur
solche Götzenbilder, die einen Stab, einen Vogel oder eine Kugel
in der Hand haben, was רש"בג auf alle, die irgend etwas in der
Hand haben, ausdehnt; Bruchstücke von Götzenbildern sind zur
Nutzung erlaubt, nur eine Hand oder ein Fuß sind verboten, weil
diese angebetet werden; Geräthe, auf denen das Bild der Sonne,
des Mondes oder eines Drachen, müffen vernichtet werden, was
רש"בג dahin mildert, daß solche Geräthe, wenn sie vorzüglich sind,
verboten, wenn sie unbedeutend, erlaubt seien. Wie es mit Häusern,
in denen Götzendienst verrichtet worden oder die an Götzentempeln
standen, mit Götzenhainen, Bäumen, unter denen ein Götzenbild
steht u. s. w. zu halten, wird auf's Genaueste bestimmt, z. B. man
soll sich nicht in den Schatten eines solchen Baumes setzen, Holz,

von einem Götzenhaine genommen, ist zu aller Nutzung verboten, hat man Brod damit gebacken, ist jede Nutzung von diesem verboten, hat man von einem solchen Baume ein Webeschiff gemacht, ist jede Nutzung, selbst das damit gewirkte Kleid verboten u. s. w. (III). Dagegen findet hier eine geringere Strenge darin statt, wodurch ein Götzenbild als solches aufgehoben wird. Schon das Abhauen einer Nasenspitze, Fingerspitze oder eines Ohrzipfels, läßt das Götzenbild nicht mehr als ein solches betrachten. Indeß kann nur ein Heide selbst das Götzenbild nichtig machen, nicht aber ein Jude (IV).

Wer das Obige überblickt, oder in die Einzelheiten noch näher eingeht, wird erkennen, daß die Mischna nicht von dem Motive der Verschärfung allein ausgeht, daß sogar der Gedanke, nur das als götzendienerisch anzusehen, was direkt als solches zu betrachten sei, hier und da durchbringt, daß vielmehr die eigentliche Tendenz dahin zielt, jede Förderung des Götzendienstes und jede Hinführung zu ihm und dessen Gebräuchen zu verhüten. Dies macht denn auch den Charakter dieses Theiles der mischnischen Durcharbeitung aus. Sie geht über den juridischen Standpunkt hinaus, und versetzt sich, um den neueren Ausdruck zu gebrauchen, auf den polizeilichen Standpunkt. Wir nehmen hier diesen Ausdruck nicht in dem gewöhnlichen, sondern im wissenschaftlichen Sinne, d. h. nicht in jener, dem Publikum meist unangenehmen Bedeutung von aufgezwungener Bevormundung und einengender Willkür, sondern in der staatswissenschaftlichen, in welcher das Richteramt die Erfüllung der Rechtsforderung und die Bestrafung von Rechtsverletzungen, die Polizei aber zur Sicherung von Leben und Eigenthum im ausgedehntesten Sinne, die Verhütung von Beschädigung zu bewirken hat. Da hinaus laufen nun die meisten Bestimmungen der Mischna über den vorliegenden Gegenstand. Z. B. das Verbot, an den heidnischen Festen Theil zu nehmen, ist vom Standpunkte der Gotteslehre eine Rechtsforderung; das Verbot aber, drei Tage vorher kein Geschäft mit Heiden zu machen, ist eine Verhütungsvorschrift, eine polizeiliche; das Verbot von dem Weine, welcher zu einem heidnischen Trankopfer verwendet oder von dem eine Libation gemacht worden, zu genießen, ist eine Rechtsforderung, denn dieser Wein ist hierdurch heidnisch-kultuell geworden; aber das Verbot von dem Weine des Israeliten zu genießen, wenn dieser das Zimmer verlassen hatte, ist ein polizeiliches, weil es nur auf der Vorausſetzung einer Möglichkeit beruht, während der Richter den Erweis der Wirklichkeit fordern muß. Wie wir in dieſer unſerer ganzen Abhandlung nirgends ein ſubjektives Urtheil geben, ſondern nur das objektive Verſtändniß der charakteriſtiſchen Momente im Talmudismus fördern wollen, ſo iſt mit der näheren Bezeichnung, die wir gegeben, auch noch kein Urtheil beabſichtigt. Denn wer weiß nicht, daß keine Geſellſchaft polizeilicher Beſtimmungen entbehren könne, und daß dieſe z. B. für die öffentliche Geſundheitspflege von unſchätzbarem Werthe ſind. Dies läßt ſich aber nicht verkennen, daß gerade durch die oben gezeichnete miſchniſche Durcharbeitung die Kluft zwiſchen den Juden und den Völkern auch in der Zerſtreuung der erſteren ungemein vergrößert wurde, und daß namentlich die Vorſchriften über den Wein, den Speiſegeſetzen analog, den geſelligen Verkehr zwiſchen beiden außerordentlich erſchwerten. Kann man hierin eine der Wurzeln für die ſpäter ſich entwickelnde Antipathie gegen die Juden finden, ſo wurde hierdurch andererſeits die Sicherung des Judenthums vor dem Eindringen heidniſcher Anſchauung und Sitte, dieſe oberſte Miſſion des Talmudismus, ſehr gefördert. Dahingegen erſcheint es uns von großem Nutzen, vom Standpunkte der Jetztzeit aus, den Charakter der großen talmudiſchen, und beſonders der miſchniſchen Arbeit, als des ungetrübteſten Stadiums jener, klar zu erkennen. Wir ſehen auf dem uns vorliegenden Gebiete keinen Kampf der Ideen, keinen Kampf um den Beſtand, wie in der Thora und in den Propheten, ſondern um Sitte gegen Sitte. Die Miſchna konnte bereits ſo feſt auf den Monotheismus der Juden rechnen, daß ſie in der Verfertigung von Bildern und in der Verwendung von Götzenbildermaterialien ſehr gelinde ſein konnte; dagegen fürchtete ſie den Einfluß des Lebens, des Verkehrs und der Sitte und wandte ihre ganze Strenge gegen dieſen. Darum ſchritt ſie auch über den juridiſchen Standpunkt hinaus, und verſetzte ſich auf den polizeilichen. Wir haben dies etwas ausführlicher dargeſtellt, weil ſich Aehnliches in analogen Zweigen ergiebt. —

7.

Dem Götzendienſte tritt das gottesdienſtliche Leben gegenüber. Allerdings verſteht die heilige Schrift unter Gottesdienſt nicht blos den beſchränkten Akt, den wir damit bezeichnen, und wenn sie wiederholt den Israeliten zuruft, „dem Ewigen zu dienen", so heißt dies bei ihr, sich mit der Liebe zu Gott (ואהבת את ה' אלהיך וגו') und mit der Gottesfurcht (ויראת וגו') zu erfüllen, und sie in Wort und That zur Ausprägung und Verwirklichung zu bringen. Wie im Mosaismus Idee und Leben überall Eines sein sollen, so sei auch das ganze Leben des Israeliten ein Gottesdienst. Weit entfernt von jener erkünstelten Askese, welche Gebet= und Bußübungen vom Leben trennt, das letztere als eine niedere Sphäre des Menschen verachtet und es durch jene so viel wie möglich verdrängen und ausfüllen lassen will. soll nach der Thorah das Leben von dem höheren religiösen Geiste nach allen Richtungen hin durchweht und geheiligt werden, und die kultuellen Akte, wenn sie auch für die gesammte Gottesge= meinde ausführlich bestimmt sind, bleiben dem Individuum bis auf wenige frei überlassen. Die Grundlage dieses gottesdienstlichen Lebens ist nun der Sabbath, und ihm wollen wir daher in unserer Untersuchung jetzt unsere Aufmerksamkeit zuwenden. Gehen wir auch hier zuerst von den Bestimmungen der h. Schrift aus.

Aus der Entwickelung der menschlichen Verhältnisse war her= vorgegangen: ein mühe= und arbeitsvolles Leben zur Befriedigung der sinnlichen Bedürfnisse, die Dienstbarkeit des Geistes zu diesem Zwecke und das Versinken des Geistes in diese und in eine dem sinnlichen Leben analoge Begriffswelt. Die Offenbarung hatte nun den Zweck, den Geist des Menschen von dieser Dienstbar= keit und diesem Versunkensein zu befreien, ihm die Er= kenntniß Gottes und des göttlichen Rechtes und dadurch das Be= wußtsein seiner höheren Bestimmung, nämlich der Heiligung, d. i. der Verähnlichung mit Gott zu geben. Zur Befreiung des mensch= lichen Geistes von der materiellen Lebenssphäre sollte nun der Sabbath das vorzüglichste Werkzeug sein. Er besteht daher in zwei Momenten: 1) in einem vollständigen Aufhören aller Arbeit (שבת ,נוח) und 2) in der Erhebung des Geistes als Loslösung von dem das materielle Leben betreffenden Gedankenkreise (ויכפש, vgl. 2. Mos. 23, 12. 31, 17), als religiöse Erfüllung und Erhebung zu Gott, d. i. Heiligung (קדש) (s. hierüber Ausführliches in unserem Commentar zum vierten der Zehn=Worte). Darum heißt es schon in der ersten Begründung des Sabbaths (1. Mos. 2, 2. 3.) „Gott ruhete am siebenten Tage" und dann „Gott segnete und heiligte den siebenten Tag, weil er an ihm von all seinem Schöpfungswerke geruht."

Ebenso im .vierten Worte (2. Mof, 20, 8—11) „Gott segnete den
Ruhetag und heiligte ihn", weil er am siebenten Tage nach Vollendung
der Weltschöpfung geruht. Auf dem Momente der Ruhe also soll
sich die Heiligung des Menschen erheben; denn Gott heiligte diesen
Tag, heißt nichts Anderes, als er heiligte ihn für den Menschen,
daß er diesem heilig sei, daß sich der Mensch an ihm heilige. Darum
heißt er „Ruhetag dem Ewigen, deinem Gotte, geheiligt" (שבת לה' אלהיך,
שבת קדש לה', 2. Mof. 16, 23. 25. 31,
14. 15. 35, 2. 3. Mof. 23, 3.). An den beiden Hauptstellen über
den Sabbath wird daher 2. Mof. 20, 8. den Israeliten befohlen,
diesen Tag zu heiligen, und 2. Mof. 31, 13 als Zweck ausge=
sprochen „daß ihr erkennt, daß ich der Ewige, der euch heiliget", der
will, daß ihr euch heiliget und euch hierzu den Sabbath instituirt
hat. Ganz im Geiste der Thorah wird behufs dieser Heiligung,
dieser religiösen Erhebung des Geistes nur für die Gesammtheit
ein doppeltes Tagesopfer und, was noch wichtiger, eine מקרא קדש
eine heilige Festversammlung, eine Zusammenberufung des Volkes
zum Heiligthume (3. Mof. 23, 3.), was natürlich später sich auf die
Bewohner Jerusalems beschränken mußte, vorgeschrieben, und die
erst mit der Einrichtung von Synagogen für alle Individuen zu
einer erhöhten Verpflichtung, an diesem Tage die Synagoge zu be=
suchen und die Vorlesung und Erklärung der Thorah zu hören,
wurde. Was das Ruhen betrifft, so giebt die Thorah keine nähere
Definition dessen, was Arbeit heißt. Sie überläßt dies dem allge=
meinen Verständniß und der gewissenhaften Anschauung des Ein=
zelnen, so wie der Auslegung der Autoritäten [1]. Das .Verbot „irgend
einer Arbeit", wie sie an den sechs Werkeltagen verrichtet wird, der
Begriff des שבת und noch mehr des נוח, die Ausdehnung dieser
Ruhe auf alle Diener und Fremblinge und endlich auf alle Haus=
thiere konnten die Bedeutung nicht zweifelhaft lassen. Verstärkt
wurde dies durch die ausdrückliche Bemerkung, daß auch drängende
Umstände das Gebot der Ruhe nicht aufheben dürften, so daß z. B.
weder Aussaat noch Ernte die Arbeit am Sabbath motiviren dürfte
(2. Mof. 34, 21.). Aber das Unterlassen der Arbeit selbst hatte
seine eigentliche Bedeutung und seinen Zweck nicht in dem Ruhen
an sich — dazu wechselt ja die Nacht mit dem Tage —, sondern

---

[1] Davon giebt 4 Mof. 15, 32 ff. selbst ein Beispiel.

vielmehr in dem dadurch bewirkten und allein ermöglichten Heraus=
lösen aus dem materiellen und bürgerlichen Treiben, in der Trennung
von den gewöhnlichen Thätigkeiten und Beschäftigungen, und von der
Befangenheit des Geistes innerhalb dieser. Deshalb wurden, zur
Verdeutlichung für das Volk, zweierlei Verrichtungen am Sabbath
als verboten ausdrücklich hervorgehoben: sich von seinem Orte zu
entfernen (2. Mos. 16, 29. vgl. 4. Mos. 15, 32.), und am Sabbath
zu backen und zu kochen (das. B. 23.). An das letztere reiht sich
eine Verhütungsvorschrift, kein Feuer in den Wohnungen am Sabbath
anzuzünden (2. Mos. 35, 3.), was absolut nur im arabischen und
palästinensischen Klima möglich war.

Die Propheten haben den fundamentalen Charakter des Sabbaths
für das ganze religiöse Leben des Menschen vollständig begriffen,
und so wenig dieselben sonst auf das cultuelle und ceremonielle
Wesen eingehen, begegnen wir bei ihnen doch der Einschärfung des
Sabbaths häufig. Auch bei ihnen wird das zweifache Moment des
Sabbaths hervorgehoben. Die Hauptstelle ist Jesaias 58, 13. Hier
wird das Ruhen besonders als „kein Geschäft zu thun", „keine Wege
zu thun, kein Geschäft zu suchen" definirt; aber hinsichtlich der Er=
hebung des Geistes wird sogar untersagt, „Geschwätz zu schwatzen",
also den Tag mit leeren, eitlen Dingen, dem Reden und der Be=
schäftigung mit solchen zu verbringen, und verlangt, ihn zu ehren
als dem Ewigen geheiligt, ihn „Wonne zu nennen", d. h. an ihm
sich mit höherer Begeisterung zu erfüllen und dadurch höhere Freu=
den zu genießen. Jeremias 17, 19 ff. verbietet insonders „eine Last
aus den Häusern zu tragen, von Außen in die Stadt zu kommen",
und schärft ein „den Ruhetag zu heiligen". Vgl. auch Jecheskel 20, 20.

Die geschichtlichen Bücher der h. Schrift zeigen uns, daß, wenn
auch das Sabbathgesetz zu manchen Zeiten wenig beachtet wurde,
die Institution des Sabbaths doch zu aller Zeit bestehen und
aufrecht blieb. Man lese z. B. 2. Kön. 4, 22. 23., wo es freilich
scheinen möchte, daß das Reiten am Sabbath nicht für unerlaubt
angesehen ward. Denn da die Frau befiehlt, ihr eine Eselin zu
satteln, um zu dem Manne Gottes zu eilen, frägt der Mann sie,
warum sie sich dahin begeben wolle, da es doch kein Sabbath sei?
Es geht daraus hervor, daß man sich am Sabbath um prophetische
Männer zu versammeln pflegte, ihre Vorträge zu hören und mit
ihnen den Tag zu verbringen. Aber das Satteln der Eselin hätte

ihn verhindern müssen, die Frage so zu stellen. Ebenso zeigt 2. Kön.
11, 5 ff., daß die Abtheilungen der Leviten ihren Wochendienst am
Sabbath antraten. Eine besondere Bedeutung hat noch Nehem.
13, 15., wo dieser für das Judenthum so hochwichtige Mann, der
so sehr eingerissenen Verletzung des Sabbaths, daß die Fischer und
Landleute am Sabbath nach Jerusalem kamen, um ihre Waaren
dort auf den Märkten zu verkaufen, entschieden entgegentrat, und
verbot, am Sabbath die Kelter zu treten, Garben einzubringen, Esel
zu beladen, Lasten zu tragen und Handel zu betreiben. Dies ist
es, was uns die heilige Schrift über den Sabbath bietet, und sehen
wir nun zu, wie dieser Stoff von der Mischna in dem Tractat
Sabbath behandelt wird. Wir erkennen dies am besten, indem wir
die umfangreiche Abhandlung durchgehen und ihren Inhalt skizziren.

Die Mischna beginnt mit der Frage über das Hinein= und
Herausbringen einer Sache am Sabbath. Sie nimmt hierbei die
geringste Entfernung, nämlich wenn Einer sich vor, Einer sich im
Hause befindet, und schließt somit weitere Entfernungen aus. Auch
deutet sie an, daß äußerliche Umstände keinen Unterschied machen,
indem sie ihr Beispiel vom Almosenempfangen nimmt. Sie stellt
hier fest, daß die von Einem und Demselben vollendete Handlung
unerlaubt, die zwischen Zweien getheilte straflos sei. Reicht z. B.
Jemand Etwas in ein Haus hinein und giebt es ab, so ist dies
straffällig, nimmt, der drinnen ist, es ihm aus der Hand, so ist es
straflos, ebenso beim Hinausreichen (I, 1). Hierauf beschäftigt sie
sich, darzulegen, daß man vor Beginn des Sabbaths keine Arbeit
anfangen dürfe, die nicht auch vor demselben beendet werden kann.[1]
— Der zweite Abschnitt behandelt das Anzünden des Lichtes zum
Sabbath, daß an diesem weiter brenne, was Docht, Brennmaterial
und Gefäß betrifft; das Licht auszulöschen, ist nur aus der Furcht vor
den Heiden, Räubern und einem bösen Geiste oder um eines Kranken

---

1) Wenn man einen Blick auf die Paragraphen 5 ff. wirft, so überzeugt
man sich, daß es ein Irrthum ist, wenn gewöhnlich angenommen wird, daß die
extreme Verästellung in der Casuistik erst in der späteren Zeit stattfand. Es
versteht sich, daß die Durcharbeitung bis ins Kleinste hinein eine Arbeit war,
die sich erst mit den Jahrhunderten vollenden konnte; aber die Tendenz dazu war
bereits in den Schulen Hillel's und Schammai's völlig ausgeprägt vorhanden.
Bei aller Fruchtbarkeit der Einbildungskraft ist das Leben doch immer reicher an
Mannigfaltigkeit als jene.

willen, daß er einschlafe, erlaubt, um Lampe, Oel oder Docht zu schonen, unerlaubt. — Unter welchen Bedingungen ein Wärmofen für gekochte Speisen am Sabbath benutzt werden dürfe, womit er geheizt sein müsse, wenn er für einen oder zwei Töpfe gebraucht wird, bestimmt der III. Abschnitt. Bis zu welcher Aengstlichkeit hier die einzelnen Bestimmungen geführt werden, ersieht man daraus, daß kaltes Wasser am Sabbath nicht durch warmes erwärmt werden darf, daß kein Gefäß unter die Lampe gestellt werden darf, um das herunterträufelnde Oel aufzufangen, eine neue Lampe zwar von einem Orte zum andern zu tragen gestattet ist, aber keine gebrauchte, daß man zwar, um Funken aufzufangen, ein Gefäß unter die Lampe setzen, nicht aber Wasser hineinthun darf, weil man dadurch die Funken löscht u. s. w. Ergänzend erklärt der IV. Abschnitt, wo und wie man Töpfe zum Warmhalten der Speisen einsetzen dürfe. — Der V. und VI. Abschnitt legen dar, womit Thiere, Männer und Frauen am Sabbath ausgehen dürfen und womit nicht. — Der 2. Paragraph des VII. Abschnitt zählt die 39 Hauptarbeiten auf, die am Sabbath verboten sind (אבות מלאכות[1]). An die letzte der-selben, das Tragen (המוציא מרשות לרשות), knüpft sich nun eine weit-läufige Kasuistik, die bis in den X. Abschnitt reicht; ebenso im XI., was das Werfen und Reichen betrifft. In den Abschn. XII—XV wird festgestellt, welches das geringste Maß der angeführten Arbeiten sei, das der Sabbathverletzung schuldig mache, und erwägt alle mög-lichen Modificationen, unter denen sie geschehen könnten.[2] Der

---

1) Wir zählen sie hier auf: Säen, ackern, ernten, Garben binden, dreschen, worfeln, Früchte säubern, mahlen, sieben, kneten, backen; Wolle scheeren, solche waschen, klopfen, färben, spinnen; anzetteln, zwei Bindelitzen machen, zwei Fäden weben, zwei Fäden (beim Weben) trennen, einen Knoten machen, einen Knoten auflösen; mit zwei Stichen fest nähen, zerreißen, um mit zwei Stichen festzu-nähen; ein Reh fangen, es schlachten, seine Haut abziehen, sie salzen, das Fell bereiten, die Haare abschaben, es zerschneiden; zwei Buchstaben schreiben, aus-löschen, um zwei Buchstaben zu schreiben; bauen, einreißen; Feuer löschen, an-zünden; mit dem Hammer glatt schlagen, von einem Ort zum andern tragen.

2) Führen wir ein Beispiel betreffs des Schreibens an. Wer zwei Buch-staben schreibt, mit der Rechten oder mit der Linken, einen und denselben oder zweierlei Buchstaben, mit verschiedener Dinte, aus verschiedenen Sprachen, auf zwei einen Winkel bildende Wände, auf seinen Körper, ist schuldig. Schreibt er aber zwei Buchstaben mit oder in Etwas, worin die Schrift nicht bleibt, z. B. Fruchtsaft, im Staub des Weges, in Streusand, schreibt er sie mit verkehrter

XVI. Abſchnitt beſtimmt, was und wie man aus einer Feuersbrunſt retten dürfte, der XVII. und XVIII. die Geräthe, die man am Sabbath von der Stelle nehmen darf. Der XIX handelt über die Beſchneidung am Sabbath. Ueber die Beſchäftigung mit Flüſſig= keiten, mit den Krippen des Viehes, Umſchüttelung des Strohes, dem Abräumen von Dingen, die auf andern liegen, beſchäftigen ſich kaſuiſtiſch die Abſchnitte XX und XXI, wie auch XXII mit Diver= ſem.[1]) Der § 6 ſetzt feſt, welche Heilverrichtungen am Sabbath nicht vorgenommen werden dürfen, z. B. Brechmittel nehmen, Kin= dern die Glieder gewaltſam einrichten, einen Bruch zurückbringen. Der Tractat ſchließt mit Diverſem in den Abſchnitten XXIII und XXIV, beſonders, daß am Sabbath nichts geliehen und bedungen werden darf, was an Leichen geſchehen dürfe, wie man ſich mit dem Füttern der Thiere zu verhalten habe u. ſ. w.

So oberflächlich dieſe Inhaltsangabe iſt, ſo erſieht man doch ſchon aus ihr, daß die Miſchna das e i n e Moment der Sabbath= feier, und zwar das Materielle, das Ruhen, allein berückſichtigt und ſich eigentlich nur damit beſchäftigt, zu beſtimmen, was als Arbeit zu betrachten und darum verboten ſei, ſowie den Conflict des un= umgänglichen Bedürfniſſes mit dem Sabbathgeſetz hinſichtlich war= mer Speiſen, des Tragens und Hinwegräumens von Dingen, des Feuers und Lichtes, durch Feſtſetzungen auszugleichen. Ueber das zweite Moment, die Erhebung des Geiſtes, die eigentliche Heiligung bringt ſie nicht einmal eine Andeutung. Sie lehnt ſich an die Stellen der heil. Schrift (auch der Proph. und Hagiogr.), welche das Verbot der Arbeit ausſprechen; diejenigen aber, welche das poſitive Element der Weihe und Heiligung betonen, zieht ſie nicht in Be= tracht. Hinſichtlich der Arbeit aber giebt ſie keine allgemeine De= finition, ſondern ſie beſtimmt dieſelbe kaſuiſtiſch, und geht dabei von der Anſicht aus: T h ä t i g k e i t i ſ t A r b e i t. Sie ſetzt ein Minimum der Thätigkeit als Arbeit feſt, und dehnt das Verbot der Arbeit

---

Hand, mit dem Fuß, mit dem Munde, mit dem Ellenbogen, ſtatt eines Buch=
ſtabens irrthümlich zwei u. ſ. w.. ſo iſt er frei.

1) Führen wir § 5 zur Charakteriſirung an. Wer im Waſſer einer Höhle
oder in den warmen Bädern von Tiberias gebadet und ſich abgetrocknet hat,
ſei es auch mit zehn Tüchern, darf ſie ſelbſt nicht wegbringen; haben ſich aber
zehn Menſchen mit einem Tuche Geſicht, Hände und Füße getrocknet, ſo dürfen
ſie es fortbringen.

auf dieses Minimum der Thätigkeit aus. Da nun die Kasuistik das Leben nie erschöpfen kann, so blieben und bleiben den folgenden Geschlechtern noch tausend Dinge und Fälle übrig zur Erörterung und Entscheidung, sowie anderntheils viele Bestimmungen der Mischna überflüssig wurden, weil derartige Arbeiten nicht mehr vorkommen. Der Prophet sieht, indem er die Entweihung des Sabbaths nachdrücklich rügt, auf den Zweck des Arbeitsverbotes, indem er mahnt, seinen Fuß am Sabbath zu hemmen, um kein Geschäft zu betreiben. Die Mischna aber zieht den Zweck in keine Betrachtung, sondern nimmt das Arbeitsverbot als das eigentliche und wesentliche Moment objectiv hin. Auf diese Weise erweist die Mischna auch auf diesem Gebiete ihren juridischen Charakter. Die Erhebung des Geistes, die Weihe der Seele, die eigentliche Heiligung kann zu keiner Rechtsforderung formulirt werden. Sie ist allerdings die Aufgabe der Religion, und zwar die wesentlichste, und die Religion hat ihre Einrichtungen dahin zu treffen, um diese Aufgabe zu lösen, und den innerlichen Zwecken zu Hülfe zu kommen. Sobald aber ein religiöser Gegenstand vom juridischen Standpunkte aus betrachtet wird, so muß man einen concreten Gegenstand als Rechtsobject haben, und dies ist hier das Unterlassen der Arbeit. Im weitern Verfolg kann aber dann die Bestimmung, was Arbeit sei, nicht der allgemeinen und individuellen Anschauung und Gewissenhaftigkeit überlassen bleiben, sondern es muß juridisch ein Minimum als Grenze der Rechtsforderung festgestellt und dieses Minimum nach allen seinen Modificationen abgegrenzt werden. Ob dem Einen eine Arbeit ist, was dem Andern nach seiner Gewohnheit nur eine leichte Thätigkeit ist und umgekehrt, ob dem Einen eine Last (משא) ist, was dem Andern kaum eine Empfindung von Schwere verursacht, kann juridisch nicht berücksichtigt werden, und für die juridische Folgerung ist der Zweck gleichgültig, sobald die Sache an sich logisch eruirt werden kann. Hiermit analog ist der Uebergang vom juridischen zum polizeilichen Standpunkte, wie wir diesen letzteren im vorigen Artikel definirt haben, gerade auf dem Gebiete des Sabbaths folgerichtig gewesen. Hier hatte der Talmud das Beispiel der Thorah vor sich, welche, um das Backen und Kochen am Sabbath zu verhüten, das Anzünden des Feuers verbietet. Daher die umfänglichen Verhütungsvorschriften des Talmuds. Aus dem Nichtanzünden wird auch ein Nichtauslöschen, und beides in die Categorie der Arbeiten versetzt. Aus beiden wird wiederum das Verbot, das Feuer, eine brennende Kerze anzurühren u. s. w. Daß die Minima der Arbeiten so außerordentlich tief gegriffen sind, wird eben dadurch motivirt, daß das juridische Verbot sich zu einem polizeilichen, ein Unterlassungsgesetz zur Verhütungsvorschrift wird.

Auch hier beabsichtigen wir nicht, eine Kritik der mischnischen Vorschriften zu geben, sondern nur den Charakter der talmudischen Entwickelung festzustellen und zu erweisen. Bemerken wollen wir auch hier, daß diese Feststellungen durchaus nicht blos als Bestimmungen der Gelehrten selbst aufzufassen, sondern daß das Leben selbst längst dahin getrieben hatte, bevor die weitere Bearbeitung seitens der Gelehrten eingetreten. Dies erweist sich besonders aus den nicht seltenen Berichten über kasuistische Fälle, die faktisch vorlagen, und über welche erst im Augenblicke des Vorkommens entschieden wurde. Wir bemerken nur noch, daß der juridische Charakter sich auch im Sabbathgesetz darin bemerklich macht, daß sich Notizen vorfinden, in welchen gewisse Unglücksfälle als göttliche Strafen für gewisse Sabbathverletzungen aufgeführt werden, wie II, 6 daß die Frauen während des Gebärens sterben, wenn sie die Sünde begehen, im Anzünden des Lichtes zum Sabbath nicht sorgfältig genug zu sein.

Wir können jedoch den Abschnitt über das Sabbathgesetz nicht verlassen, ohne daß wir zuvor das Kapitel über das Erub (ערוב von ערב vermischen, verflechten, verbinden) berühren, weil hier sich die Rechtsanschauung, unter welche auch der Sabbath gebracht worden, erst recht klar legt.

Unter Erub versteht man gewisse Vorkehrungen, durch welche das Sabbathgesetz nach talmudischen Begriffen einige Erleichterungen oder Erweiterungen erhält, ohne von den desfallsigen Bestimmungen abzuweichen. Man hat deren vier Arten aufgestellt: 1) ערוב תבשילין (4; ערוב תחומין (3; ערוב מבוי (2; ערוב הצרות. Da man nämlich nur innerhalb eines Privathauses am Sabbath Etwas hin- und hertragen darf, so galt es, viele Häuser, die in einem Hofe stehen, für ein Haus zu erklären, so daß von einem in das andere am Sabbath hinaus und hinein getragen werden dürfe. Diese Erklärung geschieht dadurch, daß die Bewohner aller dieser Häuser vor dem Sabbath oder einem Festtage etwas Speise zusammen und an einen bestimmten Ort niederlegen, wodurch alle diese Häuser als ein gemeinschaftliches Privatganzes angesehen werden. Dies ist die erste Art. Erub. Die zweite Art geht darauf hinaus, denselben Zweck für eine Straße oder für einen von drei Seiten umgebenen Raum zu erreichen, indem man die Oeffnung oder den offenen Raum durch einen Querbalken, einen Draht oder einen Strick verbindet, so daß Alles, was sich darin befindet, für ein Privatort. angesehen wird. Die dritte Art Erub soll dagegen die auf 2000 Schritte vom Aufenthaltsorte aus festgestellte Sabbath= grenze um ebenso viel erweitern, wenn man vor Eintritt des Sab= baths innerhalb dieser Grenze Speise für zwei Mahlzeiten nieder= legt, wodurch man diesen Platz für seinen Aufenthaltsort erklärt, oder seinen Aufenthaltsort von dem eigentlichen bis zu dem Platze, wo man die Speise niedergelegt hat, erweitert, so daß man von diesem aus noch 2000 Schritte gehen darf. Die vierte Art endlich soll gestatten, daß, wenn ein Feiertag unmittelbar vor dem Sabbath fällt, an diesem auch für den Sabbath gekocht werden darf.

Ueber diese Erubin handelt nun der mischnische Traktat dieses Namens, sowie über die vierte Art in dem Traktate Beza gehan= delt wird. Denn es versteht sich von selbst, daß diese Erubin zahl= losen Fragen nach der Beschaffenheit derselben, um giltig zu sein, nach den Bedingungen, unter welchen sie Giltigkeit haben, behalten oder verlieren, nach dem Maße der dazu verwendeten Mittel u. s. w. unterlagen, die nun mit Aufbietung außerordentlichen Scharfsinns bis in die möglichst kleinen Fälle in dem zitirten Traktat beant= wortet werden. Gerade dieser Umstand, und daß die Ordnung im gedachten Abschnitt wenig beachtet, die Gegenstände vielmehr sehr unter einander besprochen werden, läßt uns hier eine Uebersicht nicht vornehmen. Der Traktat enthält aber auch noch eine Menge einzelner kasuistischer Bestimmungen über das am Sabbath Erlaubte und Unerlaubte. Von der fürsorglichen Vereinzelung kann der Sachkundige sich eine Vorstellung machen, wenn wir z. B. erwähnen, daß Bestimmung getroffen worden, wie man sich zu verhalten, wenn man am Sabbath Thephillin außerhalb der Stadt findet, oder auf der Schwelle in einer Gesetzrolle liest und diese aus der Hand rollt, oder von einem Privatraume in einen öffentlichen speien wollte u. dgl.

In der neueren Zeit hat man diese Erubin vielfach angegrif= fen, sie für Fiktionen oder gar für „frommen Betrug“ erklärt.

Wir glauben, daß dies unverdienter Weise geschehen, und man diese Anschuldigung nur eben aus dem nicht erkannten Charakter der talmudischen Gesetzgebung heraus thun konnte. Daß die Tendenz der Erleichterung des Sabbathgesetzes dabei vorwaltete, kann nicht angezweifelt werden, da die Mischna dies mit klaren Worten an mehreren Stellen ausspricht. Allerdings wurde diese Erleichterung nur durch die große Strenge des talmudischen Sabbathgesetz bedingt, und war somit, wenn nicht aller Verkehr unter den nächsten Nachbarn wegfallen und die übertriebenste Unbequemlichkeit hervorgehen sollte, eine Nothwendigkeit. Aber weder dieser Strenge noch dieser Erleichterung liegt eine Willkür oder ein sittliches Moment als Motiv zu Grunde, sondern einfach die Rechtsanschauung. Dieselbe juridisch = logische Folgerung liegt in der einen wie in der anderen; und es bedingen sich beide so sehr, daß sie beide aufrecht erhalten oder aufgehoben werden müssen. In der Rechtsanschauung lag es, daß die verbotene מלאכה Arbeit und משא Last nicht einem unbestimmten Begriff und Maß nach der dazu erforderlichen Anstrengung, die nach Personen und Umständen wechselt, überlassen werden konnten, sondern beide erschienen, um Rechtsobjekte, welche eine Schuld= und Strafbarkeit begründeten, zu sein, als jede Thätigkeit überhaupt, und verlangten nunmehr die Feststellung von Minimen, wie dies in dem Traktate Sabbath geschieht, indem z. B. zwei Fäden weben, einen Knoten machen, zwei Stiche nähen, zwei Buchstaben schreiben, mehr als 2000 Schritte vom Aufenthaltsorte gehen, Etwas von einem Bereiche zum andern tragen, d. h. aus einem Hause oder in ein Haus tragen als Minima der verbotenen Thätigkeit, also als Grenze der verbotenen Arbeit festgestellt wurden. Hierdurch aber wurde ganz logisch auch die Festsetzung erfordert, wie weit der Begriff des Privatraumes, innerhalb dessen Etwas getragen werden darf, oder des Aufenthaltortes, von dem aus 2000 Schritte gegangen werden dürfen, durch das Minimum zur Identifizirung erweitert werden könne. Ein solches Minimum zur Identifizirung mehrerer Häuser in einem Hofe war das Zusammenlegen einer Speise, wodurch die Zusammengehörigkeit bezeichnet wird, zur Identifizirung der in einer Stadt durch Straßen getrennten Häuser die Verbindung an der Oeffnung durch Querbalken, Draht oder Strick, zur Identifizirung des Aufenthaltsortes die vorherige Niederlegung von Speisen zu zwei Mahlzeiten. In beiden

Festsetzungen der Minima der Arbeiten und der Minima zur Iden=
tifizirung des Privatraumes und Aufenthaltortes ist nichts Anderes
als die **Abgrenzung des Rechtsobjektes zur Begründung der
Straf= und Schuldbarkeit gleicher Weise enthalten, und die eine
wie die andere war Erforderniß vom Standpunkte der Rechts=
anschauung aus.** Es giebt keine Rechtsgesetzgebung, kein Jus
irgend einer Nation, wo sich nicht dergleichen Bestimmungen finden,
die, oberflächlich betrachtet, als Rechtsfiktionen angesehen werden
können, an sich aber nichts weiter als Minimalfestsetzungen zur
Begrenzung der Rechtsobjekte sind. Dem Sachkundigen werden
hierbei viele Fälle einkommen, besonders aber verweisen wir auf
das englische Recht. Allerdings hat die moderne Rechtsanschauung
sich hierin geändert, und indem sie mehr auf die sittlichen Motive
eingeht, und daher auch das große Moment der „mildernden Um=
stände" eingeführt, hat sie die logische Strenge, welche jene äußerste
Abgrenzung des Rechtsobjektes in concreto verlangte, möglichst ver=
worfen. Dies darf aber auf die Betrachtung und Beurtheilung
der in früheren Zeiten vorwaltenden Rechtsanschauung keinen Ein=
fluß üben. Für unsre Betrachtung hat aber das Kapitel über die
Erubin einen besonderen Werth, indem es in eklatantester Weise
**den ausschließlich juridischen Charakter der talmudischen Gesetz=
gebung hervorhebt** und so das wesentliche System derselben in
das hellste Licht setzt.

8.

Wenn wir uns für jetzt mit dieser Betrachtung der mischnischen
Halachah zu unserm Zwecke begnügen, so dürfen wir doch, bevor
wir einige weitere Folgerungen daraus ziehen mögen, den haga=
dischen Theil nicht übersehen. Denn je freier die Bewegung des
Geistes in der Hagadah ist, je weniger man hier an die Ueber=
lieferung, die Autorität und die feste Regel gebunden war: desto
prägnanter muß hier Charakter und Richtung sich ausprägen, und
so einen weitern Beweis liefern für das, was wir in der Halachah
gefunden. Bekanntlich nimmt nun die Hagadah, wenn wir unter
diesem Namen auch Alles zusammenfassen, was nicht strikte Halachah
ist, dennoch in der Mischna nur einen verhältnißmäßig geringen
Raum ein. Für unsre Betrachtung schrumpft dieses hagadische

II.

26

Contingent in der Mischna aber noch mehr zusammen, da, wenn wir den Abschnitt Aboth noch beiseite lassen, der bei Weitem größte Theil jenes theils in historischen Notizen über faktische Fälle und Vorkommnisse zur Erläuterung der Halachah, theils in Auslegungen von Bibelversen zur Befestigung der Halachah, theils in Mittheilungen über den Tempel, den Dienst in demselben, die Funktionen der Priester u. s. w. besteht. Alles nun, was hiernach übrig bleibt, ist für unsern Zweck dienstbar und giebt uns ein sehr klares Licht. Wir werden im Folgenden alle diese Stellen zusammenfügen, und daraus ersehen, daß sie sämmtlich von der Vorstellung der göttlichen Vergeltung und zwar in kriminalistisch-juridischer Anschauung handeln und ausgehen. Es ist dabei hervorzuheben, daß selbst der Begriff der göttlichen Vorsehung in diesen juridischen Begriff der Vergeltung aufgeht.

Die Hauptstelle ist hier Sota 1, 7. 2c.: „Mit dem Maße, womit der Mensch mißt, wird ihm wieder gemessen —" במדה שאדם מודד בה מודדין לו. Die Beispiele, die hierfür angeführt werden, erweisen hinlänglich, daß hiermit nicht blos verstanden wird, nach dem Maße der bösen und guten Handlungen wird das Maß der Strafe und des Lohnes abgemessen, sondern auch Strafe und Lohn durch der That entsprechende Mittel und Werkzeuge ausgeführt. Das ehebrecherische Weib wird nach dem Gesetze gerade damit gekränkt und bestraft, womit sie gesündigt; Simson ging der Lust seiner Augen nach, und wurde geblendet; Absalom war stolz auf sein Haar, und wurde daran erhängt, betrog drei Herzen, und erhielt drei Lanzen in sein Herz. Ebenso mit dem Lohne: Mirjam verweilte bei dem Kinde Moses, und das ganze Volk mußte in der Wüste um ihretwillen sieben Tage verweilen; Joseph bestattete seinen Vater, und Moses sorgte für Josephs Gebeine 2c — In diesem Sinne — Maß um Maß — heißt es Peah 8, 9.: Wer die Wohlthätigkeit in Anspruch nimmt, ohne es zu bedürfen, der bedarf derselben im höheren Alter; wer dagegen bedürftig ist und Nichts annimmt, der wird später genug haben, um Andere zu verpflegen; wer ein Gebrechen simulirt, um Almosen zu erlangen, erhält dieses Gebrechen noch; der Richter, der Bestechung nimmt, dessen Augen werden blöde (wie es in der Schrift heißt: die Bestechung blendet die Sehenden, 2. Moses 23, 8.). Demgemäß soll nach Schekalim 3, 2. derjenige verarmen, der sich an öffentlichen Geldern vergreift.

„Wer ein Gesetz ausübt, der wird von Gott belohnt, seine Tage werden verlängert und er geht in das Reich des Lebens ein ונחל את הארץ, Comm.: ארץ החיים); wer aber ein Gesetz nicht ausübt, dem wird nichts Gutes beschieden, seine Lebenszeit nicht verlängert und er geht nicht in das Reich des Lebens ein." (Kiddusch. 1, 10.) Eine weitere Erklärung hierzu giebt Makkoth 3, 15. 16., wo aus dem Umstande, daß Jemand durch ein Vergehen sein Leben verwirkt, geschlossen wird, derjenige, der einem Gebote genügt, müsse sein Leben geschenkt erhalten, so daß auch derjenige, der sich eines sich ihm darbietenden Verbrechens enthält, ebenso belohnt werden müsse, wie der, welcher ein Gebot erfüllt. Es ist also hier der Grundsatz, den der irdische Richter nur im Strafrecht anzuwenden vermag, auf den himmlischen Richter auch hinsichtlich des Belohnungsrechtes, wenn wir so sagen dürfen, angewendet, überall Maß um Maß. So heißt es denn auch Maasser scheni 5, 13. zur Erklärung der bei Darbringen des Zehenten vorgeschriebenen Worte: „Wir haben gethan, was Du uns auferlegst hast, so thue auch Du, was Du uns zugesichert hast" עשינו מה שגזרת עלינו, אף אתה עשה מה שהבטחתנו und nun folgt die Deutung jedes dortigen Ausdruckes auf einen bestimmten Lohn. Allerdings ist die Verwendung derselben Mittel und Werkzeuge zum Lohn und zur Strafe, womit gesündigt oder Gutes gethan worden, nicht überall möglich: wohl aber stehen dann bestimmte Unglücksfälle als Strafen auf bestimmte Vergehen fest, wie wir hierfür Beispiele bereits oben hinsichtlich des Sabbaths, des Götzendienstes und des Gebetes und zwar bei ganz kleinen Uebertretungen angeführt haben. Nach zweien Richtungen hin macht sich nun auch diese Anschauung noch besonders geltend, wo es sich um das jenseitige Leben handelt. Die erlittene Strafe muß das Vergehen sühnen; wenn daher jedes Vergehen hienieden bestraft wird, so kann es auf das jenseitige Leben keinen wesentlichen Einfluß üben. Es wird daher Sanhedrin 10, 6. geradezu ausgesprochen, daß mit dem Tode des Frevlers der Zorn Gottes aufhört; 6, 2. heißt es, der zur Steinigung Verurtheilte hat Theil am ewigen Leben, wenn er das Sündenbekenntniß vorher ablegt (ein allgemeines, nicht sein besonderes Vergehen enthaltendes), weßhalb man ihm ein solches vor der Erreichung des Hinrichtungsplatzes abfordern muß. In Edujoth 2, 10. wird die Verdammungszeit der Frevler im Gehinnom auf zwölf Monate beschränkt (mit Bezug auf Jesais 66, 23

26*

מדי חדש בחדשו). Anbrerseits bringen Tugenden, da sie ihren Lohn forbern, Auffchub in ben Strafen (Sota 3, 4. 5.); unb ebenso giebt es Handlungen unb Beschäftigungen, beren Lohn über das bieffeitige Leben hinausreicht, so baß benen, bie sie üben, es in biesem Leben wohlgeht unb im jenseitigen Leben bauernbes Heil wiberfährt, nämlich: Ehrfurcht vor Vater unb Mutter, Ausübung ber Wohl= thätigkeit, Frieden stiften zwischen Menschen, unb Stubium ber göttlichen Lehre (Peah 1, 1). — Alles baher, was bem Menschen wiberfährt, ist ein Gericht Gottes, unb, wie wir oben bemerkt, ist nach bieser Anschauung bie göttliche Vorsehung eigentlich nur bie göttliche Vergeltung. Dies spricht sich am beutlichsten Rosch hascha= nah 1, 2. aus, wo bie Bestimmung über bas Gebeihen bes Ge= treibes, bie Früchte ber Bäume, über ben Regen unb alle Geschicke als ein Gericht Gottes (די) bezeichnet wirb, das vier Mal im Jahre gemäß ber Thaten ber Menschen gehalten wirb.

Dies ist Alles, was uns bie eigentliche Hagabah ber Mischna, mit geringen, unsern Gegenstand nicht berührenben Ausnahmen barbietet. Gleichen Ansichten begegnen wir aber nun auch in bem ganz hagabischen Abschnitt Aboth. Es ist bekannt, wie viel biese mischnische Spruchsammlung an tiefer Lebensweisheit, an wahr= haftiger Frömmigkeit, an zartfühlenbster Menschenliebe, an Mahnung zur Gerechtigkeit umschließt. Auch versteht es sich von selbst, baß in ben Aussprüchen einer langen Reihe benkenber Gelehrten sich Mannigfaltigkeit ber Richtung kunbgeben wirb. So finben wir benn gleich zu Anfang kräftig unb bestimmt genug ausgesprochen (1, 3.): „Seib nicht wie bie Knechte, bie bem Herrn bienen, um Lohn zu empfangen, sonbern seib wie bie Knechte, bie bem Herrn bienen, nicht um Lohn zu empfangen, unb Gottesfurcht sei über Euch." Dennoch aber geht wie ein rother Faben bie oben ausge= führte Anschauung auch burch Aboth. Vor allem steht hier ber Ausspruch Hillel's voran, ber einst einen Schäbel auf bem Wasser schwimmen sah, unb sagte: Weil bu ertränkt hast, haben sie bich ertränkt, unb am Enbe werben, bie bich ertränkten, wieber ertränkt. (2, 7). Auf bie Rechenschaft, bie ber Mensch vor Gott abzulegen, wirb, so wie auf ben Lohn unb bie Strafe, bie wir zu erwarten, oft genug hingewiesen (2, 19. 20. 3, 1. 4, 29.). Es tritt bie An= sicht auf, baß jebe einzelne That belohnt ober bestraft wirb, inbem gesagt wirb: „Wer ein einziges Gebot erfüllt, erwirbt sich einen Fürsprecher, wer eine einzige Uebertretung begeht, schafft sich einen Ankläger" (4, 13.) — und dennoch wieder hervorgehoben, daß Gott uns richtet nach dem, was in unsern Werken überwiegt (3, 19). Es wird in dieser Anschauung empfohlen, den Nachtheil, den eine Pflichterfüllung bringt, gegen ihren Lohn, und den Vortheil einer Uebertretung gegen den Schaden dieser zu berechnen, und hinwiederum ein geringes Gebot ebenso wie ein wichtiges zu beachten, weil wir den Lohn nicht kennen, der auf die Gebote erfolgt (2, 1.). Vorzüglich wird hier das Studium des Gesetzes hochgestellt, denn der Lohn dafür sei groß (3, 3), jede Unterbrechung oder Vernachlässigung desselben verwirke das Leben (3, 9. 10.), und bringe Armuth herbei, wie Wohlstand der Erfolg der Hochschätzung der Thorah sei (4, 11.). In dem späteren Theile von Aboth, im fünften Abschnitt, tritt aber nun sehr kraß die Ansicht auf, daß bestimmte Strafen, namentlich allgemeine Plagen, auf bestimmte Vergehen erfolgen. Das Aufhören der Zehenten wird mit Hungersnoth bestraft. Unbestrafte Todsünden verursachen die Pest. Unterlassung der Rechtspflege führt Krieg nach sich, Meineid und Entweihung des göttlichen Namens wird durch reißende Thiere bestraft, Götzendienst, Blutvergießen u. dgl. mit Verbannung (5, 11. 12.). Indeß konnte es den beobachtenden Menschen zu keiner Zeit entgehen, daß Glück und Mißgeschick sich doch nicht immer nach dem sittlichen Werth und Unwerth des Menschen richten und beurtheilen lassen, und es wird daher 4, 19. ausgesprochen, daß wir keine genügende Erklärung für das Glück der Frevler, sowie für die Leiden der Gerechten hätten.

Wir glauben, hiermit nachgewiesen zu haben, daß die mischnische Hagadah theoretisch auf derselben Anschauung beruht und in derselben Richtung sich entwickelt, wie praktisch die Halachah: die juridische Anschauung, welche in dem Verhältniß Gottes zum Menschen in der Hagadah, wie in dem Verhältnisse des Menschen zu Gott in der Halachah keine Freiheit in der Bewegung, keine Selbständigkeit des Verfahrens zuläßt, sondern wie die Forderungen Gottes an den Menschen als strikte Rechtsansprüche, so auch die Waltung Gottes über die Menschen als strikte Rechtserfüllung betrachtet und so Alles zu einer Rechtsnothwendigkeit macht. Dieser Charakter des ganzen talmudischen Geisteslebens macht es auch erklärlich, daß in ihm eine Verarbeitung der Lehre, also der Grundsäße des Glaubens und der Fixirung desselben in Dogmen so wenig Raum gefunden. Der Gedanke, der Glaube, die Ueberzeugung lassen sich nicht als Rechtsobjekte feststellen, ihre Grenzen nicht fixiren, Gradationen nicht aufstellen. Der Talmud stellt daher keine Reihe von Glaubensartikeln oder Dogmen auf, innerhalb welcher das Judenthum bestehe, die seine Merkmale ausmachten und ohne deren Anerkennung ein Israelit aufhöre Israelit zu sein. Auf dem Fundamente der Gotteseinheit allein feststehend, spricht der Talmud nur die Strafe der Verdammniß im jenseitigen Leben („keinen Antheil am zukünftigen Leben") für den Israeliten aus, der gewisse Dogmen leugnet, wogegen eine solche Leugnung keiner Untersuchung und Bestrafung seitens irdischer Richter unterliegt, und demnach auf die Beziehungen und Verhältnisse des Betreffenden im Leben keinen Einfluß übt. Dieselbe Anschauung also, welche das praktische Leben des Individuums bis auf die kleinsten Akte als Rechtsobjekte fesselte, bewirkte eine völlige Unabhängigkeit desselben in theoretischer Hinsicht. — —

Wir haben bis jetzt als den eigentlichen Charakter der tal= mudischen Geistesarbeit die juridische Be= und Verarbeitung des gesammten religiösen Stoffes aufgestellt, welchen der Mosaismus, der Prophetismus und das weitere Judenthum geboten und ent= wickelt hatten, und haben dies unwiderleglich aus der mischnischen Halacha und Hagada erwiesen.

Zum Schlusse dieser Skizze müssen wir jedoch noch einen Blick auf eine andere historische Erscheinung werfen, die über unseren Gegenstand ein besonderes Licht auszubreiten scheint.

Sehen wir uns nämlich in der Zeitgeschichte um, die mit der talmudischen Entwickelung synchronistisch ist, so gewahren wir, daß ganz in dieselbe Zeit die große Rechtsentwickelung fällt, welche im römischen Reiche vor sich ging. Wir meinen hier nicht die einzelnen Momente, in welchen das talmu= dische und das römische Recht mit einander übereinstimmen, (die aus dem Werke von Dr. Samuel Mayer[1]) bequem herausgefunden

---

1) Die Rechte der Israeliten, Athener und Römer. 2 Bände, Leipzig Baumgärtner 1862 und 1866.

werden können), ohne auf eine durchgängige Entlehnung des einen
aus dem andern schließen zu lassen, [1] noch theilen wir die Ansicht,
daß die Mischna den Anstoß zu der unter Justinian veranstalteten
Kompilation des römischen Rechts [2] gegeben habe, da ja solche
Sammlungen der römischen Rechtsgesetze schon früher veranstaltet
worden [3]. Wir haben vielmehr im Auge, daß die außerordentliche
Entwickelung des öffentlichen und Privatrechtes, welche im römischen
Reiche stattfand, und im Alterthum ihres Gleichen nicht hat, gleich=
zeitig mit der talmudischen Entwickelung vor sich ging, und daß sie,
wie überhaupt die römische Rechtsgeschichte, tiefgreifende, äußere und
innere Momente der Aehnlichkeit darbietet. Hieraus muß eben
nothwendig geschlossen werden, daß beiden großen Entwickelungen
dieselbe Geistesströmung, dieselbe Zeit= und Lebensrichtung inne=
wohnte, wodurch beide ihre Nothwendigkeit um so mehr bezeugen
und die Singularität ihres Charakters verlieren. Wie gesagt, die
Vergleichung beider in einzelnen Bestimmungen ist durchaus nicht
neu, wohl aber sie von diesem allgemeinen Gesichtspunkte aus in
ihrer zeitlichen Zusammengehörigkeit zu betrachten, und daraus
den Charakter der Epoche zu erkennen. Man hat das römische
Recht als ein unicum und ebenso andererseits den Talmud als ein
unicum betrachtet. Dies hört auf, wenn sie beide als aus densel=
ben geistigen Impulsen, aus derselben Richtung der Zeit, aus den=
selben geschichtlichen Ursachen entsprungen, erkannt werden. Vor
Allem ist hier zu bemerken, daß in gleicher Weise beide Rechts=

---

1) Eine solche Vergleichung fand sehr frühzeitig statt, nachdem Rom christ=
lich geworden; so in der alten, irrthümlich einem Juden zugeschriebenen Ver=
gleichung: Lex Dei sive Mosaicarum et Romanarum legum collatio, ed.
Blume, Bonn, 1834.

2) Man hat aus dem Worte Deuterosis in der bekannten Novelle, in welcher
der Gebrauch der Septuaginta in den Synagogen der dagegen bestehenden Op=
position gegenüber geschützt werden sollte, geschlossen, daß darunter die Mischna
verstanden sei. Dies ist gewiß nicht wahr, sondern vielmehr die in den Syna=
gogen gebräuchliche traditionelle Auslegung gemeint, indem die Worte שנה und
משנה den Constantinopolitanischen Behörden mit dem griechischen δευτέρωσις
erklärt wurden. Es ist aber bekannt, daß diese Worte für die traditionelle For=
schung und Auslegung lange vor der Abfassung der Mischna gebraucht wurden,
vgl. z. B. Aboth 2, 5. 3, 10.

3) So der Codex Gregorianus (296), von dessen Verfasser nichts bekannt
ist, Codex Hermogenianus (365), Codex Theodosianus (438).

entwickelungen ihre großartige Entfaltung erst in der letzten Zeit
des nationalen und staatlichen Lebens der beiden Völker begannen
und nach dem Aufhören beider Nationen ihre in- und extensivste
Ausbildung erhalten haben. An der Wiege der talmudischen Arbeit stand die Fremdherrschaft der Perser und Syrer; ihren ersten
Anlauf nahm sie unter dem römischen Joche, während das Volk in
Parteien sich zersetzte, und ihre eigentliche Entwickelung brachte sie
in den ersten fünf Jahrhunderten der Zerstreuung zu Wege. Ebenso
datirt die römische Rechtsentwickelung erst von der Zeit Ciceros,
nimmt ihren kräftigen Verlauf unter den Cäsaren bis Alexander
Sever, und endet mit Justinian (518 n. d. gew. Zeitr.). Man
kann aber wahrlich im römischen Cäsarenstaat ebenso gut eine Zerstreuung und Zersplitterung des römischen Volkes als solches annehmen, wie sie für die Juden nach der Verbannung bestand. Was
an römischem Geiste im Cäsarenstaat verblieb, das bewahrten sicherlich die Juden von ihrem nationalen Geiste auch in der Zerstreuung. Es versteht sich, daß ein wesentlicher Unterschied dadurch bedingt ward, daß bei den Römern eben nur das eigentliche Jus
behandelt ward, während der Talmud das ganze Leben, insonders
alles religiöse Leben mit seiner Rechtsbearbeitung umschloß. Den
Charakter dieser letzteren jedoch verändert dieser Unterschied nicht.
Ebenso ist es nicht zu übersehen, daß in die Entwickelung des
römischen Rechts die politische Gewalt, früher im Volke, dann im
Senate und endlich in dem Kaiser mit seinen Beamten und Ma-
gistraten gelegen, in die Rechtsentwickelung eingriff, und neben der
Ueberlieferung und der Autorität der Rechtsgelehrten ein wesentlicher Faktor war, während dies im Talmud nicht stattfand, sondern
die Ueberlieferung und die Autorität allein die Entwickelung bedingten.

Das römische Recht beginnt mit den Gesetzen der zwölf Tafeln
(450 vor d. gew. Zeitr.), die in analoger Weise die Grundlage und
Anhaltepunkte für das gesammte spätere Recht abgaben, wie die
Thorah für die talmudische Bearbeitung. Bald knüpfte sich aber
die Interpretation an jene zwölf Tafeln, wie sie nothwendiger
Weise dem mosaischen Gesetze folgte, ja, wie die heilige Schrift
mehrere Beispiele an die Hand giebt, schon von Moses selbst geübt
ward. Aus der Interpretation geht die Ueberlieferung hervor.
Beide wurden freilich im Leben des Judenthums erst kräftig und

lebendig, als das mosaische Gesetz wirklich zum wesentlichen Träger des jüdischen Lebens ward (in der Zeit nach Esra und Rehemia), und so das reale Leben mit seinen mannigfaltigen Verhältnissen tausend Fragen an das Gesetz stellte — während in Rom das wirkliche Leben sich sofort an die zwölf Tafel = Gesetze anschloß und demnächst Auslegung und Ueberlieferung schuf. Abgesehen nun von den weiterhin erfolgenden Plebisciten, Senatskonsulten und den Edikten der Prätoren, bildeten sich in Rom alsbald Rechtsverstän= dige, deren Rath von den Parteien gefordert, von den Richtern be= rücksichtigt wurde. Sie machten noch lange keinen besonderen Stand aus und wurden nicht bezahlt, was erst im 2. Jahrhundert des Cäsarenreiches sich herausentwickelte; sondern es waren Männer von Erfahrung, Bildung und Einsicht, welche sich Kenntniß des Rechts verschafft, die zwölf Tafel = Gesetze auswendig gelernt und durch Anwesenheit bei den Gerichtsverhandlungen die vorkommen= den Fälle kennen gelernt, die Aussprüche ihrer Vorgänger und die Urtheile der Richter bewahrt und einander mitgetheilt hatten, zuerst aus den Reihen der Patrizier, später auch der Plebejer. Sie gin= gen auf dem Forum spaziren, von jungen Männern begleitet, da traten die Rathsbedürftigen an sie heran, und ihre Antworten wur= den von diesen vernommen und vor die Richter gebracht, von den jungen Männern zu ihrem Unterrichte beachtet. Später auch ge= schah dasselbe zu bestimmten Tageszeiten in ihren Wohnungen. Gerade um so auffälliger ist es, daß demungeachtet eine wesentliche Ausbildung des römischen Rechts zu einem Ganzen, in konsequenter Weise und bis zur Stufe einer Wissenschaft in den folgenden Jahr= hunderten nicht zu Tage kam, sondern erst nach Cicero, also vier Jahrhunderte später und in den darauf folgenden Zeiten eintrat. So wie diese begann, haben wir dieselbe Erscheinung, wie im Ju= benthume, daß nämlich die Auslegung sich in zwei Schulen spaltete. Wie Hillel und Schammai und zu derselben Zeit, begründeten Labeo und Capito zwei juristische Schulen, welche von deren bedeu= tendsten Schülern die Kassianer und die Prokulejaner genannt wurden. Der Erstere war ein Feind aller Neuerungen, ein ernster, fast düsterer Charakter, der unerschütterlich auf dem Boden des tradirten Gesetzes stand, daher auch ein erbitterter Gegner des be= ginnenden Cäsarismus, wogegen Capito den Verhältnissen nachgab, treu dem vorhandenen Rechte, doch dasselbe so weit wie möglich den

Forderungen der Zeit anzubilden suchte. Diesen verschiedenen Geist bewährten die beiden Schulen und dienten durch ihren Wetteifer, wie durch die Ueberwindung der beiden entgegenstehenden Hindernisse der Rechtsentwickelung, der Ausbildung der Jurisprudenz zu einer Wissenschaft. Diese wurde hierdurch immer mehr Sache eines Gelehrtenstandes, der nothwendiger Weise auch Kenntnisse in allen Fächern des Geistes und des Lebens sich erwerben mußte. Hierdurch stieg aber sein Ansehen; seine Aussprüche bekamen immer mehr einen legalen Charakter, die Kaiser forderten häufig ihre Gutachten und erhoben diese zum Gesetz. In gleicher Weise mußten diese Rechtsgelehrten nun auch zu regelmäßigem und umfassendem Unterrichte von Schülern sich genöthigt sehen. Sie hielten ordentliche Vorträge, die sie selbst theils niederschrieben, theils ihren Schülern diktirten. Je mehr nun die Gesetze, die überlieferten Rechtsaussprüche und die Schriften der Rechtsgelehrten anschwollen, desto unumgänglicher wurden Sammlungen derselben. Auch hier haben wir die besondere Erscheinung, daß die ersten Sammlungen unzulänglich waren, dann in den Codex Theodosianus aufgingen, und dieser wieder zur Grundlage des Codex Justinianeus, also des Corpus Juris diente, ebenso wie frühere Sammlungen zu unserer gegenwärtigen Mischna [1]), und diese wieder zur Gemara wurden; die Zeiten, in welchen jene und diese abgefaßt wurden, stimmten wiederum ziemlich überein. Mit dem Beginn des sechsten Jahrhunderts nach der gew. Zeitr. hört die Entwickelung des römischen Rechts und des Talmuds auf, beide aber beherrschen so wie sie sind, die folgenden Jahrhunderte bis in die neueste Zeit. Wie viele Aehnlichkeiten in dem inneren Entwickelungsgang beider, und selbst in den äußeren Momenten ihrer Erscheinung vorhanden sind, ergiebt sich schon aus dieser kurzen Uebersicht in höchst überraschender Weise.

9.

Diese Aehnlichkeiten berechtigen uns dennoch n i c h t, auf eine gegenseitige Abhängigkeit, oder daß die eine ihren Impuls von der andern erhalten habe, zu schließen. Allerdings standen Rom und

---

1) Wie die Sammlung der „Zeugnisse" Adojoth, die Mischna des R. Akiba u. m.

Juden seit dem Einzuge des Pompejus in Judäa in enger Ver=
bindung. Die Römer beherrschten Judäa, und die jüdische Kolonie
in Rom war zahl= und einflußreich. Es genügt uns dies, um die
Gleichheit der geistigen Strömung äußerlich vermittelt anzusehen.
Aber Römer und Juden waren zwei zu sehr von einander unab=
hängige, in ihrem innern Leben sich vielmehr abstoßende als an=
ziehende Nationen, als daß wir eine Entlehnung[1), eine perfekte
Aufeinanderwirkung zu beiderseitigen, so großartigen Geisteserzeug=
nissen annehmen dürften. Einerseits darf eben nicht übersehen
werden, daß die ersten Stadien der römischen wie der talmudischen
Rechtsentwickelung in die Zeiten v o r jeder Verbindung der beiden
Völker hinaufreichen, und doch waren diese ersten zugleich die auf
immer bestimmenden. Andererseits kommt in Betracht, daß die
talmudische Arbeit doch stets im Oriente verblieb, und gerade die
abendländischen Juden nichts zu ihr beitrugen. Dagegen darf darauf
kein Gewicht gelegt werden, daß die ganze babylonische Gemara in
Landschaften abgefaßt und beendet ward, welche dem römischen
Szepter fremd waren; denn die babylonischen Schulen erlangten ihre
Blüthe erst, nachdem die palästinensischen durch die Gewaltthätig=
keiten der Römer ihr Ende erreicht hatten, und während die paläsi=
nensischen blüheten, pilgerten die Jünger der ersteren immer nach dem
heiligen Lande, um sich daselbst ihre höhere Ausbildung zu erwerben.
Wir werden also um so mehr darauf hingeweisen, die Gleichheit
beider Erscheinungen, die Verwandtschaft beider Geistesprodukte aus
einer gleichen inneren Lebensströmung und Geistesrichtung zu er=
klären, und dies ist auch für unsere Untersuchung das wesentliche
Moment. In der Zeit, in welcher diese Entwickelung eine sichere
Gestalt und Methode anzunehmen begann, war bereits eine größere
Allgemeinheit des Lebens bei den Völkern des Alterthums ein=
getreten. Die großen Reiche, die in Asien alle einzelnen Nationen
verbunden und unter einander geschüttelt hatten, und das römische
Reich, welches den ganzen Westen umfaßte und mit dem Osten bis

1) In materieller Beziehung, was nemlich das strikte Jus betrifft, hat
dies Frankel, gerichtl. Beweis S. 60 f. nachgewiesen. Wenn er Gewicht darauf
legt, daß im Talmud kein lateinischer Rechtsausdruck vorkommt, sondern nur
griechische, so scheint uns dies weniger bedeutsam, da die palästinensischen Juden
immer der griechischen Sprache näher standen, und der Codex Theodos. z. B.
noch griechisch abgefaßt ist.

zum Euphrat und Tigris unmittelbar verknüpfte, hatten die Existenz
der einzelnen Nationen als solcher aufgehoben und sie in ihrem
äußern und innern Leben einander nahe gebracht. Die griechisch-
römische Bildung hatte sich bis an die Grenzen von Innerasien
und Innerafrika verbreitet und ihren Inhalt allen Nationen, die
noch Leben hatten, mitgetheilt. Wirkliches Leben hatten aber nur
noch der Kern des römischen Volkes und die Juden. Alle übrigen
Völker, die Griechen nicht ausgenommen, hatten alle geistige Zeu-
gungsfähigkeit verloren. Der Verfall des politischen Lebens, der
im römischen Reiche durch die Alleinherrschaft der Cäsaren, in den
Juden zuerst durch die völlige Abhängigkeit, dann durch die Zerstreuung herbeigeführt worden, die furchtbaren Stürme, die Unsicher-
heit und Gewaltthätigkeit, welche über die Menschenwelt kamen,
alles dies führte das geistige Leben, das in Rom und in den Juden
noch vorhanden war, darauf hin, sich in das individuelle Leben zu
versenken, und dieses durch die Schranken des Rechtes so weit wie
möglich zu schützen. Es lag die Aufgabe ob, der Tyrannei und
Gewalt gegenüber, welcher im Allgemeinen kein Widerstand geleistet
werden konnte, in allen Besonderheiten des privaten Lebens eine
feste Regelung, eine genaue Fizirung von Recht und Pflicht aufzustellen, und so in allen Räumen des Daseins, welche und so weit
sie sich den Eingriffen der Gewalt entziehen konnten, Gesetz und
Ordnung zu schaffen und zu erhalten. Es ist eine in der Geschichte
sich oft wiederholende Erscheinung, daß die despotische Willkür,
wenn sie auch noch so allgemein geworden, nur um so mehr ein
Rechtsgefühl in den Menschen weckt und schärft, das sich dann, da
es die großen Verhältnisse nicht zu beherrschen und zu gestalten
vermag, auf die engeren und kleineren Bezüge des menschlichen
Daseins wirft und sie zu einem großen Netze von Rechtsbedingungen
und Rechtsformen ausarbeitet. Es mag sein, daß dieses Produkt
dann für die freie Bewegung des Lebens und des Geistes eine
neue Fessel wird; aber unter seinem Schutze erstarkt das Rechts-
bewußtsein, ist das Leben vor Zersetzung und Auflösung geschützt,
ermannt sich zu neuem Schaffen und Treiben, und bereitet so jene
Umwandelung vor, durch welche, sei es vermittelst allmäliger Entwickelung, sei es vermittelst großer Erschütterungen, jene Willkür
und Despotie gestürzt, und neue lebensvolle Schöpfungen an die
Stelle gebracht werden. Erwägen wir nun noch, daß alle großen

Richtungen und Erzeugnisse der Völker ihren Ursprung aus den
instinktiven Gründen des Völkerlebens ziehen, und die Entwickelung
lange vor sich geht, bevor man zu klarer Erkenntniß dessen gelangt,
was man eigentlich will, welche Bedeutung das habe, was man
treibt: so glauben wir die inneren Motive angedeutet zu haben,
aus welchen die großartige römische und talmudische Rechtsentwickelung gerade zur Zeit des nationalen Verfalls, aber bei gleichmäßiger
Beschaffenheit des allgemeinen Lebens hervorging. Es bedarf keiner
weiteren Erklärung, daß die römische Rechtsentwickelung sich blos
auf das eigentliche Jus beschränkte, während die talmudische das
gesammte individuelle Leben, insonders das religiöse mit hineinzog.
Es lag dies in der Natur der Sache und beider Völkerschaften.
Indeß liegt es auch hier nicht fern, zu bemerken, daß, nachdem das
Christenthum im römischen Reiche herrschend geworden, auch die
Kirche denselben Weg einschlug, das kanonische Recht schuf und das
christlich-religiöse Leben als kirchliches in gleicher, kasuistischer Weise
mit ganz juridischem Charakter durcharbeitete. Genug, die römische
wie die talmudische Rechtsentwickelung hatten Ein und Dasselbe zu
schützen, das individuelle Leben, Einem und Demselben entgegenzutreten, der Willkür und Despotie, der Zersetzung und Auflösung,
eine und dieselbe Tendenz, Gesetz und Ordnung, bis für die kleinsten
Akte des Lebens festzustellen; wobei die talmudische weniger die
politische Seite jener Willkür und Despotie zum Kausalmomente
hatte, als vielmehr die Willkür und Zersetzung, welche das jüdische
Leben aus der Berührung mit allen übrigen Völkern, aus der Zerstreuung unter diese zu fürchten und zu bekämpfen hatte. Man
kann dies nicht verkennen, wenn man schon auf das blickt, was die
Urväter der talmudischen Entwickelung, Esra und Nehemia zum
Gegenstand ihrer Thätigkeit, zu Motiven ihrer Einwirkung hatten.
Ein Blick auf die beiden Bücher dieser für das Leben des Judenthums bestimmenden Männer lehrt uns dies.

10.

Ziehen wir nun mit wenigen Worten das Resultat aus diesen
Ergebnissen. In das Bett, welches die Mischna sich geschaffen,
ergoß nun die Gemara ihren Strom, und darüber breitete sich das
Gewässer der Commentare und Subcommentare, der Codificationen

und Responsen, zuletzt der ganzen pilpulistischen Discussionen — aber sie verließen insgesammt dieses sicher eingefurchte Bett nicht, sondern gewannen nur an Höhe und Breite. Ohne Bild, alle folgenden Geistesarbeiten bis gegen Ende des 18. Jahrhunderts hatten jenes durch die Mischna begründete Prinzip zu ihrem Boden, und verließen diesen durchaus nicht. Es lag dies auch in der Natur der Sache. Das Rechtsprinzip, die Anschauung alles religiösen, sittlichen und sozialen Lebens als einer bestimmt formulirten Rechtsforderung, als eines jus, hatte übereinstimmend mit der Zeitrichtung und mit dem Volksgeiste die Herrschaft erlangt, und hiermit das sicherste Mittel gefunden, Religion und Stammesleben inmitten aller Nationen zu erhalten, und wurde hierin durch die Ausschließung, welcher die Welt den jüdischen Stamm unterwarf, befestigt. So lange diese Abgeschiedenheit dauerte, mußte auch diese Richtung unangetastet bleiben und immer wieder Nebenschößlinge, wie Philosophie und Poesie, Kritik und Mystik, die sich unter einzelnen günstigen Sonnen= strahlen aus dem Stamme hervordrängten, überwinden und ersticken. Hieraus erklärt sich auch genügend die lange Periode dieser Phase des Judenthums von ihrem frischsprudelnden Quell bis zu ihrer gänzlichen Versiegung. Mit dem Augenblicke aber, wo jene Abge= schiedenheit aufhörte, und besonders nachdem diese ganze Geistesthätig= keit erschöpft und bereits bis an die äußerste Verästelung gelangt war, mußte eine Aenderung eintreten, und sich alsbald eine völlige Verschiedenheit, ein ganzer Bruch offenbaren.

Die Thore der Ghettis öffneten sich. Zuerst schüchtern, dann kühner traten Einzelne, dann immer Mehrere hinaus, bis nach und nach in den civilisirten Ländern die ganze Masse folgte, so daß in den immer mehr veröbeten Gassen nur Wenige zurückblieben. Sie schritten in das Verkehrs= und Culturleben hinein; die Hallen der Wissenschaft und Kunst, der Sitte und Bildung, der Schul= wie höheren Bildung, thaten sich auf; die Interessen, die Thätigkeit und die Berufsarten verschmolzen mit den allgemeinen Zuständen und Verhältnissen; da übten denn das wirkliche und das geistige Leben ihren Einfluß. Das erstere brachte zahllose Fälle herbei, in welchen die Forderungen der materiellen Interessen mit den alten überkom= menen Formen in Widerstreit geriethen und so von außen her auf die Individuen einen drängenden Zwang ausübten. Das zweite, das geistige Leben, löste das Band, welches durch die alte An=

schauung der Rechtsverpflichtung um die Geister geschlungen war, die freie Bewegung des Geistes trat ein und wandelte bewußt und unbewußt die bisherige Gedankenwelt um, gebar von innen heraus eine neue Anschauung, welche die alte verdrängte, bis diese von Geschlecht zu Geschlecht immer schwächer ward. Das Judenthum kehrte im Geiste zu den früheren Phasen zurück, wie denn auch die Bibel aus dem Hintergrunde, in welchen sie durch den Talmudismus und Rabbinismus versetzt worden, wieder hervortrat. Das Religiös-Ethische des Prophetismus und zuletzt das Religiös-Ethisch-Soziale des Mosaismus wurden aus der Umschränkung der bloßen Rechtsanschauung wieder herausgelöst und im Judenthum zur herrschenden Geltung gebracht. Man verstehe dies wohl; nicht daß das Judenthum unsrer Zeit sich ganz auf den Standpunkt jener wieder versetzte — das war äußerlich und innerlich unmöglich — nicht daß es die durch den Talmudismus überlieferte Tradition völlig beseitigte — so läßt sich niemals eine geschichtliche Entwickelung abschneiden — sondern vielmehr prinzipiell wandte es sich zum Mosaismus und Prophetismus zurück und bediente sich hierzu des Fadens der Tradition, ohne das in diese versenkte und mit ihr identificirte Prinzip aufrecht zu erhalten. Wir wollen dies hier nicht weiter verfolgen und thatsächlich belegen, sondern nur, worauf es uns hier ankommt, die völlige Umwandlung der Anschauung constatiren. Mag man gegenwärtig innerhalb des Judenthums im Kultus und im individuellen Leben auch noch mannichfaltige überkommene Formen aufrecht erhalten: die Anschauung ist eine andere geworden. Die Lehre ist der Form gegenüber wieder in ihr Recht eingetreten, der Gedanke und die Gesinnung werden höher gestellt als die Formen, die Ueberzeugung, die freie Regung des Gewissens, die eigene Geistesthätigkeit, der freie Entschluß werden als das Vehikel des religiösen und sittlichen Lebens angesehen, und ihnen gegenüber die Rechtsverbindlichkeit formulirter Vorschriften nicht mehr anerkannt. Nicht weil es so und nicht anders vor- und niedergeschrieben ist, sondern weil es und so weit es einen religiösen Inhalt, eine Beziehung zu unserm religiösen und sittlichen Leben hat, oder weil es mit der Gestalt und der Erhaltung der Religion in ihrer konkreten Erscheinung und in ihrer geschichtlichen Entfaltung innigst verwebt ist, wird das tradirte Gesetz, wird die überlieferte Form beobachtet. Hiermit ist aber das Wesen der Rechtsforderung aufgehoben, denn mit einer solchen läßt sich nicht makeln und handeln, von einer solchen läßt sich nichts abnehmen und nichts hinzufügen. Wo der Erkenntniß und dem Bekenntniß eine Geltung zuertheilt, wo der Gesinnung, der Stimmung, der Erhebung, der Weihe der höhere Werth beigelegt wird, wo dem Bedürfniß, der Geistesrichtung, dem allgemeinen und individuellen Verlangen Gewicht und Entscheidung zufallen — da ist die Rechtsanschauung, die unbedingte Verpflichtung nicht mehr vorhanden. Blickt der gegenwärtige Jude aufrichtig in sein Inneres, so mag er immerhin der Pietät, der innigen Zuneigung und Achtung für das überkommene talmudische Gesetz, für die alte überkommene Gestalt seiner Religion mehr oder weniger ein großes Feld einräumen, aber die unerschütterliche Anschauung, daß er in Allem und Jedem die unbedingte Verpflichtung, sie in vorgeschriebener Weise zu beobachten und zu erfüllen, habe, findet er nicht mehr in sich. Er kennt die Pflichten, welche seine Religion in religiöser, sittlicher und socialer Beziehung ihm auferlegt, sehr wohl, aber er will sie frei erfassen, selbständig erkennen, und ungezwungen erfüllen. Die talmudische Rechtsanschauung ist in ihm erloschen, die freie und eigene Geistesthätigkeit in ihm aufgegangen. — Dies ist freilich, wie es sich von selbst versteht, noch in der Entwickelung begriffen, in der extensiven und intensiven Durchbildung und Gestaltung. Es sind Parteien erstanden, extreme wie Mittelparteien mannichfaltiger Art; es wird gestrebt und gekämpft; die allgemeine Strömung treibt bald rascher, bald langsamer vorwärts; die Klärung geht so vor sich und der Charakter dieser neuen Erscheinung bildet sich entschiedener aus. Hiervon ein ausgeführteres Gemälde zu entrollen, wird die Aufgabe des folgenden Theiles dieses Werkes sein.

Druck von Oskar Leiner in Leipzig.

14 DAY USE

ETURN TO DESK FROM WHICH BORROWED

LOAN DEPT.

This book is due on the last date stamped below,
or on the date to which renewed. Renewals only:
Tel. No. 642-3405
Renewals may be made 4 days prior to date due.
Renewed books are subject to immediate recall.

CPSIA information can be obtained
at www.ICGtesting.com
Printed in the USA
BVHW081612120819
555665BV00014B/1284/P

9 780371 026960